실전기출 문제은행

2A
2학기중간

미래엔 | 신유식

이 책의 **단원 구성**

실전기출 문제은행

이 책의 구성 및 특징

교과서 확인학습

- 교과서 핵심내용 해설 및 확인 문제
- 교과서 지문의 핵심내용 파악, 어휘 및 구문 풀이
- O,X 문제 및 서답형 문제 학습

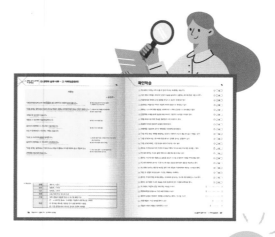

객관식 기본문제

- 기초단계 기출문제 제시 및 풀이능력 체크
- 각 단원의 핵심문제 제시
- 교과서 기반의 기본적인 학습능력 제공

객관식 심화문제

- 중상급 난이도 기출문제 제시 및 오답풀이
- 전국 고등학교 중요 기출문제 엄선 및 풀이
- 변별력 있는 문제 중심으로 기출유형 분석
- 교과서 밖 연계지문 활용 고난도 문제풀이

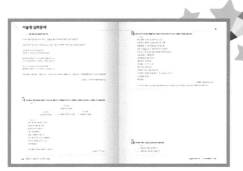

서술형 심화문제

- 서술형 기출문제 제시 및 풀이능력 향상
- 배점 높은 서술형 문제의 적중도를 높임

단원별 종합평가

- 단원별 학습 후 모의시험을 통한 수준평가
- 각 단원의 최종 점검 및 학습 마무리

《Contents

6

한국 문학의 흐름

제망매가

— 월명사 지음, 김완진 해독 —

生死路隱 생 사 로 은	생사(生死) 길은 삶과 죽음의 갈림길	
此矣有阿米次肹伊遣 차 의 유 아 미 차 힐 이 견	예 있으매 머뭇거리고, 여기(이승, 이 세상)	
吾隱去內如辭叱都 오 은 거 내 여 사 질 도	나는 간다는 말도 죽은 누이	
毛如云遣去內尼叱古 모 여 운 견 거 내 니 질 고	못다 이르고 어찌 갑니까. 안타까움과 비애감이 더해짐 『』: 누이의 죽음을 시각적으로 표현함.	▶ [1~4행] 죽은 누이에 대한 안타까움와 그리움
於內秋察早隱風未 어 내 추 찰 조 은 풍 미	『어느 가을 이른 바람에 누이의 요절을 암시	
此矣彼矣浮良落尸葉如 차 의 피 의 부 양 락 시 엽 여	이에 저에 떨어질 잎처럼,』 여기저기에 　　　　죽은 누이를 비유(직유법)	
一等隱枝良出古 일 등 은 지 량 출 고	한 가지에 나고 한 부모(은유법)에게서 태어나고도, 一시적 대상과 화자가 혈육임을 암기	
去奴隱處毛冬乎丁 거 노 은 처 모 동 호 정	가는 곳 모르온저. '가는' 주체는 누이, '모르는' 주체는 화자 『』: 불교의 윤회 사상을 통해 인간적 고뇌를 극복함.	▶ [5~8행] 혈육의 죽음을 통해 느끼는 인생의 무상감
阿也彌陀刹良逢乎吾 아 야 미 타 찰 량 봉 호 오	『아아, 미타찰(彌陀刹)에서 만날 나 10구체 향가의 낙구 첫머리는 감탄사로　　　극락세계 시작하는 형식을 취함 (시상 전환)	
道修良待是古如 도 수 량 대 시 고 여	도(道) 닦아 기다리겠노라.』 누이가 극락세계로 갔을 것이라는 믿음	▶ [9~10행] 불교적 믿음을 통한 슬픔의 종교적 승화

⊙ **핵심정리**

갈래	향가
성격	서정적, 애상적, 추모적
제재	누이의 죽음
주제	죽은 누이의 명복을 빎.
특징	• 혈육과의 사별에서 오는 슬픔과 안타까움을 표현하고 있다. • 비유, 상징 등과 같은 정제되고 세련된 표현 기교를 사용하여 작품의 서정성을 높이고 있다. • 불교의 윤회 사상을 바탕으로 죽은 누이와의 재회를 소망하며 인간적 고뇌를 종교적으로 승화하였다.

01 이 작품은 삶과 죽음에 대한 인간적 고뇌를 드러내고 있다.   O☐ ×☐

02 이 작품은 인간과 자연의 대비되는 특성을 통해 주제를 드러내고 있다.   O☐ ×☐

03 이 작품에서는 안빈낙도의 삶을 살고자 하는 화자의 태도가 드러난다.   O☐ ×☐

04 이 작품은 상징과 비유적 표현을 사용하여 작품의 서정성을 높이고 있다.   O☐ ×☐

05 이 작품은 불교의 윤회 사상을 바탕으로 화자의 소망을 드러내고 있다.   O☐ ×☐

06 이 작품은 대화 형식으로 이루어져 있다.   O☐ ×☐

07 '한 가지'를 통해 화자가 홀어머니 슬하에서 자랐음을 알 수 있다.   O☐ ×☐

08 '나는 간다'의 '나'는 화자의 누이라고 볼 수 있다.   O☐ ×☐

09 '이른 바람'을 통해 누이의 죽음이 예상보다 빨리 왔음을 알 수 있다.   O☐ ×☐

10 이 작품은 혈육과의 사별에서 오는 슬픔과 안타까움을 표현하고 있다.   O☐ ×☐

이 몸이 죽어 가서

- 성삼문 -

이 몸이 죽어 가서 무엇이 될꼬 하니
극한적 상황 설정

봉래산(蓬萊山) 제일봉에 낙락장송(落落長松) 되어 있어
                     굳은 절개와 지조를 상징함.

시련, 고난. 왕위를 찬탈한 수양 대군 일파
백설이 만건곤(滿乾坤)할 제 독야청청(獨也靑靑)하리라
        수양대군의 득세를 상징함.   시류에 휩쓸리지 않고 끝까지 절개를 지키겠다는 다짐과 의지.

⊙ 어휘풀이
 • **낙락장송(落落長松)** 가지가 길게 축축 늘어진 키가 큰 소나무.
 • **만건곤(滿乾坤)하다** 하늘과 땅에 가득하다.

⊙ 핵심정리

갈래	평시조
성격	의지적, 지사적, 비판적
제재	낙락장송
주제	단종에 대한 변함없는 절의
특징	비유와 상징을 통해 주제를 효과적으로 드러내었다.

동짓달 기나긴 밤을

- 황진이 -

「 」: 추상적 개념의 구체화(시각화)
「동짓달 기나긴 밤을 한 허리를 베어 내어」
    임이 없는 부정적 시간

춘풍(春風) 이블 아래 서리서리 넣었다가
봄바람처럼 따뜻한 이불   □ : 우리말의 묘미를 잘 살린 음성 상징어

어론 님 오신 날 밤이어든 굽이굽이 펴리라
사랑하는 임

⊙ 핵심정리

갈래	평시조
성격	낭만적, 서정적
제재	연모의 정
주제	임에 대한 사랑과 그리움
특징	• 추상적 개념을 구체적인 사물로 표현하였다. • 비유와 순우리말 음성 상징어의 사용으로 주제를 효과적으로 표현하였다.

01 '이 몸이 죽어 가서'는 공간적 배경의 변화를 통해 시상을 전개하고 있다. O ☐ X ☐

02 '이 몸이 죽어 가서'는 비유와 상징을 통해 주제를 효과적으로 드러내고 있다. O ☐ X ☐

03 '이 몸이 죽어 가서'에서 '봉래산 제일봉'은 왕위를 빼앗긴 단종을 의미한다. O ☐ X ☐

04 '이 몸이 죽어 가서'에서 '만건곤할 제'는 수양 대군의 세력이 세상을 장악했음을 나타낸다. O ☐ X ☐

05 '이 몸이 죽어 가서'에서 대조적인 의미를 지닌 소재 두 가지를 찾아라.
  [   ]

06 '동짓달 기나긴 밤'은 임에 대한 간절한 그리움을 해학적으로 드러내고 있다. O ☐ X ☐

07 '동짓달 기나긴 밤'은 추상적인 대상의 주관적 변용을 통해 주제를 드러내고 있다. O ☐ X ☐

08 '동짓달 기나긴 밤'은 계절적 특징을 활용하여 주제를 드러내고 있다. O ☐ X ☐

09 '동짓달 기나긴 밤'은 화자의 정서를 강조하기 위해 시적 의미를 점층적으로 확대하고 있다. O ☐ X ☐

10 '동짓달 기나긴 밤'에서 임이 부재(不在)한 겨울밤의 시간을 단축시키고자 하는 화자의 의지가 드러나 있는 부분을 4 어절로 찾아 쓰시오.
  [   ]

[01~04] 다음 글을 읽고 물음에 답하시오.

(가)

생사(生死) 길은
예 있으매 머뭇거리고,
나는 간다는 말도
못다 이르고 어찌 갑니까.
어느 가을 이른 바람에
이에 저에 떨어질 잎처럼,
한 가지에 나고
가는 곳 모르온저.
아아, 미타찰(彌陀刹)에서 만날 나
도(道) 닦아 기다리겠노라.

– 월명사, 「제망매가」 –

(나)

이 몸이 죽어 가서 무엇이 될꼬 하니
봉래산(蓬萊山) 제일봉(第一峯)에 낙락장송(落落長松) 되어 있어
백설(白雪)이 만건곤(滿乾坤)할 제 독야청청(獨也靑靑)하리라.

– 성삼문 –

(다)

개를 여나믄이나 기르되 요 개같이 얄미우랴
미운 님 오며는 꼬리를 홰홰 치며 치뛰락 나리 뛰락 반겨서
내닫고 고운 님 오며는 뒷발을 바둥바둥 무르락 나오락 캉캉 짖는 요 도리암캐
쉰 밥이 그릇그릇 날진들 너 먹일 줄이 있으랴.

– 작자미상 –

(라)

님은 갔습니다. 아아, 사랑하는 나의 님은 갔습니다.
푸른 산빛을 깨치고 단풍나무 숲을 향하여 난 작은 길을 걸어서 차마 떨치고 갔습니다.
황금의 꽃같이 굳고 빛나던 옛 맹세는 차디찬 티끌이 되어서 한숨의 미풍에 날아갔습니다.
날카로운 첫 키스의 추억은 나의 운명의 지침을 돌려 놓고 뒷걸음쳐서 사라졌습니다.
나는 향기로운 님의 말소리에 귀먹고 꽃다운 님의 얼굴에 눈멀었습니다.
사랑도 사람의 일이라 만날 때에 미리 떠날 것을 염려하고 경계하지 아니한 것은 아니지만, 이별은 뜻밖의 일이 되고 놀란 가슴은 새로운 슬픔에 터집니다.
그러나 이별을 쓸데없는 눈물의 원천을 만들고 마는 것은 스스로 사랑을 깨치는 것인 줄 아는 까닭에 걷잡을 수 없는 슬픔의 힘을 옮겨서 새 희망의 정수박이에 들어부었습니다.
우리는 만날 때에 떠날 것을 염려하는 것과 같이 떠날 때에 다시 만날 것을 믿습니다.
아아, 님은 갔지마는 나는 님을 보내지 아니하였습니다.
제 곡조를 못 이기는 사랑의 노래는 님의 침묵을 휩싸고 돕니다.

– 한용운, 「님의 침묵」 –

01 (가)~(라)에 대한 설명으로 가장 적절한 것은?

① (가)와 (나)는 인물 간의 대화 형식으로 시상을 전개하고 있다.
② (다)와 (라)는 질문 형식을 통해 화자의 생각을 표현하고 있다.
③ (가)~(라)는 모두 음성 상징어를 사용하여 주제를 형상화하고 있다.
④ (가), (나), (라)는 부정적 상황에서 화자가 바라는 바를 제시하고 있다.
⑤ (가), (다), (라)는 자신이 처한 현실에서 느끼는 삶의 무상함이 나타나 있다.

02 (가)에 대한 설명으로 적절하지 <u>않은</u> 것은?

① 작가 자신이 직접 체험한 경험이 담겨 있다.
② 향찰로 표기되었으며, 추모적 성격을 갖는다.
③ 불교사상을 바탕으로 주로 평민층에서 향유되었다.
④ 3단 구성을 가지고 있으며 낙구에 감탄사가 나타난다.
⑤ 10구체 향가로 정제되고, 세련된 표현 기교를 사용했다.

03 사설시조의 특성 중 (다)에 드러나지 <u>않은</u> 것은?

① 서민들의 솔직함과 진솔함이 잘 드러나 있다.
② 화자의 심정을 직설적으로 표현하는 경우가 많았다.
③ 일상생활에서 흔히 볼 수 있는 소재를 주로 다루었다.
④ 사회비판적 대상을 희화화하여 웃음을 유발하였다.
⑤ 평시조의 기본형에서 대체로 중장의 길이가 제한 없이 길어졌다.

04 (라)의 표현상 특징으로 적절하지 <u>않은</u> 것은?

① 공감각적 심상을 통해 화자의 정서를 전달하고 있다.
② 역설적 표현을 사용하여 화자의 의도를 강조하고 있다.
③ 동일한 문장을 반복하여 화자의 의지를 강조하고 있다.
④ 경어체를 사용하여 대상에 대한 화자의 태도를 보여주고 있다.
⑤ 대조적인 이미지를 가진 시어를 활용하여 의미를 강조하고 있다.

[05~10] 다음 글을 읽고 물음에 답하시오.

(가)

이 몸이 죽어 가서 무엇이 될꼬 하니

봉래산(蓬萊山) 제일봉에 낙락장송(落落長松) 되어 있어

㉠백설이 만건곤(滿乾坤)할 제 독야청청(獨也靑靑)하리라.

– 성삼문, 「이 몸이 죽어 가서」 –

(나)

동짓달 기나긴 밤을 한 허리를 베어 내어

춘풍 이불 아래 서리서리 넣었다가

어론 님 오신 날 밤이어든 굽이굽이 펴리라

– 황진이, 「동짓달 기나긴 밤을」 –

(다)

개를 여남은이나 기르되 요 개같이 얄미우랴

미운 님 오며는 꼬리를 홰홰 치며 치뛰락 나리 뛰락 반겨서 내닫고

고운 님 오며는 뒷발을 바둥바둥 무르락 나오락 캉캉 짖는 요 도리암캐

쉰 밥이 그릇그릇 날진들 너 먹일 줄이 있으랴

– 작자 미상, 「개를 여나믄이나 기르되」 –

---

05 (가)~(다)에 대한 설명으로 적절하지 **않은** 것은?

① (가)는 자문자답의 형식을 취하고 있다.

② (나)에는 관념적인 시간을 사물로 구체화한 발상이 드러나 있다.

③ (나)에는 임의 존재 여부에 따라 화자가 인식하는 시간의 길이가 대조적으로 나타나 있다.

④ (다)는 역설적 발상으로 대상에 대한 그리움을 효과적으로 나타내고 있다.

⑤ (다)는 임이 오지 않는 까닭을 다른 대상에 전가하는 화자의 태도를 형상화하고 있다.

06 (가)의 화자의 태도와 관련된 사자성어로 가장 적절한 것은?

① 백절불굴(百折不屈)　　　② 면종복배(面從腹背)

③ 수주대토(守株待兎)　　　④ 권불십년(權不十年)

⑤ 근묵자흑(近墨者黑)

07 〈보기〉는 (가)의 창작 배경에 대한 설명이다. 이를 참고하여 (가)를 감상할 때 가장 적절하지 <u>않은</u> 것은?

┤ 보기 ├

수양 대군(훗날 세조)이 계유정난을 일으켜 어린 조카의 단종을 위협하여 왕위를 빼앗았다. 이러한 불의한 세력들이 정권을 장악한 현실을 부당하게 여긴 작가는 단종의 복위를 꾀하다가 발각되어 모진 고문을 받았다. (가)는 단종 복위 운동에 실패한 작가가 처형장에 끌려가면서 지은 시조이다.

① 화자는 죽은 후 자신의 모습을 가정하고 있군.
② '낙락장송'은 단종에 대한 화자의 굳은 지조와 절개를 의미하는군.
③ '백설이 만건곤하다'는 단종을 몰아내고 왕위를 찬탈한 수양대군 일파의 득세를 의미하는군.
④ '독야청정'은 시류에 영합하지 않고 지조를 지키겠다는 의지를 의미하는군.
⑤ '봉래산 제일봉'은 수양대군을 상징하며, 화자를 억압하는 세력을 의미하는군.

08 다음 중 ㉠과 함축적 의미가 유사한 것끼리 묶인 것은?

ㄱ. 춘산에 <u>눈</u> 녹인 바람 건 듯 불고 간 데 없다.
　　저근 듯 빌어다가 머리 위에 불리고저
　　귀밑에 해묵은 서리를 녹여볼까 하노라.
ㄴ. <u>눈</u> 마자 휘어진 대를 뉘라셔 굽다턴고
　　구블 절이면 눈 속에 푸를소냐
　　아마도 세한 고절(歲寒孤節)은 너뿐인가 하노라
ㄷ. 산촌에 <u>눈</u>이 오니 돌길이 묻혔에라
　　시비를 여지 마라 날 차즈리 뉘 이시리
　　밤중만 일편명월이 긔 벗인가 하노라
ㄹ. 빙자옥질이여 <u>눈</u> 속에 네로구나
　　가만히 향기 놓아 황혼월을 기약하니
　　아마도 아치고절(雅致孤節)은 너뿐인가 하노라

① ㄱ, ㄴ　　　② ㄱ, ㄷ　　　③ ㄴ, ㄷ　　　④ ㄴ, ㄹ　　　④ ㄷ, ㄹ

09 (나)에 대한 설명으로 적절한 것은?

① 설의적 표현을 통해 시적 의미를 강조하고 있다.
② 음성 상징어를 우리말의 묘미를 살리고 있다.
③ 반어적 표현을 활용하여 화자의 의도를 강조하고 있다.
④ 감정을 절제한 표현으로 화자의 처지를 부각하고 있다.
⑤ 대상을 나열하여 시적 상황을 생동감 있게 표현하고 있다.

10 (가)와 (다)에 대해 탐구한 내용으로 적절하지 <u>않은</u> 것은?

① (가)에 비해 (다)가 당시 서민들에게 더 친숙하게 느껴졌겠군.
② (가)는 이상화된 자연물을 사용하여 유교적 이념을 드러내고 있군.
③ (다)는 (가)와 달리 순우리말과 음성 상징어의 사용이 두드러지는군.
④ (다)는 (가)와 달리 정형성을 띠며 형식적 완성도도 높아졌다고 할 수 있군.
⑤ (다)는 (가)와 달리 관념적인 틀에서 벗어나 일상적인 삶을 노래하고 있군.

[11] 다음 글을 읽고 물음에 답하시오.

(가)
생사(生死) 길은
예 있으매 머뭇거리고,
나는 간다는 말도
못다 이르고 어찌 갑니까.
어느 가을 이른 바람에
이에 저에 떨어질 잎처럼,
한 가지에 나고
가는 곳 모르온저.
아아, 미타찰(彌陀刹)에서 만날 나
도(道) 닦아 기다리겠노라.

– 월명사 지음, 김완진 해독, '제망매가' –

(나)
이 몸이 죽어 가서 무엇이 될꼬 하니
봉래산(蓬萊山) 제일봉에 낙락장송(落落長松) 되어 있어
백설이 만건곤(滿乾坤)할 제 독야청청(獨也靑靑)하리라.

– 성삼문 –

(다)
동짓달 기나긴 밤을 한 허리를 베어 내어
춘풍(春風) 이블 아래 서리서리 넣었다가
어론 님 오신 날 밤이어든 굽이굽이 펴리라

– 황진이 –

11 세 작품을 감상한 학생의 반응 중 적절한 것은?

① **가을** : (가)와 (나)는 작품의 배경이 되는 설화가 존재하는 작품이야.

② **나리** : (가)는 (나)로 넘어가는 과도기적 작품으로 가장 정제된 형식을 보여주고 있어.

③ **다솜** : (나)와 (다)는 조선 후기 작품으로 전기에 비해 향유층이 확대되는 모습을 보이기도 해.

④ **라온** : (가), (나), (다)는 창작 시기는 다르지만 형식적으로 유사한 점으로 보아 각 작품의 창작에 영향을 준 것 같아.

⑤ **마음** : (가), (나) (다)는 내용상 슬픔의 정서를 드러낸 것으로 보아 우리 민족의 전통적 정서를 잘 표현하고 있는 것 같아.

[12~14] 다음 글을 읽고 물음에 답하시오.

(가)

생사(生死) 길은
예 있으매 머뭇거리고,
나는 간다는 말도
못다 이르고 어찌 갑니까.
어느 가을 이른 바람에
이에 저에 ㉠떨어질 잎처럼,
㉡한 가지에 나고
가는 곳 모르온저.
아아, 미타찰(彌陀刹)에서 만날 나
도(道) 닦아 기다리겠노라.

– 월명사, 「제망매가」 –

(나)

이 몸이 죽어 가서 무엇이 될꼬 하니
봉래산(蓬萊山) 제일봉에 낙락장송(落落長松) 되어 있어
㉢백설이 만건곤(滿乾坤)할 제 독야청청(獨也靑靑)하리라.

– 성삼문, 「이 몸이 죽어 가서」 –

(다)

동짓달 기나긴 ㉣밤을 한 허리를 베어 내어
춘풍(春風) 이불 아래 서리서리 넣었다가
어론 님 오신 날 밤이어든 굽이굽이 펴리라

– 황진이, 「동짓달 기나긴 밤을」 –

(라)

㉤개를 여나믄이나 기르되 요 개같이 얄미우랴
미운 님 오며는 꼬리를 홰홰 치며 치뛰락 나리 뛰락 반겨서 내닫고 고운 님 오며는 뒷발을 바둥바둥 무르락 나오락 캉캉 짖는 요 도리암캐
쉰 밥이 그릇그릇 날진들 너 먹일 줄이 있으랴

– 작자 미상, 「개를 여나믄이나 기르되」 –

12 (가)~(라)의 표현상 특징에 대한 설명으로 적절하지 <u>않은</u> 것은?

① (가)와 (나)는 이상화된 자연물을 통해 자신의 종교적 신념을 강조하고 있다.

② (가)와 달리 (다)는 우리말로 된 음성 상징어를 사용하여 자신의 심리를 표현하고 있다.

③ (나)와 (다)는 가정적 상황을 제시하여 주제를 드러내고 있다.

④ (나)와 달리 (라)는 일상의 소재를 우리말로 표현하며 생활과 현실 감각을 보여주고 있다.

⑤ (다)와 (라)는 대조적 의미의 시어를 사용하여 시적 상황을 구체적으로 드러내고 있다.

13 (가)와 (다)의 갈래상 특징으로 적절한 것을 〈보기〉에서 있는 대로 고른 것은?

┌─── **보기** ───

ㄱ. (가)는 향찰로 표기함으로써 외래문화에 의존하여 작품을 창작했던 우리 민족의 특징을 드러내고 있다.

ㄴ. (다)는 고려 시대 말부터 발달해 온 우리나라 고유의 정형시로 현재까지 이어져 내려오는 민족 문학이다.

ㄷ. (가)는 9행에 감탄사가 쓰이며, (다)는 종장의 첫 구절이 3음절로 고정되어 있다.

ㄹ. (가)와 (다) 모두 시상을 세 부분으로 나눌 수 있다는 점에서 (다)가 (가)의 형식에 영향을 미쳤다고 할 수 있다.

└─────────

① ㄷ   ② ㄴ, ㄷ   ③ ㄱ, ㄴ, ㄹ   ④ ㄱ, ㄷ, ㄹ   ⑤ ㄱ, ㄴ, ㄷ, ㄹ

14 ㉠~㉤에 대한 설명으로 적절하지 <u>않은</u> 것은?

① ㉠은 시적 대상의 생명이 다 하였음을 비유적으로 표현하고 있다.

② ㉡은 시적 대상과 화자가 같은 부모님에게서 태어난 것을 암시하고 있다.

③ ㉢은 불의에 저항하고자 하는 화자의 단호한 태도를 상징한다.

④ ㉣은 추상적 개념을 구체화하여 임과 함께하는 시간을 연장하기 위한 화자의 행위를 드러내고 있다.

⑤ ㉤은 화자의 임에 대한 그리움과 원망을 효과적으로 드러내기 위해 동원된 소재이다.

생사(生死)의 길은	生死路隱
예 있으매 머뭇거리고,	此矣有阿米次肹伊遣
나는 간다는 말도	吾隱去內如辭叱都
못다 이르고 어찌 갑니까.	毛如云遣去內尼叱古
어느 가을 이른 바람에	於內秋察早隱風未
이에 저에 떨어질 잎처럼,	此矣彼矣浮良落尸葉如
한 가지에 나고	一等隱枝良出古
가는 곳 모르온저.	去奴隱處毛冬乎丁
아아, 미타찰(彌陀刹)에서 만날 나	阿也彌陀刹良逢乎吾
도(道) 닦아 기다리겠노라.	道修良待是古如

– 월명사, 「제망매가」 –

15 윗글에 대한 설명으로 가장 적절한 것은?

① 한자의 음과 뜻을 빌려 우리말을 적었다.
② 정제되지 않은 원시적, 주술적 형태를 보인다.
③ 유교적 사상을 바탕으로 주로 특정 계층에서 향유되었다.
④ 누이의 죽음을 배경으로 삶에 대한 절망을 노래한 시이다.
⑤ 4구체 향가에서 완성된 형태로 나아가는 과도기적 작품이다.

16 윗글과 시의 주된 정서가 가장 유사한 것은?

① 그대의 신기한 계책은 하늘의 이치를 다하였고 / 기묘한 헤아림은 땅의 이치를 통하였네.

– 을지문덕, 「여우장우중문시」 –

② 자줏빛 바위 가에 / 잡고 있는 암소 놓게 하시고 / 나를 아니 부끄러워하시면 / 꽃을 꺾어 바치오리다

– 견우, 「헌화가」 –

③ 참새야 어디서 오가며 나느냐 / 일 년 농사는 아랑곳하지 않고 / 늙은 홀아비 홀로 갈고 맸는데 / 밭의 벼며 기장을 다 없애다니.

– 이제현, 「사리화」 –

④ 성북동 산에 번지가 새로 생기면서 / 본래 살던 성북동 비둘기만이 번지가 없어졌다. / 새벽부터 돌 깨는 산울림에 떨다가 / 가슴에 금이 갔다.

– 김광섭, 「성북동 비둘기」 –

⑤ 설움에 겹도록 부르노라. / 부르는 소리는 비껴가지만 / 하늘과 땅 사이가 너무 넓구나. // 선 채로 이 자리에 돌이 되어도 / 부르다가 내가 죽을 이름이여! / 사랑하던 그 이름이여! / 사랑하던 그 사람이여!

– 김소월, 「초혼」 –

17 〈보기〉를 참고하여 윗글을 정리한 내용으로 가장 적절한 것은?

┤ 보기 ├

'제망매가'는 내용상 크게 세 부분으로 나눌 수 있는데, 앞의 4행이 첫 번째 부분이고 다음 4행이 두 번째 부분, 나머지 2행이 마지막 부분이다. 첫 부분에서는 시상을 일으키고 두 번째 부분에선 시상을 심화시키며, 마지막 부분에서는 시상을 집약하고 마무리하는 내용 전개를 보인다.

① 1~4행: 누이의 죽음을 슬퍼함
　5~8행: 인생의 무상감을 느낌
　9~10행: 슬픔을 종교적으로 승화함
② 1~4행: 삶과 죽음에 대한 깨달음
　5~8행: 깨달음을 바탕으로 극복함
　9~10행: 불교에의 귀의
③ 1~4행: 누이의 생전 모습에 대한 회상
　5~8행: 종교적 고뇌를 느낌
　9~10행: 인생의 유한성을 느낌
④ 1~4행: 삶과 죽음의 가치를 느낌
　5~8행: 삶을 돌아보며 반성함
　9~10행: 죽음을 기다리는 마음
⑤ 1~4행: 누이에 대한 원망과 그리움
　5~8행: 누이가 죽게 된 경위
　9~10행: 삶에 대한 애정과 희망

[18~23] 다음 글을 읽고 물음에 답하시오.

(가)
㉠이 몸이 죽어 가서 무엇이 될꼬 하니
봉래산(蓬萊山) 제일봉에 ㉡낙락장송(落落長松) 되어 있어
백설이 ㉢만건곤(滿乾坤)할 제 ㉣독야청청(獨也靑靑)하리라

　　　　　　　　　　　　　　　　　　　　　　　　　　　　　　– 성삼문, 「이 몸이 죽어 가서」 –

(나)
동짓달 기나긴 밤을 한 허리를 베어 내어
춘풍(春風) 이불 아래 서리서리 넣었다가
어론 님 오신 날 밤이어든 굽이굽이 펴리라

　　　　　　　　　　　　　　　　　　　　　　　　　　　　　　– 황진이, 「동짓달 기나긴 밤을」 –

(다)
개를 여나믄이나 기르되 ㉮요 개같이 얄미우랴
미운 님 오며는 꼬리를 홰홰 치며 치뛰락 나리 뛰락 반겨서 내닫고 고운 님 오며는 뒷발을 바둥바둥 무르락 나오락 캉캉 짖는 요 도리암캐
쉰 밥이 그릇그릇 날진들 너 먹일 줄이 있으랴

　　　　　　　　　　　　　　　　　　　　　　　　　　　　　　– 작자 미상, 「개를 여나믄이나 기르되」 –

18 (가)~(다)에 대한 설명으로 적절한 것만을 〈보기〉에서 있는 대로 고른 것은?

┤ 보기 ├

ㄱ. 시조는 고려시대 말기부터 발달하여 조선 전기에 사대부 계층이 주로 향유하다가 점차 다양한 계층이 즐기게 되었다.

ㄴ. (가)와 (나)는 기본 형식의 평시조로 3장 6구의 형식을 갖추고 있다.

ㄷ. (가)는 (다)와 달리 양반 계층의 정서가 반영되어 있으며 유교적 이념을 바탕으로 하고 있다.

ㄹ. (다)는 (가)와 달리 중장의 길이가 다소 길고 일상생활에서 흔히 볼 수 있는 소재를 사용하고 있다.

ㅁ. (다)는 (나)와 달리 비유와 우리말 표현을 사용하여 대상에 대한 솔직한 감정을 드러내고 있다.

① ㄱ, ㄴ   ② ㄴ, ㄷ, ㅁ   ③ ㄱ, ㄹ, ㅁ   ④ ㄷ, ㄹ, ㅁ   ⑤ ㄱ, ㄴ, ㄷ, ㄹ

19 〈보기1〉의 내용을 바탕으로 (가)의 ㉠~㉣의 의미를 해석한 것으로 적절한 것을 〈보기2〉에서 있는 대로 고른 것은?

┤ 보기 1 ├

수양 대군(훗날 세조)이 계유정난(1453년)을 일으켜 황보인, 김종서 등을 죽이고 정권을 잡았다. 이후 그는 어린 조카인 단종을 위협하여 왕위를 빼앗았다. 이때 성삼문은 박팽년, 유응부, 이개 등과 함께 단종 복위 운동을 계획하였다. 하지만 모의 사실이 밝혀져 성삼문은 수양 대군에게 모진 고문을 당하였고, 계획은 수포가 되었다. 결국 성삼문은 불의에 끝까지 저항하다가 죽음을 맞았다. 그는 조선 시대 대표적인 사육신의 한 사람이다.

┤ 보기 2 ├

㉠ 죽은 이후라는 극한적 상황을 가정하고 있다.

㉡ 단종에 대한 지조를 지키겠다는 의지적 표현이다.

㉢ 시련과 고난 앞에서 순결함과 고결함을 유지하고 있음을 나타낸다.

㉣ 상황에 휩쓸리지 않고 끝까지 절개를 지키겠다는 다짐을 보여 준다.

① ㉠, ㉡   ② ㉠, ㉢   ③ ㉠, ㉡, ㉢   ④ ㉠, ㉡, ㉣   ⑤ ㉠, ㉢, ㉣

20 (가)와 유사한 주제 의식을 담고 있는 시조로 적절한 것은?

① 가마귀 눈비 마즈 희는 듯 검노미라.
　야광명월(夜光明月)이 밤인들 어두오랴.
　님 향한 일편단심(一片丹心)이야 고칠 줄이 이시랴

② 청초 우거진 골에 자는다 누었는다
　홍안을 어디 두고 백골만 묻혔는다
　잔 잡아 권할 이 없으니 그를 설워하노라

③ 묏버들 가려 꺾어 보내노라 님의 손에
　자시는 창(窓)밖에 심어두고 보소서
　밤비에 새잎이라도 나거든 나인 듯이 여기소서

④ 춘산(春山)에 눈 노기는 바람 건 듯 불고 간 듸 업다
　져근 듯 비러다가 무리 우희 불이고져
　귀 밋틱 희무근 셔리를 녹여 볼가 ᄒ노라

⑤ 이런들 엇더ᄒ며 져런들 엇더ᄒ료
　만수산(萬壽山) 드렁츩이 얼거진들 엇더ᄒ리
　우리도 이ᄀᆺ치 얼거져 백년(百年)씌지 누리리라

21 (나)에 대한 설명으로 적절한 것을 〈보기〉에서 고른 것은?

| 보기 |
ㄱ. 지난 날을 되돌아보며 자신의 행동을 후회하고 있다.
ㄴ. 종장의 상황은 현재 이루어진 것이 아닌 가정적 상황이다.
ㄷ. 추상적 개념을 구체적인 사물로 표현하여 시각화하고 있다.
ㄹ. 사물에 인격을 부여하여 화자의 정서 변화를 드러내고 있다.
ㅁ. 대립되는 시간을 설정하여 임을 기다리는 간절한 마음을 표현하고 있다.

① ㄱ, ㄴ, ㄷ　　② ㄱ, ㄷ, ㄹ　　③ ㄱ, ㄹ, ㅁ　　④ ㄴ, ㄷ, ㅁ　　⑤ ㄴ, ㄹ, ㅁ

22 〈보기〉를 참조할 때, (나)에 나타난 시적 발상과 가장 유사한 것은?

┤ 보기 ├

어떤 상황이나 장면에서 시상을 떠올리는 것을 발상(發想)이라고 한다. 시인은 이 발상을 효과적으로 드러내기 위하여 여러 가지 방식을 사용한다. (나)의 시는 추상적인 관념을 구체적인 대상으로 바꾸어 선명하게 드러내는 방법을 사용하고 있다.

① 간밤의 부던 바람에 눈서리 치단말가 / 낙락장송(落落長松)이 다 기우러 가노매라 / 하물며 못 다 핀 곳이야 닐러 므슴 하리오

② 천만리(千萬里) 머나먼 길헤 고운 님 여희옵고 / 내 마음 둘 데 없어 냇가의 안쟈시니 / 뎌 믈도 내 안 갓하여 우러 밤길 녜놋다

③ 한 손에 막대 잡고 또 한 손에 가시 쥐고 / 늙는 길 가시로 막고 오는 백발(白髮) 막대로 치려터니 / 백발(白髮)이 제 몬저 알고 즈럼 길노 오더라.

④ 가마귀 눈비 마자 희는 듯 검노매라 / 야광명월(夜光明月)이 밤인들 어두오랴 / 님 향(向)한 일편단심(一片丹心)이야 고칠 줄이 이시랴

⑤ 어리고 성긴 가지 너를 믿지 아녓더니 / 눈 기약(期約) 능히 지켜 두세 송이 피었구나. / 촉(燭) 잡고 가까이 사랑할 제 암향(暗香)조차 부동(浮動)터라.

23 (다)의 ㉮는 시에서 부정적 대상이며 해학적으로 표현되어 있다. 〈보기〉의 ⓐ~ⓔ 중 가장 유사한 것은?

┤ 보기 ├

ⓐ두터비 ⓑ푸리를 물고 ⓒ두험 우희 치두라안자
것넌산 브라보니 ⓓ백송골이 써잇거늘 ⓔ가슴이 금즉ᄒ여 풀떡 쮜여 내둣다가 두험 아래 쟛바지거고
모쳐라 놀낸 낼식만졍 에헐질번 ᄒ괘라.

① ⓐ   ② ⓑ   ③ ⓒ   ④ ⓓ   ⑤ ⓔ

[01~04] 다음 글을 읽고 물음에 답하시오.

(가)

생사(生死) 길은
예 있으매 머뭇거리고,
나는 간다는 말도
못다 이르고 어찌 갑니까.
어느 가을 이른 바람에
이에 저에 떨어질 잎처럼,
한 가지에 나고
ⓐ가는 곳 모르온저.
아아, 미타찰(彌陀刹)에서 만날 나
도(道) 닦아 기다리겠노라.

— 월명사, 「제망매가」 —

(나)

이 몸이 죽어 가서 무엇이 될꼬 하니
봉래산(蓬萊山) 제일봉에 낙락장송(落落長松) 되어 있어
백설이 만건곤(滿乾坤)할 제 독야청청(獨也靑靑)하리라.

— 성삼문, 「이 몸이 죽어 가서」 —

(다)

동짓달 기나긴 밤을 한 허리를 베어 내어
춘풍(春風) 이불 아래 서리서리 넣었다가
어론 님 오신 날 밤이어든 굽이굽이 펴리라

— 황진이, 「동짓달 기나긴 밤을」 —

(라)

개를 여나믄이나 기르되 요 개같이 얄미우랴
미운 님 오며는 꼬리를 홰홰 치며 치뛰락 나리 뛰락 반겨서 내닫고 고운 님 오며는 뒷발을 바둥바둥 무르락 나오락 캉
캉 짖는 요 도리암캐
쉰 밥이 그릇그릇 날진들 너 먹일 줄이 있으랴

— 작자 미상, 「개를 여나믄이나 기르되」 —

01 (가)~(라)에 대한 설명으로 적절하지 <u>않은</u> 것은?

① (가)~(라)는 모두 3단 구성이라는 형식을 지닌다.
② (가)는 (나)~(라)와 달리 향찰표기로 되어 있어 한문학 작품에 해당한다.
③ (가)의 낙구에 감탄사로 시작하는 것은 (나)~(라)와 같은 우리나라 고유의 정형시 발전에 영향을 주었다.
④ (나)보다 (라)는 음보의 형식이 파격을 이루며 중장이 길어진 형태를 보인다.
⑤ (다)와 (라)는 조선 전기 사대부 계층만이 아니라 점차 다양한 계층이 시가를 즐기게 되었다는 것을 보여준다.

02 (나)와 〈보기〉에서는 '낙락장송'의 의미가 유사하다고 할 때, 이 두 작품을 비교하여 감상한 것으로 적절하지 <u>않은</u> 것은?

┤ 보기 ├

어찌 된 벌레이기에 낙락장송(落落長松)을 다 먹는가
부리 긴 딱따구리는 어느 곳에 가 있는가
빈 산에 나무 넘어지는 소리 들릴 때 내 마음 둘 데 없구나.
*딱따구리 : 부리 길어 벌레를 잘 잡아먹는 존재

① (나)에서는 〈보기〉에서와 달리 '낙락장송'이 화자 자신의 모습을 상징하는 것이군.
② (나)에서는 〈보기〉에서와 달리 '낙락장송'에 대한 화자의 태도가 의지적이라고 할 수 있군.
③ (나)에서는 〈보기〉에서와 달리 '낙락장송'에게 처한 현실이 긍정적인 상황이라고 할 수 있군.
④ (나)에서는 시각적 심상으로, 〈보기〉에서는 청각적 심상으로 '낙락장송'의 처지를 드러내고 있군.
⑤ (나)에서는 '낙락장송'을 지켜줄 만한 존재가 제시되어 있지 않지만, 〈보기〉에서는 제시되어 있군.

03 (다)와 (라)에 대한 이해로 적절하지 <u>않은</u> 것은?

① (다)와 (라) 모두 임의 부재로 인한 화자의 그리움의 정서가 바탕을 이루고 있다.
② (다)와 (라) 모두 음성 상징어를 활용하여 시적상황에 생동감을 부여하고 있다.
③ (다)보다 (라)에서 임과 함께 하고 싶은 화자의 적극적인 의지가 드러나고 있다.
④ (다)와 달리 (라)에서 우의적, 설의적인 표현을 활용하여 화자의 임에 대한 원망의 정서를 다른 대상에 전가하고 있다.
⑤ (라)와 달리 (다)에서 추상적 개념을 구체적 대상으로 표현하여 화자의 정서를 강조하는 효과를 보여주고 있다.

04 (가)~(라)와 〈보기〉의 내용을 연관 지어 감상한 것으로 적절하지 <u>못한</u> 것은?

┤ 보기 ├

전나귀 바삐 몰아 다 저문 날 오신 손님
보리피 거친 밥에 찬물(饌物)*도 아조 없다.
아희야, 배 내어 띄워라 그물 놓아 보리라.

〈제4수〉

달 밝고 바람 잔잔하니 물결이 비단일다.
단정(短艇)*을 비스듬히 놓아 오락가락 하는 흥(興)을
백구야, 하 즐겨 마라, 세상(世上) 알가 하노라.

〈제5수〉

식록(食祿)*을 긋힌 후에 어조(漁釣)*를 생애(生涯)하니
헴 업슨 아이들은 괴롭다 하지마는
두어라 강호한적(江湖閑適)이 내 분(分)인가 하노라.

〈제9수〉
– 나위소, 「강호구가(江湖九歌)」 –

*찬물 : 반찬이 될 만한 것.
*단정 : 자그마한 배.
*식록 : 먹고 살기 위한 벼슬.
*어조 : 낚시질.

① (가)에서의 '바람'과 〈보기〉 제5수에서의 '바람'은 모두 뒤이어 제시된 사건의 원인에 해당하는 역할을 하고 있다.

② (나)의 화자는 〈보기〉 제9수에서의 '식록'과 무관한 일을 생각하고 있으며, '강호한적'과는 거리가 먼 삶의 태도를 보여주고 있다.

③ (다)에서의 '굽이굽이 펴리라'의 대상은 '밤 한 허리'이고, 〈보기〉 제5수에서의 '알가 하노라'의 대상은 '흥'이라고 할 수 있다.

④ (라)에서의 '고운 님'과 〈보기〉 제4수에서의 '손님'에 대하여 시적화자가 예기치 못한 상황으로 인해 어려움을 겪고 있다.

⑤ (라)에서의 '개'와 〈보기〉 제5수에서의 '백구'는 화자가 대상에게서 느끼는 정서와 상반된 태도를 가지고 특이한 행동을 보여주어, 화자로부터 비판을 받고 있다.

(가)

生死路隱	생사(生死) 길은
此矣有阿米次肹伊遣	예 있으매 머뭇거리고,
吾隱去內如辭叱都	㉠나는 간다는 말도
毛如云遣去內尼叱古	못다 이르고 어찌 갑니까.
於內秋察早隱風未	어느 가을 ㉡이른 바람에
此矣彼矣浮良落尸葉如	이에 저에 떨어질 ⓐ잎처럼,
一等隱枝良出古	㉢한 가지에 나고
去奴隱處毛冬乎丁	가는 곳 모르온저.
阿也彌陀剎良逢乎吾	ⓑ아아, ㉣미타찰(彌陀剎)에서 만날 나
道修良待是古如	㉤도(道) 닦아 기다리겠노라.

– 월명사, 「제망매가」 –

(나)

누이야
㉮가을산 그리메에 빠진 ㉯눈썹 두어 낱을
지금도 살아서 보는가.
정정(淨淨)한 눈물 ㉰돌로 눌러 죽이고
그 눈물 끝을 따라가면
㉱즈믄 밤의 강이 일어서던 것을

그 강물 깊이깊이 가라앉은 고뇌의 말씀들
돌로 살아서 반짝여 오던 것을
더러는 물 속에서 튀는 물고기같이
살아오던 것을
그리고 산다화(山茶花) 한 가지 꺾어 스스럼없이
건네이던 것을

누이야 지금도 살아서 보는가
가을산 그리메에 빠져 떠돌던, 그 눈썹 두어 낱을 기러기가
강물에 부리고 가는 것을
내 ㉲한 잔은 마시고 한 잔은 비워 두고
더러는 잎새에 살아서 튀는 물방울같이
그렇게 만나는 것을

누이야 아는가
가을산 그리메에 빠져 떠돌던
눈썹 두어 낱이
지금 이 못물 속에 비쳐옴을.

– 송수권, 「산문에 기대어」 –

05 (가)에 대한 설명으로 가장 적절한 것은?

① 공간의 이동에 따라 사상이 전개되고 있다.

② 자연물을 활용하여 대상과의 관계를 드러내고 있다.

③ 설의적 표현을 사용하여 재회에 대한 믿음을 강조하고 있다.

④ 대상을 의인화하여 대상에 대한 화자의 태도를 드러내고 있다.

⑤ 대상에게 말을 건네는 방식으로 자연과의 일체감을 표현하고 있다.

06 〈보기〉를 참고하여 (가)를 감상한 내용으로 적절하지 <u>않은</u> 것은?

┤ 보기 ├

　　승려 월명은 어린 나이에 죽은 누이를 위해서 재를 올릴 때 향가를 지어 제사를 지냈는데, 갑자기 광풍이 일어나 종이돈이 서쪽으로 날려 사라졌다. 당시 사람들은 서쪽에 극락세계가 있다고 믿었고, 누이의 넋이 무사히 극락세계로 간 것으로 보았다.

① ㉠을 통해 누이의 죽음에 대한 화자의 안타까운 심경을 느낄 수 있어.

② ㉡을 통해 누이의 죽음이 요절이었음을 추측할 수 있어.

③ ㉢을 통해 혈육의 죽음을 부정하고 싶어 하는 화자의 심리를 읽을 수 있어.

④ ㉣을 통해 화자가 누이와 극락세계에서 재회하기를 소망하고 있음을 알 수 있어.

⑤ ㉤을 통해 화자가 누이를 잃은 슬픔을 종교적으로 승화하고자 하는 화자의 의지를 읽을 수 있어.

07 (나)의 ㉮~㉺ 중 (가)의 ⓐ가 함축하고 있는 의미와 가장 유사한 것은?

① ㉮　　　　② ㉯　　　　③ ㉰　　　　④ ㉱　　　　⑤ ㉲

08 다음은 (나)에 대한 감상이다. 옳은 것끼리 묶인 것은?

> ㄱ. '정정(淨淨)한 눈물'을 '돌로 눌러 죽이고'라는 표현은 화자가 누이의 죽음으로 인한 그리움과 절망을 이겨내고자 했음을 나타낸 것입니다.
>
> ㄴ. '강이 일어서던 것을'에서 나타나는 상승적 이미지는 누이의 죽음에 대한 화자의 한(恨)과 분노를 표현한 것입니다.
>
> ㄷ. '물속에서 튀는 물고기', '살아서 튀는 물방울'은 누이의 부활과 새로운 만남에 대한 화자의 소망을 드러낸 것이라 할 수 있습니다.
>
> ㄹ. '한 잔은 마시고 한 잔은 비워 두고'라는 표현은 누이의 한이 죽음을 통해 극복되고 있음을 상징하고 있습니다.

① ㄱ, ㄴ   ② ㄱ, ㄷ   ③ ㄴ, ㄷ   ④ ㄴ, ㄹ   ⑤ ㄷ, ㄹ

09 (가), (나)의 화자에 대한 설명으로 가장 적절한 것은?

① (가), (나) 모두 삶과 죽음의 기로에 선 화자의 극단적인 선택을 암시하고 있다.
② (가), (나) 모두 이승과 저승의 거리는 인간의 힘으로 넘을 수 없음을 깨닫고 있다.
③ (가), (나) 모두 윤회 사상을 바탕으로 이승에서의 인연을 저승까지 연장하고자 한다.
④ (가)는 (나)와 달리, 삶과 죽음의 괴리감을 인식하고 현실에 안주하고 있다.
⑤ (나)는 (가)와 달리, 이승과 저승의 단절을 극복하고 있다.

10 (가)와 〈보기〉의 갈래에 대한 설명으로 적절하지 않은 것은?

> ┤ 보기 ├
>
> 오백 년 도읍지를 필마로 도라드니
> 산천은 의구하되 인걸은 간 듸 업다.
> 어즈버 태평연월이 꿈이런가 하노라.

① (가)는 한자의 음과 뜻을 빌려 향찰(鄕札)로 표기되었다.
② (가)의 ⓑ는 〈보기〉의 종장 첫 음보 감탄사로 계승되었다.
③ 〈보기〉는 3·4조의 음수율과 4음보의 율격을 반복하여 운율을 형성하고 있다.
④ 〈보기〉는 고려 후기부터 발달하였으며 3장 6구 45자 내외의 정형성을 지니고 있다.
⑤ (가)와 〈보기〉는 모두 기승전결의 구성 방식으로 화자의 정서 변화를 보여 주고 있다.

[11~15] 다음 글을 읽고 물음에 답하시오.

(가)

생사(生死) 길은
예 있으매 머뭇거리고,
나는 간다는 말도
못다 이르고 어찌 갑니까.
어느 가을 ⓐ이른 바람에
이에 저에 떨어질 잎처럼,
ⓑ한 가지에 나고
가는 곳 모르온저.
아아, 미타찰(彌陀刹)에서 만날 나
도(道) 닦아 기다리겠노라.

　　　　　　　　　　　　　　　　　　　　　　　　　– 월명사, 「제망매가」 –

(나)

이 몸이 죽어 가서 무엇이 될꼬 하니
봉래산(蓬萊山) 제일봉에 ⓒ낙락장송(落落長松) 되어 있어
백설이 만건곤(滿乾坤)할 제 독야청청(獨也靑靑)하리라.

　　　　　　　　　　　　　　　　　　　　　　　　– 성삼문, 「이 몸이 죽어 가서」 –

(다)

ⓓ동짓달 기나긴 밤을 한 허리를 베어 내어
춘풍(春風) 이불 아래 서리서리 넣었다가
어론 님 오신 날 밤이어든 굽이굽이 펴리라

　　　　　　　　　　　　　　　　　　　　　　　　– 황진이, 「동짓달 기나긴 밤을」 –

(라)

개를 여나믄이나 기르되 요 ⓔ개같이 얄미우랴
미운 님 오며는 꼬리를 홰홰 치며 치뛰락 나리 뛰락 반겨서 내닫고 고운 님 오며는 뒷발을 바둥바둥 무르락 나오락 캉캉 짖는 요 도리암캐
쉰 밥이 그릇그릇 날진들 너 먹일 줄이 있으랴

　　　　　　　　　　　　　　　　　　　　　　　　– 작자미상, 「개를 여나믄이나」 –

11 ⓐ~ⓔ에 대한 설명으로 적절하지 않은 것은?

① ⓐ은 누이의 요절을 암시한다.
② ⓑ은 화자와 죽은 누이의 혈연관계를 의미한다.
③ ⓒ은 굳은 절개와 지조를 상징한다.
④ ⓓ은 임과 함께 지내는 긍정적인 시간을 뜻한다.
⑤ ⓔ은 화자가 원망하는 대상이다.

12 (가)의 5행부터 8행까지에 나타난 시적화자의 주된 정서와 가장 유사한 것은?

① 청산(靑山)은 엇뎨하야 만고(萬古)애 푸르르며
　유수(流水)난 엇뎨하야 주야(晝夜)애 긋디 아니난고
　우리도 그치디 마라 만고상청(萬古常靑) 호리라. (이황)

② 추강에 밤이 드니 물결이 차노매라.
　낙시 드리우니 고기 아니 무노매라.
　무심한 달빛만 싣고 빈 배 저어 오노라. (월산대군)

③ 오백년 도읍지를 필마(匹馬)로 도라드니
　산천(山川)은 의구(依舊)하되 인걸(人傑)은 간 듸 업다.
　어즈버 태평연월(太平烟月)이 꿈이런가 하노라. (길재)

④ 묏버들 갈해 것거 보내노라 님의 손에
　지시는 窓 밧긔 심거 두고 보쇼셔.
　밤 비예 새 닙 곳 나거든 날인가도 너기쇼셔. (홍랑)

⑤ 두고 또 두고 저 욕심 그지없다.
　나는 내 집에 내 세간을 살펴보니
　우습다 낚싯대 하나 외에 거칠 것이 전혀 없어라. (이정)

13 밑줄 친 시어 중 (가)의 '미타찰'과 시적 의미가 가장 유사한 것은?

① 까마득한 날에
　하늘이 처음 열리고
　어디 닭 우는 소리 들렸으랴./
　모든 산맥들이
　바다를 연모(戀慕)해 휘달릴 때도
　차마 이 곳을 범(犯)하던 못하였으리라/
　끊임없는 광음(光陰)을
　부지런한 계절이 피어선 지고
　큰 <u>강물</u>이 비로소 길을 열었다.

　　　　　　　　　　　　　　　　－ 이육사, 「광야(廣野)」－

② 지조(志操) 높은 개는
　밤을 새워 어둠을 짖는다./
　어둠을 짖는 개는
　나를 쫓는 것 일게다./
　가자 가자
　쫓기우는 사람처럼 가자.
　백골(白骨) 몰래
　<u>또 다른 고향(故鄕)</u>에 가자.

　　　　　　　　　　　　　　　　－ 윤동주, 「또 다른 고향」－

③ 자욱한 풀벌레 소리 발길로 차며
　　호올로 황량(荒涼)한 생각 버릴 곳 없어
　　허공에 띄우는 돌팔매 하나
　　기울어진 풍경의 장막(帳幕) 저쪽에
　　고독한 반원(半圓)을 긋고 잠기어간다.

– 김광균, 「추일서정」 –

④ 인생은 살기 어렵다는데
　　시가 이렇게 쉽게 씌여지는 것은
　　부끄러운 일이다.
　　육첩방은 남의 나라
　　창 밖에 밤비가 속살거리는데,

– 윤동주, 「쉽게 쓰여진 시」 –

⑤ 우리는 머리맡에 엎디어
　　있는 대로의 울음을 다아 울었고
　　아버지의 침상 없는 최후(最後)의 밤은
　　풀벌레소리가 가득 차 있었네

– 이용악, 「풀벌레소리가 가득 차 있었다」 –

14 (가)~(라)에 대한 설명으로 가장 적절한 것은?

① (가)~(라)는 모두 감각적 심상을 사용하여 계절감을 환기하고 있다.
② (가)~(라)는 모두 음성 상징어를 통해 대상의 모습을 형상화하고 있다.
③ (라)는 (나), (다)와 달리 설의적 표현을 활용하여 화자의 정서를 강화하고 있다.
④ (가)~(라)는 모두 자연물을 의인화하여 대상에 대한 친근감을 드러내고 있다.
⑤ (가), (나)는 (다), (라)와 달리 추상적 개념을 구체화하는 표현을 구사하고 있다.

15 (나)와 (라)를 이해할 때 적절하지 않은 것은?

① (나)에 비해 (라)는 종장의 길이가 다소 길다.
② (라)는 화자의 감정을 해학적으로 표현하고 있다.
③ (나)는 유교적 이념을 바탕으로 하고 있다.
④ (라)는 일상생활에서 흔히 볼 수 있는 소재를 사용한다.
⑤ (나)는 한자어를 주로 사용하고 이상화된 자연물을 활용한다.

(가) 생사(生死) 길은
예 있으매 머뭇거리고,
㉠나는 간다는 말도
못다 이르고 어찌 갑니까.
어느 가을 이른 바람에
이에 저에 떨어질 ㉡잎처럼,
한 가지에 나고
가는 곳 모르온저.
㉢아아, ㉣미타찰(彌陀刹)에서 만날 ㉤나
도(道) 닦아 기다리겠노라.

– 월명사, 「제망매가」 –

(나) 그러나 이별을 쓸데없는 눈물의 원천(原泉)을 만들고 마는 것은 스스로 사랑을 깨치는 것인 줄 아는 까닭에 걷잡을 수 없는 슬픔의 힘을 옮겨서 새 희망의 정수박이에 들어부었습니다.
우리는 만날 때에 떠날 것을 염려하는 것과 같이 떠날 때에 다시 만날 것을 믿습니다.
아아, ㉥님은 갔지마는 나는 님을 보내지 아니하였습니다.
제 곡조를 못 이기는 사랑의 노래는 님의 침묵을 휩싸고 돕니다.

– 한용운, 「님의 침묵」 –

(다) 이 몸이 죽어 가서 무엇이 될꼬 하니
봉래산(蓬萊山) 제일봉에 낙락장송(落落長松) 되어 있어
㉦백설이 만건곤(滿乾坤)할 제 독야청청(獨也靑靑)하리라.

– 성삼문, 「이 몸이 죽어 가서」 –

(라) 동짓달 기나긴 밤을 한 허리를 베어 내어
춘풍(春風) 이불 아래 서리서리 넣었다가
어론 님 오신 날 밤이어든 굽이굽이 펴리라

– 황진이, 「동짓달 기나긴 밤을」 –

(마) 개를 여나믄이나 기르되 요 개같이 얄미우랴
미운 님 오며는 꼬리를 홰홰 치며 치뛰락 나리 뛰락 반겨서 내닫고 고운 님 오며는 뒷발을 바둥바둥 무르락 나오락 캉캉 짖는 요 도리암캐
쉰 밥이 그릇그릇 날진들 너 먹일 줄이 있으랴

– 작자미상, 「개를 여나믄이나」 –

16 (가)~(마)에 대한 설명으로 적절한 것은?

① (가)와 (마)는 비슷한 시기에 창작되었으나 향유계층이 다르다.
② (나)는 (라)보다 늦게 창작된 작품으로 형식에 일정한 제약이 있다.
③ (다)는 (라)보다 먼저 창작된 작품으로 유교적 이념을 바탕으로 하고 있다.
④ (라)와 (마)는 비슷한 제재를 바탕으로 같은 주제의식을 공유하고 있다.
⑤ (가)와 (나)는 공통된 시상을 기반으로 하고 있으나 대상을 바라보는 화자의 태도에서 큰 차이를 보이고 있다.

17 (가)의 갈래에 대한 설명으로 적절하지 <u>않은</u> 것은?

① 신라 시대에서 고려 초기까지 창작, 향유되었다.

② 당시에는 기록 수단이 없어 구전으로 전해오다가 고려 후기에 향찰로 기록되었다.

③ 10구체는 가장 정제된 형태로 낙구 첫머리는 감탄사로 시작한다.

④ 불교사상을 바탕으로 한 것과 주술적 내용을 담은 것이 내용의 주를 이루었다.

⑤ 10구체 향가의 기-서-결 3단 구성은 후대 시조의 초장-중장-종장 형식에 영향을 주었다.

18 (가)의 ㉠～㉤에 대한 설명으로 적절한 것은?

① ㉠은 시적 화자를 뜻한다.

② ㉡은 누이의 이른 죽음을 뜻한다.

③ ㉢은 특별한 의미 없이 흥을 돋우기 위해 사용되었다.

④ ㉣은 화자의 슬픔이 종교적으로 승화되고 있음을 짐작하게 한다.

⑤ ㉤은 현실 세계를 부정적으로 인식하고 있다.

19 (나)의 ㉧과 〈보기〉의 ⒜에 공통으로 사용된 표현법이 쓰인 것으로 적절한 것은?

> ┤ 보기 ├
>
> 살기 위해서는 이제
> 뒷걸음질만이 허락된 것이라고
> 파도가 아가리를 쳐들고 달려드는 곳
> 찾아 나선 것도 아니었지만
> 끝내 발 디디며 서 있는 땅의 끝
> 그런데 이상하기도 하지
> ⒜위태로움 속에 아름다움이 스며 있다는 것이
> 땅끝은 늘 젖어 있다는 것이
> 그걸 보려고
> 또 몇 번은 여기에 이르리라는 것이.
>
> — 나희덕 「땅끝」 —

① 배추벌레에게 반 넘어 먹히고도
   속은 점점 순결한 잎으로 차오르는
   배추의 마음이 뭐가 다를까?
   배추 풀물이 사람 소매에도 들었나 보다.

   — 나희덕 「배추의 마음」 —

② 괴로웠던 사나이,
   행복한 예수 그리스도에게 /처럼
   십자가가 허락된다면 //
   모가지를 드리우고 / 꽃처럼 피어나는 피를
   어두워가는 하늘 밑에 / 조용히 흘리겠습니다.

   — 윤동주 「십자가」 —

③ 여름내 흘린 땀과 곳곳에 쌓인 먼지
   말끔히 씻어갈 때

앞산의 검푸른 숲이 짙은 숨결 뿜어내고
대추나무 우듬지에 한두 개
누르스름한 이파리 생겨날 때

– 이광규 「때」 –

④ 가시는 걸음 걸음 / 놓인 그 꽃을
　사뿐히 즈려 밟고 가시옵소서. //
　나 보기가 역겨워 / 가실 때에는
　죽어도 아니 눈물 흘리우리다.

– 김소월 「진달래꽃」 –

⑤ 지금 눈 나리고/ 매화 향기 홀로 아득하니
　내 여기 가난한 노래의 씨를 뿌려라.//
　다시 천고(千古)의 뒤에/
　백마 타고 오는 초인(超人)이 있어
　이 광야에서 목놓아 부르게 하리라.

– 이육사 「광야」 –

20 〈보기〉를 참고하여 (다)를 감상했을 때 선택지에 밑줄 친 시어 중 ⓐ과 그 의미가 유사한 것으로 적절한 것은?

> ┤ 보기 ├
>
> 　수양 대군(훗날 세조)이 계유정난을 일으켜 황보인, 김종서 등을 죽이고 정권을 잡았다. 이후 그는 어린 조카인 단종을 위협하여 왕위를 빼앗았다. 이때 성삼문은 박팽년, 유응부, 이개 등과 함께 단종 복위 운동을 계획하였다. 하지만 모의 사실이 밝혀져 성삼문은 수양 대군에게 모진 고문을 당하였고, 계획은 수포가 되었다. 결국 성삼문은 불의에 끝까지 저항하다가 죽음을 맞았다. 그는 조선 시대 대표적인 사육신의 한 사람이다.

① 가마귀 검다 하고 백로야 웃지 마라.
　겉이 검은들 속조차 검을 소냐
　아마도 겉 희고 속 검은 것은 너뿐인가 하노라

– 이직 –

② 가마귀 싸우는 골에 백로야 가지마라
　성낸 가마귀 흰빛을 시기하나니
　맑은 물에 기껏 씻은 몸을 더럽힐까 하노라

– 정몽주의 어머니 –

③ 백설이 잦아진 골짜기에 구름이 머물레라
　반가운 매화는 어느 곳에 피었는가
　석양에 홀로 서서 갈 곳 몰라 하노라

– 이색 –

④ 구름이 무심탄 말이 아마도 허랑하다
　중천에 떠 있어 임의로 다니면서
　구태여 광명한 날빛을 따라가며 덥나니

– 이존오 –

⑤ 흥망이 유수하니 만월대도 추초로다
　오백 년 왕업이 목적에 부쳐서니
　석양에 지나는 객이 눈물겨워 하노라

– 원천석 –

21 (라)에 대한 설명으로 적절한 것을 〈보기〉에서 모두 고른 것은?

┌─ 보기 ┠
　　⊙ 음성 상징어와 대조적 의미의 시어를 사용하여 주제를 효과적으로 드러내고 있다.
　　ⓛ 하강적 이미지와 도치법을 사용하여 자신의 처지를 잘 표현하고 있다.
　　ⓒ 절개와 지조를 상징하는 자연물의 이미지를 통해 자신의 의지를 드러내고 있다.
　　ⓔ 구체적 상황을 추상적으로 표현하여 작품의 서정성을 높이고 있다.
　　ⓜ 시간적 흐름과 공간의 이동을 통해 시적 화자의 정서를 심화시키고 있다.

① ⊙　　　　② ⊙, ⓜ　　　　③ ⊙, ⓔ, ⓜ　　　　④ ⓛ, ⓒ, ⓜ　　　　⑤ ⓛ, ⓒ, ⓔ, ⓜ

22 (마)에 대한 감상평으로 적절한 것은?

① 임을 기다리는 심정을 일상적 소재를 통해 해학적으로 표현하고 있군.
② 자연과 조화를 이루며 순리대로 살아가려는 화자의 의지가 잘 반영되어 있군.
③ 임에 대한 사랑과 그리움의 감정을 절제된 어조로 담백하게 표현하고 있군.
④ 세상살이의 고달픔에서 벗어나고자 하는 심정을 일상적인 소재를 사용하여 잘 표현하고 있군.
⑤ 자신을 둘러싸고 있는 상황에서 벗어나고자 하는 화자의 의지를 상징적 시어를 통해 표현하고 있군.

[23~25] 다음 글을 읽고 물음에 답하시오.

(가)
이 몸이 죽어 가서 무엇이 될꼬 하니
봉래산(蓬萊山) 제일봉에 낙락장송(落落長松) 되어 있어
백설이 만건곤(滿乾坤)할 제 독야청청(獨也青青)하리라.

－ 성삼문, 「이 몸이 죽어 가서」 －

(나)
수양 대군(훗날 세조)이 계유정난(1453년)을 일으켜 황보인, 김종서 등을 죽이고 정권을 잡았다. 이후 그는 어린 조카인 단종을 위협하여 왕위를 빼앗았다. 이때 성삼문은 박팽년, 유응부, 이개 등과 함께 단종 복위 운동을 계획하였다. 하지만 모의 사실이 밝혀져 성삼문은 수양 대군에게 모진 고문을 당하였고, 계획을 수포가 되었다. 결국 성삼문은 불의에 끝까지 저항하다가 죽음을 맞았다. 그는 조선 시대 대표적인 사육신의 한 사람이다.

(다)
개를 여나믄이나 기르되 요 개같이 얄미우랴
미운 님 오며는 꼬리를 홰홰 치며 치뛰락 나리 뛰락 반겨서 내닫고 고운 님 오며는 뒷발을 바둥바둥 무르락 나오락 캉캉
짖는 요 도리암캐
쉰 밥이 그릇그릇 날진들 너 먹일 줄이 있으랴

－ 작자미상, 「개를 여나믄이나 기르되」 －

23 (가)와 유사한 정서가 드러나는 것은?

① 어져 내일이야 그릴 줄을 모로던가.
　이시라 하더면 가랴마는 제 구태여
　보내고 그리는 情(정)은 나도 몰라 하노라.

– 황진이 –

② 오백년 도읍지를 필마로 돌아드니
　산천은 의구하되 인걸은 간데 없네.
　어즈버 태평연월이 꿈이런가 하노라.

– 길재 –

③ 수양산을 바라보며 백이와 숙제를 한탄하노라
　굶주려 죽을지언정 고사리를 캐어서야 되겠는가?
　아무리 푸성귀라도 그것이 누구의 땅에서 났단 말인가?

– 성삼문 –

④ 짚방석 내지 마라. 낙엽엔들 못 앉으랴.
　솔불 혀지 마라. 어제 진 달 도다 온다.
　아희야 薄酒山菜(박주 산채)ㄹ망정 업다 말고 내여라.

– 한호 –

⑤ 사흘 와 계시다가 말없이 돌아가시는
　아버님 모시두루막 빛 바랜 흰자락이
　웬일로 제 가슴 속에 눈물로만 스밉니까

– 정완영 –

24 (나)를 참고하여 (가)를 감상한 내용으로 가장 거리가 먼 것은?

① '봉래산 제일봉'은 왕위를 빼앗긴 단종을 의미한다.
② '낙락장송'은 불의에 저항하는 성삼문의 지조와 절개를 상징한다.
③ '백설'은 왕위를 빼앗은 '수양대군'의 세력을 가리킨다.
④ '만건곤할 제'는 수양대군의 세력이 세상을 장악했음을 나타낸다.
⑤ '독야청청'은 끝까지 절개를 지키겠다는 성삼문의 다짐이라 할 수 있다.

25 (다)를 감상한 내용으로 적절하지 <u>않은</u> 것은?

① 화자의 과장된 표현이 웃음을 유발한다.
② 화자는 자신의 감정에 솔직하지 못한 것 같다.
③ 임을 그리워하는 화자의 안타까운 마음이 잘 드러나 있다.
④ 설의적 표현을 통해 화자의 개에 대한 얄미운 감정을 강조한다.
⑤ 화자는 오지 않는 임에 대한 원망을 개에게 전가하여 표현하고 있다.

[26~30] 다음 글을 읽고 물음에 답하시오.

(가)

생사(生死) 길은
예 있으매 머뭇거리고,
나는 간다는 말도
못다 이르고 어찌 갑니까.
어느 가을 이른 바람에
이에 저에 떨어질 잎처럼,
한 가지에 나고
가는 곳 모르온저.
아아, 미타찰(彌陀刹)에서 만날 나
도(道) 닦아 기다리겠노라.

– 월명사, 「제망매가」 –

(나)

이 몸이 죽어 가서 무엇이 될꼬 하니
봉래산(蓬萊山) 제일봉에 ㉠낙락장송(落落長松) 되어 있어
백설이 만건곤(滿乾坤)할 제 독야청청(獨也靑靑)하리라.

– 성삼문, 「이 몸이 죽어 가서」 –

(다)

동짓달 기나긴 밤을 한 허리를 베어 내어
춘풍(春風) 이불 아래 서리서리 넣었다가
어론 님 오신 날 밤이어든 굽이굽이 펴리라

– 황진이, 「동짓달 기나긴 밤을」 –

(라)

개를 여나믄이나 기르되 요 개같이 얄미우랴
미운 님 오며는 꼬리를 홰홰 치며 치뛰락 나리 뛰락 반겨서 내닫고 고운 님 오며는 뒷발을 바둥바둥 무르락 나오락 캉캉 짖는 요 도리암캐
쉰 밥이 그릇그릇 날진들 너 먹일 줄이 있으랴

– 작자미상, 「개를 여나믄이나」 –

26 (가)~(라)에 대한 설명으로 적절하지 않은 것은?

① (가)는 (나)와 (다)에 형식적으로 영향을 주었다.
② (나)는 임진왜란 이전에, (라)는 임진왜란 이후에 창작되었다.
③ (나)와 (다)는 사대부 계층의 유교적 충의 사상을 노래하고 있다.
④ (가)의 원문은 한자의 음과 뜻을 빌려 우리말을 적은 '향찰'로 표기되었다.
⑤ (다)와 (라)에는 상황을 실감나게 나타내기 위해 '음성상징어'가 사용되고 있다.

27 (가)에 대한 설명으로 적절하지 <u>않은</u> 것은?

① 5행의 '가을 이른 바람'은 여동생의 요절과 관련이 있다.
② 시상 전개상 두 번째 부분에는 비유적 표현이 나타나 있다.
③ 3행의 시어 '나'와 9행의 시어 '나'는 가리키는 대상이 다르다.
④ 여동생이 극락세계로 가기를 바라는 화자의 마음이 나타나 있다.
⑤ 화자는 처음부터 끝까지 사랑하는 여동생과 사별한 슬픔, 허무함, 절망감을 노래하고 있다.

28 다음 밑줄 친 시어 중, (나)의 ㉠의 상징적 의미와 거리가 가장 먼 것은?

① 두류산(竇流山) 양단수(兩端水)를 옛날 듣고 이제 보니,
  <u>도화(桃花)</u> 뜬 맑은 물에 산영(山影)조차 잠겼구나.
  아희야, 무릉(武陵)이 어디냐, 나는 여긴가 하노라.
② <u>국화(菊花)</u>야 너는 어이 삼월동풍(三月東風) 다 지내고
  낙목한천(落木寒天)에 네 홀로 피었느냐
  아마도 오상고절(傲霜孤節)은 너뿐인가 하노라.
③ 까마귀 싸우는 골에 <u>백로(白鷺)</u>야 가지 마라
  성낸 까마귀 흰빛을 시기하니
  청강에 깨끗이 씻은 몸을 더럽힐까 하노라.
④ 백설(白雪)이 잦아진 골에 구름이 험하구나.
  반겨줄 <u>매화(梅花)</u>는 어느 곳에 피었는고
  석양(夕陽)에 홀로 서서 갈 곳 몰라 하노라.
⑤ 눈 맞아 휘어진 <u>대나무</u>를 누가 굽다했나.
  굽을 절(節)이면 눈 속에 푸르겠냐.
  아마도 세한고절(歲寒高節)은 너뿐인가 하노라.

29 (가)~(라)에 나타난 표현 방식에 대한 설명으로 적절하지 <u>않은</u> 것은?

① (가)는 화자의 슬픔 정서를 종교적으로 승화시켜 그 극복 의지를 표현하고 있다.
② (나)는 비유와 상징을 통해 주제를 효과적으로 표현하고 있다.
③ (다)는 추상적 개념을 시각적으로 구체화하여 표현하고 있다.
④ (라)는 노래하는 대상의 행동을 해학적으로 표현하고 있다.
⑤ (가)와 (나)는 동일한 종교적 가치관을 직설적으로 표현하고 있다.

30 (다)에 나타난 화자의 정서와 가장 이질적인 것은?

① 어져 내 일이야 그릴 줄을 모로던가.
　　이시라 하더면 가랴마는 제 구태여
　　보내고 그리는 정(情)은 나도 몰라 하노라.

② 십 년(十年)을 경영(經營)하야 초려삼간(草廬三間) 지어내니,
　　나 한 간, 달 한 간에 청풍(淸風) 한 간 맡겨 두고,
　　강산(江山)은 들일 듸 업스니 둘러 두고 보리라.

③ 묏버들 가려 것거 보내노라 님에게
　　자시는 창밧긔 심거두고 보쇼서.
　　밤비에 새닙곳 나거든 날인가도 여기소서.

④ 내 마음 베어 내여 저 달을 만들고져.
　　구만 리 장천(長天)의 번듯이 걸려 이셔
　　고운 님 계신 곳에 가 비추어나 보리라.

⑤ 이화우(梨花雨) 흩뿌릴 제 울며 잡고 이별한 임
　　추풍낙엽(秋風落葉)에 저도 날 생각는가.
　　천 리(千里)에 외로운 꿈만 오락가락 하노매.

[31~34] 다음 글을 읽고 물음에 답하시오.

(가)

동짓달 기나긴 밤을 한 허리를 베어 내어
춘풍(春風) 이불 아래 서리서리 넣었다가
어론 님 오신 날 밤이거든 굽이굽이 펴리라.

　　　　　　　　　　　　　　　　　　　　　　　　– 황진이, 「동짓달 기나긴 밤을」 –

(나)

개를 여나믄이나 기르되 요 개같이 얄미우랴
미운 님 오며는 꼬리를 홰홰 치며 치뛰락 나리 뛰락 반겨서 내닫고 고운 님 오며는 뒷발을 바둥바둥 무르락 나오락 캉캉 짖는 요 도리암캐
쉰 밥이 그릇그릇 날진들 너 먹일 줄이 있으랴

　　　　　　　　　　　　　　　　　　　　　　　　– 작자미상, 「개를 여나믄이나 기르되」 –

(다)

잠아 잠아 무삼 잠고 가라가라 멀리 가라
세상 사람 무수한데 구태 너는 간 데 없어
원치 않는 이 내 눈에 이렇듯이 자심하뇨
주야에 한가하여 월명동창 혼자 앉아
삼사경 깊은 밤을 헛되이 보내면서
잠 못 들어 한하는데 그런 사람 있건마는
무상불청 원망 소리 올 때마다 듣난고니

석반을 거두치고 황혼이 되듯마듯

낮에 못한 남은 일을 밤에 하려 마음먹고

언하당 황혼이라 섬섬옥수 바삐 들어

등잔 앞에 고개 숙여 실 한 바람 불어 내어

더문더문 질긋 바늘 두엇 뜸 뜨듯마듯

난데없는 이 내 잠이 소리 없이 달려드네

눈썹 속에 숨었는가 눈 알로 솟아온가

이 눈 저 눈 왕래하며 무삼 요술 피우는고

맑고 맑은 이 내 눈이 절로절로 희미하다

– 작자미상, 「잠노래」 –

31 (가)~(다)의 공통점으로 가장 적절한 것은?

① 시간의 흐름에 따른 화자의 태도 변화가 나타난다.

② 감정을 이입하여 대상에 대한 친밀감을 표현하고 있다.

③ 순우리말을 사용하여 대상에 대한 원망을 드러내고 있다.

④ 일상적으로 접하는 소재를 시상 전개에 활용하고 있다.

⑤ 의인화된 대상에게 말을 건네면서 거리감을 좁히고 있다.

32 (가)~(다)의 시어에 대한 설명으로 적절하지 <u>않은</u> 것은?

① (가)의 '서리서리'와 (나)의 '홰홰'는 우리말의 묘미를 잘 살린 음성 상징어이다.

② (가)의 '기나긴 밤'과 (다)의 '깊은 밤'은 외롭고 길게 느껴지는 부정적 시간이다.

③ (가)의 '춘풍'과 (다)의 '실 한 바람'은 임과 재회하고픈 간절한 소망을 담고 있다.

④ (나)의 '도리암캐'와 (다)의 '요술'은 화자가 원하는 바를 이루지 못하게 방해하고 있다.

⑤ (나)의 '쉰 밥'과 (다)의 '석반'은 의식주 가운데 식생활과 관련이 있는 소재들이다.

33 (가)와 〈보기〉에 대한 설명으로 가장 적절한 것은?

┤ 보기 ├

우리는 만날 때에 떠날 것을 염려하는 것과 같이 떠날 때에 다시 만날 것을 믿습니다.

아아, 님은 갔지마는 나는 님을 보내지 아니하였습니다.

제 곡조를 못 이기는 사랑의 노래는 님의 침묵을 휩싸고 돕니다.

– 한용운, 「님의 침묵」 중에서–

① (가)와 〈보기〉 모두 색채 대비를 통해 주제의식을 드러내고 있다.

② (가)와 〈보기〉 모두 윤회사상을 기반으로 재회에 대한 믿음을 드러낸다.

③ (가)는 〈보기〉와 달리 추상적인 시간을 구체적인 사물로 표현하고 있다.

④ (가)는 〈보기〉와 달리 공간의 이동에 따라 시상이 점층적으로 전개되고 있다.

⑤ 〈보기〉는 (가)와 달리 속마음과 반대되는 표현을 통해 진리를 드러내고 있다.

34 (나)와 〈보기〉에 대해 바르게 설명한 사람으로 짝지어진 것은?

> ┤ 보기 ├
>
> 논밭 갈아 김 매고 베잠방이 대님 쳐 신 들메고
>
> 낫 갈아 허리에 차고 도끼를 벼려 들러 메고 울창한 산속에 들어가서 삭정이 마른 섶을 베거니 자르거니 지게에 짊어져 지팡이에 받쳐 놓고 샘을 찾아가서 점심도 다 비우고 곰방대를 툭툭 털어 잎담배 피워 물고 콧노래 흥얼대다가
>
> 석양이 재 넘어갈 때 어깨를 추스르며 긴 소리 짧은 소리 하며 어이 갈꼬 하더라.
>
> – 작자 미상 –

> ┤ 설명 ├
>
> 갑 : (나)와 〈보기〉 모두 중장의 길이만 늘어났으니 조선 후기 사설시조라고 볼 수 있어.
>
> 을 : (나)와 〈보기〉는 행위에 대한 묘사를 통해 상황에 대응하는 방식을 보여주고 있어.
>
> 병 : (나)는 설의적 표현을 통해, 〈보기〉는 인용 표현을 통해 노래를 마무리 짓고 있군.
>
> 정 : (나)는 일상적 경험을 〈보기〉는 색다른 경험을 다루면서 비관적 전망을 보이는군.
>
> 무 : (나)는 자연으로 인해, 〈보기〉는 노동으로 인해 겪는 내적 갈등이 드러나고 있어.

① 갑, 을   ② 갑, 병   ③ 을, 병   ④ 병, 무   ⑤ 정, 무

[35~42] 다음 글을 읽고 물음에 답하시오.

(가)

생사(生死)길은
㉠예 있으매 머뭇거리고,
㉡나는 간다는 말도
못다 이르고 어찌 갑니까.
어느 가을 ㉢이른 바람에
이에 저에 ㉣떨어질 잎처럼,
㉤한 가지에 나고
㉥가는 곳 모르온저.
아아, 미타찰(彌陀刹)에서 만날 나
도(道) 닦아 기다리겠노라.

– 월명사, 「제망매가(祭亡妹歌)」–

(나)

이 몸이 죽어 가서 무엇이 될꼬 하니
봉래산(蓬萊山) 제일봉에 낙락장송(落落長松) 되어 있어
백설이 만건곤(滿乾坤)할 제 독야청청(獨也靑靑) 하리라.

– 성삼문, 「이 몸이 죽어 가서」–

(다)

동짓달 기나긴 밤을 한 허리를 베어 내어

춘풍(春風) 이불 아래 서리서리 넣었다가

어론 님 오신 날 밤이거든 굽이굽이 펴리라.

– 황진이, 「동짓달 기나긴 밤을」 –

(라)

님은 갔습니다. 아아, 사랑하는 나의 님은 갔습니다.

푸른 산빛을 깨치고 단풍나무 숲을 향하여 난 작은 길을 걸어서 차마 떨치고 갔습니다.

황금의 꽃같이 굳고 빛나던 옛 맹세는 차디찬 티끌이 되어서 한숨의 미풍에 날아갔습니다.

날카로운 첫 '키스'의 추억은 나의 운명의 지침을 돌려 놓고 뒷걸음쳐서 사라졌습니다.

나는 향기로운 님의 말소리에 귀먹고 꽃다운 님의 얼굴에 눈멀었습니다.

사랑도 사람의 일이라 만날 때에 미리 떠날 것을 염려하고 경계하지 아니한 것은 아니지만, 이별은 뜻밖의 일이 되고 놀란 가슴은 새로운 슬픔에 터집니다.

그러나 이별을 쓸데없는 눈물의 원천을 만들고 마는 것은 스스로 사랑을 깨치는 것인 줄 아는 까닭에 걷잡을 수 없는 슬픔의 힘을 옮겨서 새 희망의 정수박이에 들어부었습니다.

우리는 만날 때에 떠날 것을 염려하는 것과 같이 떠날 때에 다시 만날 것을 믿습니다.

아아, 님은 갔지마는 나는 님을 보내지 아니하였습니다.

제 곡조를 못 이기는 사랑의 노래는 님의 침묵을 휩싸고 돕니다.

– 한용운, 「님의 침묵」 –

---

35 (가)~(다)에 대한 설명으로 적절한 것은?

① (가)는 (나)와 달리 자연 친화적인 이미지를 보여주고 있다.

② (가)와 (다)는 대상이 부재하는 부정적인 현실을 외면하고 있다.

③ (가)와 달리 (나)는 시상의 전환을 통해 분위기를 반전시키고 있다.

④ (나)와 (다)는 자문자답의 형식을 활용하여 화자의 의지를 나타내고 있다.

⑤ (가), (나), (다) 모두 부정적 상황 속에서 화자가 바라는 바를 제시하고 있다.

36 ㉠~㉤에 대한 이해로 적절하지 않은 것은?

① ㉠ : 생사의 문제에 대한 인간의 고뇌를 담고 있다.

② ㉡ : '나는 간다'에서 주체는 화자의 누이라고 볼 수 있다.

③ ㉢ : 누이의 죽음으로 인한 화자의 시련과 고난을 의미한다.

④ ㉣ : 떨어지는 것이 죽음을 의미하므로 유한한 누이의 삶을 의미한다.

⑤ ㉤ : 같은 나뭇가지로 누이와 내가 같은 부모에게 태어났음을 의미한다.

37 밑줄 친 시어의 의미가 ⑪과 일치하지 <u>않는</u> 것은?

① 이승 아니믄 <u>저승</u>으로 떠나는 뱃머리에서 / 나의 목소리도 바람에 날려서 // 뭐락카노 뭐락카노 / 썩어서 동아 밧줄은 삭아 내리는데

– 박목월, 「이별가」 –

② 애기는 방 속을 들여다본다. / 들창을 열었다 다시 닫는다 / <u>먼–들길</u>을 애기가 간다. / 맨발 벗은 애기가 울면서 간다. 불러도 대답이 없다.

– 김광균, 「은수저」 –

③ 흰 옷깃 여며 여며 가옵신 님의 / 다신 오지 못하는 <u>파촉(巴蜀) 삼만리(三萬里)</u>. // 신이나 삼아줄 슬픈 사연의 / 오올이 아로새긴 육날 메투리

– 서정주, 「귀촉도」 –

④ 형(兄)님! 불렀다. / 오오냐. 나는 전신(全身)으로 대답했다. / 그래도 그는 못 들었으리라. / 이제 / 네 음성을 / 나만 듣는 <u>여기</u>는 눈과 비가 오는 세상

– 박목월, 「하관」 –

⑤ 은핫물 동쪽 서쪽 그 멀고 먼 거리가 / <u>하늘과 땅의 거리</u>인 걸 알게 하네. / 당신 나중 흙이 되고 내가 훗날 바람 되어 / 다시 만나지는 길임을 알게 하네.

– 도종환, 「옥수수밭 옆에 당신을 묻고」 –

38 (가)와 〈보기〉를 비교한 것으로 적절한 것은?

┤ 보기 ├

심중에 남아 있는 말 한마디는 / 끝끝내 마저 하지 못하였구나. / 사랑하던 그 사람이여 ! / 사랑하던 그 사람이여 !

붉은 해는 서산 마루에 걸리었다. / 사슴의 무리도 슬피 운다. / 떨어져 나가 앉은 산 위에서 / 나는 그대의 이름을 부르노라.

설움에 겹도록 부르노라. / 설움에 겹도록 부르노라. / 부르는 소리는 비껴 가지만 / 하늘과 땅 사이가 너무 넓구나.

선 채로 이 자리에 돌이 되어도 / 부르다가 내가 죽을 이름이여 ! / 사랑하던 그 사람이여 ! / 사랑하던 그 사람이여 !

– 김소월, 「초혼(招魂)」 –

① (가)와 〈보기〉 모두 이승과 저승은 단절된 공간이 아니라고 생각한다.
② (가)와 〈보기〉 모두 자신의 감정을 절제된 어조로 이야기하고 있다.
③ (가)는 〈보기〉와 달리 종교적인 믿음을 통해 슬픔을 극복하고자 한다.
④ (가)는 〈보기〉와 달리 반복을 통해서 자신의 정서를 강조하고 있다.
⑤ 〈보기〉는 (가)와 달리 대상과의 재회에 대한 확신을 드러내고 있다.

39 〈보기〉를 읽고 (나)를 이해한 내용으로 적절한 것은?

> ┤ 보기 ├
>
> 수양 대군(훗날 세조)이 계유정난(1453년)을 일으켜 황보인, 김종서 등을 죽이고 정권을 잡았다. 이후 그는 어린 조카인 단종을 위협하여 왕위를 빼앗았다. 이때 성삼문은 박팽년, 유응부, 이개 등과 함께 단종 복위 운동을 계획하였다. 하지만 모의 사실이 밝혀져 성삼문은 수양 대군에게 모진 고문을 당하였고, 계획은 수포가 되었다. 결국 성삼문은 불의에 끝까지 저항하다가 죽음을 맞았다. 그는 조선 시대 대표적인 사육신의 한 사람이다.

① '백설'은 박팽년, 유응부, 이개 등을 의미한다.
② 화자는 자신의 죽음을 예상하지 못하고 있었다.
③ '독야청청'은 화자가 지향하는 가치와 반대되는 모습이다.
④ '낙락장송'은 성삼문이 수양대군에게 저항하는 모습을 나타낸다.
⑤ '봉래산 제일봉'은 당시 가장 높은 권세를 가진 수양 대군을 상징한다.

40 (나)와 〈보기〉를 비교한 것으로 적절한 것은?

> ┤ 보기 ├
>
> 개를 여나믄이나 기르되 요 개같이 얄미우랴
> 미운 님 오며는 꼬리를 홰홰 치며 치뛰락 나리 뛰락 반겨서 내닫고 고운 님 오며는 뒷발을 바둥바둥 무르락 나오락 캉캉 짖는 요 도리암캐
> 쉰 밥이 그릇그릇 날진들 너 먹일 줄이 있으랴

① 〈보기〉와 달리 (나)에는 해학적인 요소가 담겨 있다.
② 〈보기〉와 달리 (나)는 중장의 길이가 다소 늘어났다.
③ (나)와 달리 〈보기〉는 주된 작자층이 양반 계층이다.
④ (나)와 달리 〈보기〉는 생활과 밀착된 구체적이고 사실적인 표현이 나타난다.
⑤ (나)와 〈보기〉 모두 유교적 세계관이나 정신적 품격 등에 대해 노래하고 있다.

41 (다)와 유사한 발상이 나타나 있는 것은?

① 산 너머 남촌에는 누가 살길래 / 해마다 봄바람이 남으로 오네 // 꽃 피는 사월이면 진달래 향기
② 모란이 피기까지는 / 나는 아직 기다리고 있을테요. 찬란한 슬픔의 봄을.
③ 나보기가 역겨워 / 가실 때에는 / 말없이 고이 보내 드리오리다.
④ 향료를 뿌린 듯 곱 다란 노을 위에 / 전신주 하나하나 기울어지고 // 먼—고가선 위에 밤이 켜진다.
⑤ 나는 지금 위험한 상태다. / 오렌지도 마찬가지 위험한 상태다. / 시간이 똘똘 / 배암의 또아리를 틀고 있다.

42 (가)와 (라)를 비교한 것으로 적절한 것은?

① (가)와 (라)는 유교적 세계관을 기반으로 하고 있다.
② (가)는 (라)와 달리 '기-승-전-결'의 구조로 시상을 전개하고 있다.
③ (가)는 (라)와 달리 부재하는 대상과의 추억을 회상하고 있다.
④ (라)는 (가)와 달리 슬픔에서 희망으로 시상이 전환되고 있다.
⑤ (라)는 (가)와 달리 재회에 대한 믿음을 역설적으로 표현하고 있다.

[43~48] 다음 글을 읽고 물음에 답하시오.

(가) 생사(生死) 길은
　　예 있으매 머뭇거리고,
　　나는 간다는 말도
　　못다 이르고 어찌 갑니까.
　　㉠어느 가을 이른 바람에
　　이에 저에 떨어질 잎처럼,
　　한 가지에 나고
　　가는 곳 모르온저.
　　㉡아아, 미타찰(彌陀刹)에서 만날 나
　　도(道) 닦아 기다리겠노라.

　　　　　　　　　　　　　　　　　　　– 월명사, 「제망매가」 –

(나) 이 몸이 죽어 가서 무엇이 될꼬 하니
　　봉래산(蓬萊山) 제일봉에 낙락장송(落落長松) 되어 있어
　　백설이 만건곤(滿乾坤)할 제 독야청청(獨也靑靑)하리라.

　　　　　　　　　　　　　　　　　　　– 성삼문, 「이 몸이 죽어 가서」 –

(다) 동짓달 기나긴 밤을 한 허리를 베어 내어
　　춘풍(春風) 이불 아래 ㉢서리서리 넣었다가
　　어론 님 오신 날 밤이어든 굽이굽이 펴리라

　　　　　　　　　　　　　　　　　　　– 황진이, 「동짓달 기나긴 밤을」 –

(라) ㉣개를 여나믄이나 기르되 요 개같이 얄미우랴
　　미운 님 오며는 꼬리를 홰홰 치며 치뛰락 나리 뛰락 반겨서　내닫고 고운 님 오며는 뒷발을 바둥바둥 무르락 나오
　　락 캉캉 짖는 요 도리암캐
　　㉤쉰 밥이 그릇그릇 날진들 너 먹일 줄이 있으랴

　　　　　　　　　　　　　　　　　　　– 작자미상, 「개를 여나믄이나」 –

43 ㉠~㉤을 이해한 내용으로 적절한 것은?

① ㉠ : 비유적 표현을 사용하여 대상의 요절을 나타내고 있다.
② ㉡ : 청각적 이미지를 사용하여 대상이 지닌 슬픔을 표현하고 있다.
③ ㉢ : 음성상징어를 사용하여 작품에 활기차고 단단한 느낌을 부여하고 있다.
④ ㉣ : 대구적 표현을 사용하여 임을 기다리는 화자의 간절한 심정을 드러내고 있다.
⑤ ㉤ : 가정적인 상황을 설정하여 시간에 따른 화자의 정서 변화를 보여 주고 있다.

44 (가)와 〈보기〉에 공통적으로 나타난 화자의 태도와 가장 유사한 것은?

┌─── 보기 ───
│ 우리는 만날 때에 떠날 것을 염려하는 것과 같이 떠날 때에 다시 만날 것을 믿습니다.
│ 아아, 님은 갔지마는 나는 님을 보내지 아니하였습니다.
│ 제 곡조를 못 이기는 사랑의 노래는 님의 침묵을 휩싸고 돕니다.
│   – 한용운, 「님의 침묵」 중에서 –
└────────────────────────────────────

① 나 하늘로 돌아가리라 / 아름다운 이 세상 소풍 끝내는 날, / 가서, 아름다웠더라고 말하리라…….
② 임이여, 물을 건너지 마오. / 임은 그예 물을 건너시네. 물에 빠져 돌아가시니. / 가신 임을 어이할꼬.
③ 산산이 부서진 이름이여! / 허공중에 헤어진 이름이여! / 불러도 주인 없는 이름이여! / 부르다가 내가 죽을 이름이여!
④ 천 길 땅 밑을 검은 물로 흐르거나 / 도솔천(兜率天)의 하늘을 구름으로 날더라도 / 그건 결국 도련님 곁 아니에요?
⑤ 밤에 홀로 유리(琉璃)를 닦는 것은 / 외로운 황홀한 심사이어니
   고운 폐혈관(肺血管)이 찢어진 채로 / 아아, 늬는 산(山)새처럼 날아갔구나!

45 (가)와 (나)의 공통점을 설명한 내용으로 가장 적절한 것은?

① 삶과 죽음에 대한 인간적 고뇌가 드러나 있다.
② 대조적 의미의 시어를 사용하여 내적 갈등을 해소하고 있다.
③ 인간과 자연의 대비되는 특성을 통해 주제를 드러내고 있다.
④ 전 계층이 향유한 문학으로 현재까지 그 양식이 창작되고 있다.
⑤ 내용상 3단 구성으로 되어 있으며, 작품의 끝부분인 낙구와 종장에 형식적인 제약이 있다.

46 (나), (다)의 표현 방식에 대한 설명으로 적절한 것은?

① (나)와 달리 (다)에서는 연쇄와 반복을 통해 리듬감이 나타나고 있다.
② (다)와 달리 (나)에서는 영탄법을 사용하여 안타까움의 정서를 강조하고 있다.
③ (다)와 달리 (나)에서는 자문자답(自問自答)의 형식을 통해 화자의 의지를 보여주고 있다.
④ (나), (다)에서는 모두 색채어를 통해 대상의 면모가 강조되고 있다.
⑤ (나), (다)에서는 모두 과거와 현재의 대비를 통해 시상의 전환이 이루어지고 있다.

47 〈보기〉를 참고했을 때, (나)의 '백설'과 함축적 의미가 <u>다른</u> 것은?

> ┤ 보기 ├
>
>   세조의 왕위 찬탈은 과거에 세종과 문종의 총애를 받았던 집현전의 일부 학사 출신으로부터 심각한 저항
> 을 받았다. 성삼문, 박팽년, 하위지, 이개, 유성원, 김문기 등은 무관인 유응부, 성승등과 함께 세조를 제거
> 하고 상왕을 복위시킬 것을 모의하고 기회를 노리고 있었다.
>   1455년 10월 거사를 계획하였으나 계획이 탄로 날 것을 두려워한 김질이 장인 정창손에게 계획을 누설하
> 고, 정창손과 함께 세조에게 고변함으로써 거사 주동자인 사육신(死六臣)과 그 연루자 70여 명이 모두 처형
> 되면서 단종 복위 운동은 실패하였다. (나)는 성삼문이 단종의 복위 운동에 실패하여 처형당할 때 지은 시조
> 이다.

① 白雪(백설)이 즈자진 골에 구루미 머흐레라.
　　반가운 梅花(매화)는 어늬 곳에 피엿는고
　　夕陽(석양)에 홀로 셔 이셔 갈 곳 몰라 ᄒᆞ노라.

② 춘산에 눈 녹인 바름 건 듯 불고 간 듸 업다.
　　져근덧 비러다가 머리 우희 불니고져.
　　긔 밋틔 해묵은 서리를 녹여 볼가 ᄒᆞ노라.

③ 눈 맞아 휘어진 대를 뉘라서 굽다턴고.
　　굽을 절개라면 눈 속에 푸를쏘냐.
　　아마도 세한 고절(歲寒孤節)은 너뿐인가 하노라

④ 길 잃은 등산객들 있을 듯
　　외딴 두메마을 길 끊어 놓을 듯
　　은하수가 펑펑 쏟아져 날아오듯 덤벼드는 눈, / 다투어 몰려 오는 힘찬 눈보라의 군단, / 눈보라가 내리는 백색
　　의 계엄령.

⑤ 등에 업은 아기의 울음소리를 달래며 / 갈 길은 먼데 함박눈은 내리는데 / 사랑할 수 없는 것을 사랑하기 위하여
　　/ 용서받을 수 없는 것을 용서하기 위하여 / 눈사람을 기다리며 노랠 부르네.

48 (다)와 (라)를 비교한 내용으로 적절하지 <u>않은</u> 것은?

① (다)는 시조 본래의 정형적 형식인 3장 6구 45자 내외를 지키고 있으나, (라)는 중장이 제한 없이 길어졌다.

② (다)는 기존의 사대부 시조와 달리 남녀 간의 애정과 이별을 노래하였고 (라)는 서민의 진솔한 생활 감정을 노래
　　하였다.

③ (다)는 시간이라는 무형의 현상을 공간에 존재하는 사물처럼 표현하여 추상적인 개념을 구체적으로 형상화하였
　　고, (라)는 음성상징어를 적극적으로 사용하여 문학적 성취를 이루었다.

④ 두 작품 모두 임을 그리워하는 안타까운 마음을 주제로 하고 있으나, (다)가 한자어를 사용하여 비장한 아름다움
　　을 준다면, (라)는 과장된 표현으로 해학적인 느낌을 준다.

⑤ (다)와 (라)는 모두 대상을 수동적으로 기다려야 하는 조선 시대 여인의 안타까움이 투영된 작품으로, 이는 작품
　　안에서나마 임에 대한 그리움을 적극적으로 풀어내려는 시도로 볼 수 있다.

[01~13] 다음 글을 읽고 물음에 답하시오.

(가)

생사(生死) 길은

예 있으매 머뭇거리고,

나는 간다는 말도

못다 이르고 어찌 갑니까.

어느 가을 이른 바람에

이에 저에 떨어질 잎처럼,

한 가지에 나고

ⓐ가는 곳 모르온저.

㉠아아, 미타찰(彌陀刹)에서 만날 나

도(道) 닦아 기다리겠노라.

– 제망매가, 「월명사」 –

(나)

이 몸이 죽어 가서 무엇이 될꼬 하니

봉래산(蓬萊山) 제일봉에 낙락장송(落落長松) 되어 있어

백설이 만건곤(滿乾坤)할 제 독야청청(獨也靑靑)하리라.

– 성삼문 –

(다)

님은 갔습니다. 아아, 사랑하는 나의 님은 갔습니다.

푸른 산빛을 깨치고 단풍나무 숲을 향하여 난 작은 길을 걸어서 차마 떨치고 갔습니다.

황금의 꽃같이 굳고 빛나든 옛 맹세는 차디찬 티끌이 되어서 한숨의 미풍에 날아갔습니다.

날카로운 첫 키스의 추억은 나의 운명의 지침을 돌려 놓고 뒷걸음쳐서 사라졌습니다.

나는 향기로운 님의 말소리에 귀먹고 꽃다운 님의 얼굴에 눈멀었습니다.

사랑도 사람의 일이라 만날 때에 미리 떠날 것을 염려하고 경계하지 아니한 것은 아니지만, 이별은 뜻밖의 일이 되고 놀란 가슴은 새로운 슬픔에 터집니다.

그러나 이별을 쓸데없는 눈물의 원천을 만들고 마는 것은 스스로 사랑을 깨치는 것인 줄 아는 까닭에 걷잡을 수 없는 슬픔의 힘을 옮겨서 새 희망의 정수박이에 들어부었습니다.

우리는 만날 때에 떠날 것을 염려하는 것과 같이 떠날 때에 다시 만날 것을 믿습니다.

아아, 님은 갔지마는 나는 님을 보내지 아니하였습니다.

제 곡조를 못 이기는 사랑의 노래는 님의 침묵을 휩싸고 돕니다.

– 한용운, 「님의 침묵」 –

(라)

개를 여나믄이나 기르되 요 개같이 얄미우랴

미운 님 오며는 꼬리를 홰홰 치며 치뛰락 나리 뛰락 반겨서 내닫고 고운 님 오며는 뒷발을 바둥바둥 무르락 나오락 캉 캉 짖는 요 도리암캐

쉰 밥이 그릇그릇 날진들 너 먹일 줄이 있으랴

– 작자 미상, 「개를 여나믄이나 기르되」 –

(마)
동짓달 기나긴 밤을 한 허리를 베어 내어
춘풍(春風) 이불 아래 서리서리 넣었다가
고운 임 오신 날 밤이거든 굽이굽이 펴리라.

– 황진이 –

01 〈보기〉의 (A), (B)에 들어갈 적절한 어구를 본문에서 찾아 쓰시오.

┤ 보기 ├

'제망매가'의 '떨어질 잎'은 죽은 누이, 그리고 '(A)'은/는 같은 부모, '(B)'은/는 누이의 갑작스런 요절을 각각 의미한다.

02 (1)ⓐ가 의미하는 것은 무엇인지 그 근거를 구체적으로 들어 설명하고, (2)ⓐ와 대립적인 의미를 지니는 시어를 (가)에서 찾아 쓰시오.

03 〈보기〉의 밑줄에 해당하는 2어절의 시구를 (가)에서 세 가지 찾아 쓰고, 그 의미를 서술하시오.

┤ 보기 ├

선생님 : 〈제망매가〉는 월명사가 누이를 위해서 제를 올릴 때 지었어요. 노래를 지어 부르자 문득 광풍이 일어나 제단에 놓인 지전이 서쪽으로 날려갔다고 해요. 그런데 노랫말은 <u>뛰어난 비유</u>를 사용하여 주술적 성격보다 작품의 서정적 성격을 높이고 있어.

시구	의미
㉠	㉣
㉡	㉤
㉢	㉥

04 (가)의 ⊙과 〈보기〉에서 공통적으로 발견할 수 있는 시적 화자의 상황과 태도를 한 문장으로 서술하시오.

> **┤ 보기 ├**
>
> 우리는 만날 때에 떠날 것을 염려하는 것과 같이 떠날 때에 다시 만날 것을 믿습니다.
>
> 아아, 님은 갔지마는 나는 님을 보내지 아니하였습니다.
>
> 제 곡조를 못 이기는 사랑의 노래는 님의 침묵을 휩싸고 돕니다.

05 (나)에 나온 '백설'과 유사한 함축적 의미를 지닌 시어를 〈보기〉의 시에서 찾아 한 단어로 쓰시오.

> **┤ 보기 ├**
>
> 우리가 눈발이라면
> 허공에서 쭈빗쭈빗 흩날리는
> 진눈깨비는 되지 말자.
>
> 세상이 바람 불고 춥고 어둡다 해도
> 사람이 사는 마을
> 가장 낮은 곳으로
> 따뜻한 함박눈이 되어 내리자.
>
> 우리가 눈발이라면
> 잠 못 든 이의 창문가에서는
> 편지가 되고
> 그이의 깊고 붉은 상처 위에 돋는
> 새살이 되자.
>
>   – 안도현, 「우리가 눈발이라면」 –

06 (나)의 '낙락장송(落落長松)'과 '백설'의 상징적 의미와 종장의 의미를 〈조건〉에 맞게 서술하시오.

> **┤ 조건 ├**
>
> • '낙락장송(落落長松)'과 '백설'의 상징적 의미를 먼저 쓰고, 이를 바탕으로 종장에 담긴 의미를 서술할 것.
> • 문장형식　예 낙락장송은 ~(며)고, 백설은 ~다. 종장의 의미는 ~다.

07 〈보기1〉을 바탕으로 (다)와 〈보기2〉를 감상하였다. 아래 표의 ㉮~㉱에 적절한 시어를 (다)와 〈보기2〉에서 각각 찾아 쓰시오.

┤ 보기 1 ├

　수양 대군(훗날 세조)이 계유정난(1453년)을 일으켜 황보인, 김종서 등을 죽이고 정권을 잡았다. 이후 그는 어린 조카인 단종을 위협하여 왕위를 빼앗았다. 이때 성삼문은 박팽년, 유응부, 이개 등과 함께 단종 복위 운동을 계획하였다. 하지만 모의 사실이 밝혀져 성삼문은 수양 대군에게 모진 고문을 당하였고, 계획은 수포가 되었다. 결국 성삼문은 불의에 끝까지 저항하다가 죽음을 맞았다. 그는 조선 시대 대표적인 사육신의 한 사람이다.

┤ 보기 2 ├

까마귀 눈비 맞아 하얀 듯 검구나.
야광명월(夜光明月)이 밤인들 어두우랴.
님 향한 일편단심이야 고칠 줄이 있으랴.

– 박팽년의 시조 –

	(다)	〈보기2〉
'수양대군' 혹은 그의 세력을 나타내는 자연물	㉮	㉯
화자의 의지를 드러내는 자연물	㉰	㉱

08 (가), (다)를 읽고 물음에 답하시오.

(1) (가)와 (다)에서 시상이 전환되는 부분의 첫 어절을 찾아 각각 쓰시오.

(2) 두 작품에서 공통적으로 발견되는 화자의 태도를 서술하시오. (단, '~다'로 끝나는 한 문장으로 서술할 것.)

09 다음 물음에 답하시오.

(1) (나)와 (라)는 같은 갈래이다. (나)와 구별되는 (라)의 형식상의 특징이 무엇인지 서술하시오.

(2) (나)와 (라)의 창작 시기와 향유 계층을 서술하시오.

10 (라)와 〈보기〉의 시적 대상을 찾아 쓰고, 화자에게 어떤 의미인지를 서술하시오.

┤ 보기 ├

꿈에나 님을 볼려 잠 일울가 누엇드니
새벽 달 지시도록 子規聲(자규성)을 어이 흐리
두어라 斷腸春心(단장춘심)은 너나 닉나 달으리.

– 호석균 –

*자규성 : 두견새의 울음소리.

	시적 대상	의미
(다)	㉠	㉡
〈보기〉	자규	㉢

11 〈보기〉를 참고하여 빈칸에 들어갈 말을 서술하시오. (단, ㉠~㉢은 (마)의 시어를 활용하여 서술할 것.)

┤ 보기 ├

정서, 이념 등 추상적인 대상을 감각적 인식의 대상으로 바꾸어 표현하는 것을 <u>관념의 구체화</u>라고 한다.

(마)에서는 시간을 ___㉠___ , ___㉡___ , ___㉢___ (할) 수 있는 대상으로 인식하여 추상적 개념을 구체적 사물로 나타내고 있다. 이를 통해, 화자의 _____㉣_____ 마음을 효과적으로 표현하고 있다.

---

12 〈보기〉를 참고하여 월명사의 〈제망매가〉와 황진이의 시조 〈동짓달 기나긴 밤을〉의 형식적인 공통점을 서술하시오.

┤ 보기 ├

10구체 향가는 보통 '4행(기)-4행(서)-2행(결)'의 삼단 구성을 취하며, 마지막 두 구인 낙구(落句)의 첫머리에는 감탄사가 나타난다. 이러한 특성은 이후의 시조 작품 및 가사 작품에 계승되어 나타난다.

┤ 조건 ├

• 연결 어미(~고, ~며)를 사용하여 한 문장으로 서술할 것
• 각각의 형식을 구체적으로 서술할 것
• 문장은 종결형 어미 '-(이)다'로 끝맺음을 할 것.

---

13 〈보기〉는 (가)에 사용된 표현상의 특징을 설명한 것이다. 이를 참고하여 (마)에 사용된 표현상의 특징을 두 가지 서술하시오.

┤ 보기 ├

낙구 첫머리에 '<u>아아</u>'라는 <u>감탄사</u>가 나타난다.
       예   특징

┤ 조건 ├

• 반드시 구체적인 시어를 예로 들어 설명할 것
• 각각 한 문장으로 서술할 것.
• 문장은 종결형 어미 '~(이)다.'로 끝맺음을 할 것.

심청전

– 작자 미상 –

어느덧 동방이 밝아 오니, 심청이 아버지 진지나 마지막 지어 드리리라 하고 문을 열고 나서니, 벌써 뱃사람들이 사립문* 밖에서,

"오늘이 배 떠나는 날이오니 수이 가게 해 주시오."

하니, 심청이 이 말을 듣고 얼굴빛이 없어지고 손발에 맥이 풀리며 목이 메고 정신이 어지러워 뱃사람들을 겨우 불러,
<u>아버지와 헤어지게 된 심청이의 심정을 묘사함</u>

"여보시오 선인*네들, 나도 오늘이 배 떠나는 날인 줄 이미 알고 있으나, 내 몸 팔린 줄을 우리 아버지가 아직 모르십니다. 만일 아시게 되면 지레* 야단이 날테니, 잠깐 기다리면 <u>진지나 마지막으로 지어 잡수시게 하고 말씀 여쭙</u>
아버지에 대한 심청이의 마지막 정성
고 떠나게 하겠어요."

하니 뱃사람들이,

<u>"그리하시지요."</u>
심청을 제물로 바치지만 인정이 있는 뱃사람들의 모습
「」: 아버지를 극진히 봉양하는 심청이의 모습
하였다. 「심청이 들어와 눈물로 밥을 지어 아버지께 올리고, 상머리에 마주 앉아 아무쪼록 진지 많이 잡수시게 하느라고 자반*도 떼어 입에 넣어 드리고 김쌈도 싸서 수저에 놓으며,

"진지를 많이 잡수셔요."」

심 봉사는 <u>철도 모르고,</u>
눈치 없이

"야, 오늘은 반찬이 유난히 좋구나. 뉘 집 제사 지냈느냐?"

<u>그날 밤에 꿈을 꾸었는데, 부자간은 천륜지간(天倫之間)*이라 꿈에 미리 보여 주는 바가 있었다.</u>
서술자가 사건에 대한 자신의 견해를 밝히는 부분.(편집자적 논평)
「」: 앞으로 심청에게 벌어질 일을 암시함.(복선의 역할)
「"아가 아가, 이상한 일도 있더구나. 간밤에 꿈을 꾸니, 네가 큰 수레를 타고 한없이 가 보이더구나. 수레라 하는 것이 귀한 사람이 타는 것인데 우리 집에 무슨 좋은 일이 있을란가 보다. 그렇지 않으면 장 승상 댁에서 가마 태워 갈란가 보다."」

심청이는 저 죽을 꿈인 줄 짐작하고 둘러대기를,

<u>"그 꿈 참 좋습니다."</u>
아버지를 안심시키기 위한 말

하고 진짓상을 물려 내고 담배 태워 드린 뒤에 밥상을 앞에 놓고 먹으려 하니 간이 썩는 눈물은 눈에서 솟아나고, 아

버지 신세 생각하며 저 죽을 일 생각하니 정신이 아득하고 몸이 떨려 밥을 먹지 못하고 물렸다. 그런 뒤에 심청이 사
아버지의 안위를 걱정하는 심청이의 착함 마음(심청이의 심정 – 절망감)

당*에 하직하려고 들어갈 제, 다시 세수하고 사당문을 가만히 열고 하직 인사를 올렸다.

"못난 여손(女孫)* 심청이는 아비 눈 뜨기를 위하여 인당수 제물로 몸을 팔려 가오매, 조상 제사를 끊게 되오니 사

모하는* 마음을 이기지 못하겠습니다."   ▶ 아버지에게 마지막으로 식사를 차려드리고 사당에 하직 인사를 올린 심청

울며 하직하고 사당문 닫은 뒤에 아버지 앞에 나와 두 손을 부여잡고 기절하니,
애써 담담한 척 했으나 혼자 두고 먼저 죽을 생각하니 걱정이 되어 불안해하는 심청이의 모습

심 봉사가 깜짝 놀라,

"아가 아가, 이게 웬일이냐? 정신 차려 말하거라."

심청이 여쭙기를,

「♪: 아버지에게 사실을 고하는 심청
「"제가 못난 딸자식으로 아버지를 속였어요. 공양미 삼백 석을 누가 저에게 주겠어요. 남경 뱃사람들에게 인당수
사람의 몸을 제물로 바치는 당시 풍습(인신 공양)이 드러남.

제물로 몸을 팔아 오늘이 떠나는 날이니 저를 마지막 보셔요."」

심 봉사가 이 말을 듣고,

「♪: 구어적 표현과 운문체를 사용하여 생동감을 부여하고 운율을 형성함. 판소리계 소설의 특징이 드러남.
「"참말이냐, 참말이냐? 애고 애고, 이게 웬 말인고? 못 가리라, 못 가리라. 네가 날더러 묻지도 않고 네 마음대로
반복을 통해 운율 형성(설의적 표현)

한단 말이냐? 네가 살고 내가 눈을 뜨면 그는 마땅히 할 일이나, 자식 죽여 눈을 뜬들 그게 차마 할 일이냐? 너의 어
대구

머니 늦게야 너를 낳고 초이레* 안에 죽은 뒤에, 눈 어두운 늙은 것이 품 안에 너를 안고 이집 저집 다니면서 구차한
심 봉사가 심청을 매우 힘들게 키웠음을 알 수 있음

말 해 가면서 동냥젖 얻어 먹여 이만치 자랐는데, 내 아무리 눈 어두우나 너를 눈으로 알고, 너의 어머니 죽은 뒤에

걱정 없이 살았더니 이 말이 무슨 말이냐? 마라 마라, 못 하리라. 아내 죽고 자식 잃고 내 살아서 무엇하리? 너하고
심청이를 아끼는 심 봉사의 마음이 강조되어 드러남.

나하고 함께 죽자. 눈을 팔아 너를 살 터에 너를 팔아 눈을 뜬들 무엇을 보려고 눈을 뜨리?

뱃사람들에 대한 심 봉사의 적대감과 분노를 드러냄
어떤 놈의 팔자길래 사궁지수(四窮之首)* 된단 말이냐?「네 이놈 상놈들아! 장사도 좋지마는 사람 사다 제사하는
심 봉사의 불행한 처지를 강조함

데 어디서 보았느냐? 하느님의 어지심과 귀신의 밝은 마음 앙화*가 없겠느냐? 눈먼 놈의 무남독녀 철모르는 어린아

이 나 모르게 유인하여 값을 주고 산단 말이냐? 돈도 싫고 쌀도 싫다, 네 이놈 상놈들아.」

옛글을 모르느냐? 20.「칠년대한(七年大旱)˙ 가물 적에 사람으로 빌라 하니 탕임금 어지신 말씀, '내가 지금 비는

「ⅼ: 심 봉사가 자신의 상황과 어울리는 고사를 인용함

바는 바는 사람을 위함인데 사람 죽여 빌 양이면 내 몸으로 대신하리라.' 몸소 희생되어 몸을 정히˙ 하여 상림˙ 뜰에 빌었

더니 수천 리 너른 땅에 큰비가 내렸느니라.」 이런 일도 있었으니 내 몸으로 대신 감이 어떠하냐? 여보시오 동네 사

람, 저런 놈들을 그저 두고 보오?"」

⊙ 어휘풀이
• **사립문** 나뭇가지를 엮어서 만든 문짝을 달아서 만든 문.
• **선인(船人)** 뱃사람.
• **지레** 어떤 일이 일어나기 전 또는 어떤 기회나 때가 무르익기 전에 미리.
• **자반** ① 생선을 소금에 절여서 만든 반찬감. 또는 그것을 굽거나 쪄서 만든 반찬. ② 조금 짭짤하게 졸이거나 무쳐서 만든 반찬. ③ 나물이나 해산물 따위에 간장이나 찹쌀풀 따위의 양념을 발라 말린 것을 굽거나 기름에 튀겨서 만든 반찬.
• **천륜지간(天倫之間)** 부모와 자식 간에 하늘의 인연으로 정하여져 있는 사이.
• **사당(祠堂)** 조상의 신주(神主)를 모셔 놓은 집.
• **여손(女孫)** 여자 후손.
• **사모(思慕)하다** 우러러 받들고 마음속 깊이 따른다는 뜻으로, 제사나 고사에서 상투적으로 사용하는 말.
• **초이레** 매달 첫째 날부터 헤아려 일곱째 되는 날.
• **사궁지수(四窮之首)** 네 가지 딱한 부류의 사람들 중에 가장 첫 번째 오는 처지. '사궁(四窮)'은 늙은 홀아비, 늙은 과부, 부모 없는 아이, 자식 없는 늙은이 등을 가리킴.
• **앙화(殃禍)** 어떤 일로 인하여 생기는 재난. 지은 죄의 앙갚음으로 받는 재앙.
• **칠년대한(七年大旱)** 칠 년 동안이나 내리 계속되는 큰 가뭄. 중국 은나라 탕왕 때에 있었던 큰 가뭄에서 유래함.
• **정(淨)히** 조심스럽게 다루어 깨끗하고 온전하게.
• **상림(桑林)** 중국 은나라 때 7년 동안 가뭄이 계속되자 탕왕이 기우제를 지냈다는 수풀.

확인학습 ....

01 당시의 시대상을 알 수 있는 풍습을 제시하고 있다.   ○☐ ×☐

02 서술자가 사건에 대한 자신의 견해를 직접 드러내고 있다.   ○☐ ×☐

03 꿈에서 '수레를 타고 가는 것'은 심청의 죽음을 암시한다고 볼 수 있다.   ○☐ ×☐

04 심청 부녀가 같은 꿈을 꾸었다.   ○☐ ×☐

05 심 봉사의 말하기 부분에서 반복과 대구를 통해 운율을 형성된다.   ○☐ ×☐

06 심 봉사는 상황에 맞지 않는 고사를 인용하여 웃음을 유발한다.   ○☐ ×☐

심청이 아버지를 붙들고 울며 위로하기를,

"아버지 할 수 없어요. 저는 이미 죽지마는 아버지는 눈을 떠서 밝은 세상 보시고, 착한 사람 구하셔서 아들 낳고 딸을 낳아 후사나 전하고, 못난 딸자식은 생각지 마시고 오래오래 평안히 계십시오. <u>이도 또한 천명이니 후회한들 어찌하겠어요?</u>"

<small>운명을 받아들이는 태도</small>

<small>「」: 비록 심청이를 제물로 샀지만 심청 부녀를 딱하게 여기며 인정을 보이는 뱃사람들</small>
「뱃사람들이 그 딱한 형편을 보고 모여 앉아 공론*하기를,

"심 소저*의 효성과 심 봉사의 일생 신세 생각하여 봉사님 굶지 않고 헐벗지 않게 한 살림을 꾸며 주면 어떻겠소?"

"그 말이 옳소."

하고 쌀 이백 석과 돈 삼백 냥이며, 무명 삼베 각 한 동씩 마을에 들여 놓고 동네 사람들을 모아 당부하기를,

"쌀 이백 석과 돈 삼백 냥을 착실한 사람 주어 실수 없이 온전하게 늘려 심 봉사에게 바칩시다. 삼백 석 가운데 이십 석은 올해 양식으로 제하고, 나머지는 해마다 빚을 주어 이자를 받으면 양식이 넉넉할 테고, 무명 삼베로는 사철 의복 장만해 드리기로 하고, 이런 내용을 관청에 공문으로 보내고 마을에도 알립시다.」▶ <small>심청이가 아버지와 이별함.</small>

구별을 다 짓고* 나서 심 소저를 가자 할 때, 무릉촌 장 승상 댁 부인이 그제야 이 말을 듣고 급히 시비*를 보내어 심 소저를 부르기에, 소저가 시비를 따라가니 승상 부인이 문밖에 내달아 소저의 손을 잡고 울며 말했다.

"<u>네 이 무상한 사람아, 나는 너를 자식으로 알았는데 너는 나를 어미같이 알지를 않는구나. 쌀 삼백 석에 몸이 팔</u>

<small>심청이를 자식과 같이 아끼고 사랑하는 장 승상 댁 부인의 마음을 알 수 있음</small>

<u>려 죽으러 간다 하니 효성이 지극하다마는, 네가 살아 세상에 있어 하는 것만 같겠느냐?</u> 나와 의논했더라면 진작 주

<small>효성보다 사람의 목숨이 소중함을 이유로 들어 심청이를 만류함</small>

선*해주었지. 쌀 삼백 석을 이제라도 다시 내어 줄 것이니 뱃사람들 도로 주고 당치않은 말 다시 말라."

하시니 심 소저가 여쭈었다.

<small>「」: 염치가 있고 책임감 강한 심청의 성격이 드러남.</small>
「"당초에 말씀 못 드린 것을 이제야 후회한들 무엇하겠습니까? 또 한 <u>부모를 위해 공을 드릴 양이면 어찌 남의 명</u>

<small>심청이가 부인의 제안을 거절하며 내세운 이유①</small>

<u>분 없는 재물을 바라며,</u> <u>쌀 삼백 석을 도로 내어 주면 뱃사람들 일이 낭패이니 그도 또한 어렵고,</u> <u>남에게 몸을 허락하</u>

<small>이유②</small>　　　　　　　　　　　　　　　　　　　　　　　　　　　<small>이유③</small>

<u>여 약속을 정한 뒤에 다시 약속을 어기면 못난 사람들 하는 짓이니,</u> 그 말씀을 따르지 못하겠습니다. 하물며 값을 받고 몇 달이 지난 뒤에 차마 어찌 낯을 들어 무슨 말을 하겠습니까? <u>부인의 하늘 같은 은혜와 착하신 말씀은 저승으로</u>

<small>은혜에 감사할 줄 아는 심청이의 성격이 드러남.</small>

<u>돌아가서 결초보은(結草報恩)*하겠습니다.</u>"

하고 눈물이 옷깃을 적시니, 부인이 다시 보니 엄숙한지라, 하릴없이 다시 말리지 못하고 놓지도 못했다. 심 소저가

엄숙하고 단단히 결단을 내린 심청이의 태도를 보고 이러지도 저러지도 못하는 부인의 모습

울며 여쭙기를,」

"부인은 전생에 나의 부모라. 어느 날에 다시 모시겠어요? 글 한 수를 지어 정을 표하오니 보시면 아실 것입니다."

부인이 반기어 종이와 붓을 내어 주니 붓을 들고 글을 쓸 제, 눈물이 비가 되어 점점이 떨어지니 송이송이 꽃이 되

어 그림 족자*였다. 안방에 걸고 보니 그 글은 이러했다.

생기사귀일몽간(生寄死歸一夢間)에

견정하필루잠잠(牽情何必淚潛潛)이랴마는

세간(世間)에 최유단장처(最有斷腸處)하니

초록강남인미환(草綠江南人未還)을

이 글 뜻은,

사람의 죽고 사는 게 한 꿈속이니

정에 끌려 어찌 굳이 눈물을 흘리랴마는

세간에 가장 애끊는 곳이 있으니

풀 돋는 강남에 사람이 돌아오지 못하는 일이라.

심청이의 죽음을 의미함.

부인이 여러 번 붙들다가 글 짓는 것을 보시고

"너는 과연 세상 사람 아니로다. 글은 진실로 선녀로다. 분명 인간의 인연이 다하여 상제께서 부르시니 네 어이 피

할소냐. 내 또한 이 운에 맞추어 글을 지으리라."

하고 글을 써 주었다.

무단풍우야래혼(無端風雨夜來昏)하니

취송명화각하문(吹送名花却何門)고

적거인간천필연(謫居人間天必然)하사

강피부모단정은(强彼父母斷情恩)을

이 글 뜻은 이러하다.

난데없는 비바람 어두운 밤에 불어오니
심청이에게 닥친 시련(심청이 제물이 되는 일)

아름다운 꽃 날려서 뉘 집 문에 떨어지나
심청이를 의미함

인간의 귀양살이 하늘이 정하셔서

아비와 자식으로 하여금 정을 끊게 하는구나.   ▶ 자신을 만류하는 장 승상 댁 부인에게 글을 지어 선물하고 부인과 이별하는 심청

⊙ 어휘풀이

• **공론(公論)** 여럿이 의논함. 또는 그런 의논.

• **소저(小姐)** '아가씨'를 한문 투로 이르는 말.

• **구별을 다 짓고** 일을 잘 정리하고.

• **시비(侍婢)** 곁에서 시중을 드는 계집종.

• **주선(周旋)** 일이 잘되도록 여러 가지 방법으로 힘씀.

• **결초보은 (結草報恩)** 죽은 뒤에라도 은혜를 잊지 않고 갚음을 이르는 말.

• **족자 (簇子)** 그림이나 글씨 따위를 벽에 걸거나 말아 둘 수 있도록 양 끝에 가름대를 대고 표구한 물건.

확인학습 ···

01 심청이는 자신의 운명을 제힘으로 감당하려는 의지가 강하다.   ○☐ ×☐

02 심청이는 자신의 선택과 결단에 책임지고자 하는, 책임감 강한 성격의 소유자이다.   ○☐ ×☐

03 심청이는 효라는 유교적 이념을 실천해서 다른 사람들에게 모범이 되고자 하는 열망이 강하다.   ○☐ ×☐

04 심청이의 글과 부인의 글은 작품의 서정적 분위기를 심화시킨다.   ○☐ ×☐

05 심청이의 글에서 심청의 죽음에 대한 두려움이 드러난다.   ○☐ ×☐

심 소저가 그 글을 품에 품고 눈물로 이별하니 차마 보지 못할 지경이었다. 심청이 돌아와서 아버지께 하직하니 심

봉사가 붙들고 뒹굴며 괴로워하여,

"네가 날 죽이고 가지 그저는 못 가리라. 날 데리고 가거라. 네 혼자는 못 가리라."

심청이 아버지를 위로하기를,

「」: 주어진 운명에 순응하는 심청이의 인생관

「"부자간 천륜을 끊고 싶어 끊사오며 죽고 싶어 죽겠습니까마는, 액운*이 막혀 있고 생사가 때가 있어 하느님이 하

신 일이니 한탄한들 어찌하겠어요? 인정으로 할 양이면 떠날 날이 없을 것입니다."」

하고 저의 아버지를 동네 사람에게 붙들게 하고 뱃사람들을 따라갈 제, 소리 내어 울며 치마끈 졸라매고 치마폭 거듬

거듬* 안고 흐트러진 머리털은 두 귀 밑에 늘어지고 비같이 흐르는 눈물 옷깃을 적신다. 엎더지며* 자빠지며 붙들어

아버지와의 이별을 슬퍼하며 정신을 놓은 심청이의 모습

나갈 제 건넛집 바라보며,

"아무개네 큰아가, 바느질 수놓기를 뉘와 함께 하려느냐. 작년 오월 단옷날에 그네 뛰고 놀던 일을 네가 행여 생각

하느냐? 아무개네 작은아가, 금년 칠월 칠석 밤에 함께 기원하자더니 이제는 허사로다. 언제나 다시 보랴. 너희는 팔

자 좋아 양친 모시고 잘 있거라."

동네 남녀노소 없이 눈이 붓도록 서로 붙들고 울다가 마을 어귀에서 서로 손을 놓고 헤어졌다. 「그때 하느님이 아시

심청이가 떠나가는 것을 안타깝게 생각하는 동네 사람들   「」: 심청이의 슬픔을 이입하여 자연물도 슬퍼하고 있는 것처럼 표현함

던지 밝은 해는 어디 가고 어두침침한 구름이 자욱하며 청산이 찡그리는 듯, 강물 소리 흐느끼고, 휘늘어져 곱던 꽃은

시들어 제빛을 잃은 듯하고, 하늘거리는 버들가지도 졸 듯이 휘늘어졌고, 복사꽃은 다정하여 슬픈 듯이 피어 있다.

                                                               : 심청이의 감정이 이입된 대상

'묻노라 저 꾀꼬리, 뉘를 이별하였길래 벗을 불러 울어 대고, 뜻밖에 두견이는 피를 내어 우는구나. 달 밝은 너른

산을 어디 두고 애끊는 슬픈 소리 울어서 보내느냐. 네 아무리 가지 위에서 가지 말라 울건마는 값을 받고 팔린 몸이

다시 어찌 돌아올까.'」

바람에 날린 꽃이 얼굴에 와 부딪치니 꽃을 들고 바라보며,

"봄바람이 사람 마음 알아주지 못한다면 무슨 까닭으로 지는 꽃을 보내리오. 한무제 수양 공주 매화 비녀 있건마는

죽으러 가는 몸이 뉘를 위해 단장하리. 앞산에 지는 꽃이 지고 싶어지랴마는 마지못한 일이러니 누구를 탓하고 누구

꽃이 지듯 어쩔 수 없는 일. 운명에 순응하는 심청이의 태도

를 원망하리오." ▶ 아버지, 동네 사람들과 울면서 헤어지는 심청

한 걸음에 돌아보며 두 걸음에 눈물지며 강머리*에 다다르니, 뱃머리에 판자 깔고 심청을 인도하여 빗장 안에 실
쉽게 발걸음을 떼지 못하고 슬퍼하는 심청이의 마음이 드러나는 대목

은 후에 닻을 감고 돛을 달아 여러 뱃사람들이 소리를 한다.

"어기야 어기야, 어기양 어기양."

소리를 하며 북을 둥둥 울리면서 노를 저어 배질하며 물결에 배를 띄워 떠나간다. ▶ 뱃사람들을 따라 배를 타고 바다로 나가는 심청

– 완판본 「심청전」 –

⊙ 어휘풀이
• **액운(厄運)** 모질고 사나운 일을 당할 운수.
• **거듬거듬** 흩어져 있거나 널려 있는 것들을 대강 자꾸 모으는 모양.
• **엎더지다** '엎드러지다'의 준말. 잘못하여 앞으로 넘어지다.
• **강머리** 강가의 나루 근처.

⊙ 핵심정리

갈래	판소리계 소설
성격	교훈적, 비현실적, 우연적
제재	효녀 심청 주제 부모에 대한 지극한 효성
특징	• 판소리 〈심청가〉가 소설로 정착된 판소리계 소설이다. • '수궁'이라는 비현실적 공간이 배경으로 등장하고, 옥황상제 등과 같은 초월적 존재들이 등장하여 환상적인 성격을 띤다.

확인학습 ....

01 심청이는 이웃들과 자신의 처지를 비교하고 있다. O☐ ×☐

02 심청이는 자연물에 감정을 이입하여 슬픈 감정을 드러낸다. O☐ ×☐

03 심청이는 하느님의 존재를 가정하고 다음 생에 대한 소망을 드러낸다. O☐ ×☐

04 심청이는 자신의 비참한 모습을 역사 속 인물에 빗대어 드러낸다. O☐ ×☐

[01~05] 다음 글을 읽고 물음에 답하시오.

(가) 심 봉사는 철도 모르고,

"야, 오늘은 반찬이 유난히 좋구나. 뉘 집 제사 지냈느냐?"

그날 밤에 꿈을 꾸었는데, 부자간은 천륜지간(天倫之間)이라 꿈에 미리 보여 주는 바가 있었다.

"아가 아가, 이상한 일도 있더구나. 간밤에 꿈을 꾸니, 네가 큰 수레를 타고 한없이 가 보이더구나. 수레라 하는 것이 귀한 사람이 타는 것인데 우리 집에 무슨 좋은 일이 있을란가 보다. 그렇지 않으면 장 승상 댁에서 가마 태워 갈란가 보다."

심청이는 저 죽을 꿈인 줄 짐작하고 둘러대기를,

"그 꿈 참 좋습니다."

하고 진짓상을 물려 내고 담배 태워 드린 뒤에 밥상을 앞에 놓고 먹으려 하니 간장이 썩는 눈물은 눈에서 솟아나고, 아버지 신세 생각하며 저 죽을 일 생각하니 정신이 아득하고 몸이 떨려 밥을 먹지 못하고 물렸다. 그런 뒤에 심청이 사당에 하직하려고 들어갈 제, 다시 세수하고 사당문을 가만히 열고 하직 인사를 올렸다.

"못난 여손(女孫) 심청이는 아비 눈 뜨기를 위하여 인당수 제물로 몸을 팔려 가오매, 조상 제사를 끊게 되오니 사모하는 마음을 이기지 못하겠습니다."

울며 하직하고 사당문 닫은 뒤에 아버지 앞에 나와 두 손을 부여잡고 기절하니,

심 봉사가 깜짝 놀라,

"아가 아가, 이게 웬일이냐? 정신 차려 말하거라."

심청이 여쭙기를,

"제가 못난 딸자식으로 아버지를 속였어요. 공양미 삼백 석을 누가 저에게 주겠어요. 남경 뱃사람들에게 인당수 제물로 몸을 팔아 오늘이 떠나는 날이니 저를 마지막 보셔요."

(나) 심 봉사가 이 말을 듣고,

"참말이냐, 참말이냐? 애고 애고, 이게 웬말인고? 못 가리라, 못 가리라. 네가 날더러 묻지도 않고 네 마음대로 한단 말이냐? 네가 살고 내가 눈을 뜨면 그는 마땅히 할 일이나, 자식 죽여 눈을 뜬들 그게 차마 할 일이냐? 너의 어머니 늦게야 너를 낳고 초이레 안에 죽은 뒤에, 눈 어두운 늙은 것이 품 안에 너를 안고 이집 저집 다니면서 구차한 말 해 가면서 동냥젖 얻어 먹여 이만치 자랐는데, 내 아무리 눈 어두우나 너를 눈으로 알고, 너의 어머니 죽은 뒤에 걱정 없이 살았더니 이 말이 무슨 말이냐? 마라 마라, 못 하리라. 아내 죽고 자식 잃고 내 살아서 무엇하리? 너하고 나하고 함께 죽자. 눈을 팔아 너를 살 터에 너를 팔아 눈을 뜬들 무엇을 보려고 눈를 뜨리?

어떤 놈의 팔자길래 사궁지수(四窮之首) 된단 말이냐? 네 이놈 상놈들아! 장사도 좋지마는 사람 사다 제사하는 데 어디서 보았느냐? 하느님의 어지심과 귀신의 밝은 마음 앙화가 없겠느냐? 눈 먼 놈의 무남독녀 철모르는 어린아이 나 모르게 유인하여 값을 주고 산단 말이냐? 돈도 싫고 쌀도 싫다, 네 이놈 상놈들아.

옛글을 모르느냐? 칠년대한(七年大旱) 가물 적에 사람으로 빌라 하니 탕임금 어지신 말씀, '내가 지금 비는 바는 사람을 위함인데 사람 죽여 빌 양이면 내 몸으로 대신하리라.' 몸소 희생되어 몸을 정히 하여 상임 뜰에 빌었더니 수천 리 너른 땅에 큰 비가 내렸느니라. 이런 일도 있었으니 내 몸으로 대신 감이 어떠하냐? 여보시오 동네 사람, 저런 놈들을 그저 두고 보오?"

심청이 아버지를 붙들고 울며 위로하기를,

"아버지 할 수 없어요. 저는 이미 죽지마는 아버지는 눈을 떠서 밝은 세상 보시고, 착한 사람 구하셔서 아들 낳고 딸을 낳아 후사나 전하고, 못난 딸자식은 생각지 마시고 오래오래 평안히 계십시오. 이도 또한 ㉣천명이니 후회한들 어찌하겠어요?"

(다) 뱃사람들이 그 딱한 형편을 보고 모여 앉아 공론하기를,

"심 소저의 효성과 심 봉사의 일생 신세 생각하여 봉사님 굶지 않고 헐벗지 않게 한 살림을 꾸며 주면 어떻겠소?"

"그 말이 옳소."

하고 쌀 이백 석과 돈 삼백 냥이며, 무명 삼베 각 한 동씩 마을에 들여 놓고 동네 사람들을 모아 당부하기를,

"쌀 이백 석과 돈 삼백 냥을 착실한 사람 주어 실수 없이 온전하게 늘려 심 봉사에게 바칩시다. 삼백 석 가운데 20석은 올해 양식으로 제하고, 나머지는 해마다 빚을 주어 이자를 받으면 양식이 넉넉할 테고, 무명 삼베로는 사철 의복 장만해 드리기로 하고, 이런 내용을 관청에 공문으로 보내고 마을에도 알립시다."

구별을 다 짓고 나서 심 소저를 가자 할 때, 무릉촌 장승상댁 부인이 그제야 이 말을 듣고 급히 시비를 보내어 심 소저를 부르기에, 소저가 시비를 따라가니 승상 부인이 문밖에 내달아 소저의 손을 잡고 울며 말했다.

"네 이 무상한 사람아. 나는 너를 자식으로 알았는데 너는 나를 어미같이 알지를 않는구나. 쌀 삼백 석에 몸이 팔려 죽으러 간다 하니 효성이 지극하다마는, 네가 살아 세상에 있어 하는 것만 같겠느냐? 나와 의논했더라면 진작 주선해주었지. 쌀 삼백 석을 이제라도 다시 내어 줄 것이니 뱃사람들 도로 주고 당치않은 말 다시 말라."

하시니 심 소저가 여쭈었다.

"당초에 말씀 못 드린 것을 이제야 후회한들 무엇하겠습니까? 또 한 부모를 위해 공을 드릴 양이면 어찌 남의 명분 없는 재물을 바라며, 쌀 삼백 석을 도로 내어 주면 뱃사람들 일이 낭패이니 그도 또한 어렵고, 남에게 몸을 허락하여 약속을 정한 뒤에 다시 약속을 어기면 못난 사람들 하는 짓이니, 그 말씀을 따르지 못하겠습니다. 하물며 값을 받고 몇 달이 지난 뒤에 차마 어찌 낯을 들어 무슨 말을 하겠습니까? 부인의 하늘같은 은혜와 착하신 말씀은 저승으로 돌아가서 결초보은(結草報恩)하겠습니다."

하고 눈물이 옷깃을 적시니, 부인이 다시 보니 엄숙한지라, 하릴없이 다시 말리지 못하고 놓지도 못했다.

(라) 심소저가 울며 여쭙기를,

"부인은 전생에 나의 부모라. 어느 날에 다시 모시겠어요? 글 한 수를 지어 정을 표하오니 보시면 아실 것입니다."

부인이 반기어 종이와 붓을 내어 주니 붓을 들고 글을 쓸 제, 눈물이 비가 되어 점점이 떨어지니 송이송이 꽃이 되어 그림 족자였다. 안방에 걸고 보니 그 글은 이러했다.

생기사귀일몽간(生寄死歸一夢間)에
견정하필루잠잠(牽情何必淚潛潛)이랴마는
세간(世間)에 최유단장처(最有斷腸處)하니
초록강남인미환(草綠江南人未還)을

이 글 뜻은,

사람의 죽고 사는 게 한 꿈속이니
정에 끌려 어찌 굳이 눈물을 흘리랴마는
세간에 가장 애끓는 곳이 있으니
풀 돋는 강남에 사람이 돌아오지 못하는 일이라.

부인이 재삼 붙들다가 글 짓는 것을 보시고,

"너는 과연 세상 사람 아니로다. 글은 진실로 선녀로다. 분명 인간의 인연이 다하여 상제께서 부르시니 네 어이 피할소냐. 내 또 한 이 운에 맞추어 글을 지으리라."

하고 글을 써 주었다.

무단풍우야래혼(無端風雨夜來昏)하니
취송명화각하문(吹送名花却何門)고
적거인간천필연(謫居人間天必然)하사
강피부모단정은(强彼父母斷情恩)을

이 글 뜻은 이러하다.
난데없는 비바람 어둔 밤에 불어오니
아름다운 꽃 날려서 뉘 집 문에 떨어지나
인간의 귀양살이 하늘이 정하셔서
아비와 자식으로 하여금 정을 끊게 하는구나.

심소저가 그 글을 품에 품고 눈물로 이별하니 차마 보지 못할 지경이었다.

(마) 심청이 돌아와서 아버지께 하직하니 심 봉사가 붙들고 뒹굴며 괴로워하여,
"네가 날 죽이고 가지 그저는 못 가리라. 날 데리고 가거라. 네 혼자는 못 가리라."
심청이 아버지를 위로하기를,
"부자간 천륜을 끊고 싶어 끊사오며 죽고 싶어 죽겠습니까마는, 액운이 막혀 있고 생사가 때가 있어 하느님이 하신 일이니 한탄한들 어찌하겠어요? 인정으로 할 양이면 떠날 날이 없을 것입니다."
하고 저의 아버지를 동네 사람에게 붙들게 하고 뱃사람들을 따라갈 제, 소리 내어 울며 치마끈 졸라매고 치마폭 거듬거듬 안고 흐트러진 머리털은 두 귀 밑에 늘어지고 비같이 흐르는 눈물 옷깃을 적신다. 엎더지며 자빠지며 붙들어 나갈 제 건넛집 바라보며,
"아무개네 큰아가, 바느질 수놓기를 뉘와 함께 하려느냐, 작년 오월 단옷날에 그네 뛰고 놀던 일을 네가 행여 생각하느냐? 아무개네 작은아가, 금년 칠월 칠석 밤에 함께 기원하자더니 이제는 허사로다. 언제나 다시 보랴. 너희는 팔자 좋아 양친 모시고 잘 있거라."
동네 남녀노소 없이 눈이 붓도록 서로 붙들고 울다가 마을 어귀에서 서로 손을 놓고 헤어졌다. 그때 하느님이 아시던지 밝은 해는 어디 가고 어두침침한 구름이 자욱하며 청산이 찡그리는 듯, 강물 소리 흐느끼고, 휘늘어져 곱던 꽃은 시들어 제빛을 잃은 듯하고, 하늘거리는 버들가지도 졸 듯이 휘늘어졌고, 복사꽃은 다정하여 슬픈 듯이 피어 있다.
'묻노라 저 꾀꼬리, 뉘를 이별하였길래 벗을 불러 울어대고, 뜻밖에 두견이는 피를 내어 우는구나. 달밝은 너른 산을 어디 두고 애끊는 슬픈 소리 울어서 보내느냐. 네 아무리 가지 위에서 가지 말라 울건마는 값을 받고 팔린 몸이 다시 어찌 돌아올까.'
바람에 날린 꽃이 얼굴에 와 부딪치니 꽃을 들고 바라보며,
"봄바람이 사람 마음 알아주지 못한다면 무슨 까닭으로 지는 꽃을 보내리오, 한무제 수양 공주 매화 비녀 있건마는 죽으러 가는 몸이 뉘를 위해 단장하리. 앞산에 지는 꽃이 지고 싶어 지랴마는 마지못한 일이러니 누구를 탓하고 누구를 원망하리오."

---

01 윗글의 서술상 특징으로 적절하지 않은 것은?

① 인물 간의 대화를 통해 작중 상황이 드러나고 있다.
② 서술자가 등장 인물의 내면 심리를 직접 서술하고 있다.
③ 사건을 요약적으로 제시하여 사건을 빠르게 전개하고 있다.
④ 작중에서 서술자가 사건에 대해 자신의 견해를 밝히고 있다.
⑤ 공간적 배경에 대한 묘사를 통해 작중 상황과 인물의 정서를 드러내고 있다.

02 윗글에 나타난 인물들에 대한 설명으로 적절하지 <u>않은</u> 것은?

① 심청은 운명론적인 사고로 자신의 죽음을 수용하고 있다.

② 뱃사람들은 심청 부녀를 딱하게 여겨 인정을 베풀고 있다.

③ 심 봉사는 뱃사람들에 대한 적대감과 분노를 드러내고 있다.

④ 장 승상 댁 부인은 심청의 죽음이 진정한 효라고 생각하고 있다.

⑤ 동네 사람들은 심청의 처지에 안타까움과 슬픔의 정서를 보이고 있다.

03 (나)의 심 봉사의 대사에 나타나는 서술상의 특징으로 적절하지 <u>않은</u> 것은?

① 반어적 표현을 통해 자신의 마음을 표현하고 있다.

② 대구의 표현을 통해 자신의 생각을 드러내고 있다.

③ 설의적 표현으로 자신의 내면 심리를 강조하고 있다.

④ 중국의 고사를 인용하여 자신의 심정을 드러내고 있다.

⑤ 반복을 통해 운율을 형성하는 운문체의 특징을 보여주고 있다.

04 윗글의 주제와 관련하여 다음의 한자성어 중 의미하는 바가 가장 적절하지 <u>않은</u> 것은?

① 풍수지탄(風樹之嘆)　　② 맥수지탄(麥秀之嘆)　　③ 반포지효(反哺之孝)

④ 망운지정(望雲之情)　　⑤ 혼정신성(昏定晨省)

05 (마)에서 자연물에 감정을 이입하거나 인물의 정서를 빗대어 표현한 객관적 상관물로 적절하지 <u>않은</u> 것은?

① 청산　　　② 복사꽃　　　③ 꾀꼬리　　　④ 두견이　　　⑤ 바람

[06~12] 다음 글을 읽고 물음에 답하시오.

〈전체 줄거리〉황해도 도화동에 심학규라는 장님이 살고 있었다. 그는 늦은 나이에 딸 심청이를 얻었으나 산후 아내가 죽자 온갖 고생을 하며 딸을 기른다. 심청이는 자라면서 아버지를 지극 정성으로 봉양한다. 그러던 어느 날 심 봉사는 물에 빠지는 사고를 당하고, 이때 자신을 구해 준 용문사 화주승에게 공양미 삼백 석을 시주하면 눈을 뜰 수 있다는 말을 듣고 덜컥 시주하겠다고 약속한다. 뒤늦게 이 일을 후회하며 근심하는 아버지를 위해 심청이는 제물로 바칠 처녀를 사러 다니는 남경 뱃사람들에게 공양미 삼백 석을 받고 인당수 제물이 되기로 한다. 아버지와 헤어진 뒤 인당수에 이르러 바다에 몸을 던진 심청이는 용왕에게 구출되어 용궁에서 어머니 곽씨 부인과 재회하고 이후 연꽃 속에 들어가 다시 세상으로 환생한다. 뱃사람들이 그 연꽃을 신기하게 생각해 임금에게 바치고 임금은 그 속에서 나온 심청이를 아내로 맞이한다. 황후가 된 심청이는 아버지를 그리워하며 심 봉사를 다시 만나기 위해 맹인 잔치를 벌인다. 우여곡절을 겪은 끝에 부녀는 재회하고, 심 봉사는 눈을 뜬다.

(가) 어느덧 동방이 밝아오니, 심청이 아버지 진지나 마지막 지어드리리라 하고 문을 열고나서니, 벌써 뱃사람들이 사립문 밖에서,

"오늘이 배 떠나는 날이오니 수이 가게 해 주시오."

하니, 심청이 이 말을 듣고 얼굴빛이 없어지고 손발에 맥이 풀리며 목이 메고 정신이 어지러워 뱃사람들을 겨우 불러,

"여보시오 선인네들, 나도 오늘이 배 떠나는 날인 줄 이미 알고 있으나, 내 몸 팔린 줄을 우리 아버지가 아직 모르십니다. 만일 아시게 되면 지레 야단이 날 테니, 잠깐 기다리면 진지나 마지막으로 지어 잡수시게 하고 말씀 여쭙고 떠나게 하겠어요."

하니 뱃사람들이,

"그리 하시지요."

하였다. 심청이 들어와 눈물로 밥을 지어 아버지께 올리고, 상머리에 마주앉아 아무쪼록 진지 많이 잡수시게 하느라고 자반도 떼어 입에 넣어 드리고 김쌈도 싸서 수저에 놓으며,

"진지를 많이 잡수셔요."

심 봉사는 철도 모르고,

"야, 오늘은 반찬이 유난히 좋구나. 뉘 집 제사 지냈느냐?"

㉮그날 밤에 꿈을 꾸었는데, 부자간은 천륜지간(天倫之間)이라 꿈에 미리 보여주는 바가 있었다.

"아가 아가, 이상한 일도 있더구나. 간밤에 ㉯꿈을 꾸니, 네가 큰 수레를 타고 한없이 가 보이더구나. 수레라 하는 것이 귀한 사람이 타는 것인데 우리 집에 무슨 좋은 일이 있을란가 보다. 그렇지 않으면 장승상 댁에서 가마태워 갈란가 보다."

심청이는 저 죽을 꿈인 줄 짐작하고 둘러대기를,

"그 꿈 참 좋습니다."

하고 진지상을 물려 내고 담배 태워 드린 뒤에 밥상을 앞에 놓고 먹으려 하니 간장이 썩는 눈물은 눈에서 솟아나고, 아버지 신세 생각하며 저 죽을 일 생각하니 정신이 아득하고 몸이 떨려 밥을 먹지 못하고 물렸다.

(나) 심 봉사가 이 말을 듣고,

"참말이냐, 참말이냐? 애고 애고, 이게 웬말인고? 못 가리라, 못 가리라. 네가 날더러 묻지도 않고 네 마음대로 한단 말이냐? 네가 살고 내가 눈을 뜨면 그는 마땅히 할 일이나, 자식 죽여 눈을 뜬들 그게 차마 할 일이냐? 너의 어머니 늦게야 너를 낳고 ⓐ초이레 안에 죽은 뒤에, 눈 어두운 늙은 것이 품안에 너를 안고 이집 저집 다니면서 구차한 말 해 가면서 동냥 젖 얻어 먹여 이만치 자랐는데, 내 아무리 눈 어두우나 너를 눈으로 알고, 너의 어머니 죽은 뒤에 걱정 없이 살았더니 이 말이 무슨 말이냐? 마라 마라, 못 하리라. 아내 죽고 자식 잃고 내 살아서 무엇하리? 너하고 나하고 함께 죽자. 눈을 팔아 너를 살 터에 너를 팔아 눈을 뜬들 무엇을 보려고 눈을 뜨리?

어떤 놈의 팔자길래 ⓑ사궁지수(四窮之首) 된단 말이냐? 네 이놈 상놈들아! 장사도 좋지마는 사람 사다 제사하는 데 어디서 보았느냐? 하느님의 어지심과 귀신의 밝은 마음 ⓒ앙화가 없겠느냐? 눈 먼 놈의 무남독녀 철모르는 어린아이 나 모르게 유인하여 값을 주고 산단 말이냐? 돈도 싫고 쌀도 싫다, 네 이놈 상놈들아.

옛글을 모르느냐? ⓓ칠년대한(七年大旱) 가물 적에 사람으로 빌라 하니 탕임금 어지신 말씀, '내가 지금 비는 바는 사람을 위함인데 사람 죽여 빌 양이면 내 몸으로 대신하리라.' 몸소 희생되어 몸을 ⓔ정히 하여 상임 뜰에 빌었더니 수천 리 너른 땅에 큰 비가 내렸느니라. 이런 일도 있었으니 내 몸으로 대신 감이 어떠하냐? 여보시오 동네 사람, 저런 놈들을 그저 두고 보오?"

(다) 심청이 아버지를 붙들고 울며 위로하기를,

"아버지 할 수 없어요. 저는 이미 죽지마는 아버지는 눈을 떠서 밝은 세상 보시고, 착한 사람 구하셔서 아들 낳고 딸을 낳아 후사나 전하고, 못난 딸자식은 생각지 마시고 오래오래 평안히 계십시오. 이도 또한 천명이니 후회한들 어찌하겠어요?"

뱃사람들이 그 딱한 형편을 보고 모여 앉아 공론하기를,

"심 소저의 효성과 심 봉사의 일생 신세 생각하여 봉사님 굶지 않고 헐벗지 않게 한 살림을 꾸며주면 어떻겠소?"

"그 말이 옳소."

하고 쌀 이백 석과 돈 삼백 냥이며, 무명 삼베 각 한 동씩 마을에 들여 놓고 동네 사람들을 모아 당부하기를,

"쌀 이백 석과 돈 삼백 냥을 착실한 사람 주어 실수 없이 온전하게 늘려 심 봉사에게 바칩시다. 삼백 석 가운데 이십 석은 올해 양식으로 제하고, 나머지는 해마다 빚을 주어 이자를 받으면 양식이 넉넉할 테고, 무명 삼베로는 사철 의복 장만해 드리기로 하고, 이런 내용을 관청에 공문으로 보내고 마을에도 알립시다."

구별을 다 짓고 나서 심 소저를 가자 할 때, 무릉촌 장 승상댁 부인이 그제야 이 말을 듣고 급히 시비를 보내어 심 소저를 부르기에, 소저가 시비를 따라가니 승상부인이 문 밖에 내달아 소저의 손을 잡고 울며 말했다.

"네 이 무상한 사람아. 나는 너를 자식으로 알았는데 너는 나를 어미같이 알지를 않는구나. 쌀 삼백 석에 몸이 팔려 죽으러 간다 하니 효성이 지극하다마는, 네가 살아 세상에 있어 하는 것만 같겠느냐? 나와 의논했더라면 진작 주선해 주었지. 쌀 삼백 석을 이 제라도 다시 내어 줄 것이니 뱃사람들 도로 주고 당치 않은 말 다시 말라."

하시니 심 소저가 여쭈었다.

"당초에 말씀 못 드린 것을 이제야 후회한들 무엇하겠습니까? 또 한 부모를 위해 공을 드릴 양이면 어찌 남의 명분 없는 재물을 바라며, 쌀 삼백 석을 도로 내어 주면 뱃사람들 일이 낭패이니 그도 또한 어렵고, 남에게 몸을 허락하여 약속을 정한 뒤에 다시 약속을 어기면 못난 사람들 하는 짓이니, 그 말씀을 따르지 못하겠습니다. 하물며 값을 받고 몇 달이 지난 뒤에 차마 어찌 낯을 들어 무슨 말을 하겠습니까? 부인의 하늘 같은 은혜와 착하신 말씀은 저승으로 돌아가서 결초보은(結草報恩)하겠습니다."

하고 눈물이 옷깃을 적시니, 부인이 다시 보니 엄숙한지라, 하릴없이 다시 말리지 못하고 놓지도 못했다.

06 윗글에 대한 설명으로 적절하지 않은 것은?

① 판소리가 기록물로 정착되면서 형성된 소설이다.

② '효녀 지은 설화'등의 배경설화를 바탕으로 형성되었다.

③ 서술자가 인물의 내면 심리를 직접적으로 제시하고 있다.

④ 운문적 성격과 산문적 성격이 결합된 형식을 지니고 있다.

⑤ 입체적이고 개성적인 주인공을 설정하여 판소리의 개방성을 드러낸다.

07 ㉑에 대한 이해로 적절한 것은?

① 사건에 대한 서술자의 견해가 나타난다.
② 서술자가 객관적 위치에서 대상을 관찰하고 있다.
③ 대화를 통해 주인공이 처한 상황을 드러내고 있다.
④ 지난 사건을 요약적으로 제시하여 독자의 이해를 돕는다.
⑤ 현재와 과거를 교차하여 사건을 입체적으로 서술하고 있다.

08 ㉯에 대한 감상으로 적절하지 않은 것은?

① 앞으로 전개될 사건을 암시하고 있어.
② 심청은 자신의 불행한 운명을 예견하고 있군.
③ 심 봉사는 '수레'의 의미를 긍정적으로 해석하고 있어.
④ 심 봉사와 심청은 ㉯에 대한 해석이 일치하지 않는군.
⑤ '전체 줄거리'를 고려하면 ㉯는 부정적 의미로 해석되겠군.

09 (나)에 대한 설명으로 적절하지 않은 것은?

① 고사를 인용하여 인물의 심정을 드러내고 있다.
② 판소리의 영향을 받아서 구어적 특성이 드러난다.
③ 설의적 표현을 통해 인물의 심정을 강조하고 있다.
④ 비속어를 사용하여 지배층의 횡포를 풍자하고 있다.
⑤ 4 · 4조의 음수율과 대구법을 활용하여 운율을 형성하고 있다.

10 ⓐ~ⓔ의 의미로 적절한 것은?

① ⓐ : 매달 첫째 날부터 헤아려 사흘째 되는 날
② ⓑ : 자식이 객지에서 고향에 계신 어버이를 생각하는 마음
③ ⓒ : 어떤 일로 인하여 생기는 재난
④ ⓓ : 모질고 사나운 일을 당하는 운수가 나타나는 시기
⑤ ⓔ : 성실하고 정직하게

11 (다)를 통해 알 수 있는 인물의 성격으로 적절하지 <u>않은</u> 것은?

① 심청은 자신의 죽음을 운명으로 받아들이고 있다.
② 심청은 상대의 처지를 이해할 줄 알고 약속을 중시한다.
③ 심청은 자신의 문제를 스스로 해결하는 주체적인 인물이다.
④ 뱃사람들은 사소한 실수도 용납하지 않으며 이해타산에 민감하다.
⑤ 장 승상 댁 부인은 심청을 아끼며, 물질보다 인간의 정을 중시한다.

12 〈보기〉와 위 작품의 공통점으로 적절한 것은?

┤ 보기 ├

개를 여나믄이나 기르되 요 개같이 얄미우랴
미운 님 오며는 꼬리를 홰홰 치며 치뛰락 나리 뛰락 반겨서 내닫고 고운 님 오며는 뒷발을 바둥바둥 무르락 나오락 캉캉 짖는 요 도리암캐
쉰 밥이 그릇그릇 날진들 너 먹일 줄이 있으랴

– 작자 미상 –

① 조선 전기 작품으로 향유층은 양반계층이다.
② 당대 유행하는 형태의 문학형식으로 성리학적 세계관을 잘 반영한다.
③ 평민계층의 발랄함을 바탕으로 창작되었으며 그들의 일상적인 체험과 바람을 투영하고 있다.
④ 경제적 가치관이나 사회 현상이 부각되며 근대로의 이행기에 접어든 조선전기의 모습을 반영하고 있다.
⑤ 형식적 정형성을 지니며 주로 중국의 고사나 한자어를 사용하여 다양한 계층이 향유될 수 있도록 한다.

[13~16] 다음 글을 읽고 물음에 답하시오.

어느덧 동방이 밝아오니, 심청이 아버지 진지나 마지막 지어 드리리라 하고 문을 열고 나서니, 벌써 뱃사람들이 사립문 밖에서,

"오늘이 배 떠나는 날이오니 수이 가게 해 주시오."

하니, 심청이 이 말을 듣고 얼굴빛이 없어지고 손발에 맥이 풀리며 목이 메고 정신이 어지러워 뱃사람들을 겨우 불러,

"여보시오 선인네들, 나도 오늘이 배 떠나는 날인 줄 이미 알고 있으나, 내 몸 팔린 줄을 우리 아버지가 아직 모르십니다. 만일 아시게 되면 지레 야단이 날테니, 잠깐 기다리면 진지나 마지막으로 지어 잡수시게 하고 말씀 여쭙고 떠나게 하겠어요."

하니 뱃사람들이,

"그리하시지요."

하였다. 심청이 들어와 눈물로 밥을 지어 아버지께 올리고, 상머리에 마주앉아 아무쪼록 진지 많이 잡수시게 하느라고 자반도 떼어 입에 넣어 드리고 김쌈도 싸서 수저에 놓으며,

"진지를 많이 잡수셔요."

심 봉사는 철도 모르고,

"야, 오늘은 반찬이 유난히 좋구나. 뉘 집 제사 지냈느냐?"

그날 밤에 꿈을 꾸었는데, 부자간은 천륜지간(天倫之間)이라 꿈에 미리 보여주는 바가 있었다.

㉠ ┌ "아가 아가, 이상한 일도 있더구나. 간밤에 꿈을 꾸니, 네가 큰 수레를 타고 한없이 가 보이더구나. 수레라 하는
     것이 귀한 사람이 타는 것인데 우리 집에 무슨 좋은 일이 있을란가 보다. 그렇지 않으면 장 승상 댁에서 가마 태워
   └ 갈란가 보다."

심청이는 저 죽을 꿈인 줄 짐작하고 둘러대기를,

"그 꿈 참 좋습니다."

하고 진짓상을 물려내고 담배 태워 드린 뒤에 밥상을 앞에 놓고 먹으려 하니 간장이 썩는 눈물은 눈에서 솟아나고, 아버지 신세 생각하며 저 죽을 일 생각하니 정신이 아득하고 몸이 떨려 밥을 먹지 못하고 물렸다. 그런 뒤에 심청이 사당에 하직하려고 들어갈 제, 다시 세수하고 사당문을 가만히 열고 하직 인사를 올렸다.

"못난 여손(女孫) 심청이는 아비 눈 뜨기를 위하여 인당수 제물로 몸을 팔려 가오매, 조상 제사를 끊게 되오니 사모하는 마음을 이기지 못하겠습니다."

울며 하직하고 사당문 닫은 뒤에 아버지 앞에 나와 두 손을 부여잡고 기절하니,

심 봉사가 깜짝 놀라,

"아가 아가, 이게 웬일이냐? 정신 차려 말하거라."

심청이 여쭙기를,

Ⓐ ┌ "제가 못난 딸자식으로 아버지를 속였어요. 공양미 삼백 석을 누가 저에게 주겠어요. 남경 뱃사람들에게 인당수
     제물로 몸을 팔아 오늘이 떠나는 날이니 저를 마지막 보셔요."
     심 봉사가 이 말을 듣고,
     "참말이냐, 참말이냐? 애고 애고, 이게 웬말인고? 못 가리라, 못 가리라. 네가 날더러 묻지도 않고 네 마음대로
     한단 말이냐? 네가 살고 내가 눈을 뜨면 그는 마땅히 할 일이나, 자식 죽여 눈을 뜬들 그게 차마 할 일이냐? 너의 어
     머니 늦게야 너를 낳고 초이레 안에 죽은 뒤에, 눈 어두운 늙은 것이 품 안에 너를 안고 이집 저집 다니면서 구차한
     말 해 가면서 동냥 젖 얻어 먹여 이만치 자랐는데, 내 아무리 눈 어두우나 너를 눈으로 알고, 너의 어머니 죽은 뒤에
     걱정 없이 살았더니 이 말이 무슨 말이냐? 마라 마라, 못 하리라. 아내 죽고 자식 잃고 내 살아서 무엇하리? 너하고
     나하고 함께 죽자. 눈을 팔아 너를 살 터에 너를 팔아 눈을 뜬들 무엇을 보려고 눈을 뜨리?
     어떤 놈의 팔자길래 사궁지수(四窮之首) 된단 말이냐? 네 이놈 상놈들아! 장사도 좋지마는 사람 사다 제사하는 데
     어디서 보았느냐? 하느님의 어지심과 귀신의 밝은 마음 앙화가 없겠느냐? 눈먼 놈의 무남독녀 철모르는 어린아이
   └ 나 모르게 유인하여 값을 주고 산단 말이냐? 돈도 싫고 쌀도 싫다, 네 이놈 상놈들아.

옛글을 모르느냐? 칠년대한(七年大旱) 가물 적에 사람으로 빌라 하니 탕임금 어지신 말씀, '내가 지금 비는 바는 사람을 위함인데 사람 죽여 빌 양이면 내 몸으로 대신하리라.' 몸소 희생되어 몸을 정히 하여 상임 뜰에 빌었더니 수천 리 너른 땅에 큰 비가 내렸느니라. 이런 일도 있었으니 내 몸으로 대신 감이 어떠하냐? 여보시오 동네 사람, 저런 놈들을 그저 두고 보오?"

심청이 아버지를 붙들고 울며 위로하기를,

"아버지 할 수 없어요. 저는 이미 죽지마는 아버지는 눈을 떠서 밝은 세상 보시고, 착한 사람 구하셔서 아들 낳고 딸을 낳아 후사나 전하고, 못난 딸자식은 생각지 마시고 오래오래 평안히 계십시오. 이도 또한 천명이니 후회한들 어찌하겠어요?"

뱃사람들이 그 딱한 형편을 보고 모여 앉아 공론하기를,

"심소저의 효성과 심 봉사의 일생 신세 생각하여 봉사님 굶지 않고 헐벗지 않게 한 살림을 꾸며 주면 어떻겠소?"

"그 말이 옳소."

하고 쌀 이백 석과 돈 삼백 냥이며, 무명 삼베 각 한 동씩 마을에 들여 놓고 동네 사람들을 모아 당부하기를,

"쌀 이백 석과 돈 삼백 냥을 착실한 사람 주어 실수 없이 온전하게 늘려 심 봉사에게 바칩시다. 삼백 석 가운데 이십 석은 올해 양식으로 제하고, 나머지는 해마다 빚을 주어 이자를 받으면 양식이 넉넉할 테고, 무명 삼베로는 사철 의복 장만해 드리기로 하고, 이런 내용을 관청에 공문으로 보내고 마을에도 알립시다."

구별을 다 짓고 나서 심 소저를 가자 할 때, 무릉촌 장 승상댁 부인이 그제야 이 말을 듣고 급히 시비를 보내어 심 소저를 부르기에, 소저가 시비를 따라가니 승상 부인이 문밖에 내달아 소저의 손을 잡고 울며 말했다.

"네 이 무상한 사람아. 나는 너를 자식으로 알았는데 너는 나를 어미같이 알지를 않는구나. 쌀 삼백 석에 몸이 팔려 죽으러 간다 하니 효성이 지극하다마는, 네가 살아 세상에 있어 하는 것만 같겠느냐? 나와 의논했더라면 진작 주선해주었지. 쌀 삼백 석을 이제라도 다시 내어 줄 것이니 뱃사람들 도로 주고 당치않은 말 다시 말라."

하시니 심 소저가 여쭈었다.

ⓛ "당초에 말씀 못 드린 것을 이제야 후회한들 무엇하겠습니까? 또 한 부모를 위해 공을 드릴 양이면 어찌 남의 명분 없는 재물을 바라며, 쌀 삼백 석을 도로 내어 주면 뱃사람들 일이 낭패이니 그도 또한 어렵고, 남에게 몸을 허락하여 약속을 정한 뒤에 다시 약속을 어기면 못난 사람들 하는 짓이니, 그 말씀을 따르지 못하겠습니다. 하물며 값을 받고 몇 달이 지난 뒤에 차마 어찌 낯을 들어 무슨 말을 하겠습니까? 부인의 하늘 같은 은혜와 착하신 말씀은 저승으로 돌아가서 결초보은(結草報恩)하겠습니다."

하고 눈물이 옷깃을 적시니, 부인이 다시 보니 엄숙한지라, 하릴없이 다시 말리지 못하고 놓지도 못했다. 심소저가 울며 여쭙기를,

"부인은 전생에 나의 부모라. 어느 날에 다시 모시겠어요? 글 한 수를 지어 정을 표하오니 보시면 아실 것입니다."

부인이 반기어 종이와 붓을 내어 주니 붓을 들고 글을 쓸 제, 눈물이 비가 되어 점점이 떨어지니 송이송이 꽃이 되어 그림 족자였다. 안방에 걸고 보니 그 글은 이러했다.

생기사귀일몽간(生寄死歸一夢間)에
견정하필루삼삼(牽情何必淚參參)이랴마는
세간(世間)에 최유단장처(世間最有斷腸處)하니
초록강남인미환(草綠江南人未還)을

이 글 뜻은,

ⓒ 사람의 죽고 사는 게 한 꿈속이니
정에 끌려 어찌 굳이 눈물을 흘리랴마는
세간에 가장 애끓는 곳이 있으니
풀 돋는 강남에 사람이 돌아오지 못하는 일이라.

부인이 재삼 붙들다가 글 짓는 것을 보시고,

"너는 과연 세상 사람 아니로다. 글은 진실로 선녀로다.

분명 인간의 인연이 다하여 상제께서 부르시니 네 어이 피할소냐. 내 또 한 이 운에 맞추어 글을 지으리라."

하고 글을 써 주었다.

무단풍우야래혼(無端風雨夜來昏)하니
취송명화각하문(吹送名花却何門)고
적거인간천필연(謫居人間天必然)하사
강피부모단정은(强彼父母斷情恩)을

이 글 뜻은 이러하다.

┌─난데없는 비바람 어둔 밤에 불어오니
│ 아름다운 꽃 날려서 뉘 집 문에 떨어지나
ⓔ 인간의 귀양살이 하늘이 정하셔서
└─아비와 자식으로 하여금 정을 끊게 하는구나.

심소저가 그 글을 품에 품고 눈물로 이별하니 차마 보지 못할 지경이었다. 심청이 돌아와서 아버지께 하직하니 심 봉사가 붙들고 뒹굴며 괴로워하여,

"네가 날 죽이고 가지 그저는 못 가리라. 날 데리고 가거라. 네 혼자는 못 가리라."

심청이 아버지를 위로하기를,

"부자간 천륜을 끊고 싶어 끊사오며 죽고 싶어 죽겠습니까마는, 액운이 막혀 있고 생사가 때가 있어 하느님이 하신 일이니 한탄한들 어찌하겠어요? 인정으로 할 양이면 떠날 날이 없을 것입니다."

하고 저의 아버지를 동네 사람에게 붙들게 하고 뱃사람들을 따라갈 제, 소리 내어 울며 치마끈 졸라매고 치마폭 거듬거듬 안고 흐트러진 머리털은 두 귀 밑에 늘어지고 비같이 흐르는 눈물 옷깃을 적신다. 엎더지며 자빠지며 붙들어 나갈 제 건넛집 바라보며,

"아무개네 큰아가, 바느질 수놓기를 뉘와 함께 하려느냐, 작년 오월 단옷날에 그네 뛰고 놀던 일을 네가 행여 생각하느냐? 아무개네 작은아가, 금년 칠월 칠석 밤에 함께 기원하자더니 이제는 허사로다. 언제나 다시 보랴. 너희는 팔자 좋아 양친 모시고 잘 있거라."

동네 남녀노소 없이 눈이 붓도록 서로 붙들고 울다가 마을 어귀에서 서로 손을 놓고 헤어졌다. 그때 하느님이 아시던지 밝은 해는 어디 가고 어두침침한 구름이 자욱하며 청산이 찡그리는 듯, 강물 소리 흐느끼고, 휘늘어져 곱던 꽃은 시들어 제빛을 잃은 듯하고, 하늘거리는 버들가지도 졸 듯이 휘늘어졌고, 복사꽃은 다정하여 슬픈 듯이 피어 있다.

'묻노라 저 꾀꼬리, 뉘를 이별하였길래 벗을 불러 울어대고, 뜻밖에 두견이는 피를 내어 우는구나. 달밝은 너른 산을 어디 두고 애끊는 슬픈 소리 울어서 보내느냐. 네 아무리 가지 위에서 가지 말라 울건마는 값을 받고 팔린 몸이 다시 어찌 돌아올까.'

바람에 날린 꽃이 얼굴에 와 부딪치니 꽃을 들고 바라보며,

┌─ "봄바람이 사람 마음 알아주지 못한다면 무슨 까닭으로 지는 꽃을 보내리오, 한무제 수양 공주 매화 비녀 있건마
ⓜ 는 죽으러 가는 몸이 뉘를 위해 단장하리. 앞산에 지는 꽃이 지고 싶어 지랴마는 마지못한 일이러니 누구를 탓하고
└─누구를 원망하리오."

한 걸음에 돌아보며 두 걸음에 눈물지며 강머리에 다다르니, 뱃머리에 판자 깔고 심청이를 인도하여 빗장 안에 실은 후에 닻을 감고 돛을 달아 여러 뱃사람들이 소리를 한다,

"어기야, 어기야, 어기양, 어기양."

소리를 하며 북을 둥둥 울리면서 노를 저어 배질하며 물결에 배를 띄워 떠나간다.

― 심청전 ―

13 윗글에 대한 설명으로 적절한 것은?

① 현존하는 유일한 판소리계 소설로 다양한 이본이 존재한다.

② 주인공을 입체적이고 개성 강한 인물로 설정하여 주제를 효과적으로 전달하고 있다.

③ 특정 작가가 아니라 작품을 향유하던 수많은 사람들에 의해 첨삭된 적층문학의 성격을 가지고 있다.

④ 등장인물의 행동을 독자에게 객관적으로 전달하기 위해 1인칭 관찰자 시점으로 이야기를 서술하고 있다.

⑤ 완판본에 해당하는 내용으로 유교적 효를 지켜야 할 규범으로 보지 않는 당대 현실을 비판적으로 바라보고 있다.

14 소설 전체로 볼 때 심청이가 나중에 황후가 될 것임을 암시하는 부분으로 적절한 것은?

① ㉠   ② ㉡   ③ ㉢   ④ ㉣   ⑤ ㉤

15 ④에 대한 설명으로 적절하지 **않은** 것을 〈보기〉에서 모두 고른 것은?

┌──── 보기 ────
㉠ 서술자가 작품 속 등장인물에 대한 비판이나 사건에 대한 자신의 생각을 드러내는 부분을 포함하고 있다.

㉡ 구어적 표현과 운문체를 통하여 운율을 느낄 수 있다.

㉢ 당시에 인신 공양 풍습이 있었음을 짐작할 수 있다.

㉣ 다양한 대상에 등장인물의 감정을 이입하여 슬픔을 표현하고 있다.

㉤ 불교의 인과응보와 도교의 신선 사상이 잘 드러나 있다.
└─────────────

① ㉠, ㉤   ② ㉡, ㉢   ③ ㉣, ㉤   ④ ㉠, ㉣, ㉤   ⑤ ㉡, ㉢, ㉣

16 윗글의 인물에 대한 설명으로 적절하지 **않은** 것은?

① 심봉사 : 딸을 극진히 생각하지만 현실의 문제를 해결하는 능력이 부족하다.

② 심청 : 자신의 죽음을 운명으로 받아들이며 스스로의 힘으로 문제를 해결하고자 한다.

③ 뱃사람들 : 배를 타고 다니며 장사를 하는 사람들로 상대방에 대한 배려심이 있고 일처리가 확실하다.

④ 장 승상 댁 부인 : 상황을 변화시킬 대책을 제시하는 인물로 인간의 정보다 경제적 가치를 중요시한다.

⑤ 시비 : 장 승상 댁 부인의 시중을 드는 인물로, 장 승상의 사회적 지위가 높음을 짐작하게 한다.

[17~19] 다음 글을 읽고 물음에 답하시오.

"오늘이 배 떠나는 날이오니 수이 가게 해 주시오."

하니, 심청이 이 말을 듣고 얼굴빛이 없어지고 손발에 맥이 풀리며 목이 메고 정신이 어지러워 뱃사람들을 겨우 불러,

"여보시오 선인네들, 나도 오늘이 배 떠나는 날인 줄 이미 알고 있으나, 내 몸 팔린 줄을 우리 아버지가 아직 모르십니다. 만일 아시게 되면 지레 야단이 날테니, 잠깐 기다리면 진지나 마지막으로 지어 잡수시게 하고 말씀 여쭙고 떠나게 하겠어요."

하니 뱃사람들이,

"그리하시지요."

하였다. 심청이 들어와 눈물로 밥을 지어 아버지께 올리고, 상머리에 마주앉아 아무쪼록 진지 많이 잡수시게 하느라고 자반도 떼어 입에 넣어 드리고 김쌈도 싸서 수저에 놓으며,

"진지를 많이 잡수셔요."

심 봉사는 철도 모르고,

"야, 오늘은 반찬이 유난히 좋구나. 뉘 집 제사 지냈느냐?"

그날 밤에 꿈을 꾸었는데, 부자간은 천륜지간(天倫之間)이라 꿈에 미리 보여 주는 바가 있었다.

"아가 아가, 이상한 일도 있더구나. 간밤에 꿈을 꾸니, 네가 큰 수레를 타고 한없이 가 보이더구나. 수레라 하는 것이 귀한 사람이 타는 것인데 우리 집에 무슨 좋은 일이 있을란가 보다. 그렇지 않으면 장 승상 댁에서 가마 태워 갈란가 보다."

심청이는 저 죽을 꿈인 줄 짐작하고 둘러대기를,

[A]"그 꿈 참 좋습니다."

하고 진짓상을 물려 내고 담배 태워 드린 뒤에 밥상을 앞에 놓고 먹으려 하니 간장이 썩는 눈물은 눈에서 솟아나고, 아버지 신세 생각하며 저 죽을 일 생각하니 정신이 아득하고 몸이 떨려 밥을 먹지 못하고 물렸다. 그런 뒤에 심청이 사당에 하직하려고 들어갈 제, 다시 세수하고 사당문을 가만히 열고 하직 인사를 올렸다.

"못난 여손(女孫) 심청이는 아비 눈 뜨기를 위하여 인당수 제물로 몸을 팔려 가오매, 조상 제사를 끊게 되오니 사모하는 마음을 이기지 못하겠습니다."

울며 하직하고 사당문 닫은 뒤에 아버지 앞에 나와 두 손을 부여잡고 기절하니,

심 봉사가 깜짝 놀라,

"아가 아가, 이게 웬일이냐? 정신 차려 말하거라."

심청이 여쭙기를,

"제가 못난 딸자식으로 아버지를 속였어요. 공양미 삼백 석을 누가 저에게 주겠어요. 남경 뱃사람들에게 인당수 제물로 몸을 팔아 오늘이 떠나는 날이니 저를 마지막 보셔요."

심 봉사가 이 말을 듣고,

"참말이냐, 참말이냐? 애고 애고, 이게 웬 말인고? 못 가리라, 못 가리라. 네가 날더러 묻지도 않고 네 마음대로 한단 말이냐? 네가 살고 내가 눈을 뜨면 그는 마땅히 할 일이나, 자식 죽여 눈을 뜬들 그게 차마 할 일이냐? [B]너의 어머니 늦게야 너를 낳고 초이레 안에 죽은 뒤에, 눈 어두운 늙은 것이 품안에 너를 안고 이집 저집 다니면서 구차한 말 해 가면서 동냥젖 얻어 먹여 이만치 자랐는데, 내 아무리 눈 어두우나 너를 눈으로 알고, 너의 어머니 죽은 뒤에 걱정 없이 살았더니 이 말이 무슨 말이냐? 마라 마라, 못 하리라. 아내 죽고 자식 잃고 내 살아서 무엇하리? 너하고 나하고 함께 죽자. 눈을 팔아 너를 살 터에 너를 팔아 눈을 뜬들 무엇을 보려고 눈을 뜨리?

어떤 놈의 팔자길래 사궁지수(四窮之首) 된단 말이냐? 네 이놈 상놈들아! 장사도 좋지마는 사람 사다 제사하는 데 어디서 보았느냐? 하느님의 어지심과 귀신의 밝은 마음 앙화가 없겠느냐? 눈먼 놈의 무남독녀 철모르는 어린아이 나 모르게 유인하여 값을 주고 산단 말이냐? 돈도 싫고 쌀도 싫다, 네 이놈 상놈들아.

[C]옛글을 모르느냐? 칠년대한(七年大旱) 가물 적에 사람으로 빌라 하니 탕임금 어지신 말씀, '내가 지금 비는 바는 사

람을 위함인데 사람 죽여 빌 양이면 내 몸으로 대신하리라.' 몸소 희생되어 몸을 정히 하여 상임 뜰에 빌었더니 수천 리 너른 땅에 큰 비가 내렸느니라. 이런 일도 있었으니 내 몸으로 대신 감이 어떠하냐? 여보시오 동네 사람, 저런 놈들을 그저 두고 보오?"

심청이 아버지를 붙들고 울며 위로하기를,

"아버지 할 수 없어요. 저는 이미 죽지마는 아버지는 눈을 떠서 밝은 세상 보시고, 착한 사람 구하셔서 아들 낳고 딸을 낳아 후사나 전하고, 못난 딸자식은 생각지 마시고 오래오래 평안히 계십시오. 이도 또한 천명이니 후회한들 어찌하겠어요?"

뱃사람들이 그 딱한 형편을 보고 모여 앉아 공론하기를,

"심 소저의 효성과 심 봉사의 일생 신세 생각하여 봉사님 굶지 않고 헐벗지 않게 한 살림을 꾸며 주면 어떻겠소?"

"그 말이 옳소."

하고 쌀 이백 석과 돈 삼백 냥이며, 무명 삼베 각 한 동씩 마을에 들여 놓고 동네 사람들을 모아 당부하기를,

"쌀 이백 석과 돈 삼백 냥을 착실한 사람 주어 실수 없이 온전하게 늘려 심 봉사에게 바칩시다. 삼백 석 가운데 이십 석은 올해 양식으로 제하고, 나머지는 해마다 빛을 주어 이자를 받으면 양식이 넉넉할 테고, 무명 삼베로는 사철 의복 장만해 드리기로 하고, 이런 내용을 관청에 공문으로 보내고 마을에도 알립시다."

구별을 다 짓고 나서 심 소저를 가자 할 때, 무릉촌 장 승상 댁 부인이 그제야 이 말을 듣고 급히 시비를 보내어 심 소저를 부르기에, 소저가 시비를 따라가니 승상 부인이 문밖에 내달아 소저의 손을 잡고 울며 말했다.

"네 이 무상한 사람아. 나는 너를 자식으로 알았는데 너는 나를 어미같이 알지를 않는구나. 쌀 삼백 석에 몸이 팔려 죽으러 간다 하니 효성이 지극하다마는, 네가 살아 세상에 있어 하는 것만 같겠느냐? 나와 의논했더라면 진작 주선해 주었지. 쌀 삼백 석을 이제라도 다시 내어 줄 것이니 뱃사람들 도로 주고 당치 않은 말 다시 말라."

– 작자미상, 「심청전」 –

---

17 윗글에 대한 설명으로 적절하지 <u>않은</u> 것은?

① 시간의 흐름에 따라 사건이 전개되고 있다.
② 반복을 통해 율격을 형성하는 운문체가 드러나 있다.
③ 서술자가 직접 개입을 하여 사건에 대해 논평하고 있다.
④ 배경 묘사를 통해 인물 간 갈등 상황을 암시하고 있다.
⑤ 대화 속 설의적 표현과 대구를 통해 인물의 심리를 드러내고 있다.

18 [A]~[C]에서 나타나는 화자의 말하기 방식으로 가장 적절한 것은?

① [A]는 청자의 무지함을 반어적으로 비꼬고 있다.
② [B]는 지난날의 고생을 언급하며 자책하고 있다.
③ [C]는 고사를 근거로 자신의 주장을 강화하고 있다.
④ [A]와 [B]는 청자를 배려하며 위로하고 있다.
⑤ [B]와 [C]는 청자의 잘못을 조목조목 지적하며 충고하고 있다.

19 〈보기〉의 전체 줄거리를 모두 알고 있는 상태에서, 윗글을 감상한 것으로 적절하지 <u>않은</u> 것은?

┤ 보기 ├

　심 봉사는 산후 7일 만에 아내가 죽자 온갖 고생을 하며 딸 '심청'을 기른다. 심청이는 자라면서 아버지를 지극 정성으로 봉양하고, 이런 심청을 고을 장 승상 댁 부인은 양녀로 들이려 할 만큼 아끼게 된다. 한편 공양미 삼백 석을 절에 시주하면 눈을 뜨게 될 것이라는 얘기를 전해 들은 심청은 아버지를 위해, 공양미 삼백 석을 받는 조건으로 인당수에 몸을 던진다. 그러나 심청은 연꽃 속에 들어가 세상으로 환생하여 황후가 되고, 이후 맹인 잔치를 벌여 아버지와 재회하고, 심 봉사는 눈을 뜬다.

① 전체 결말을 고려할 때 심 봉사의 꿈은 긍정적인 복선으로도 해석할 수 있겠어.

② 장 승상 댁 부인은 어머니 없이 자란 심청을 딸처럼 각별히 생각하며 애정을 줬던 것 같아.

③ 절에 시주하면 눈을 뜨게 될 것이라는 점, 연꽃 속에서 환생했다는 점 등을 고려하면 이 작품은 불교적인 면도 있다고 볼 수 있어.

④ 심 봉사가 온갖 고생을 하며 딸을 길렀다는 것은 특히나 동냥 젖 얻어 먹이며 키웠던 것 같아.

⑤ 뱃사람들이 쌀 삼백 석이면 눈을 뜨게 될 거라 말했는데 약속대로 되지 않자 심봉사는 뱃사람들을 원망했을 것 같아.

[20~22] 다음 글을 읽고 물음에 답하시오.

그날 밤에 꿈을 꾸었는데, 부자간은 천륜지간(天倫之間)이라 꿈에 미리 보여 주는 바가 있었다.

"아가 아가, 이상한 일도 있더구나. 간밤에 꿈을 꾸니, 네가 큰 수레를 타고 한없이 가 보이더구나. 수레라 하는 것이 귀한 사람이 타는 것인데 우리 집에 무슨 좋은 일이 있을란가 보다. 그렇지 않으면 장 승상 댁에서 가마 태워 갈란가 보다."

심청이는 저 죽을 꿈인 줄 짐작하고 둘러대기를,

"그 꿈 참 좋습니다."

하고 진짓상을 물려 내고 담배 태워 드린 뒤에 밥상을 앞에 놓고 먹으려 하니 간장이 썩는 눈물은 눈에서 솟아나고, 아버지 신세 생각하며 저 죽을 일 생각하니 정신이 아득하고 몸이 떨려 밥을 먹지 못하고 물렸다. 그런 뒤에 심청이 사당에 하직하려고 들어갈 제, 다시 세수하고 사당문을 가만히 열고 하직 인사를 올렸다.

"못난 여손(女孫) 심청이는 아비 눈 뜨기를 위하여 인당수 제물로 몸을 팔려 가오매, 조상 제사를 끊게 되오니 사모하는 마음을 이기지 못하겠습니다."

울며 하직하고 사당문 닫은 뒤에 아버지 앞에 나와 두 손을 부여잡고 기절하니,

심 봉사가 깜짝 놀라,

"아가 아가, 이게 웬일이냐? 정신 차려 말하거라."

심청이 여쭙기를,

"제가 못난 딸자식으로 아버지를 속였어요. 공양미 삼백 석을 누가 저에게 주겠어요. 남경 뱃사람들에게 인당수 제물로 몸을 팔아 오늘이 떠나는 날이니 저를 마지막 보셔요."

심 봉사가 이 말을 듣고,

"참말이냐, 참말이냐? 애고 애고, 이게 웬 말인고? 못 가리라, 못 가리라. 네가 날더러 묻지도 않고 네 마음대로 한단 말이냐? 네가 살고 내가 눈을 뜨면 그는 마땅히 할 일이나, 자식 죽여 눈을 뜬들 그게 차마 할 일이냐? 너의 어머니 늦게야 너를 낳고 초이레 안에 죽은 뒤에, 눈 어두운 늙은 것이 품 안에 너를 안고 이집 저집 다니면서 구차한 말 해 가면서 동냥젖 얻어 먹여 이만치 자랐는데, 내 아무리 눈 어두우나 너를 눈으로 알고, 너의 어머니 죽은 뒤에 걱정 없이 살았더니 이 말이 무슨 말이냐? 마라 마라, 못 하리라. 아내 죽고 자식 잃고 내 살아서 무엇하리? 너하고 나하고 함께 죽자. 눈을 팔아 너를 살 터에 너를 팔아 눈을 뜬들 무엇을 보려고 눈을 뜨리?

어떤 놈의 팔자길래 사궁지수(四窮之首) 된단 말이냐? 네 이놈 상놈들아! 장사도 좋지마는 사람 사다 제사하는 데 어디서 보았느냐? 하느님의 어지심과 귀신의 밝은 마음 앙화가 없겠느냐? 눈먼 놈의 무남독녀 철모르는 어린아이나 모르게 유인하여 값을 주고 산단 말이냐? 돈도 싫고 쌀도 싫다, 네 이놈 상놈들아.

옛글을 모르느냐? 칠년대한(七年大旱) 가뭄 적에 사람으로 빌라 하니 탕임금 어지신 말씀, '내가 지금 비는 바는 사람을 위함인데 사람 죽여 빌 양이면 내 몸으로 대신하리라.' 몸소 희생되어 몸을 정히 하여 상림 뜰에 빌었더니 수천 리 너른 땅에 큰 비가 내렸느니라. 이런 일도 있었으니 내 몸으로 대신 감이 어떠하냐? 여보시오 동네 사람, 저런 놈들을 그저 두고 보오?"

심청이 아버지를 붙들고 울며 위로하기를,

"아버지 할 수 없어요. 저는 이미 죽지마는 아버지는 눈을 떠서 밝은 세상 보시고, 착한 사람 구하셔서 아들 낳고 딸을 낳아 후사나 전하고, 못난 딸자식은 생각지 마시고 오래오래 평안히 계십시오. 이도 또한 천명이니 후회한들 어찌하겠어요?"

뱃사람들이 그 딱한 형편을 보고 모여 앉아 공론하기를,

"심 소저의 효성과 심 봉사의 일생 신세 생각하여 봉사님 굶지 않고 헐벗지 않게 한 살림을 꾸며 주면 어떻겠소?"

"그 말이 옳소."

하고 쌀 이백 석과 돈 삼백 냥이며, 무명 삼베 각 한 동씩 마을에 들여 놓고 동네 사람들을 모아 당부하기를,

"쌀 이백 석과 돈 삼백 냥을 착실한 사람 주어 실수 없이 온전하게 늘려 심 봉사에게 바칩시다. 삼백 석 가운데 이십 석은 올해 양식으로 제하고, 나머지는 해마다 빚을 주어 이자를 받으면 양식이 넉넉할 테고, 무명 삼베로는 사철 의복 장만해 드리기로 하고, 이런 내용을 관청에 공문으로 보내고 마을에도 알립시다."

구별을 다 짓고 나서 심 소저를 가자 할 때, 무릉촌 장 승상 댁 부인이 그제야 이 말을 듣고 급히 시비를 보내어 심 소저를 부르기에, 소저가 시비를 따라가니 승상 부인이 문밖에 내달아 소저의 손을 잡고 울며 말했다.

"네 이 무상한 사람아. 나는 너를 자식으로 알았는데 너는 나를 어미같이 알지를 않는구나. ㉠쌀 삼백 석에 몸이 팔려 죽으러 간다 하니 효성이 지극하다마는, 네가 살아 세상에 있어 하는 것만 같겠느냐? 나와 의논했더라면 진작 주선해주었지. 쌀 삼백 석을 이제라도 다시 내어 줄 것이니 뱃사람들 도로 주고 당치않은 말 다시 말라."

하시니 심 소저가 여쭈었다.

"당초에 말씀 못 드린 것을 이제야 후회한들 무엇하겠습니까? 또 한 부모를 위해 공을 드릴 양이면 어찌 남의 명분 없는 재물을 바라며, 쌀 삼백 석을 도로 내어 주면 뱃사람들 일이 낭패이니 그도 또한 어렵고, 남에게 몸을 허락하여 약속을 정한 뒤에 다시 약속을 어기면 못난 사람들 하는 짓이니, 그 말씀을 따르지 못하겠습니다. 하물며 값을 받고 몇 달이 지난 뒤에 차마 어찌 낯을 들어 무슨 말을 하겠습니까? 부인의 하늘같은 은혜와 착하신 말씀은 저승으로 돌아가서 결초보은(結草報恩)하겠습니다."

하고 눈물이 옷깃을 적시니, 부인이 다시 보니 엄숙한지라, 하릴없이 다시 말리지 못하고 놓지도 못했다. 심소저가 울며 여쭙기를,

"부인은 전생에 나의 부모라. 어느 날에 다시 모시겠어요? 글 한 수를 지어 정을 표하오니 보시면 아실 것입니다."

부인이 반기어 종이와 붓을 내어 주니 붓을 들고 글을 쓸 제, 눈물이 비가 되어 점점이 떨어지니 송이송이 꽃이 되어 그림 족자였다. 안방에 걸고 보니 그 글은 이러했다.

생기사귀일몽간(生寄死歸一夢間)에
견정하필루잠잠(牽情何必淚潛潛)이랴마는
세간(世間)에 최유단장처(最有斷腸處)하니
초록강남인미환(草綠江南人未還)을

이 글 뜻은,

사람의 죽고 사는 게 한 꿈속이니
정에 끌려 어찌 굳이 눈물을 흘리랴마는
세간에 가장 애끊는 곳이 있으니
풀 돋는 강남에 사람이 돌아오지 못하는 일이라.

부인이 여러 번 붙들다가 글 짓는 것을 보시고,
"너는 과연 세상 사람 아니로다. 글은 진실로 선녀로다. 분명 인간의 인연이 다하여 상제께서 부르시니 네 어이 피할소냐. 내 또 한 이 운에 맞추어 글을 지으리라."
하고 글을 써 주었다. 〈중략〉

난데없는 비바람 어둔 밤에 불어오니
아름다운 꽃 날려서 뉘 집 문에 떨어지나
인간의 귀양살이 하늘이 정하셔서
아비와 자식으로 하여금 정을 끊게 하는구나.

심소저가 그 글을 품에 품고 눈물로 이별하니 차마 보지 못할 지경이었다.

– 「심청전」 –

20 윗글에 대한 설명으로 적절하지 <u>않은</u> 것은?

① 주로 대화를 중심으로 사건이 전개되고 있다.
② 인물의 성격 변화가 거의 없는 평면적인 인물이 등장한다.
③ 판소리의 아니리가 반영되어 일정한 율격이 드러나는 문체를 보여주고 있다.
④ 서술자가 독자에게 특정 사건의 이유를 직접 설명함으로써 독자의 이해를 돕고 있다.
⑤ 양반의 전유물이었던 한시와 평민들의 일상적인 구어체의 문장이 함께 드러나는 이중성을 보여주고 있다.

21 □(네모)로 묶은 심봉사의 말 부분을 통해 알 수 있는 내용으로 적절하지 <u>않은</u> 것은?

① 대구와 반복을 통한 운율감이 드러나 있다.
② 심청이가 어렸을 때 심봉사가 심청이를 매우 힘들게 키웠음을 알 수 있다.
③ 고사를 인용하여 심봉사가 자신의 주장에 대한 설득력을 높이고 있다.
④ 설의법을 통해 불행한 일을 당한 심봉사의 정서를 강조하여 드러내고 있다.
⑤ 심봉사는 운명론적인 인생관을 바탕으로 한 체념적인 태도로 자신의 상황을 받아들이고 있다.

22 다음과 관련하여 ㉠에 나타난 당시 사람들의 가치관에 대해 서술한 내용으로 가장 적절한 것은?

> 경판본에서는 작품 전체에 지극한 효성의 분위기를 자아내는 데 전력하고 있으며, 심청의 죽음은 피할 수 없는 숙명으로 제시한다. 따라서 경판본은 유교적 엄숙성과 숙명론적 운명관에 지배되고 있다.
>
> 한편, 완판본은 경판본보다 훨씬 더 많은 등장인물과 사건을 담고 있다. 이 가운데 장승상 댁 부인은 심청에게 양녀가 될 것을 제안하고, 또 심청이 죽음으로 효를 실현하는 것을 반대한다. 즉 장승상 댁 부인은 심청이 추구하는 유교적 이념에 이의를 제기하고 현실적 해결방법을 내놓는 인물인 것이다.

① 유교적 가치관을 중시하였으나 이에 대한 비판적 시각이 공존하였다.
② 관념적인 유교적 가치보다 세속적이고 현실적인 가치를 더 중요한 것으로 생각하였다.
③ 운명에 따르는 것을 거부하고 운명을 스스로 개척하고자 하는 인생관이 중시되었다.
④ 유교적 사회의 근본으로서 효는 목숨과 맞바꿀 수 있는 가치를 지닌 것으로 생각하였다.
⑤ 부모를 봉양하기 위해서라면 부자지간의 연을 끊고 양녀가 되는 것을 바람직한 것으로 여겼다.

[23~27] 다음 글을 읽고 물음에 답하시오.

심청이 여쭙기를,

"제가 못난 딸자식으로 아버지를 속였어요. 공양미 삼백 석을 누가 저에게 주겠어요. 남경 뱃사람들에게 인당수 제물로 몸을 팔아 오늘이 떠나는 날이니 저를 마지막 보셔요."

심 봉사가 이 말을 듣고,

┌ "참말이냐, 참말이냐? 애고 애고, 이게 웬 말인고? 못 가리라, 못 가리라. 네가 날더러 묻지도 않고 네 마음대로 한단 말이냐? 네가 살고 내가 눈을 뜨면 그는 마땅히 할 일이나, 자식 죽여 눈을 뜬들 그게 차마 할 일이냐? 너의 어머니 늦게야 너를 낳고 초이레 안에 죽은 뒤에, 눈 어두운 늙은 것이 품 안에 너를 안고 이집 저집 다니면서 구차한 말 해 가면서 동냥젖 얻어 먹여 이만치 자랐는데, 내 아무리 눈 어두우나 너를 눈으로 알고, 너의 어머니 죽은 뒤에 걱정 없이 살았더니 이 말이 무슨 말이냐? 마라 마라, 못 하리라. 아내 죽고 자식 잃고 내 살아서 무엇하리? 너하고 나하고 함께 죽자. 눈을 팔아 너를 살 터에 너를 팔아 눈을 뜬들 무엇을 보려고 눈을 뜨리?

[A] 어떤 놈의 팔자길래 사궁지수(四窮之首) 된단 말이냐? 네 이놈 상놈들아! 장사도 좋지마는 사람 사다 제사하는 데 어디서 보았느냐? 하느님의 어지심과 귀신의 밝은 마음 앙화가 없겠느냐? 눈먼 놈의 무남독녀 철모르는 어린아이나 모르게 유인하여 값을 주고 산단 말이냐? 돈도 싫고 쌀도 싫다, 네 이놈 상놈들아.

옛글을 모르느냐? 칠년대한(七年大旱) 가물 적에 사람으로 빌라 하니 탕임금 어지신 말씀, '내가 지금 비는 바는 사람을 위함인데 사람 죽여 빌 양이면 내 몸으로 대신하리라.' 몸소 희생되어 몸을 정히 하여 상림 뜰에 빌었더니 수천 리 너른 땅에 큰 비가 내렸느니라. 이런 일도 있었으니 내 몸으로 대신 감이 어떠하냐? 여보시오 동네 사람, 저
└ 런 놈들을 그저 두고 보오?"

심청이 아버지를 붙들고 울며 위로하기를,

"아버지 할 수 없어요. 저는 이미 죽지마는 아버지는 눈을 떠서 밝은 세상 보시고, 착한 사람 구하셔서 아들 낳고 딸을 낳아 후사나 전하고, 못난 딸자식은 생각지 마시고 오래오래 평안히 계십시오. 이도 또한 천명이니 후회한들 어찌하겠어요?"

뱃사람들이 그 딱한 형편을 보고 모여 앉아 공론하기를,

"심 소저의 효성과 심 봉사의 일생 신세 생각하여 봉사님 굶지 않고 헐벗지 않게 한 살림을 꾸며 주면 어떻겠소?"

"그 말이 옳소."

하고 쌀 이백 석과 돈 삼백 냥이며, 무명 삼베 각 한 동씩 마을에 들여 놓고 동네 사람들을 모아 당부하기를,

"쌀 이백 석과 돈 삼백 냥을 착실한 사람 주어 실수 없이 온전하게 늘려 심 봉사에게 바칩시다. 삼백 석 가운데 이십 석은 올해 양식으로 제하고, 나머지는 해마다 빚을 주어 이자를 받으면 양식이 넉넉할 테고, 무명 삼베로는 사철 의복 장만해 드리기로 하고, 이런 내용을 관청에 공문으로 보내고 마을에도 알립시다."

구별을 다 짓고 나서 심 소저를 가자 할 때, 무릉촌 장 승상 댁 부인이 그제야 이 말을 듣고 급히 시비를 보내어 심 소저를 부르기에, 소저가 시비를 따라가니 승상 부인이 문밖에 내달아 소저의 손을 잡고 울며 말했다.

"네 이 무상한 사람아. 나는 너를 자식으로 알았는데 너는 나를 어미같이 알지를 않는구나. 쌀 삼백 석에 몸이 팔려 죽으러 간다 하니 효성이 지극하다마는, 네가 살아 세상에 있어 하는 것만 같겠느냐? 나와 의논했더라면 진작 주선해주었지. 쌀 삼백 석을 이제라도 다시 내어 줄 것이니 뱃사람들 도로 주고 당치않은 말 다시 말라."

하시니 심 소저가 여쭈었다.

"당초에 말씀 못 드린 것을 이제야 후회한들 무엇하겠습니까? 또 한 부모를 위해 공을 드릴 양이면 어찌 남의 명분 없는 재물을 바라며, 쌀 삼백 석을 도로 내어 주면 뱃사람들 일이 낭패이니 그도 또한 어렵고, 남에게 몸을 허락하여 약속을 정한 뒤에 다시 약속을 어기면 못난 사람들 하는 짓이니, 그 말씀을 따르지 못하겠습니다. 하물며 값을 받고 몇 달이 지난 뒤에 차마 어찌 낯을 들어 무슨 말을 하겠습니까? 부인의 하늘같은 은혜와 착하신 말씀은 저승으로 돌아가서 결초보은(結草報恩)하겠습니다."

하고 눈물이 옷깃을 적시니, 부인이 다시 보니 엄숙한지라, 하릴없이 다시 말리지 못하고 놓지도 못했다. 심소저가 울며 여쭙기를,

"부인은 전생에 나의 부모라. 어느 날에 다시 모시겠어요? 글 한 수를 지어 정을 표하오니 보시면 아실 것입니다."

〈중략〉

심소저가 그 글을 품에 품고 눈물로 이별하니 차마 보지 못할 지경이었다. 심청이 돌아와서 아버지께 하직하니 심 봉사가 붙들고 뒹굴며 괴로워하여,

"네가 날 죽이고 가지 그저는 못 가리라. 날 데리고 가거라. 네 혼자는 못 가리라."

심청이 아버지를 위로하기를,

"부자간 천륜을 끊고 싶어 끊사오며 죽고 싶어 죽겠습니까마는, 액운이 막혀 있고 생사가 때가 있어 하느님이 하신 일이니 한탄한들 어찌하겠어요? 인정으로 할 양이면 떠날 날이 없을 것입니다."

하고 저의 아버지를 동네 사람에게 붙들게 하고 뱃사람들을 따라갈 제, 소리 내어 울며 치마끈 졸라매고 치마폭 거듬거듬 안고 흐트러진 머리털은 두 귀 밑에 늘어지고 비같이 흐르는 눈물 옷깃을 적신다. 엎더지며 자빠지며 붙들어 나갈 제 건넛집 바라보며,

"아무개네 큰아가, 바느질 수놓기를 뉘와 함께 하려느냐, 작년 오월 단옷날에 그네 뛰고 놀던 일을 네가 행여 생각하느냐? 아무개네 작은아가, 금년 칠월 칠석 밤에 함께 기원하자더니 이제는 허사로다. 언제나 다시 보랴. 너희는 팔자 좋아 양친 모시고 잘 있거라."

동네 남녀노소 없이 눈이 붓도록 서로 붙들고 울다가 마을 어귀에서 서로 손을 놓고 헤어졌다. 그때 하느님이 아시던지 밝은 해는 어디 가고 어두침침한 구름이 자욱하며 청산이 찡그리는 듯, 강물 소리 흐느끼고, 휘늘어져 곱던 꽃은 시들어 제빛을 잃은 듯하고, 하늘거리는 버들가지도 졸 듯이 휘늘어졌고, 복사꽃은 다정하여 슬픈 듯이 피어 있다.

'묻노라 저 꾀꼬리, 뉘를 이별하였길래 벗을 불러 울어대고, 뜻밖에 두견이는 피를 내어 우는구나. 달 밝은 너른 산을 어디 두고 애끊는 슬픈 소리 울어서 보내느냐. 네 아무리 가지 위에서 가지 말라 울건마는 값을 받고 팔린 몸이 다시 어찌 돌아올까.'

바람에 날린 꽃이 얼굴에 와 부딪치니 꽃을 들고 바라보며,

"봄바람이 사람 마음 알아주지 못한다면 무슨 까닭으로 지는 꽃을 보내리오, 한무제 수양 공주 매화 비녀 있건마는 죽으러 가는 몸이 뉘를 위해 단장하리. 앞산에 지는 꽃이 지고 싶어 지랴마는 마지못한 일이러니 누구를 탓하고 누구를 원망하리오."

- 작자미상 「심청전」 -

23 윗글에 대한 설명으로 적절하지 <u>않은</u> 것은?

① 자연물에 등장인물의 감정을 이입하여 표현한다.

② 등장인물의 대사는 리듬감 있는 문체로 구성되었다.

③ 외양 묘사를 통해 등장인물의 심정과 처지를 드러낸다.

④ 운명에 적극적으로 저항하지만 마침내 받아들이는 당대의 운명론적 세계관이 드러난다.

⑤ 서술자가 등장인물의 처지와 상황 또는 사건에 대한 자신의 견해를 밝히는 서술 방식이 나타난다.

24 〈보기〉를 참고했을 때 윗글에 대한 설명으로 적절한 것은?

┤ 보기 ├

　　아버지와 헤어진 뒤 인당수에 이르러 바다에 몸을 던진 심청이는 용왕에게 구출되어 용궁에서 어머니 곽씨 부인과 재회하고 이후 연꽃 속에 들어가 다시 세상으로 환생한다. 뱃사람들이 그 연꽃을 신기하게 생각해 임금에게 바치고 임금은 그 속에서 나온 심청이를 아내로 맞이한다. 황후가 된 심청이는 아버지를 그리워하여 심 봉사를 다시 만나기 위해 맹인 잔치를 벌인다. 우여곡절을 겪은 끝에 부녀는 재회하고, 심 봉사는 눈을 뜬다.

① 등장인물들의 신이하고 탁월한 능력이 돋보인다.

② 현실적이고 사실적인 사건 전개를 통해 흥미를 유발한다.

③ 다른 소설에서는 쉽게 찾을 수 없는 개성 있고 입체적인 인물의 모습이 드러난다.

④ 가난에서 벗어나지는 못했지만 '심 봉사'가 눈을 뜨고 '심청'과 재회하는 행복한 결말을 맞이한다.

⑤ 목숨을 바친다는 극단적 선택을 통해서도 결국 행복한 결말을 맞이한다는 점에서 당대 유교적 이념인 효에 대한 인식을 엿볼 수 있다.

25 [A]에 대한 설명으로 적절하지 <u>않은</u> 것은?

① 반복을 통해 운율을 형성하는 말하기 방식이 사용되었다.

② '심 봉사'가 '심청'을 어렵게 키운 사실이 요약적으로 제시된다.

③ 어울리는 옛 이야기를 인용해 상황을 쉽게 수긍할 수 없음을 강조한다.

④ 대구법을 통해 '심청'을 차마 보낼 수 없는 '심 봉사'의 심리가 드러난다.

⑤ '심 봉사'의 뱃사람들에 대한 원망과 동시에 하나님의 어지심으로 눈을 뜰 수 있다는 사실에 대한 기쁨이 드러난다.

26 〈보기〉와 윗글을 통해 추측할 수 있는 사실로 적절한 것은?

> ┤ 보기 ├
>
> 　완판본은 경판본보다 훨씬 더 많은 등장인물과 사건을 담고 있다. 이 가운데 장 승상 댁 부인은 심청에게 양녀가 될 것을 제안하고, 또 심청이 죽음으로 효를 실현하는 것을 반대한다. 즉, 장 승상 댁 부인은 심청이 추구하는 유교적 관념에 이의를 제기하고 현실적 해결 방법을 내놓는 인물인 것이다.
>
> 　심 봉사는 두 판본에서 성격이 아주 다른 인물로 나타난다. 경판본의 심 봉사는 한결같이 유교적 이념에 충실한 인물이지만, 완판본의 심 봉사는 훨씬 세속적이고 현실주의적인 인물로 나타난다.

① 〈보기〉의 사실을 통해 창작 과정에서 유교적 이념에 대한 의식이 반영되었음을 확인할 수 있다.

② 〈보기〉의 사실을 통해 지역에 따른 소설의 내용 차이는 존재하지 않았음을 알 수 있다.

③ 이미 너무 많은 이본이 존재하여 현대에는 더 이상 다른 형태로 재창작될 가능성이 없을 것이다.

④ 다양한 이본을 비교하더라도 소설의 전체 줄거리는 유사하기 때문에 별 의미가 없는 행위일 것이다.

⑤ 경판본의 '심 봉사'와 윗글의 '장 승상 댁 부인'과 같이 다른 판본에서도 유교적 이념을 비판하는 비슷한 유형의 인물이 존재할 수 있을 것이다.

27 인물에 대한 설명으로 적절한 것은?

① '장 승상 댁 부인'은 '심청'의 어머니로 효성보다 '심청'의 목숨을 중요하게 여긴다.

② '심청'이 자신의 몸을 바치는 것을 통해 문제를 회피하려 하며 이를 통해 소극적 성격이 드러난다.

③ '뱃사람'들은 '심청'이 죽은 후에 '심 봉사'에게 남은 빚을 받아 내기 위한 계획을 세울 정도로 철저한 성격이다.

④ '마을사람들'과 '심청'이 붙들고 우는 장면을 보니 '심청'이 마을에서 인정받는 인물이자 효녀였음을 알 수 있다.

⑤ '아무개네 큰아가'와 '작은아가'는 '심청'의 처지와 비슷한 인물로 '심청'은 이들에게 본인과 같은 불행이 없기를 빌고 있다.

객관식 심화문제

[01~07] 다음 글을 읽고 물음에 답하시오.

[앞부분 줄거리] 황해도 도화동에 심학규라는 장님이 살고 있었는데, 그는 늦은 나이에 딸 청이를 얻었으나 산후 7일 만에 아내가 죽자 온갖 고생을 하며 딸을 기른다. 심청은 어려서부터 미모도 빼어나고 효성도 지극하며 장님인 아버지를 지극 정성으로 공경한다. 그러던 어느 날 심 봉사는 물에 빠지는 사고를 당하고, 이때 자신을 구해 준 용문사 화주승으로부터 공양미 삼백 석을 시주하면 눈을 뜨게 된다는 말을 듣고 앞뒤 생각 없이 덜컥 시주하겠다는 약속을 해 버린다. 뒤늦게 이 일을 후회하며 근심하는 아버지를 위해, 심청은 제물로 바칠 처녀를 사러 다니는 남경 뱃사람들에게 공양미 삼백 석을 받고 자신의 몸을 팔게 되는데……

> "공양미 3백 석을 이미 실어다 주었으니, 이제는 근심치 마셔요."
>
> 심봉사가 깜짝 놀라,
>
> "너, 그 말이 웬 말이냐?"
>
> 심청같이 타고난 효녀가 어찌 아버지를 속이랴마는, 어찌할 수 없는 형편이라 잠깐 거짓말로 속여 대답한다.
>
> "장승상댁 노부인이 달포 전에 저를 수양딸로 삼으려 하셨는데 차마 허락지 않았습니다. 그러나 지금 형편으로는 공양미 3백 석을 장만할 길이 전혀 없기로 이 사연을 노부인께 말씀드렸더니, 쌀 3백 석을 내어주시기에 수양딸로
[가] 팔리기로 했습니다."
>
> 심봉사가 물색도 모르면서 이 말만 반겨 듣고,
>
> "그렇다면 고맙구나. 그 부인은 한 나라 재상의 부인이라 아마도 다르리라. 복을 많이 받겠구나. 저러하기에 그 아들 삼 형제가 벼슬길에 나아갔나 보구나. 그나저나 양반의 자식으로 몸을 팔았단 말이 듣기에 고이하다마는 장승상댁 수양딸로 팔린 거야 어떻겠느냐. 언제 가느냐?"
>
> "다음 달 보름날에 데려간다 합디다."
>
> "어허, 그 일 매우 잘 되었다."

심청이 그날부터 곰곰 생각하니, 눈 어두운 백발 아비 영 이별하고 죽을 일과 사람이 세상에 나서 열다섯 살에 죽을 일이 정신이 아득하고 일에도 뜻이 없어 식음을 전폐하고 근심으로 지내다가, 다시금 생각하기를,

'엎질러진 물이요, 쏘아 논 화살이다.' 〈중략〉

천지가 사정 없어 이윽고 닭이 우니 심청이 하릴없어,

"닭아 닭아, 우지 마라. 제발 덕분에 우지 마라. 반야 진관에서 닭울음 기다리던 맹상군이 아니로다. 네가 울면 날이 새고, 날이 새면 나 죽는다. 죽기는 설잖아도 의지 없는 우리 아버지 어찌 잊고 가잔 말이냐?"

어느덧 동방이 밝아오니, 심청이 아버지 진지나 마지막 지어드리리라 하고 문을 열고 나서니, 벌써 뱃사람들이 사립문 밖에서,

"오늘이 배 떠나는 날이오니 수이 가게 해 주시오."

하니, 심청이 이 말을 듣고 얼굴빛이 없어지고 손발에 맥이 풀리며 목이 메고 정신이 어지러워 뱃사람들을 겨우 불러,

"여보시오 선인네들, 나도 오늘이 배 떠나는 날인 줄 이미 알고 있으나, 내 몸 팔린 줄을 우리 아버지가 아직 모르십니다. 만일 아시게 되면 지레 야단이 날 테니, 잠깐 기다리면 진지나 마지막으로 지어 잡수시게 하고 말씀 여쭙고 떠나게 하겠어요."

하니 뱃사람들이

"그리 하시지요."

하였다. 심청이 들어와 눈물로 밥을 지어 아버지께 올리고, 상머리에 마주앉아 아무쪼록 진지 많이 잡수시게 하느라고 자반도 떼어 입에 넣어 드리고 김쌈도 싸서 수저에 놓으며,

"진지를 많이 잡수셔요."

심봉사는 철도 모르고,

"야, 오늘은 반찬이 유난히 좋구나. 뉘 집 제사 지냈느냐."

㉠그날 밤에 꿈을 꾸었는데, 부자간은 천륜지간이라 꿈에 미리 보여주는 바가 있었다.

"아가 아가, 이상한 일도 있더구나. 간밤에 꿈을 꾸니, 네가 큰 수레를 타고 한없이 가 보이더구나. 수레라 하는 것이

귀한 사람 이 타는 것인데 우리 집에 무슨 좋은 일이 있을란가 보다. 그렇지 않으면 장승상 댁에서 가마태워 갈란가 보다."

심청이는 저 죽을 꿈인 줄 짐작하고 둘러대기를,

"그 꿈 참 좋습니다."

하고 진지상을 물려내고 담배 태워 드린 뒤에 밥상을 앞에 놓고 먹으려 하니 간장이 썩는 눈물은 눈에서 솟아나고, 아버지 신세 생각하며 저 죽을 일 생각하니 정신이 아득하고 몸이 떨려 밥을 먹지 못하고 물렸다. 그런 뒤에 심청이 사당에 하직하려고 들어갈 제, 다시 세수하고 사당문을 가만히 열고 하직 인사를 올렸다.

"못난 여손(女孫) 심청이는 아비 눈 뜨기를 위하여 인당수 제물로 몸을 팔려가오매, 조상 제사를 끊게 되오니 사모하는 마음을 이기지 못하겠습니다."

울며 하직하고 사당문 닫은 뒤에 아버지 앞에 나와 두 손을 부여 잡고 기절하니, 심봉사가 깜짝 놀라,

"아가 아가, 이게 웬일이냐? 정신 차려 말하거라."

심청이 여쭙기를,

"제가 못난 딸 자식으로 아버지를 속였어요. 공양미 3백 석을 누가 저에게 주겠어요. 남경 뱃사람들에게 인당수 제물로 몸을 팔아 오늘이 떠나는 날이니 저를 마지막 보셔요."

심봉사가 이 말을 듣고,

"참말이냐, 참말이냐? 애고 애고, 이게 웬말인고? 못 가리라, 못 가리라. 네가 날더러 묻지도 않고 네 마음대로 한단 말이냐? 네가 살고 내가 눈을 뜨면 그는 마땅히 할 일이나, 자식 죽여 눈을 뜬들 그게 차마 할 일이냐? 너의 어머니 늦게야 너를 낳고 초이레 안에 죽은 뒤에, 눈 어두운 늙은 것이 품안에 너를 안고 이집 저집 다니면서 구차한 말 해 가면서 동냥 젖 얻어 먹여 이만치 자랐는데, 내 아무리 눈 어두우나 너를 눈으로 알고, 너의 어머니 죽은 뒤에 걱정 없이 살았더니 이 말이 무슨 말이냐? 마라 마라, 못 하리라. ⓛ아내 죽고 자식 잃고 내 살아서 무엇하리? 너하고 나하고 함께 죽자. 눈을 팔아 너를 살 터에 너를 팔아 눈을 뜬들 무엇을 보려고 눈를 뜨리?

어떤 놈의 팔자길래 사궁지수(四窮之首) 된단 말이냐? 네 이놈 상놈들아! 장사도 좋지마는 사람 사다 제사하는 데 어디서 보았느냐? 하느님의 어지심과 귀신의 밝은 마음 앙화가 없겠느냐? 눈 먼 놈의 무남독녀 철모르는 어린아이 나 모르게 유인하여 값을 주고 산단 말이냐? 돈도 싫고 쌀도 싫다, 네 이놈 상놈들아. 옛글을 모르느냐? 칠년대한(七年大旱) 가물 적에 사람으로 빌라 하니 탕임금 어지신 말씀, '내가 지금 비는 바는 사람을 위함인데 사람 죽여 빌 양이면 내 몸으로 대신하리라.' 몸소 희생되어 몸을 정히 하여 상임 뜰에 빌었더니 수천 리 너른 땅에 큰 비가 내렸느니라. 이런 일도 있었으니 내 몸으로 대신 감이 어떠하냐? 여보시오 동네 사람, 저런 놈들을 그저 두고 보오?"

심청이 아버지를 붙들고 울며 위로하기를,

"아버지 할 수 없어요. 저는 이미 죽지마는 아버지는 눈을 떠서 밝은 세상 보시고, 착한 사람 구하셔서 아들 낳고 딸을 낳아 후사나 전하고, 못난 딸자식은 생각지 마시고 오래오래 평안히 계십시오. 이도 또한 천명이니 후회한들 어찌하겠어요?"

〈중략〉

구별을 다 짓고 나서 심소저를 가자 할 때, 무릉촌 장승상댁 부인이 그제야 이 말을 듣고 급히 시비를 보내어 심소저를 부르기에, 소저가 시비를 따라가니 승상부인이 문 밖에 내달아 소저의 손을 잡고 울며 말했다.

"네 이 무상한 사람아. 나는 너를 자식으로 알았는데 너는 나를 어미같이 알지를 않는구나. 쌀 3백 석에 몸이 팔려 죽으러 간다 하니 효성이 지극하다마는, 네가 살아 세상에 있어 하는 것만 같겠느냐? 나와 의논했더라면 진작 주선해 주었지. 쌀 3백 석을 이 제라도 다시 내어 줄 것이니 뱃사람들 도로 주고 당치 않은 말 다시 말라."

하시니 심소저가 여쭈었다.

"당초에 말씀 못 드린 것을 이제야 후회한들 무엇하겠습니까? 또 한 부모를 위해 공을 드릴 양이면 어찌 남의 명분 없는 재물을 바라며, 쌀 3백 석을 도로 내어주면 뱃사람들 일이 낭패이니 그도 또한 어렵고, 남에게 몸을 허락하여 약속을 정한 뒤에 다시 약속을 어기면 못난 사람들 하는 짓이니, 그 말씀을 따르지 못하겠습니다. 하물며 값을 받고 몇 달이 지난 뒤에 차마 어찌 낯을 들어 무슨 말을 하겠습니까? 부인의 하늘같은 은혜와 착하신 말씀은 저승으로 돌아가서 결초보은하

겠습니다."

하고 눈물이 옷깃을 적시니, 부인이 다시 보니 엄숙한지라, 하릴없이 다시 말리지 못하고 놓지도 못했다. 심소저가 울며 여쭙기를,

"부인은 전생에 나의 부모라. 어느 날에 다시 모시겠어요? 글 한 수를 지어 정을 표하오니 보시면 아실 것입니다."

부인이 반기어 종이와 붓을 내어 주니 붓을 들고 글을 쓸 제, 눈물이 비가 되어 점점이 떨어지니 송이송이 꽃이 되어 그림 족자였다.

---

01 이 글에 대한 설명으로 가장 적절한 것은?

① 주인공은 주변 인물의 의견에 의존하는 모습을 보여 주고 있다.
② 등장인물의 심리가 잘 드러나는 1인칭 시점을 활용하고 있다.
③ 등장인물의 상황을 요약적으로 서술하여 풍자성을 고조하고 있다.
④ 추리적 기법을 통해 독자가 이야기에 몰입할 수 있도록 서술하고 있다.
⑤ 등장인물의 처한 상황을 통해 당시의 풍습을 드러내고 있다.

02 윗글과 유사한 주제 의식이 나타난 것은?

① 종과 주인과를 뉘라셔 삼기신고 / 벌과 개미가 이 뜻을 몬져 아니 / 한 마암에 두 뜻 업시 속이지나 마옵사이다
② 고인(古人)도 날 못 보고 나도 고인(古人) 못 뵈 / 고인(古人)을 못 봐도 녀던 길 앞에 있네. / 녀던 길 앞에 있거든 아니 녀고 어쩔고
③ 아바님 날 나흐시고 어마님 날 기르시니. / 두 분 곳 아니시면 이 몸이 사라실가. / 하늘 구튼 구업슨 은덕을 어듸 다혀 갑스오리.
④ 혓가레 기나 쟈르나 기동이 기우나 트나 / 수간모옥(數間茅屋)을 쟈근 줄 웃지 마라. / 어즈버 만산나월(滿山蘿月)이 다 내 거신가 흐노라.
⑤ 술을 취(醉)케 먹고 두렷이 앉았으니 / 억만 시름이 가노라 하직(下直)한다 / 아이야 잔 가득 부어라 시름 전송(餞送)하리라

03 ㉠과 같은 서술상의 특징이 나타나 있는 것은?

① 도성 삼십 리 밖에 월영산이 있으되, 예로부터 선인 득도한 자취 왕왕이 머물어, 갈홍의 연단하던 부엌이 있고, 마고의 승천하던 바위 있어 기이한 화훼와 구름이 항상 머무는지라.
② 충렬이며 부인의 몸이 모진 돌에 긁히어서 백옥 같은 몸에 유혈이 낭자하고 월색(月色)같이 고운 얼굴 진흙빛이 되었으니 불쌍하고 가련함은 천지도 슬퍼하고 강산도 비감한다.
③ 이 때 좌수는 비록 망처(亡妻)의 유언을 생각하였지만 후사를 안 돌아볼 수도 없어서, 이에 혼처를 두루 구하였으나, 원하는 여인이 없으므로 부득이 허씨라는 여인에게 장가를 들었다.
④ 흥보가 좋아라고, 흥보가 좋아라고, 궤 두 짝을 덜어 붓고 나면 도로 수북, 톡톡 털고, 돌아섰다 돌아보면 도로 하나 가득허고. 돌아섰다 돌아보면 돈도 도로 가득하고 쌀도 도로 가득하고.
⑤ 광문이 길에서 싸움하는 이들을 만나면 자기도 역시 옷을 훌훌 벗어젖히고는 함께 싸움에 가담하는 체한다. 그러나 그는 무슨 말을 지껄이는지 머리를 숙여 땅을 그으면서 마치 그들의 옳고 그름을 따지는 듯했다.

04 심청전의 이본(異本)인 〈보기〉와 (가)를 비교한 내용으로 적절하지 <u>않은</u> 것은?

┤ 보기 ├

"아버님 내 말씀 들어 보오. 공양미 삼백 석을 변통하여 화주승을 주었나이다."

심봉사 이 말 듣고 깜짝 놀라,

"이것이 웬 말이냐. 끔찍끔찍 놀랍도다. 그 쌀이 어디서 났단 말인가?" / 심청이 여쭈오되,

"다름 아니오라 저 건너 장자 집 부인이 나를 사랑하여 양녀를 삼으려고 쌀을 대어 주더이다."

심 봉사 이 말 듣고,

"얼씨구나 좋을시고, 어와 세상 사람들아. 내가 이제는 눈을 떠서 세상 만물 구경하고 네 얼굴 보겠다. 네 덕에 밥을 먹고 네 덕에 옷을 입어 여태까지 살아와도 말소리만 듣지 그려 얼굴을 못 보아서 평생 한이더니, 내 눈이 밝아지면 무남독녀 귀한 딸을 바가지를 손에 들려 문 밖에 내보낼까. 네 얼굴 자세히 보면 죽어도 한 없겠다. 남의 집 열 아들이 내 딸 하나만 못하리라. 얼씨구 좋을시고." / 희희낙락 뛰는구나.

‒ 필사본, 「심청전」 ‒

① (가)에는 〈보기〉에 비해 심청의 심정을 보다 구체적으로 설명하고 있다.

② (가)에는 〈보기〉와 달리 심봉사가 자신의 신분에 대한 자각이 나타나 있다.

③ (가)에 비해 〈보기〉에는 아버지에 대한 심청의 효심이 보다 강하게 드러나 있다.

④ (가)에 비해 〈보기〉에는 심봉사가 눈을 뜰 수 있다는 기대로 기뻐하는 모습이 강조되었다.

⑤ (가)와 〈보기〉 모두 ‘심청의 거짓말 심봉사의 기뻐함’의 구조가 동일하게 유지되고 있다.

05 ㉡의 상황과 어울리는 한자성어는?

① 표리부동(表裏不同)　　② 우유부단(優柔不斷)　　③ 노심초사(勞心焦思)
④ 고립무원(孤立無援)　　⑤ 수구초심(首丘初心)

06 심청이 장 승상 댁 부인의 제안을 거절한 이유를 〈보기〉에서 모두 고른 것은?

┤ 보기 ├

㉠ 은혜에 감사할 줄 알아야 한다.

㉡ 한 번 한 약속은 반드시 지켜야 한다.

㉢ 스스로 노력해서 부모를 봉양해야 한다.

㉣ 어려운 처지에 있는 사람을 도와주어야 한다.

① ㉠, ㉡　　　② ㉡, ㉢　　　③ ㉢, ㉣　　　④ ㉠, ㉡, ㉢　　　⑤ ㉡, ㉢, ㉣

07 이 글의 인물에 대한 설명으로 가장 적절한 것은?

① 심청은 죽음을 앞둔 상황에서도 한결같이 의연함을 유지한다.
② 심청은 운명을 거스르면서까지 아버지에 대한 효심을 나타낸다.
③ 심 봉사는 뱃사람들의 사정을 이해하면서 자신의 요구 사항을 부탁한다.
④ 장 승상 댁 부인은 심청의 효심을 인정하면서도 직면한 상황을 안타까워하고 있다.
⑤ 심 봉사는 자신과 승상댁 부인을 비교하면서 그에 대한 부러움을 드러내고 있다.

[08~11] 다음 글을 읽고 물음에 답하시오.

심 봉사는 철도 모르고,

"야, 오늘은 반찬이 유난히 좋구나. 뉘 집 제사 지냈느냐?"

그날 밤에 꿈을 꾸었는데, 부자간은 천륜지간(天倫之間)이라 꿈에 미리 보여주는 바가 있었다.

"아가 아가, 이상한 일도 있더구나. 간밤에 꿈을 꾸니, 네가 큰 수레를 타고 한없이 가 보이더구나. 수레라 하는 것이 귀한 사람이 타는 것인데 우리 집에 무슨 좋은 일이 있을란가 보다. 그렇지 않으면 장 승상 댁에서 가마 태워 갈란가 보다."

심청이는 저 죽을 꿈인 줄 짐작하고 둘러대기를,

"그 꿈 참 좋습니다."

하고 진짓상을 물려내고 담배 태워 드린 뒤에 밥상을 앞에 놓고 먹으려 하니 ㉠간이 썩는 눈물은 눈에서 솟아나고, 아버지 신세 생각하며 저 죽을 일 생각하니 정신이 아득하고 몸이 떨려 밥을 먹지 못하고 물렸다. 〈중략〉

"못난 여손(女孫) 심청이는 아비 눈 뜨기를 위하여 인당수 제물로 몸을 팔려 가오매, 조상 제사를 끊게 되오니 사모하는 마음을 이기지 못하겠습니다." 〈중략〉

심 봉사가 이 말을 듣고,

"참말이냐, 참말이냐? 애고 애고, 이게 웬 말인고? 못 가리라, 못 가리라. 네가 날더러 묻지도 않고 네 마음대로 한단 말이냐? 네가 살고 내가 눈을 뜨면 그는 마땅히 할 일이나, 자식 죽여 눈을 뜬들 그게 차마 할 일이냐? 너의 어머니 늦게야 너를 낳고 초이레 안에 죽은 뒤에, ㉡눈 어두운 늙은 것이 품 안에 너를 안고 이집 저집 다니면서 구차한 말해 가면서 동냥젖 얻어 먹여 이만치 자랐는데, 내 아무리 눈 어두우나 너를 눈으로 알고, 너의 어머니 죽은 뒤에 걱정 없이 살았더니 이 말이 무슨 말이냐? 마라 마라, 못 하리라. 아내 죽고 자식 잃고 내 살아서 무엇하리? 너하고 나하고 함께 죽자. 〈중략〉 옛글을 모르느냐? 칠년대한(七年大旱) 가물 적에 사람으로 빌라 하니 탕임금 어지신 말씀, '내가 지금 비는 바는 사람을 위함인데 사람 죽여 빌 양이면 내 몸으로 대신하리라.' 몸소 희생되어 몸을 정히 하여 상임 뜰에 빌었더니 수천 리 너른 땅에 큰 비가 내렸느니라. 이런 일도 있었으니 내 몸으로 대신 감이 어떠하냐? 여보시오 동네 사람, 저런 놈들을 그저 두고 보오?"

〈중략〉

┌ 승상 부인이 문밖에 내달아 소저의 손을 잡고 울며 말했다. "네 이 무상한 사람아. 나는 너를 자식으로 알았는데 너는 나를 어미같이 알지를 않는구나. 쌀 삼백 석에 몸이 팔려 죽으러 간다 하니 효성이 지극하다마는, 네가 살아 세상에 있어 하는 것만 같겠느냐? 나와 의논했더라면 진작 주선해 주었지. 쌀 삼백 석을 이 제라도 다시 내어 줄 것이니 뱃사람들 도로 주고 당치 않은 말 다시 말라." 하시니 심 소저가 여쭈었다.

Ⓐ "당초에 말씀 못 드린 것을 이제야 후회한들 무엇하겠습니까? 또 한 부모를 위해 공을 드릴 양이면 어찌 남의 명분 없는 재물을 바라며, 쌀 삼백 석을 도로 내어 주면 뱃사람들 일이 낭패이니 그도 또한 어렵고, 남에게 몸을 허락하여 약속을 정한 뒤에 다시 약속 을 어기면 못난 사람들 하는 짓이니, 그 말씀을 따르지 못하겠습니다. 하물며 값을 받고 몇 달이 지난 뒤에 차마 어찌 낯을 들어 무슨 말을 하겠습니까? 부인의 하늘 같은 은혜와 착하신 말씀은 저 승으로 돌아가서 결초보은(結草報恩)하겠습니다."

생기사귀일몽간(生寄死歸一夢間)에
견정하필루잠잠(牽情何必淚潛潛)이랴마는
세간(世間)에 최유단장처(最有斷腸處)하니
초록강남인미환(草綠江南人未還)을

이 글 뜻은,
사람의 죽고 사는 게 한 꿈속이니
정에 끌려 어찌 굳이 눈물을 흘리랴마는
세간에 가장 애끊는 곳이 있으니
ⓒ풀 돋는 강남에 사람이 돌아오지 못하는 일이라.

무단풍우야래혼(無端風雨夜來昏)하니
취송명화각하문(吹送名花却何門)고
적거인간천필연(謫居人間天必然)하사
강피부모단정은(强彼父母斷情恩)을

이 글 뜻은 이러하다.
난데없는 비바람 어둔 밤에 불어오니
아름다운 꽃 날려서 뉘 집 문에 떨어지나
ⓔ인간의 귀양살이 하늘이 정하셔서
아비와 자식으로 하여금 정을 끊게 하는구나.

〈중략〉

동네 남녀노소 없이 눈이 붓도록 서로 붙들고 울다가 마을 어귀에서 서로 손을 놓고 헤어졌다. 그때 하느님이 아시던지 밝은 해는 어디 가고 어두침침한 구름이 자욱하며 ⓜ청산이 찡그리는 듯, 강물 소리 흐느끼고, 휘늘어져 곱던 꽃은 시들어 제 빛을 잃은 듯하고, 하늘거리는 버들가지도 졸듯이 휘늘어졌고, 복사꽃은 다정하여 슬픈 듯이 피어 있다.

08 〈보기〉를 참고하여, 윗글에 대한 설명으로 적절하지 **않은** 것은?

> ┤ 보기 ├
>
>   "내 이를 테니 들어 보소. 삼정승 하였으니 평고자에 앉아볼까. 육조 판서하였으니 초헌 위에 앉아 볼까. 양국 대장 하였으니 장대(將臺) 위에 앉아 볼까. 팔도 방백 하였으니 선화당에 앉아 볼까. 각읍 수령 하였으니 동헌 좌기 하여 볼까. 이내 몸 궁곤한데 매품이나 팔아먹지 볼기 놀려 쓸데 있나. 자네 내 말 들어보소. 그 돈 삼십 냥 벌어다가 티끌모아 태산으로 그렁저렁 살아보세."
>
>   – 작자 미상, 「흥보전」 중 –

① 〈보기〉와 윗글은 모두 구어적 표현과 율문체를 사용하여 생동감을 표현하고 있다.

② 〈보기〉와 윗글은 모두 고사(故事) 또는 속담을 인용해 효과적으로 서술하고 있다.

③ 〈보기〉와 윗글은 모두 궁핍하여 시련을 겪는 인물에 대한 상황을 드러내고 있다.

④ 〈보기〉와 윗글은 모두 신체부위를 소재로 하여 해학적 효과를 나타내고 있다.

⑤ 〈보기〉와 윗글은 모두 판소리 사설이 기록물로 정착, 유통되면서 형성된 소설이라 할 수 있다.

09 Ⓐ에 대한 이해로 적절하지 않은 것은?

① 주체적으로 자신의 문제를 해결하는 인물을 볼 수 있다.

② 굳은 의지를 품고 혼탁한 세상과 타협하지 않는 영웅적 면모를 가진 인물을 볼 수 있다.

③ 약속을 중요하게 생각하고 상대방의 처지를 이해하는 인물을 볼 수 있다.

④ 은혜에 감사할 줄 알고, 도리를 지키는 것을 중요하게 생각하는 인물을 볼 수 있다.

⑤ 문제 상황에 대해 현실적 해결방법을 제시하는 인물을 볼 수 있다.

10 〈보기〉를 참고하여, 윗글에 대한 설명으로 적절한 것은?

┤ 보기 ├

　'조신의 꿈'은 승려인 조신을 주인공으로 한 신라 때의 설화이다. 조신은 김흔공의 딸을 몰래 사모했지만 관음보살이 인연을 맺어주지 않자 관음보살을 원망하며 잠이 든다. 이때 김씨의 딸이 찾아와 연분 맺기를 청하고 조신은 그녀와 함께 고향으로 가 40여 년을 지내며 5명의 자식을 둔다. 하지만 자식이 굶어 죽을 정도로 비참한 생활이 계속되자 아내는 조신에게 서로 헤어지자고 말한다. 조신은 이에 동의하고 각각 아이를 나누어 맡은 후 길을 떠나려다 잠에서 깨어난다. 조신은 하룻밤 꿈을 통해 평생을 경험한 후 사람이 지닌 세속적 욕망이 덧없음을 깨닫고 수행에 정진한다.

① 윗글의 '꿈'과 〈보기〉의 '꿈'은 모두 인물 사이의 갈등을 단계적으로 해소하는 역할을 하고 있다.

② 윗글의 '꿈'과 〈보기〉의 '꿈'은 모두 여성이 겪는 사회적 차별에 대해 강조하는 의미를 담고 있다.

③ 윗글의 '꿈'과 〈보기〉의 '꿈'으로 모두 행복한 결말을 상징하는 역할을 하고 있다.

④ 윗글의 '꿈'은 〈보기〉의 '꿈'과 달리 앞으로의 사건 전개를 암시하는 복선의 기능을 하고 있다.

⑤ 윗글의 '꿈'은 〈보기〉의 '꿈'과 달리 몽환적이고 목가적인 분위기를 형성하는 역할을 하고 있다.

11 ㉠~㉤에 대한 설명으로 적절하지 않은 것은?

① ㉠ : 죽음에 대한 두려움이 커져 인물이 자신의 선택을 후회하는 깊은 슬픔이 나타났다.

② ㉡ : 몸이 불편한 아비가 자식을 어렵게 키웠음을 짐작할 수 있다.

③ ㉢ : 인당수의 제물이 된 인물의 죽음을 의미하고 있다.

④ ㉣ : 인간의 운명은 하늘이 정해준 것이라는 운명론적 사상이 내포되어 있다.

⑤ ㉤ : 인물의 감정이 이입된 자연물을 나열하여 서술하고 있다.

[12~14] 다음 글을 읽고 물음에 답하시오.

(가) ㉠그날 밤에 꿈을 꾸었는데, 부자간은 천륜지간(天倫之間)이라 꿈에 미리 보여 주는 바가 있었다.

"아가 아가, 이상한 일도 있더구나. 간밤에 꿈을 꾸니, 네가 큰 수레를 타고 한없이 가 보이더구나. 수레라 하는 것이 귀한 사람이 타는 것인데 우리 집에 무슨 좋은 일이 있을란가 보다. 그렇지 않으면 장 승상 댁에서 가마 태워 갈란가 보다."

심청이는 저 죽을 꿈인 줄 짐작하고 둘러대기를,

"그 꿈 참 좋습니다."

(나) ㉡"참말이냐, 참말이냐? 애고 애고, 이게 웬 말인고? 못 가리라, 못 가리라. 네가 날더러 묻지도 않고 네 마음대로 한단 말이냐? 네가 살고 내가 눈을 뜨면 그는 마땅히 할 일이나, 자식 죽여 눈을 뜬들 그게 차마 할 일이냐? 너의 어머니 늦게야 너를 낳고 초이레 안에 죽은 뒤에, 눈 어두운 늙은 것이 품 안에 너를 안고 이집 저집 다니면서 구차한 말 해 가면서 동냥젖 얻어 먹여 이만치 자랐는데, 내 아무리 눈 어두우나 너를 눈으로 알고, 너의 어머니 죽은 뒤에 걱정 없이 살았더니 이 말이 무슨 말이냐? 마라 마라, 못 하리라. 아내 죽고 자식 잃고 내 살아서 무엇하리? 너하고 나하고 함께 죽자. 눈을 팔아 너를 살 터에 너를 팔아 눈을 뜬들 무엇을 보려고 눈을 뜨리?

어떤 놈의 팔자길래 사궁지수(四窮之首) 된단 말이냐? 네 이놈 상놈들아! 장사도 좋지마는 사람 사다 제사하는 데 어디서 보았느냐? 하느님의 어지심과 귀신의 밝은 마음 앙화가 없겠느냐? 눈먼 놈의 무남독녀 철모르는 어린아이 나 모르게 유인하여 값을 주고 산단 말이냐? 돈도 싫고 쌀도 싫다, 네 이놈 상놈들아."

옛글을 모르느냐? ㉢칠년대한(七年大旱) 가물 적에 사람으로 빌라 하니 탕임금 어지신 말씀, '내가 지금 비는 바는 사람을 위함인데 사람 죽여 빌 양이면 내 몸으로 대신하리라.' 몸소 희생되어 몸을 정히 하여 상임 뜰에 빌었더니 수천 리 너른 땅에 큰 비가 내렸느니라. 이런 일도 있었으니 내 몸으로 대신 감이 어떠하냐? 여보시오 동네 사람, 저런 놈들을 그저 두고 보오?"

(다) 뱃사람들이 그 딱한 형편을 보고 모여 앉아 공론하기를,

"심 소저의 효성과 심 봉사의 일생 신세 생각하여 봉사님 굶지 않고 헐벗지 않게 한 살림을 꾸며 주면 어떻겠소?"

"그 말이 옳소."

하고 쌀 이백 석과 돈 삼백 냥이며, 무명 삼베 각 한 동씩 마을에 들여 놓고 동네 사람들을 모아 당부하기를,

㉣"쌀 이백 석과 돈 삼백 냥을 착실한 사람 주어 실수 없이 온전하게 늘려 심 봉사에게 바칩시다. 삼백 석 가운데 이십 석은 올해 양식으로 제하고, 나머지는 해마다 빛을 주어 이자를 받으면 양식이 넉넉할 테고, 무명 삼베로는 사철 의복 장만해 드리기로 하고, 이런 내용을 관청에 공문으로 보내고 마을에도 알립시다."

(라) "네 이 무상한 사람아. 나는 너를 자식으로 알았는데 너는 나를 어미같이 알지를 않는구나. 쌀 삼백 석에 몸이 팔려 죽으러 간다 하니 효성이 지극하다마는, 네가 살아 세상에 있어 하는 것만 같겠느냐? 나와 의논했더라면 진작 주선해 주었지. 쌀 삼백 석을 이 제라도 다시 내어 줄 것이니 뱃사람들 도로 주고 당치 않은 말 다시 말라."

하시니 심 소저가 여쭈었다.

"당초에 말씀 못 드린 것을 이제야 후회한들 무엇하겠습니까? 또 한 부모를 위해 공을 드릴 양이면 어찌 남의 명분 없는 재물을 바라며, 쌀 삼백 석을 도로 내어 주면 뱃사람들 일이 낭패이니 그도 또한 어렵고, 남에게 몸을 허락하여 약속을 정한 뒤에 다시 약속을 어기면 못난 사람들 하는 짓이니, 그 말씀을 따르지 못하겠습니다. 하물며 값을 받고 몇 달이 지난 뒤에 차마 어찌 낯을 들어 무슨 말을 하겠습니까? 부인의 하늘 같은 은혜와 착하신 말씀은 저승으로 돌아가서 결초보은 (結草報恩)하겠습니다."

(마) 동네 남녀노소 없이 눈이 붓도록 서로 붙들고 울다가 마을 어귀 에서 서로 손을 놓고 헤어졌다. 그때 하느님이 아

시던지 밝은 해는 어디 가고 어두침침한 구름이 자욱하며 <u>청산</u>이 찡그리는 듯, <u>강물</u> 소리 흐느끼고, 휘늘어져 곱던 꽃은 시들어 제빛을 잃은 듯하고, 하늘거리는 <u>버들가지</u>도 졸듯이 휘늘어졌고, 복사꽃은 다정하여 슬픈 듯이 피어 있다.

'묻노라 저 <u>꾀꼬리</u>, 뉘를 이별하였길래 벗을 불러 울어대고, 뜻밖에 <u>두견이</u>는 피를 내어 우는구나. 달 밝은 너른 산을 어디 두고 애끓는 슬픈 소리 울어서 보내느냐. 네 아무리 가지 위에서 가지 말라 울건마는 값을 받고 팔린 몸이 다시 어찌 돌아올까.'

(바) 바람에 날린 꽃이 얼굴에 와 부딪치니 꽃을 들고 바라보며,

"봄바람이 사람 마음 알아주지 못한다면 무슨 까닭으로 지는 꽃을 보내리오, 한무제 수양 공주 매화 비녀 있건마는 죽으러 가는 몸이 뉘를 위해 단장하리. ⓜ<u>앞산에 지는 꽃이 지고 싶어지랴마는 마지못한 일이러니 누구를 탓하고 누구를 원망하리오.</u>"

– 작자미상, 「심청전」 –

12 윗글의 ㉠~㉤에 대한 설명으로 적절하지 <u>않은</u> 것은?

① ㉠ : 편집자적 논평으로 서술자가 사건에 개입하여 자신의 의견을 드러내고 있다. 이는 판소리에서 창자가 이야기 도중 개입하는 것과 관련이 있다.

② ㉡ : 같은 말의 반복을 통해 운율을 형성하고 구어체의 사용으로 생동감을 부여하는 것으로 판소리계 소설의 특징이 드러나고 있다.

③ ㉢ : 심 봉사가 자신의 상황과 어울리는 고사를 인용하였으며 '탕임금'이 백성을 대신해 문제를 해결하고자 하는 것처럼 자신도 심청이를 대신하고자 하고 있다.

④ ㉣ : 뱃사람들은 사람의 목숨을 돈으로 계산하는 것을 반성하며 홀로 남을 심 봉사의 처지를 딱히 여겨 인정을 베풀고 있다.

⑤ ㉤ : 앞산의 지는 꽃과 심청이의 처지를 동일시하고 있으며 꽃이 지는 것이 자연의 순리인 것처럼 자신이 인당수의 제물이 되는 것도 운명으로 여겨 순응하고 있다.

13 (라)의 장 승상 댁 부인과 심청이의 대화에 대한 설명으로 적절하지 <u>않은</u> 것은?

① 심청이는 부모를 위한 일에 남의 힘이 아니라 자신의 노력으로 문제를 해결하고자 하고 있다.

② 장 승상 댁 부인은 죽음으로 효를 실현하는 것보다 살아 있는 것이 더 낫다는 이유로 심청이를 만류하고 있다.

③ 당시가 유교적 이념을 중요시 하면서도 그러한 가치관에 대한 회의과 비판이 공존하였음을 유추해 볼 수 있다.

④ 장 승상 댁 부인은 쌀 삼백 석을 대신 내어 주겠다는 것으로 심청이가 처한 문제의 현실적인 대안을 제시하고 있다.

⑤ 심청이가 장 승상 댁 부인의 제안을 거절하는 이유를 통해 심청이의 세속적인 성격을 직접적으로 파악할 수 있다.

14 다음의 설명과 관련하여 (마)의 밑줄 친 대상에 공통으로 쓰인 표현 기법이 나타난 것은?

> 감정이입 : 타인(他人)이나 자연물(自然物) 또는 예술 작품 등에 자신의 감정이나 정신을 이입시켜 자신과 그 대상물과의 융화를 꾀하는 정신작용.

① 펄펄 나는 저 꾀꼬리
　암수 서로 정답구나.
　외로워라 이내 몸은
　뉘와 함께 돌아갈꼬.

– 유리왕, 「황조가」 –

② 매미가 맵다 울고
　쓰르람이 쓰다 우니.
　산채를 맵다는가 박주를 쓰다는가.
　우리는 초야(草野)에 뭇쳐서니 맵고 쓴 줄 몰라라.

– 이정신 –

③ 그립다 / 말을 할까 / 하니 그리워. //
　그냥 갈까 / 그래도 / 다시 더 한 번……. //
　저 산(山)에도 까마귀, 들에 까마귀,
　서산(西山)에는 해 진다고 / 지저귑니다.

– 김소월, 「가는 길」 –

④ 섶벌같이 나아간 지아비 기다려 십 년이 갔다
　지아비는 돌아오지 않고
　어린 딸은 도라지꽃이 좋아 돌무덤으로 갔다
　산꿩도 설게 울은 슬픈 날이 있었다
　산 절의 마당귀에 여인의 머리오리가 눈물방울과 같이 떨어진 날이 있었다.

– 백석, 「여승」 –

⑤ 먹붓을 들어 빈 공간에 선을 낸다
　가지 끝 위로 치솟으며 몸놀림하는 까치 한 쌍
　이 여백에서 폭발하는 울음……
　먹붓을 들어 빈 공간에 선을 낸다
　고목나무 가지끝 위에 까치집 하나 //
　더 먼 저승의 하늘에서 폭발하는 울음…… (후략)

– 송수권, 「세한도(歲寒圖)」 –

어느덧 동방이 밝아 오니, 심청이 아버지 진지나 마지막 지어드리리라 하고 문을 열고 나서니, 벌써 뱃사람들이 사립문 밖에서,

"오늘이 배 떠나는 날이오니 수이 가게 해 주시오."

하니, 심청이 이 말을 듣고 얼굴빛이 없어지고 손발에 맥이 풀리며 목이 메고 정신이 어지러워 뱃사람들을 겨우 불러,

"여보시오 선인네들, 나도 오늘이 배 떠나는 날인 줄 이미 알고 있으나, 내 몸 팔린 줄을 우리 아버지가 아직 모르십니다. 만일 아시게 되면 지레 야단이 날테니, 잠깐 기다리면 진지나 마지막으로 지어 잡수시게 하고 말씀 여쭙고 떠나게 하겠어요."

하니 뱃사람들이,

"그리 하시지요."

하였다. 심청이 들어와 눈물로 밥을 지어 아버지께 올리고, 상머리에 마주앉아 아무쪼록 진지 많이 잡수시게 하느라고 자반도 떼어 입에 넣어 드리고 김쌈도 싸서 수저에 놓으며,

"진지를 많이 잡수셔요."

심 봉사는 철도 모르고,

"야, 오늘은 반찬이 유난히 좋구나. 뉘 집 제사 지냈느냐?"

그날 밤에 꿈을 꾸었는데, 부자간은 천륜지간(天倫之間)이라 꿈에 미리 보여 주는 바가 있었다.

"아가 아가, 이상한 일도 있더구나. 간밤에 꿈을 꾸니, 네가 큰 수레를 타고 한없이 가 보이더구나. 수레라 하는 것이 귀한 사람이 타는 것인데 우리 집에 무슨 좋은 일이 있을란가 보다. 그렇지 않으면 장 승상 댁에서 가마태워 갈란가 보다."

심청이는 저 죽을 꿈인 줄 짐작하고 둘러대기를,

"그 꿈 참 좋습니다."

하고 진짓상을 물려 내고 담배 태워 드린 뒤에 밥상을 앞에 놓고 먹으려 하니 간장이 썩는 눈물은 눈에서 솟아나고, 아버지 신세 생각하며 저 죽을 일 생각하니 정신이 아득하고 몸이 떨려 밥을 먹지 못하고 물렸다. 그런 뒤에 심청이 사당에 하직하려고 들어갈 제, 다시 세수하고 사당문을 가만히 열고 하직 인사를 올렸다.

"못난 여손(女孫) 심청이는 아비 눈 뜨기를 위하여 인당수 제물로 몸을 팔려 가오매, 조상 제사를 끊게 되오니 사모하는 마음을 이기지 못하겠습니다."

울며 하직하고 사당문 닫은 뒤에 아버지 앞에 나와 두 손을 부여잡고 기절하니,

심 봉사가 깜짝 놀라,

"아가 아가, 이게 웬일이냐? 정신 차려 말하거라."

심청이 여쭙기를,

"제가 못난 딸자식으로 아버지를 속였어요. 공양미 삼백 석을 누가 저에게 주겠어요. 남경 뱃사람들에게 인당수 제물로 몸을 팔아 오늘이 떠나는 날이니 저를 마지막 보셔요."

심 봉사가 이 말을 듣고,

"참말이냐, 참말이냐? 애고 애고, 이게 웬말인고? 못 가리라, 못 가리라. 네가 날더러 묻지도 않고 네 마음대로 한단 말이냐? 네가 살고 내가 눈을 뜨면 그는 마땅히 할 일이나, 자식 죽여 눈을 뜬들 그게 차마 할 일이냐? 너의 어머니 늦게야 너를 낳고 초이레 안에 죽은 뒤에, 눈 어두운 늙은 것이 품 안에 너를 안고 이집 저집 다니면서 구차한 말 해 가면서 동냥젖 얻어 먹여 이만치 자랐는데, 내 아무리 눈 어두우나 너를 눈으로 알고, 너의 어머니 죽은 뒤에 걱정 없이 살았더니 이 말이 무슨 말이냐? 마라 마라, 못 하리라. 아내 죽고 자식 잃고 내 살아서 무엇하리? 너하고 나하고 함께 죽자. 눈을 팔아 너를 살 터에 너를 팔아 눈을 뜬들 무엇을 보려고 눈을 뜨리?

어떤 놈의 팔자길래 사궁지수(四窮之首) 된단 말이냐? 네 이놈 상놈들아! 장사도 좋지마는 사람 사다 제사하는 데 어디서 보았느냐? 하느님의 어지심과 귀신의 밝은 마음 앙화가 없겠느냐? 눈 먼 놈의 무남독녀 철모르는 어린아이 나 모르게

유인하여 값을 주고 산단 말이냐? 돈도 싫고 쌀도 싫다, 네 이놈 상놈들아.

옛글을 모르느냐? 칠년대한(七年大旱) 가물 적에 사람으로 빌라 하니 탕임금 어지신 말씀, '내가 지금 비는 바는 사람을 위함인데 사람 죽여 빌 양이면 내 몸으로 대신하리라.' 몸소 희생되어 몸을 정히 하여 상임 뜰에 빌었더니 수천 리 너른 땅에 큰 비가 내렸느니라. 이런 일도 있었으니 내 몸으로 대신 감이 어떠하냐? 여보시오 동네 사람, 저런 놈들을 그저 두고 보오?"

심청이 아버지를 붙들고 울며 위로하기를,

"아버지 할 수 없어요. 저는 이미 죽지마는 아버지는 눈을 떠서 밝은 세상 보시고, 착한 사람 구하셔서 아들 낳고 딸을 낳아 후사나 전하고, 못난 딸자식은 생각지 마시고 오래오래 평안히 계십시오. 이도 또한 천명이니 후회한들 어찌하겠어요?"

뱃사람들이 그 딱한 형편을 보고 모여 앉아 공론하기를,

"심 소저의 효성과 심 봉사의 일생 신세 생각하여 봉사님 굶지 않고 헐벗지 않게 한 살림을 꾸며주면 어떻겠소?"

"그 말이 옳소."

하고 쌀 이백 석과 돈 삼백 냥이며, 무명 삼베 각 한 동씩 마을에 들여 놓고 동네 사람들을 모아 당부하기를,

"쌀 이백 석과 돈 삼백 냥을 착실한 사람 주어 실수 없이 온전하게 늘려 심 봉사에게 바칩시다. 삼백 석 가운데 20석은 올해 양식으로 제하고, 나머지는 해마다 빛을 주어 이자를 받으면 양식이 넉넉할 테고, 무명 삼베로는 사철 의복 장만해 드리기로 하고, 이런 내용을 관청에 공문으로 보내고 마을에도 알립시다."

구별을 다 짓고 나서 심 소저를 가자 할 때, 무릉촌 장승상댁 부인이 그제야 이 말을 듣고 급히 시비를 보내어 심 소저를 부르기에, 소저가 시비를 따라가니 승상 부인이 문밖에 내달아 소저의 손을 잡고 울며 말했다.

"네 이 무상한 사람아. 나는 너를 자식으로 알았는데 너는 나를 어미같이 알지를 않는구나. 쌀 삼백 석에 몸이 팔려 죽으러 간다 하니 효성이 지극하다마는, 네가 살아 세상에 있어 하는 것만 같겠느냐? 나와 의논했더라면 진작 주선해 주었지. 쌀 삼백 석을 이 제라도 다시 내어 줄 것이니 뱃사람들 도로 주고 당치않은 말 다시 말라."

하시니 심 소저가 여쭈었다.

[A] "당초에 말씀 못 드린 것을 이제야 후회한들 무엇하겠습니까? 또 한 부모를 위해 공을 드릴 양이면 어찌 남의 명분 없는 재물을 바라며, 쌀 삼백 석을 도로 내어 주면 뱃사람들 일이 낭패이니 그도 또한 어렵고, 남에게 몸을 허락하여 약속을 정한 뒤에 다시 약속을 어기면 못난 사람들 하는 짓이니, 그 말씀을 따르지 못하겠습니다. 하물며 값을 받고 몇 달이 지난 뒤에 차마 어찌 낯을 들어 무슨 말을 하겠습니까? 부인의 하늘같은 은혜와 착하신 말씀은 저승으로 돌아가서 결초보은(結草報恩)하겠습니다."

하고 눈물이 옷깃을 적시니, 부인이 다시 보니 엄숙한지라, 하릴없이 다시 말리지 못하고 놓지도 못했다. 심 소저가 울며 여쭙기를,

"부인은 전생에 나의 부모라. 어느 날에 다시 모시겠어요? 글 한 수를 지어 정을 표하오니 보시면 아실 것입니다."

부인이 반기어 종이와 붓을 내어 주니 붓을 들고 글을 쓸 제, 눈물이 비가 되어 점점이 떨어지니 송이송이 꽃이 되어 그림 족자였다. 안방에 걸고 보니 ⓐ그 글은 이러했다.

〈중략〉

심 소저가 그 글을 품에 품고 눈물로 이별하니 차마 보지 못할 지경이었다. 심청이 돌아와서 아버지께 하직하니 심 봉사가 붙들고 뒹굴며 괴로워하여,

"네가 날 죽이고 가지 그저는 못 가리라. 날 데리고 가거라. 네 혼자는 못 가리라."

심청이 아버지를 위로하기를,

"부자간 천륜을 끊고 싶어 끊사오며 죽고 싶어 죽겠습니까마는, 액운이 막혀 있고 생사가 때가 있어 하느님이 하신 일이니 한탄한들 어찌하겠어요? 인정으로 할 양이면 떠날 날이 없을 것입니다."

하고 저의 아버지를 동네 사람에게 붙들게 하고 뱃사람들을 따라갈 제, 소리 내어 울며 치마끈 졸라매고 치마폭 거듭거듭 안고 흐트러진 머리털은 두 귀 밑에 늘어지고 비같이 흐르는 눈물 옷깃을 적신 다. 엎더지며 자빠지며 붙들어 나갈 제 건넛집 바라보며,

"아무개네 큰아가, 바느질 수놓기를 뉘와 함께 하려느냐, 작년 오월 단옷날에 그네 뛰고 놀던 일을 네가 행여 생각하느냐? 아무개네 작은아가, 금년 칠월 칠석 밤에 함께 기원하자더니 이제는 허사로다. 언제나 다시 보랴. 너희는 팔자 좋아 양친 모시고 잘 있거라."

동네 남녀노소 없이 눈이 붓도록 서로 붙들고 울다가 마을 어귀에서 서로 손을 놓고 헤어졌다. 그때 하느님이 아시던지 밝은 해는 어디 가고 어두침침한 구름이 자욱하며 청산이 찡그리는 듯, 강물 소리 흐느끼고, 휘늘어져 곱던 꽃은 시들어 제 빛을 잃은 듯하고, 하늘거리는 버들가지도 졸 듯이 휘늘어졌고, 복사꽃은 다정하여 슬픈 듯이 피어 있다.

'묻노라 저 꾀꼬리, 뉘를 이별하였길래 벗을 불러 울어대고, 뜻밖에 두견이는 피를 내어 우는구나. 달 밝은 너른 산을 어디 두고 애끊는 슬픈 소리 울어서 보내느냐. 네 아무리 가지 위에서 가지 말라 울건마는 값을 받고 팔린 몸이 다시 어찌 돌아올까.'

바람에 날린 꽃이 얼굴에 와 부딪치니 꽃을 들고 바라보며,

"봄바람이 사람 마음 알아주지 못한다면 무슨 까닭으로 지는 꽃을 보내리오, 한무제 수양 공주 매화 비녀 있건마는 죽으러 가는 몸이 뉘를 위해 단장하리. 앞산에 지는 꽃이 지고 싶어 지랴마는 마지못한 일이러니 누구를 탓하고 누구를 원망하리오."

한 걸음에 돌아보며 두 걸음에 눈물지며 강머리에 다다르니, 뱃머리에 판자 깔고 심청이를 인도하여 빗장 안에 실은 후에 닻을 감 고 돛을 달아 여러 뱃사람들이 소리를 한다.

"어기야, 어기야, 어기양, 어기양."

소리를 하며 북을 둥둥 울리면서 노를 저어 배질하며 물결에 배를 띄워 떠나간다.

– 작자미상, 「심청전」 –

15 윗글에 대한 설명으로 적절하지 않은 것은?

① 인물의 심정을 자연물에 이입하여 표현하고 있다.
② 인물의 행동을 묘사하여 인물이 겪는 심정을 나타내고 있다.
③ 서술자가 사건에 대해 자신의 견해를 밝히는 편집자적 논평이 나타나 있다.
④ 대화를 빈번하게 제시하여 인물 간의 갈등이 해소되는 과정을 보여 주고 있다.
⑤ 구어적 표현과 운문체를 사용하여 생동감을 부여하는 표현이 나타나 있다.

16 윗글의 내용을 고려할 때, ⓐ로 가장 적절한 것은?

① 네다리 소반 위에 멀건 죽 한 그릇
  하늘에 뜬 구름 그림자가 그 속에서 함께 떠도네
  주인이여, 면목이 없다고 말하지 마오.
  물속에 비치는 청산을 내 좋아한다오.

② 가위로 싹둑싹둑 옷 마르노라
  추운 밤에 손끝이 호호 불리네.
  시집살이 길옷은 밤낮이건만
  이내 몸은 해마다 새우잠인가.

③ 사람의 죽고 사는 게 한 꿈속이니
  정에 끌려 어찌 굳이 눈물을 흘리랴마는
  세간에 가장 애끓는 곳이 있으니
  풀 돋는 강남에 사람이 돌아오지 못하는 일이라.

④ 무논에 바람 일어 보리이삭 물결친다.
  보리타작 하고 나면 모내기 제 철이라
  눈 내리는 하늘 아래 배추 새잎 파아랗고
  섣달에 깐 병아리는 노란 털이 어여쁘네.

⑤ 백발로 밭이랑에서 분발하는 것은
  초야의 충심을 바랐음이라.
  난적은 누구나 쳐야 하니,
  고금을 물어서 무엇하리.

17 윗글의 인물에 대한 설명으로 적절하지 <u>않은</u> 것은?

① 뱃사람들은 심청 부녀를 딱하게 여기며 인정이 있군.
② 심청이는 자신에게 주어진 운명을 적극적으로 거부하는군.
③ 마을 사람들은 심청이가 떠나는 것을 안타깝게 생각하는군.
④ 장 승상 부인은 심청이를 자식과 같이 아끼고 물질보다 인간의 정을 중시하는군.
⑤ 심청이가 제물로 팔려 간다는 사실을 알게 된 심 봉사의 심정은 마른하늘에 날벼락을 맞은 것 같이 당황스럽고
  슬프겠군.

18 윗글의 [A]에 나타난 인물의 말하기 방식으로 적절하지 <u>않은</u> 것은?

① 승상 부인은 자신과 혈육임을 강조하며 심청이의 잘못을 질책하고 있다.

② 심청이는 상대와의 약속의 중요성을 들어 승상 부인의 제안을 거절하고 있다.

③ 심청이는 자신이 가지 않으면 뱃사람들의 일에 차질이 생길 수 있음을 들어 승상 부인의 제안을 거절하고 있다.

④ 승상 부인은 심청이 추구하는 유교적 관념에 이의를 제기하고 현실적 해결 방법을 내놓으면서 상대방을 설득하고 있다.

⑤ 심청이는 부모를 위한 일이라면 남의 힘을 빌리는 것이 아니라, 자신이 스스로 노력해야 함을 들어 승상 부인의 제안을 거절하고 있다.

[19~23] 다음 글을 읽고 물음에 답하시오.

어느덧 동방이 밝아오니, 심청이 아버지 진지나 마지막 지어드리리라 하고 문을 열고나서니, 벌써 뱃사람들이 사립문 밖에서,

"오늘이 배 떠나는 날이오니 수이 가게 해 주시오."

하니, 심청이 이 말을 듣고 ⓐ얼굴빛이 없어지고 손발에 맥이 풀리며 목이 메고 정신이 어지러워 뱃사람들을 겨우 불러,

"여보시오 선인네들, 나도 오늘이 배 떠나는 날인 줄 이미 알고 있으나, 내 몸 팔린 줄을 우리 아버지가 아직 모르십니다. 만일 아시게 되면 지레 야단이 날 테니, 잠깐 기다리면 진지나 마지막으로 지어 잡수시게 하고 말씀 여쭙고 떠나게 하겠어요."

하니 뱃사람들이,

"그리 하시지요."

하였다. 심청이 들어와 눈물로 밥을 지어 아버지께 올리고, 상머리에 마주앉아 아무쪼록 진지 많이 잡수시게 하느라고 자반도 떼어 입에 넣어 드리고 김쌈도 싸서 수저에 놓으며,

"진지를 많이 잡수셔요."

심 봉사는 철도 모르고,

"야, 오늘은 반찬이 유난히 좋구나. 뉘 집 제사 지냈느냐?"

[A]
그날 밤에 꿈을 꾸었는데, 부자간은 천륜지간(天倫之間)이라 꿈에 미리 보여주는 바가 있었다.

"아가 아가, 이상한 일도 있더구나. 간밤에 꿈을 꾸니, 네가 큰 수레를 타고 한없이 가 보이더구나. 수레라 하는 것이 귀한 사람이 타는 것인데 우리 집에 무슨 좋은 일이 있을란가 보다. 그렇지 않으면 장승상 댁에서 가마태워 갈란가 보다."

심청이는 저 죽을 꿈인 줄 짐작하고 둘러대기를,

"그 꿈 참 좋습니다."

하고 진지상을 물려 내고 담배 태워 드린 뒤에 밥상을 앞에 놓고 먹으려 하니 간장이 썩는 눈물은 눈에서 솟아나고, 아버지 신세 생각하며 저 죽을 일 생각하니 ⓑ정신이 아득하고 몸이 떨려 밥을 먹지 못하고 물렸다. 그런 뒤에 심청이 사당에 하직하려고 들어갈 제, 다시 세수하고 사당문을 가만히 열고 하직 인사를 올렸다.

"못난 여손(女孫) 심청이는 아비 눈 뜨기를 위하여 인당수 제물로 몸을 팔려 가오매, 조상 제사를 끊게 되오니 사모하는 마음을 이기지 못하겠습니다."

울며 하직하고 사당문 닫은 뒤에 아버지 앞에 나와 두 손을 부여 잡고 기절하니,

심 봉사가 깜짝 놀라,

"아가 아가, 이게 웬일이냐? 정신 차려 말하거라."

심청이 여쭙기를,

"제가 못난 딸자식으로 아버지를 속였어요. 공양미 삼백 석을 누가 저에게 주겠어요. 남경 뱃사람들에게 인당수 제물로 몸을 팔아 오늘이 떠나는 날이니 저를 마지막 보셔요."

심 봉사가 이 말을 듣고,

"참말이냐, 참말이냐? 애고 애고, 이게 웬 말인고? 못 가리라, 못 가리라. 네가 날더러 묻지도 않고 네 마음대로 한단 말이냐? 네가 살고 내가 눈을 뜨면 그는 마땅히 할 일이나, 자식 죽여 눈을 뜬들 그게 차마 할 일이냐? 너의 어머니 늦게야 너를 낳고 초이레 안에 죽은 뒤에, 눈 어두운 늙은 것이 품안에 너를 안고 이집 저집 다니면서 구차한 말 해 가면서 동냥젖 얻어 먹여 이만치 자랐는데, 내 아무리 눈 어두우나 너를 눈으로 알고, 너의 어머니 죽은 뒤에 걱정 없이 살았더니 이 말이 무슨 말이냐? 마라 마라, 못 하리라. 아내 죽고 자식 잃고 내 살아서 무엇하리? 너하고 나하고 함께 죽자. 눈을 팔아 너를 살 터에 너를 팔아 눈을 뜬들 무엇을 보려고 눈를 뜨리?

[B] 어떤 놈의 팔자길래 사궁지수(四窮之首) 된단 말이냐? 네 이놈 상놈들아! 장사도 좋지마는 사람 사다 제사하는 데 어디서 보았느냐? 하느님의 어지심과 귀신의 밝은 마음 앙화가 없겠느냐? 눈먼 놈의 무남독녀 철모르는 어린아이나 모르게 유인하여 값을 주고 산단 말이냐? 돈도 싫고 쌀도 싫다, 네 이놈 상놈들아.

옛글을 모르느냐? 칠년대한(七年大旱) 가물 적에 사람으로 빌라 하니 탕임금 어지신 말씀, '내가 지금 비는 바는 사람을 위함인데 사람 죽여 빌 양이면 내 몸으로 대신하리라.' 몸소 희생되어 몸을 정히 하여 상임 뜰에 빌었더니 수천 리 너른 땅에 큰 비가 내렸느니라. 이런 일도 있었으니 내 몸으로 대신 감이 어떠하냐? 여보시오 동네 사람, 저런 놈들을 그저 두고 보오?"

심청이 아버지를 붙들고 울며 위로하기를,

"아버지 할 수 없어요. 저는 이미 죽지마는 아버지는 눈을 떠서 밝은 세상 보시고, 착한 사람 구하셔서 아들 낳고 딸을 낳아 후사나 전하고, 못난 딸자식은 생각지 마시고 오래오래 평안히 계십시오. 이도 또한 천명이니 후회한들 어찌하겠어요?"

뱃사람들이 그 딱한 형편을 보고 모여 앉아 공론하기를,

"심 소저의 효성과 심 봉사의 일생 신세 생각하여 봉사님 굶지 않고 헐벗지 않게 한 살림을 꾸며주면 어떻겠소?"

"그 말이 옳소."

하고 쌀 이백 석과 돈 삼백 냥이며, 무명 삼베 각 한 동씩 마을에 들여 놓고 동네 사람들을 모아 당부하기를,

"쌀 이백 석과 돈 삼백 냥을 착실한 사람 주어 실수 없이 온전하게 늘려 심 봉사에게 바칩시다. 삼백 석 가운데 이십 석은 올해 양식으로 제하고, 나머지는 해마다 빚을 주어 이자를 받으면 양식이 넉넉할 테고, 무명 삼베로는 사철 의복 장만해 드리기로 하고, 이런 내용을 관청에 공문으로 보내고 마을에도 알립시다."

〈중략〉

"부인은 전생에 나의 부모라. 어느 날에 다시 모시겠어요? 글 한 수를 지어 정을 표하오니 보시면 아실 것입니다."

부인이 반기어 종이와 붓을 내어 주니 붓을 들고 글을 쓸 제, ⓒ눈물이 비가 되어 점점이 떨어지니 송이송이 꽃이 되어 그림 족자였다. 안방에 걸고 보니 그 글은 이러했다.

〈중략〉

사람의 죽고 사는 게 한 꿈속이니
정에 끌려 어찌 굳이 눈물을 흘리랴마는
세간에 가장 애끊는 곳이 있으니
풀 돋는 강남에 사람이 돌아오지 못하는 일이라.

부인이 재삼 붙들다가 글 짓는 것을 보시고,

"너는 과연 세상 사람 아니로다. 글은 진실로 선녀로다. 분명 인간의 인연이 다하여 상제께서 부르시니 네 어이 피할소냐. 내 또 한 이 운에 맞추어 글을 지으리라."

하고 글을 써 주었다.

<중략>

난데없는 비바람 어둔 밤에 불어오니

아름다운 꽃 날려서 뉘 집 문에 떨어지나

인간의 귀양살이 하늘이 정하셔서

아비와 자식으로 하여금 정을 끊게 하는구나.

심 소저가 그 글을 품에 품고 눈물로 이별하니 차마 보지 못할 지경이었다. 심청이 돌아와서 아버지께 하직하니 심 봉사가 붙들고 뒹굴며 괴로워하여,

<중략>

저의 아버지를 동네 사람에게 붙들게 하고 뱃사람들을 따라갈 제, ⓓ소리 내어 울며 치마끈 졸라매고 치마폭 거듬거듬 안고 흐트러진 머리털은 두 귀 밑에 늘어지고 비같이 흐르는 눈물 옷깃을 적신다. 엎더지며 자빠지며 붙들어 나갈 제 건넛집 바라보며,

"아무개네 큰아가, 바느질 수놓기를 뉘와 함께 하려느냐, 작년 오월 단오날에 그네 뛰고 놀던 일을 네가 행여 생각하느냐? 아무개네 작은아가, 금년 칠월 칠석 밤에 함께 기원하자더니 이제는 허사로다. 언제나 다시 보랴. 너희는 팔자 좋아 양친 모시고 잘 있거라."

동네 남녀노소 없이 눈이 붓도록 서로 붙들고 울다가 마을 어귀에서 서로 손을 놓고 헤어졌다.

그때 하느님이 아시던지 밝은 해는 어디가고 어두침침한 구름이 자욱하며 청산이 찡그리는 듯, 강물 소리 흐느끼고, 휘늘어져 곱던 꽃은 시들어 제빛을 잃은 듯하고, 하늘거리는 버들가지도 졸듯이 휘늘어졌고, 복사꽃은 다정하여 슬픈 듯이 피어 있다.

'묻노라 저 꾀꼬리, 뉘를 이별하였길래 벗을 불러 울어대고, 뜻밖에 두견이는 피를 내어 우는구나. 달 밝은 너른 산을 어디 두고 애끊는 슬픈 소리 울어서 보내느냐. 네 아무리 가지 위에서 가지 말라 울건마는 값을 받고 팔린 몸이 다시 어찌 돌아올까.'

바람에 날린 꽃이 얼굴에 와 부딪치니 꽃을 들고 바라보며,

"봄바람이 사람 마음 알아주지 못한다면 무슨 까닭으로 지는 꽃을 보내리오, 한무제 수양 공주 매화 비녀 있건마는 죽으러 가는 몸이 뉘를 위해 단장하리. 앞산에 지는 꽃이 지고 싶어 지랴마는 마지못한 일이러니 누구를 탓하고 누구를 원망하리오."

ⓔ한 걸음에 돌아보며 두 걸음에 눈물지며 강머리에 다다르니, 뱃머리에 판자 깔고 심청을 인도하여 빗장 안에 실은 후에 닻을 감고 돛을 달아 여러 뱃사람들이 소리를 한다.

<후략>

– 작자미상, 「심청전」–

19 위 글을 읽고 추론할 수 있는 작품 창작 당시의 사회, 문화적 상황으로 적절하지 <u>않은</u> 것은?

① 인신공양이라는 개념이 존재한다.

② 일상에서 죽은 조상을 기억하고 소중히 대하는 풍조가 있었다.

③ 돈이나 쌀을 빌려주고 이자를 받는다는 금융 개념이 존재했다.

④ 인간의 생사가 초월적 존재에 의해 결정된다는 운명론적 사고가 존재했다.

⑤ 불우한 이웃을 안타깝게 여기는 풍조는 있었으나, 실질적으로 도움을 주지는 않았다.

20 위 글의 ⓐ~ⓔ 중, 드러나는 심정이 가장 <u>이질적인</u> 것은?

① ⓐ   ② ⓑ   ③ ⓒ   ④ ⓓ   ⑤ ⓔ

21 〈보기〉에 제시된 판소리계 소설의 특징 중, 위 글의 [B]부분에서 가장 두드러지게 나타난 특징은?

┌─ 보기 ┐

    '심청전'은 판소리 '심청가'의 내용이 소설이라는 형태로 정착된 것으로, 판소리에서 영향을 받은 여러 가지 특징을 가지고 있다. 먼저, ㉠작품 밖의 서술자가 사건의 전개를 전달하는 방식으로 서술되며, ㉡서술자가 작중 상황에 대해 자신의 견해나 평가를 제시하는 부분도 있다. 또한 문장 표현 방식에서도 ㉢산문이지만 운율과 음악성이 느껴지는 판소리 사설의 문체를 반영하였다. 내용 측면에서는 ㉣서민들의 삶에서 드러나는 다양한 욕구를 주제의식에 반영하였고, 이후 ㉤양반들의 취향에 맞는 유교 윤리를 강조하는 내용으로 다른 판본이 나오기도 하였다.

① ㉠   ② ㉡   ③ ㉢   ④ ㉣   ⑤ ㉤

22 위 글의 '삽입 시'에 대한 이해로 적절하지 <u>않은</u> 것은?

① '어찌 굳이 눈물을 흘리랴마는'에서 심청이 마음먹은 바를 꿋꿋하게 이해하려고 함을 알 수 있다.
② '사람이 돌아오지 못하는 임'의 이유를 장 승상 부인은 '하늘이 정하셔서'라고 생각한다.
③ '난데없는 비바람'을 심청에게 닥친 시련이 장 승상 댁 부인에게 갑작스러운 일이었음을 나타낸다.
④ '풀 돋는 강남'과 '아름다운 꽃'은 심청의 효심을 상징한다는 점에서 의미가 서로 통한다.
⑤ '인간의 귀양살이'는 심청이 하늘의 선녀와 같다는 장 승상 부인의 생각에서 나온 표현이다.

23 위 글의 [A]부분에 대한 설명으로 적절하지 <u>않은</u> 것은?

① 작중 상황에 대한 편집자적 논평이 드러난다.
② 심 봉사가 꾼 꿈의 내용은 심청을 더욱 심란하게 만들고 있다.
③ 작품 전체의 줄거리를 고려할 때, 꿈의 내용은 중의적으로 해석될 수 있다.
④ 앞으로 어떤 사건이 전개될 것인가를 암시하는 복선의 역할을 한다.
⑤ 꿈에 대한 심 봉사의 해석은 그가 이기적이고 현실 감각이 없는 인물임을 드러낸다.

(가) 어느덧 동방이 밝아오니, 심청이 아버지 진지나 마지막 지어 드리리라 하고 문을 열고 나서니, 벌써 뱃사람들이 사립문 밖에서,

"오늘이 배 떠나는 날이오니 수이 가게 해 주시오."

하니, 심청이 이 말을 듣고 얼굴빛이 없어지고 손발에 맥이 풀리며 목이 메고 정신이 어지러워 뱃사람들을 겨우 불러,

"여보시오 선인네들, 나도 오늘이 배 떠나는 날인 줄 이미 알고 있으나, 내 몸 팔린 줄을 우리 아버지가 아직 모르십니다. 만일 아시게 되면 지레 야단이 날테니, 잠깐 기다리면 진지나 마지막으로 지어 잡수시게 하고 말씀 여쭙고 떠나게 하겠어요."

하니 뱃사람들이,

"그리하시지요."

하였다. 심청이 들어와 눈물로 밥을 지어 아버지께 올리고, 상머리에 마주앉아 아무쪼록 진지 많이 잡수시게 하느라고 자반도 떼어 입에 넣어 드리고 김쌈도 싸서 수저에 놓으며,

"진지를 많이 잡수셔요."

심 봉사는 철도 모르고,

"야, 오늘은 반찬이 유난히 좋구나. 뉘 집 제사 지냈느냐?"

그날 밤에 꿈을 꾸었는데, ㉮부자간은 천륜지간(天倫之間)이라 꿈에 미리 보여주는 바가 있었다.

"아가 아가, 이상한 일도 있더구나. 간밤에 꿈을 꾸니, 네가 큰 수레를 타고 한없이 가 보이더구나. 수레라 하는 것이 귀한 사람이 타는 것인데 우리 집에 무슨 좋은 일이 있을란가 보다. 그렇지 않으면 장 승상 댁에서 가마 태워 갈란가 보다."

심청이는 저 죽을 꿈인 줄 짐작하고 둘러대기를,

"그 꿈 참 좋습니다."

하고 진짓상을 물려 내고 담배 태워 드린 뒤에 밥상을 앞에 놓고 먹으려 하니 간이 썩는 눈물은 눈에서 솟아나고, 아버지 신세 생각하며 저 죽을 일 생각하니 정신이 아득하고 몸이 떨려 밥을 먹지 못하고 물렸다. 그런 뒤에 심청이 사당에 하직하려고 들어갈 제, 다시 세수하고 사당문을 가만히 열고 하직 인사를 올렸다.

"못난 (㉠) 심청이는 아비 눈 뜨기를 위하여 인당수 제물로 몸을 팔려 가오매, 조상 제사를 끊게 되오니 사모하는 마음을 이기지 못하겠습니다."

울며 하직하고 사당문 닫은 뒤에 아버지 앞에 나와 두 손을 부여잡고 기절하니, 심 봉사가 깜짝 놀라,

"아가 아가, 이게 웬일이냐? 정신 차려 말하거라."

심청이 여쭙기를,

"제가 못난 딸자식으로 아버지를 속였어요. 공양미 삼백 석을 누가 저에게 주겠어요. 남경 뱃사람들에게 인당수 제물로 몸을 팔아 오늘이 떠나는 날이니 저를 마지막 보셔요."

심봉사가 이 말을 듣고,

㉯"참말이냐, 참말이냐? 애고 애고, 이게 웬말인고? 못 가리라, 못 가리라. 네가 날더러 묻지도 않고 네 마음대로 한단 말이냐? 네가 살고 내가 눈을 뜨면 그는 마땅히 할 일이나, 자식 죽여 눈을 뜬들 그게 차마 할 일이냐?

너의 어머니 늦게야 너를 낳고 초이레 안에 죽은 뒤에, 눈 어두운 늙은 것이 품안에 너를 안고 이집 저집 다니면서 구차한 말 해 가면서 동냥 젖 얻어 먹여 이만치 자랐는데, 내 아무리 눈 어두우나 너를 눈으로 알고, 너의 어머니 죽은 뒤에 걱정 없이 살았더니 이 말이 무슨 말이냐?

마라 마라, 못 하리라. 아내 죽고 자식 잃고 내 살아서 무엇하리? 너하고 나하고 함께 죽자. 눈을 팔아 너를 살 터에 너를 팔아 눈을 뜬들 무엇을 보려고 눈를 뜨리? 어떤 놈의 팔자길래 (㉡) 된단 말이냐? 네 이놈 상놈들아! 장사도 좋지마는 사람 사다 제사하는 데 어디서 보았느냐? 하느님의 어지심과 귀신의 밝은 마음 (㉢)이/가 없겠느냐? 눈먼 놈의 무남독녀 철모르는 어린아이 나 모르게 유인하여 값을 주고 산단 말이냐? 돈도 싫고 쌀도 싫다, 네 이놈 상놈들아.

옛글을 모르느냐? 칠년대한(七年大旱) 가물 적에 사람으로 빌라 하니 탕임금 어지신 말씀, '내가 지금 비는 바는 사람을 위함인데 사람 죽여 빌 양이면 내 몸으로 대신하리라.' 몸소 희생되어 몸을 정히 하여 상임 뜰에 빌었더니 수천 리 너른 땅에 큰 비가 내렸느니라. 이런 일도 있었으니 내 몸으로 대신 감이 어떠하냐?"

(나) 구별을 다 짓고 나서 심 소저를 가자 할 때, 무릉촌 장 승상댁 부인이 그제야 이 말을 듣고 급히 시비를 보내어 심 소저를 부르기에, 소저가 시비를 따라가니 승상 부인이 문밖에 내달아 소저의 손을 잡고 울며 말했다.

"네 이 무상한 사람아. 나는 너를 자식으로 알았는데 너는 나를 어미같이 알지를 않는구나. 쌀 삼백 석에 몸이 팔려 죽으러 간다 하니 효성이 지극하다마는, 네가 살아 세상에 있어 하는 것만 같겠느냐? 나와 의논했더라면 진작 주선해 주었지. 쌀 삼백 석을 이제라도 다시 내어 줄 것이니 뱃사람들 도로 주고 당치않은 말 다시 말라."

하시니 심 소저가 여쭈었다.

"당초에 말씀 못 드린 것을 이제야 후회한들 무엇 하겠습니까? 또 한 부모를 위해 공을 드릴 양이면 어찌 남의 명분 없는 재물을 바라며, 쌀 삼백 석을 도로 내어 주면 뱃사람들 일이 낭패이니 그도 또한 어렵고, 남에게 몸을 허락하여 약속을 정한 뒤에 다시 약속을 어기면 못난 사람들 하는 짓이니, 그 말씀을 따르지 못하겠습니다. 하물며 값을 받고 몇 달이 지난 뒤에 차마 어찌 낯을 들어 무슨 말을 하겠습니까? 부인의 하늘 같은 은혜와 착하신 말씀은 저승으로 돌아가서 (㉢)하겠습니다."

하고 눈물이 옷깃을 적시니, 부인이 다시 보니 엄숙한지라, 하릴없이 다시 말리지 못하고 놓지도 못했다.

(다) 심청이 저의 아버지를 동네 사람에게 붙들게 하고 뱃사람들을 따라갈 제, 소리 내어 울며 치마끈 졸라매고 치마폭 거듬거듬 안고 흐트러진 머리털은 두 귀 밑에 늘어지고 비 같이 흐르는 눈물 옷깃을 적신다. 엎더지며 자빠지며 붙들어 나갈 제 건넛집 바라보며,

"아무개네 큰아가, 바느질 수놓기를 뉘와 함께 하려느냐, 작년 오 월 단옷날에 그네 뛰고 놀던 일을 네가 행여 생각하느냐? 아무개네 작은아가, 금년 칠월 칠석 밤에 함께 기원하자더니 이제는 허사로다. 언제나 다시 보랴. 너희는 팔자 좋아 양친 모시고 잘 있거라."

동네 남녀노소 없이 눈이 붓도록 서로 붙들고 울다가 마을 어귀에서 서로 손을 놓고 헤어졌다. 그때 하느님이 아시던지 밝은 해는 어디 가고 어두침침한 구름이 자욱하며 청산이 찡그리는 듯, 강물 소리 흐느끼고, 휘늘어져 곱던 꽃은 시들어 제 빛을 잃은 듯하고, 하늘거리는 버들가지도 졸 듯이 휘늘어졌고, 복사꽃은 다정하여 슬픈 듯이 피어 있다.

'묻노라 저 꾀꼬리, 뉘를 이별하였길래 벗을 불러 울어대고, 뜻밖에 두견이는 피를 내어 우는구나. 달 밝은 너른 산을 어디 두고 애끊는 슬픈 소리 울어서 보내느냐. 네 아무리 가지 위에서 가지 말라 울건마는 값을 받고 팔린 몸이 다시 어찌 돌아올까.'

바람에 날린 꽃이 얼굴에 와 부딪치니 꽃을 들고 바라보며,

"봄바람이 사람 마음 알아주지 못한다면 무슨 까닭으로 지는 꽃을 보내리오, 한무제 수양 공주 매화 비녀 있건마는 죽으러 가는 몸이 뉘를 위해 단장하리. 앞산에 지는 꽃이 지고 싶어 지랴마는 마지못한 일이러니 누구를 탓하고 누구를 원망하리오."

한 걸음에 돌아보며 두 걸음에 눈물지며 강머리에 다다르니, 뱃머리에 판자 깔고 심청이를 인도하여 빗장 안에 실은 후에 닻을 감고 돛을 달아 여러 뱃사람들이 소리를 한다,

"어기야, 어기야, 어기양, 어기양."

소리를 하며 북을 둥둥 울리면서 노를 저어 배질하며 물결에 배를 띄워 떠나간다.

– 작자미상, 「심청전」 –

24 윗글의 갈래에 대한 설명으로 적절한 것은?

① 판소리의 영향을 받아 문어적이고 산문적인 문체를 사용했다.

② 평민 계층의 발랄함과 진취성을 바탕으로 판소리를 전승하고 재창작한 소설 형식의 글이다.

③ 운문과 산문의 중간 형태로, 시조보다 좀 더 긴 형식으로 자신의 생각을 자유롭게 표현하기 위해 창안되었다.

④ 어떤 사물을 역사적 인물처럼 의인화하여 그 가계와 생애 및 개인적 성품, 공과를 기록한 전기식의 글이다.

⑤ 구체적인 시간과 장소, 증거물을 바탕으로 비범한 인간이 비극적인 결말을 맺는다는 내용의 이야기이다.

25 문맥상 윗글의 ㉠~㉣에 들어갈 말을 올바르게 짝지은 것은?

	㉠	㉡	㉢	㉣
①	여손(女孫) (女孫)	사궁지수 (四窮之首)	액운 (厄運)	각골난망 (刻骨難忘)
②	소저 (小姐)	칠년대한 (七年大旱)	시비 (侍婢)	결자해지 (結者解之)
③	여손 (女孫)	칠년대한 (七年大旱)	액운 (厄運)	결초보은 (結草報恩)
④	소저 (小姐)	혼정신성 (昏定晨省)	앙화 (殃禍)	대기만성 (大器晚成)
⑤	여손 (女孫)	사궁지수 (四窮之首)	앙화 (殃禍)	결초보은 (結草報恩)

26 다음 중 ㉮와 같은 서술방식을 취하고 있지 않은 것은?

① 평국이 여공을 모시고 제신을 다 정한 후에 부모 양위와 시모 신위를 배설하고 승상 보국으로 더불어 통곡하니 보는 사람이 뉘 아니 낙루(落淚)하리오.

– 작자 미상, 「홍계월전」 –

② 모임을 파한 후에 토끼 뒤에 따라가며 한 번 불러, "여보, 토생원(兎生員)." 토끼의 근본 성품 무겁지 못한 것이 겸하여 몸집도 작으니 온 산중이 멸시하여 누가 대접하겠느냐.

– 작자 미상, 「토끼전」 –

③ 오소리는 본디 마음이 순한지라, 서대쥐의 대접이 심히 후함을 보고 처음에 반발하던 마음이 춘산에 눈 녹듯이 스러지는지라. 서대쥐더러 왈, "우리 백호산군의 명을 받아 재판코자 하여 분부 지엄하니 어찌 조금이나 지체하리오."

– 작자 미상, 「서동지전」 –

④ 한림은 즉시 일가들에게 통지하여 아침에 모두 사당 아래로 모이게 했다. 아아! 유 소사는 지하에서 일어날 수 없고 두 부인도 만 리나 멀리 떠났으니, 누가 한림의 뜻을 들릴 수 있겠는가? 여러 시비들이 달려가 사씨에게 그 전말을 고하고 통곡하였다.

– 김만중, 「사씨남정기」 –

⑤ 어사또는 춘풍 매각(春風梅閣) 큰 동헌에 좌정허시고, 대아 형리 데려와 각각 죄인 경중 헤아려 처결 방송(放送) 허시는 후에, "옥죄은 춘향 올려라!" 영 나니, 사정이 옥쇄를 물와 들고 삼문 밖 나거더니, 만무 맞게 잠긴 열쇠를 뎅그렁 청 열따려고, "나오너라, 춘향아!"

– 작자 미상, 「춘향가」 –

27 ㉰에 나타난 표현법이 모두 사용된 것은?

① 어져 내 일이야 그릴 줄을 모로던가.
　이시라 하더면 가랴마는 제 구태여
　보내고 그리는 정(情)은 나도 몰라 하노라.

– 황진이 –

② 이런들 어떠하며 저런들 어떠하료.
　초야우생이 이렇다 어떠하료.
　하물며 천석고황(泉石膏肓)을 고쳐 무엇하료.

– 이황 –

③ 구룸이 무심(無心)탄 말이 아마도 허랑(虛浪)하다.
　중천(中天)에 떠 있어 임의(任意)로 다니면서
　구태여 광명(光明)한 날빛을 따라가며 덥나니.

– 이존오 –

④ 십 년을 경영(經營)하여 초려삼간 지어내니
　나 한 간 달 한 간에 청풍(淸風) 한 간 맡겨두고
　강산은 들일 데 없으니 둘러놓고 보리라

– 송순 –

⑤ 국화(菊花)야 너는 어이 삼월동풍(三月東風) 다 보내고
　낙목한천(落木寒天)에 네 홀로 피었느냐
　아마도 오상고절(傲霜孤節)은 너뿐인가 하노라

– 이정보 –

28 윗글의 등장인물에 대해 학생들이 나눈 대화로 적절한 것만 〈보기〉에서 있는 대로 고른 것은?

┤ 보기 ├

ㄱ. 심청은 죽음을 앞둔 상황에서도 한결같이 의연함을 유지하며 자신의 기구한 삶을 운명으로 받아들이고 있어.
ㄴ. 심청은 자신의 운명을 제힘으로 감당하려는 의지가 있고 자신의 선택과 결단에 책임지고자 하는 성격이야.
ㄷ. 심청이 장 승상 댁 부인에게 하직 인사하는 모습을 보면 다른 사람의 호의와 은혜에 감사할 줄 아는 마음을 지녔어.
ㄹ. 장 승상 댁 부인은 사람의 목숨보다 효를 우선시하는 유교적 관념에 이의를 제기하고 현실적 해결방법을 내놓는 인물이야.
ㅁ. 심청은 마지막 떠나는 순간까지 아버지를 걱정하는 희생적인 성격이지만 한편으로는 아버지의 꿈 이야기를 길몽으로 받아들이며 희망을 가지기도 해.
ㅂ. 심청이 말하기 전까지 사태 파악을 전혀 하지 못하는 심봉사는 철이 없고 눈치가 없는 인물이야.

① ㄱ, ㄴ, ㄹ　　　　　② ㄴ, ㄷ, ㄹ　　　　　③ ㄴ, ㄷ, ㅁ, ㅂ
④ ㄴ, ㄷ, ㄹ, ㅂ　　　⑤ ㄱ, ㄴ, ㄷ, ㅁ, ㅂ

29 윗글에 드러난 서술상 특징에 대한 적절한 설명만 〈보기〉에서 있는 대로 고른 것은?

┤ 보기 ├
ㄱ. 인물의 감정을 이입한 자연물을 나열하고 있다.
ㄴ. 고사를 인용해 상대방의 행위를 비판하고 있다.
ㄷ. 배경 묘사를 통해 인물의 정서를 드러내고 있다.
ㄹ. 인물 간의 대화를 통해 작중 상황을 드러내고 있다.
ㅁ. 지난 사건을 서술자가 요약적으로 제시하여 독자의 이해를 도모하고 있다.
ㅂ. 작품 속의 서술자가 관찰자의 입장에서 사건을 객관적으로 전달하고 있다.

① ㄱ, ㄷ
② ㄱ, ㄴ, ㄷ
③ ㄱ, ㄴ, ㄷ, ㄹ
④ ㄱ, ㄹ, ㅁ, ㅂ
⑤ ㄴ, ㄷ, ㄹ, ㅂ

30 다음은 학생들이 「심청전」을 읽고 나눈 대화이다. 〈보기〉에 제시된 견해와 가장 거리가 먼 것은?

┤ 보기 ├
「심청전」은 아비의 눈을 뜨게 하기 위해 이념 공동체가 그 딸을 죽음에 이르게 한 이야기라는 조금은 살벌한 해석의 여지가 있다. 심청이 나고 자란 황주 땅의 도화동 사람들은 눈먼 아버지를 위해서는 자식이 기꺼이 목숨도 내놓을 수 있다는 폭력적인 이데올로기를 숭배하고 있었다. 이러한 문화적 훈육의 결과, 심청은 스스로 희생을 선택했던 것이다. 이 점이 바로 바로 '이념 공동체가 심청을 살해했다'는 주장의 근거이다.
– 이정원(경기대 국문과 교수) –

① 「심청전」은 '인신공양'이라는 부당하고 부도덕한 거래를 '효'라는 가치로 덮고 있다고 생각해.
② 「심청전」의 마을 사람들은 고달픈 현실에서 느끼는 박탈감과 무력감을 심청의 죽음을 통해 보상받으려 했어.
③ 심청이 죽지 않고 용왕의 보호를 받으며 살아나 황후 된 것은 공동체가 한 소녀를 살인한 사실을 아름답게 포장하기 위한 장치라고 볼 수 있어.
④ 마을 사람들이 심청의 죽음을 적극적으로 말리지 않은 이유는, 이들이 '효는 그 무엇보다 중요하다'라는 하나의 이념을 공유한 이념 공동체를 형성하고 있기 때문이야.
⑤ 심청은 이념 공동체가 '효'를 최고 우위에 두는 과정에서 죽임을 당했고 이 죽음을 정당화하기 위해 '숭고한 희생'이라는 의미가 덧붙은 것 같아.

[31~35] 다음 글을 읽고 물음에 답하시오.

(가) 어느덧 동방이 밝아 오니, 심청이 아버지 진지나 마지막 지어드리리라 하고 문을 열고나서니, 벌써 뱃사람들이 사립문 밖에서,

"오늘이 배 떠나는 날이오니 수이 가게 해 주시오."

하니, 심청이 이 말을 듣고 얼굴빛이 없어지고 손발에 맥이 풀리며 목이 메고 정신이 어지러워 뱃사람들을 겨우 불러,

"여보시오 선인네들, 나도 오늘이 배 떠나는 날인 줄 이미 알고 있으나, 내 몸 팔린 줄을 우리 아버지가 아직 모르십니다. 만일 아시게 되면 지레 야단이 날테니, 잠깐 기다리면 진지나 마지막으로 지어 잡수시게 하고 말씀 여쭙고 떠나게 하겠어요."

하니 뱃사람들이,

"그리하시지요."

하였다. 심청이 들어와 눈물로 밥을 지어 아버지께 올리고, 상머리에 마주앉아 아무쪼록 진지 많이 잡수시게 하느라고 자반도 떼어 입에 넣어 드리고 김쌈도 싸서 수저에 놓으며,

"진지를 많이 잡수셔요."

심 봉사는 철도 모르고,

"야, 오늘은 반찬이 유난히 좋구나. 뉘 집 제사 지냈느냐?"

그날 밤에 꿈을 꾸었는데, 부자간은 천륜지간(天倫之間)이라 꿈에 미리 보여주는 바가 있었다.

"아가 아가, 이상한 일도 있더구나. 간밤에 ⊙꿈을 꾸니, 네가 큰 수레를 타고 한없이 가 보이더구나. 수레라 하는 것이 귀한 사람이 타는 것인데 우리 집에 무슨 좋은 일이 있을란가 보다. 그렇지 않으면 장 승상 댁에서 가마 태워 갈란가 보다."

심청이는 저 죽을 꿈인 줄 짐작하고 둘러대기를,

"그 꿈 참 좋습니다."

(나) 심청이 여쭙기를,

"제가 못난 딸자식으로 아버지를 속였어요. 공양미 삼백 석을 누가 저에게 주겠어요. 남경 뱃사람들에게 인당수 제물로 몸을 팔아 오늘이 떠나는 날이니 저를 마지막 보셔요."

심 봉사가 이 말을 듣고,

[A] "참말이냐, 참말이냐? 애고 애고, 이게 웬말인고? 못 가리라, 못 가리라. 네가 날더러 묻지도 않고 네 마음대로 한단 말이냐? 네가 살고 내가 눈을 뜨면 그는 마땅히 할 일이나, 자식 죽여 눈을 뜬들 그게 차마 할 일이냐? 너의 어머니 늦게야 너를 낳고 초이레 안에 죽은 뒤에, 눈 어두운 늙은 것이 품안에 너를 안고 이집 저집 다니면서 구차한 말 해 가면서 동냥 젖 얻어 먹여 이만치 자랐는데, 내 아무리 눈 어두우나 너를 눈으로 알고, 너의 어머니 죽은 뒤에 걱정 없이 살았더니 이 말이 무슨 말이냐? 마라 마라, 못 하리라. 아내 죽고 자식 잃고 내 살아서 무엇하리? 너하고 나하고 함께 죽자. 눈을 팔아 너를 살 터에 너를 팔아 눈을 뜬들 무엇을 보려고 눈을 뜨리?

[B] 어떤 놈의 팔자길래 사궁지수(四窮之首) 된단 말이냐? 네 이놈 상놈들아! 장사도 좋지마는 사람 사다 제사하는 데 어디서 보았느냐? 하느님의 어지심과 귀신의 밝은 마음 앙화가 없겠느냐? 눈 먼 놈의 무남독녀 철모르는 어린아이나 모르게 유인하여 값을 주고 산단 말이냐? 돈도 싫고 쌀도 싫다, 네 이놈 상놈들아.

옛글을 모르느냐? 칠년대한(七年大旱) 가물 적에 사람으로 빌라 하니 탕임금 어지신 말씀, '내가 지금 비는 바는 사람을 위함인데 사람 죽여 빌 양이면 내 몸으로 대신하리라.' 몸소 희생되어 몸을 정히 하여 상임 뜰에 빌었더니 수천 리 너른 땅에 큰 비가 내렸느니라. 이런 일도 있었으니 내 몸으로 대신 감이 어떠하냐? 여보시오 동네 사람, 저런 놈들을 그저 두고 보오?"

(다) 심소저가 울며 여쭙기를,

"부인은 전생에 나의 부모라. 어느 날에 다시 모시겠어요? 글 한 수를 지어 정을 표하오니 보시면 아실 것입니다."

부인이 반기어 종이와 붓을 내어 주니 붓을 들고 글을 쓸 제, 눈물이 비가 되어 점점이 떨어지니 송이송이 꽃이 되어 그림 족자였다. 안방에 걸고 보니 그 글은 이러했다.

생기사귀일몽간에속이니	사람의 죽고 사는 게 한 꿈속이니
견정하필루잠잠이랴마는	정에 끌려 어찌 굳이 눈물을 흘리랴마는
ⓛ 세간에 최유단장처하니	세간에 가장 애끓는 곳이 있으니
ⓛ 초록강남인미환을	돋는 강남에 사람이 돌아오지 못하는 일이라.

(라) 심소저가 그 글을 품에 품고 눈물로 이별하니 차마 보지 못할 지경이었다. 심청이 돌아와서 아버지께 하직하니 심 봉사가 붙들고 뒹굴며 괴로워하여,

"네가 날 죽이고 가지 그저는 못 가리라. 날 데리고 가거라. 네 혼자는 못 가리라."

심청이 아버지를 위로하기를,

"부자간 천륜을 끊고 싶어 끊사오며 죽고 싶어 죽겠습니까마는, ⓐ액운이 막혀 있고 생사가 때가 있어 하느님이 하신 일이니 한탄한들 어찌하겠어요? 인정으로 할 양이면 떠날 날이 없을 것입니다."

하고 ⓒ저의 아버지를 동네 사람에게 붙들게 하고 뱃사람들을 따라갈 제, 소리내어 울며 치마끈 졸라매고 치마폭 거듭거듭 안고 흐트러진 머리털은 두 귀 밑에 늘어지고 비같이 흐르는 눈물 옷깃을 적신다. 엎더지며 자빠지며 붙들어 나갈 제 건넛집 바라보며,

"아무개네 큰아가, 바느질 수놓기를 뉘와 함께 하려느냐, 작년 오월 단옷날에 그네 뛰고 놀던 일을 네가 행여 생각하느냐? 아무개네 작은아가, 금년 칠월 칠석 밤에 함께 기원하자더니 이제는 허사로다. 언제나 다시 보랴. 너희는 팔자 좋아 양친 모시고 잘 있거라."

동네 남녀노소 없이 눈이 붓도록 서로 붙들고 울다가 마을 어귀에서 서로 손을 놓고 헤어졌다. 그때 하느님이 아시던지 밝은 해는 어디 가고 어두침침한 구름이 자욱하며 청산이 찡그리는 듯, 강물 소리 흐느끼고, 휘늘어져 곱던 꽃은 시들어 제 빛을 잃은 듯하고, 하늘거리는 버들가지도 졸듯이 휘늘어졌고, 복사꽃은 다정하여 슬픈 듯이 피어 있다.

'ⓔ묻노라 저 꾀꼬리, 뉘를 이별하였길래 벗을 불러 울어대고, 뜻밖에 두견이는 피를 내어 우는구나. 달 밝은 너른 산을 어디 두고 애끓는 슬픈 소리 울어서 보내느냐. 네 아무리 가지 위에서 가지 말라 울건마는 값을 받고 팔린 몸이 다시 어찌 돌아올까.'

(마) 이때 심 봉사는 ⓜ뺑덕 어미를 데리고 여기저기 떠돌아다니던 차에 하루는 서울에서 맹인잔치를 베푼다는 소문을 듣고 뺑덕 어미더러,

"사람이 세상에 났다가 서울 구경 한번 해보세. 낙양 천리 멀고 먼 길을 나 혼자는 갈 수 없으니 나와 함께 가는 것이 어떠한가? 길에 다니다가 밤이야 우리 할 일 못하겠는가?"

"예, 갑시다."

"그리하오."

그날로 길을 떠나 뺑덕 어미 앞세우고 며칠을 가서 한 역촌에 이르러 잠을 자게 되었다. 마침 그 근처에 황봉사라 하는 소경이 있었는데 이는 반소경이었고 집안 형편도 넉넉한 편이었다. 뺑덕 어미가 음탕하여 서방질 일쑤 잘 한다는 소문이 이웃 마을에 자자하여 한 번 보기를 평소에 마음속으로 원하고 있던 터에, 심 봉사와 함께 온단 말을 듣고 주인과 짜고 뺑덕 어미를 빼어 내려고 주인을 시켜 갖가지로 꼬였다. 뺑덕 어미도 생각하기를,

'막상 내가 따라 가더라도 잔치에 참례할 길이 전혀 없고, 돌아온들 형편도 전만 못하고 살 길이 전혀 없을 테니, 차라리 황 봉사를 따라가면 말년 신세는 편안하겠구나.'

하고 약속을 단단히 정하고,

'심 봉사 잠들기를 기다려 내빼리라.'

하고 일부러 자는 체하고 누웠더니 심 봉사가 잠을 깊이 들었기에 두말없이 도망하여 달아나버렸다. 심 봉사는 잠을 깨어 음흉한 생각이 있어 옆을 만져보니 뺑덕 어미가 없으니 손길을 내밀어 보며,

"여보소 뺑덕이네, 어디 갔는가?"

끝내 기척이 없고 웃묵 구석에 고추 섬이 있어 쥐란 놈이 '바시락 바시락' 하니 뺑덕 어미가 장난하는 줄만 알고 심 봉사가 두 손을 떡 벌리고 일어서며, "날더러 기어 오란가." 하며 더듬더듬 더듬으니 쥐란 놈이 놀라 달아났다. 심 봉사가 '허허' 웃으면서 "이것, 요리 간다."하고 이 구석 저 구석 두루 좇아다니다가 쥐가 영영 달아나고 없으니, 심 봉사가 가만히 앉아 생각하니 허튼 마음 가엾게도 속은 줄을 알았다. 벌써 털 속 좋은 황 봉사에게 가서 궁둥이 세움을 하는 데, 있을 리가 있겠는가.

"여보 주인네, 우리 집 마누라 안에 들어갔소?"

"그런 일 없소."

심 봉사 그제야 달아난 줄 알고 혼자 탄식하며 하는 말이,

"여봐라, 뺑덕 어미 날 버리고 어디 갔는가. 이 무상하고 고약한 계집아, 서울 천리 먼먼 길에 뉘와 함께 벗을 삼아 가리오."

울다가 어찌 생각했는지 혼자 꾸짖어 손을 훨훨 뿌리치며,

"아서라 아서라, 이년! 내가 너를 생각하는 것이 세상물정 모르는 코맹맹이 아들놈이다." 하고,

"공연히 그런 잡년을 정들였다가 살림만 날리고 도중에 낭패하니 이 모든 것이 나의 신수소관이라, 누구를 원망하고 누구를 탓하랴. 우리 어질고 음전하던 곽씨 부인 죽는 양도 보고 살아 있고, 출천효녀 심청이도 생이별하여 물에 빠져 죽는 양도 보고 살았거든 하물며 저만 년을 생각하면 개아들놈이다."

– 「심청전」 (완판본) –

31 (가)~(마)에 대한 설명으로 가장 적절한 것은?

① 공간의 이동에 따라 사건이 전개되고 있다.

② 특정 인물의 시각을 중심으로 사건을 전개하고 있다.

③ 요약적 서술과 대화 장면을 혼용하여 진술하고 있다.

④ 배경을 구체적으로 묘사하여 현실감을 획득하고 있다.

⑤ 서술자가 개입하여 사건에 대해 객관적 견해를 피력하고 있다.

32 [A]와 [B]에 나타난 인물의 말하기에 대한 설명으로 적절한 것은?

① [A]와 [B]는 모두 상대에 대한 적대감과 분노를 표출하고 있다.

② [A]와 [B]는 모두 고사를 인용하여 자신의 심정을 드러내고 있다.

③ [A]에서는 상대방을 위로하고 [B]에서는 자신의 처지를 한탄하고 있다.

④ [A]에서는 자신의 심정을 토로하고 있고 [B]에서는 다른 인물을 비난하고 있다.

⑤ [A]와 달리 [B]를 운문체를 사용하여 판소리 창(唱)의 특징을 잘 드러내고 있다.

33 〈보기〉는 위 작품의 전체 서사구조를 정리한 것이다. 공간의 의미를 통해 심청전을 탐구한 것으로 적절하지 <u>않은</u> 것은?

┤ 보기 ├

1단계		2단계		3단계
가난한 맹인의 집에서 출생한 심청이 고생하며 살다가 부친을 위해 인당수에 투신함	→	용왕의 도움으로 심청은 수정궁으로 가고 선녀가 된 어머니를 만남	→	심청이 연꽃으로 환생하여 황후가 되고, 궁궐에서 맹인잔치를 열어 심봉사와 재회하고 심봉사는 눈을 뜸.

① 심청이 자기희생을 결행하는 인당수는 유교적 '효'를 실천하는 공간이라고 생각할 수 있어.

② 심청이 어머니와 재회하게 되는 수정궁은 심청의 희생을 보상받는 공간으로 생각할 수 있겠어.

③ 심청이 인당수에서 초라하고 비천한 삶을 버리고 죽은 후 다시 연꽃으로 부활하여 새로운 존재로 태어난다는 점에서 심청전은 신화적인 요소를 가지고 있다고 할 수 있겠어.

④ 심청이 수정궁에 있다가 다시 현실계에 돌아가 황후의 삶을 살게 된다는 점에서 수정궁은 현실의 삶으로 가기 위한 예비적 공간으로 생각할 수 있을 것 같아.

⑤ 심청이 황후가 되고 고귀한 신분으로 살게 되는 궁궐은 선악의 대립구도가 종결되고 권선징악의 주제의식을 잘 구현하는 공간이라고 할 수 있어.

34 ⓐ에 드러난 인물의 정서와 가장 유사한 것은?

① 고운 폐혈관(肺血管)이 찢어진 채로
   아아, 늬는 산(山)새처럼 날아갔구나!

② 녹양이 천만사인들 가는 춘풍(春風) 매어 두며
   탐화봉접(探花蜂蝶)인들 지는 꽃을 어이하리.
   아무리 근원이 중한들 가는 임을 어이리.

③ 동기로 세 몸 되야 한 몸같이 지내다가
   두 아운 어디 가서 돌아올 줄 모르는고.
   날마다 석양 문외에 한숨 겨워하노라.

④ 꿈에 다니는 길이 자취가 날 양이면
   임의 집 창밖의 돌길이라도 닳아 없어졌으련만
   꿈길은 자취 없으니 그를 슬퍼하노라

⑤ 지나간 봄 돌아오지 못하니
   살아 계시지 못하여 우울 이 시름
   전각(殿閣)을 밝히오신
   모습이 해가 갈수록 헐어 가도다.

35 ㉠~㉤에 대한 설명으로 적절하지 **않은** 것은?

① ㉠ : 심청과 심봉사에게 다르게 해석되어 비극성을 강화한다.

② ㉡ : 자신의 죽음을 예견한 심청의 정서가 드러나고 있다.

③ ㉢ : 극적 제시의 방법으로 심청의 내면을 드러내고 있다.

④ ㉣ : 객관적 상관물을 통해 심청의 슬픔을 드러내고 있다.

⑤ ㉤ : 심청과 심봉사의 재회에 필연성을 부여해주는 인물이다.

[36~41] 다음 글을 읽고 물음에 답하시오.

〈전략〉

심청이 들어와 눈물로 밥을 지어 아버지께 올리고, 상머리에 마주앉아 아무쪼록 진지 많이 잡수시게 하느라고 자반도 떼어 입에 넣어 드리고 김쌈도 싸서 수저에 놓으며,

"진지를 많이 잡수셔요."

심 봉사는 철도 모르고,

"야, 오늘은 반찬이 유난히 좋구나. 뉘 집 제사 지냈느냐?"

그날 밤에 꿈을 꾸었는데, 부자간은 ⓐ천륜지간(天倫之間)이라 꿈에 미리 보여 주는 바가 있었다.

"아가 아가, 이상한 일도 있더구나. ㉠간밤에 꿈을 꾸니, 네가 큰 수레를 타고 한없이 가 보이더구나. 수레라 하는 것이 귀한 사람이 타는 것인데 우리 집에 무슨 좋은 일이 있을란가 보다. 그렇지 않으면 장 승상 댁에서 가마 태워 갈란가 보다."

심청이는 저 죽을 꿈인 줄 짐작하고 둘러대기를,

"그 꿈 참 좋습니다."

하고 진짓상을 물려내고 담배 태워 드린 뒤에 밥상을 앞에 놓고 먹으려 하니 간장이 썩는 눈물은 눈에서 솟아나고, 아버지 신세 생각하며 저 죽을 일 생각하니 정신이 아득하고 몸이 떨려 밥을 먹지 못하고 물렸다. 그런 뒤에 심청이 사당에 하직하려고 들어갈 제, 다시 세수하고 사당문을 가만히 열고 하직 인사를 올렸다.

"못난 여손(女孫) 심청이는 아비 눈 뜨기를 위하여 인당수 제물로 몸을 팔려 가오매, 조상 제사를 끊게 되오니 사모하는 마음을 이기지 못하겠습니다."

울며 하직하고 사당문 닫은 뒤에 아버지 앞에 나와 두 손을 부여잡고 기절하니,

심 봉사가 깜짝 놀라,

"아가 아가, 이게 웬일이냐? 정신 차려 말하거라."

심청이 여쭙기를,

"제가 못난 딸자식으로 아버지를 속였어요. 공양미 삼백 석을 누가 저에게 주겠어요. 남경 뱃사람들에게 인당수 제물로 몸을 팔아 오늘이 떠나는 날이니 저를 마지막 보셔요."

심 봉사가 이 말을 듣고,

"참말이냐, 참말이냐? 애고 애고, 이게 웬 말인고? 못 가리라, 못 가리라. 네가 날더러 묻지도 않고 네 마음대로 한단 말이냐? 네가 살고 내가 눈을 뜨면 그는 마땅히 할 일이나, 자식 죽여 눈을 뜬들 그게 차마 할 일이냐? 너의 어머니 늦게야 너를 낳고 초이레 안에 죽은 뒤에, 눈 어두운 늙은 것이 품 안에 너를 안고 이집 저집 다니면서 구차한 말 해 가면서 동냥젖 얻어 먹여 이만치 자랐는데, 내 아무리 눈 어두우나 너를 눈으로 알고, 너의 어머니 죽은 뒤에 걱정 없이 살았더니

이 말이 무슨 말이냐? 마라 마라, 못 하리라. 아내 죽고 자식 잃고 내 살아서 무엇하리? 너하고 나하고 함께 죽자. 눈을 팔아 너를 살 터에 너를 팔아 눈을 뜬들 무엇을 보려고 눈를 뜨리?

ⓛ어떤 놈의 팔자길래 사궁지수(四窮之首) 된단 말이냐? 네 이놈 상놈들아! 장사도 좋지마는 사람 사다 제사하는 데 어디서 보았느냐? 하느님의 어지심과 귀신의 밝은 마음 ⓑ앙화가 없겠느냐? 눈먼 놈의 무남독녀 철모르는 어린아이 나 모르게 유인하여 값을 주고 산단 말이냐? 돈도 싫고 쌀도 싫다, 네 이놈 상놈들아.

옛글을 모르느냐? 칠년대한(七年大旱) 가물 적에 사람으로 빌라 하니 탕임금 어지신 말씀, '내가 지금 비는 바는 사람을 위함인데 사람 죽여 빌 양이면 내 몸으로 대신하리라.' 몸소 희생되어 몸을 정히 하여 상림 뜰에 빌었더니 수천 리 너른 땅에 큰 비가 내렸느니라. 이런 일도 있었으니 내 몸으로 대신 감이 어떠하냐? 여보시오 동네 사람, 저런 놈들을 그저 두고 보오?"

심청이 아버지를 붙들고 울며 위로하기를,

"아버지 할 수 없어요. 저는 이미 죽지마는 아버지는 눈을 떠서 밝은 세상 보시고, 착한 사람 구하셔서 아들 낳고 딸을 낳아 후사나 전하고, 못난 딸자식은 생각지 마시고 오래오래 평안히 계십시오. 이도 또한 천명이니 후회한들 어찌하겠어요?"

뱃사람들이 그 딱한 형편을 보고 모여 앉아 공론하기를,

"심 소저의 효성과 심 봉사의 일생 신세 생각하여 봉사님 굶지 않고 헐벗지 않게 한 살림을 꾸며 주면 어떻겠소?"

"그 말이 옳소."

하고 쌀 이백 석과 돈 삼백 냥이며, 무명 삼베 각 한 동씩 마을에 들여 놓고 동네 사람들을 모아 당부하기를,

"쌀 이백 석과 돈 삼백 냥을 착실한 사람 주어 실수 없이 온전하게 늘려 심 봉사에게 바칩시다. 삼백 석 가운데 이십 석은 올해 양식으로 제하고, 나머지는 해마다 빚을 주어 이자를 받으면 양식이 넉넉할 테고, 무명 삼베로는 사철 의복 장만해 드리기로 하고, 이런 내용을 관청에 공문으로 보내고 마을에도 알립시다."

구별을 다 짓고 나서 심 소저를 가자 할 때, 무릉촌 장 승상 댁 부인이 그제야 이 말을 듣고 급히 시비를 보내어 심 소저를 부르기에, 소저가 시비를 따라가니 승상 부인이 문밖에 내달아 소저의 손을 잡고 울며 말했다.

"ⓒ네 이 무상한 사람아. 나는 너를 자식으로 알았는데 너는 나를 어미같이 알지를 않는구나. 쌀 삼백 석에 몸이 팔려 죽으러 간다 하니 효성이 지극하다마는, 네가 살아 세상에 있어 하는 것만 같겠느냐? 나와 의논했더라면 진작 ⓒ주선해주었지. 쌀 삼백 석을 이제라도 다시 내어 줄 것이니 뱃사람들 도로 주고 당치않은 말 다시 말라."

하시니 심 소저가 여쭈었다.

"당초에 말씀 못 드린 것을 이제야 후회한들 무엇하겠습니까? 또 한 부모를 위해 공을 드릴 양이면 어찌 남의 명분 없는 재물을 바라며, 쌀 삼백 석을 도로 내어 주면 뱃사람들 일이 낭패이니 그도 또한 어렵고, 남에게 몸을 허락하여 약속을 정한 뒤에 다시 약속을 어기면 못난 사람들 하는 짓이니, 그 말씀을 따르지 못하겠습니다. 하물며 값을 받고 몇 달이 지난 뒤에 차마 어찌 낯을 들어 무슨 말을 하겠습니까? 부인의 하늘 같은 은혜와 착하신 말씀은 저승으로 돌아가서 ⓓ결초보은 (結草報恩)하겠습니다."

하고 눈물이 옷깃을 적시니, 부인이 다시 보니 엄숙한지라, 하릴없이 다시 말리지 못하고 놓지도 못했다. 심 소저가 울며 여쭙기를,

"부인은 전생에 나의 부모라. 어느 날에 다시 모시겠어요? 글 한 수를 지어 정을 표하오니 보시면 아실 것입니다."

부인이 반기어 종이와 붓을 내어 주니 붓을 들고 글을 쓸 제, 눈물이 비가 되어 점점이 떨어지니 송이송이 꽃이 되어 그림 족자였다. 안방에 걸고 보니 그 글은 이러했다.

〈중략〉

사람의 죽고 사는 게 한 꿈속이니
정에 끌려 어찌 굳이 눈물을 흘리랴마는
세간에 가장 애끓는 곳이 있으니
풀 돋는 강남에 사람이 돌아오지 못하는 일이라.

부인이 여러 번 붙들다가 글 짓는 것을 보시고,

"너는 과연 세상 사람 아니로다. 글은 진실로 선녀로다. 분명 인간의 인연이 다하여 상제께서 부르시니 네 어이 피할소냐. 내 또 한 이 운에 맞추어 글을 지으리라."

하고 글을 써 주었다.

〈중략〉

난데없는 비바람 어둔 밤에 불어오니
아름다운 꽃 날려서 뉘 집 문에 떨어지나
인간의 귀양살이 하늘이 정하셔서
아비와 자식으로 하여금 정을 끊게 하는구나.

심소저가 그 글을 품에 품고 눈물로 이별하니 차마 보지 못할 지경이었다. 심청이 돌아와서 아버지께 하직하니 심 봉사가 붙들고 뒹굴며 괴로워하여,

"네가 날 죽이고 가지 그저는 못 가리라. 날 데리고 가거라. 네 혼자는 못 가리라."

심청이 아버지를 위로하기를,

"부자간 천륜을 끊고 싶어 끊사오며 죽고 싶어 죽겠습니까마는, ⓒ액운이 막혀 있고 생사가 때가 있어 하느님이 하신 일이니 한탄한들 어찌하겠어요? ⓔ인정으로 할 양이면 떠날 날이 없을 것입니다."

하고 저의 아버지를 동네 사람에게 붙들게 하고 뱃사람들을 따라갈 제, 소리 내어 울며 치마끈 졸라매고 치마폭 거듬거듬 안고 흐트러진 머리털은 두 귀 밑에 늘어지고 비같이 흐르는 눈물 옷깃을 적신다. 엎더지며 자빠지며 붙들어 나갈 제 건넛집 바라보며,

"아무개네 큰아가, 바느질 수놓기를 뉘와 함께 하려느냐, 작년 오월 단옷날에 그네 뛰고 놀던 일을 네가 행여 생각하느냐? 아무개네 작은아가, 금년 칠월 칠석 밤에 함께 기원하자더니 이제는 허사로다. 언제나 다시 보랴. 너희는 팔자 좋아 양친 모시고 잘 있거라."

동네 남녀노소 없이 눈이 붓도록 서로 붙들고 울다가 마을 어귀에서 서로 손을 놓고 헤어졌다.

그때 하느님이 아시던지 밝은 해는 어디 가고 어두침침한 구름이 자욱하며 청산이 찡그리는 듯, 강물 소리 흐느끼고, 휘늘어져 곱던 꽃은 시들어 제빛을 잃은 듯하고, 하늘거리는 버들가지도 졸 듯이 휘늘어졌고, 복사꽃은 다정하여 슬픈 듯이 피어 있다.

'묻노라 저 꾀꼬리, 뉘를 이별하였길래 벗을 불러 울어대고, 뜻밖에 두견이는 피를 내어 우는구나. 달 밝은 너른 산을 어디 두고 애끓는 슬픈 소리 울어서 보내느냐. 네 아무리 가지 위에서 가지 말라 울건마는 값을 받고 팔린 몸이 다시 어찌 돌아올까.'

바람에 날린 꽃이 얼굴에 와 부딪치니 꽃을 들고 바라보며,

"봄바람이 사람 마음 알아주지 못한다면 무슨 까닭으로 지는 꽃을 보내리오, 한무제 수양 공주 매화 비녀 있건마는 죽으러 가는 몸이 뉘를 위해 단장하리. 앞산에 지는 꽃이 지고 싶어 지랴마는 마지못한 일이러니 누구를 탓하고 누구를 원망하리오."

ⓗ한 걸음에 돌아보며 두 걸음에 눈물지며 강머리에 다다르니, 뱃머리에 판자 깔고 심청이를 인도하여 빗장 안에 실은 후에 닻을 감고 돛을 달아 여러 뱃사람들이 소리를 한다.

"어기야, 어기야, 어기양, 어기양."

소리를 하며 북을 둥둥 울리면서 노를 저어 배질하며 물결에 배를 띄워 떠나간다.

– 작자미상, 「심청전」 –

36 〈보기〉를 바탕으로 윗글을 감상한 내용으로 적절하지 <u>않은</u> 것은?

┤ 보기 ├

　'심청전'에는 주인공 심청과 대립하는 적대적 인물이 등장하지 않고, 희생과 보상의 관계를 통해 서사 구조가 형성되고 있다. 이러한 서사 구조에서 희생 자체는 갈등의 결과인 경우가 많으며, 이 희생이 갈등을 유발하기도 한다. 따라서 보상은 희생 자체에 대한 보상임과 동시에 희생으로 인해 유발된 갈등의 해소를 의미하기도 한다. 절대적 궁핍이라는 현실의 가혹함과 그 극복 과정을 희생과 보상을 통해 보여 줌으로써 독자들의 흥미를 유발하고 있다.

① 뱃사람들은 심청을 제물로 샀지만 심 봉사를 위해 살림을 마련해주는 등 배려를 하고 있으므로 적대적 인물은 아니군.
② 심청은 사당에 하직 인사를 하며 자신의 희생이 조상에 대한 불효로 이어지게 된 것에 대해 심리적 갈등을 드러내고 있군.
③ 심 봉사는 경제적으로 무능력한 인물로 스스로 공양미 삼백 석을 마련하지 못하고 심청의 희생을 통해서 보상을 받고 있군.
④ 장 승상 댁 부인은 심청의 효에 감동하여 글을 써 보상함으로써 심청이가 갖고 있는 아버지에 대한 갈등을 해소시키고 있군.
⑤ 심청이 뱃사람들에게 몸을 파는 자기희생은 경제적으로 궁핍한 삶 속에서도 아버지가 눈뜨기를 바라는 내적 갈등의 결과로 볼 수 있군.

37 〈보기〉는 윗글의 배경 설화이다. 윗글과 〈보기〉를 비교한 내용으로 적절하지 <u>않은</u> 것은?

┤ 보기 ├

　신라 때 연권(連權)의 딸 지은은 어려서 아버지를 여의고 홀로 어머니를 봉양하여 서른두 살이 되도록 출가도 하지 않았다. 집이 가난하여 때로는 품팔이도 하고 밥을 빌어오기도 하다가, 끝내 부잣집을 찾아가 스스로 종이 되어 쌀 십여 석을 얻어 두었다. 그리고 종일토록 그 집에서 일하다가 저녁이면 밥을 지어 가지고 와서 어머니를 봉양하였다. 며칠 후 어머니가 이 사실을 알고 목 놓아 울자 딸도 따라 울어 두 모녀의 슬픔이 지나가는 나그네를 감동케 하였다. 마침 이 장면을 목격한 화랑 효종랑(孝宗郎)이 지은의 효성에 감탄하여 곡식 백 섬과 의복 등을 보내 주었고, 또 매주(買主)에게 변상하여 지은을 좋은 사람에게 시집가게 하였다.

　　　　　　　　　　　　　　　　　　　　　　　　　　　　　　　　　– 효녀 지은 설화 –

① 윗글의 '심청'과 달리 〈보기〉의 '지은'은 홀로 남게 된 부모와 이별하는 고통은 겪고 있지 않다.
② 윗글의 '심청'과 〈보기〉의 '지은' 모두 어렸을 때 부모 중 하나를 잃고 홀로 남은 부모를 봉양한다.
③ 윗글의 '심청'과 달리 〈보기〉의 지은은 다른 사람의 경제적 도움을 받고 종이라는 신세에서 벗어난다.
④ 〈보기〉의 '지은'과 달리 윗글의 '심청'은 뱃사람들의 도움으로 효를 실천하려는 소극적 자세를 지니고 있다.
⑤ 〈보기〉의 '지은'과 달리 윗글의 '심청'은 맹인 아버지와 인당수 재물이라는 보다 극단적인 상황에 처해 있다.

38 〈보기〉를 바탕으로 윗글을 이해한 내용으로 적절하지 <u>않은</u> 것은?

┤ 보기 ├

　　갑오개혁 이전까지의 소설을 고전 소설이라고 하는데, 일반적으로 고전 소설이 갖는 특징이 있다. 주로 권선징악적 주제와 추보식 구성으로 사건이 전개되고 있으며, 재자가인형 주인공이 많다. 주인공을 비롯한 등장 인물들은 대부분 개성적이기보다 평면적이고 전형적이다. 또한 사건이 필연적인 상황이나 원인과 관련 없이 우연하게 발생하고, 비현실적 배경과 함께 전기성(傳奇性)을 띠는 경우가 많다.

① 심청이의 글 솜씨가 뛰어난 것은 재자가인형 주인공의 특징이라고 볼 수 있다.
② 산 사람을 제물로 바치는 뱃사람들의 행동은 전기성을 띠고 있다고 볼 수 있다.
③ 심봉사는 심청이가 어렸을 때부터 변함없이 딸을 사랑하는 평면적 인물이라고 볼 수 있다.
④ 심청이 심봉사에게 이별을 고하고 뱃사람들과 떠나는 과정이 추보식 구성에 의해 전개되고 있다.
⑤ 심청이는 죽음을 앞둔 상황에서도 혼자 남게 될 아버지를 걱정하는 효녀의 전형적 인물이라고 볼 수 있다.

39 ㉠~㉤에 대한 설명으로 가장 적절한 것은?

① ㉠ : 심 봉사는 심청이가 사실대로 말하길 바라는 마음을 드러내고 있다.
② ㉡ : 심 봉사는 사람을 제물로 바치는 뱃사람들의 팔자를 풍자하고 있다.
③ ㉢ : 장 승상 댁 부인은 상황을 미리 알리지 않은 심청에게 서운함을 느끼고 있다.
④ ㉣ : 심청은 인당수 제물이 되는 것이 스스로 희망한 것임을 강조하고 있다.
⑤ ㉤ : 뱃사람들은 심청 부녀의 이별에 안타까워하며 미련을 느끼고 있다.

40 윗글에 대한 적절한 내용만을 〈보기〉에서 있는 대로 고른 것은?

┤ 보기 ├

ㄱ. 율문 투의 문장이 사용되어 판소리의 특성이 나타나고 있다.
ㄴ. 작품 안에 위치한 서술자가 사건에 대해 자신의 견해를 밝히고 있다.
ㄷ. 상황에 어울리는 중국 고사와 사자성어를 통해 인물의 처지가 드러나고 있다.
ㄹ. 시가 삽입되어 인물이 처한 상황과 그에 따른 정서가 간접적으로 드러나고 있다.

① ㄱ, ㄴ　　　② ㄱ, ㄷ　　　③ ㄷ, ㄹ　　　④ ㄱ, ㄴ, ㄷ　　　⑤ ㄱ, ㄷ, ㄹ

41 ⓐ~ⓔ에 대한 뜻으로 적절하지 않은 것은?

① ⓐ : 부모와 자식 간에 하늘의 인연으로 정하여져 있는 사이.

② ⓑ : 지은 죄의 앙갚음으로 받는 재앙.

③ ⓒ : 일이 잘 되도록 여러 가지로 힘씀.

④ ⓓ : 죽은 뒤에라도 은혜를 잊지 않고 갚음을 이르는 말.

⑤ ⓔ : 여러 일이 잘 풀리게 될 운수.

[42~45] 다음 글을 읽고 물음에 답하시오.

그날 밤에 꿈을 꾸었는데, 부자간은 천륜지간(天倫之間)이라 꿈에 미리 보여 주는 바가 있었다.

"아가 아가, 이상한 일도 있더구나. 간밤에 꿈을 꾸니, 네가 큰 수레를 타고 한없이 가 보이더구나. ㉠수레라 하는 것이 귀한 사람이 타는 것인데 우리 집에 무슨 좋은 일이 있을란가 보다. 그렇지 않으면 장 승상 댁에서 가마 태워 갈란가 보다."

심청이는 저 죽을 꿈인 줄 짐작하고 둘러대기를,

"그 꿈 참 좋습니다."

하고 진짓상을 물려 내고 담배 태워 드린 뒤에 밥상을 앞에 놓고 먹으려 하니 간장이 썩는 눈물은 눈에서 솟아나고, 아버지 신세 생각하며 저 죽을 일 생각하니 정신이 아득하고 몸이 떨려 밥을 먹지 못하고 물렸다.

〈중략〉

"제가 못난 딸자식으로 아버지를 속였어요. 공양미 삼백 석을 누가 저에게 주겠어요. 남경 뱃사람들에게 인당수 제물로 몸을 팔아 오늘이 떠나는 날이니 저를 마지막 보셔요."

심 봉사가 이 말을 듣고,

"참말이냐, 참말이냐? 애고 애고, 이게 웬 말인고? 못 가리라, 못 가리라. 네가 날더러 묻지도 않고 네 마음대로 한단 말이냐? 네가 살고 내가 눈을 뜨면 그는 마땅히 할 일이나, 자식 죽여 눈을 뜬들 그게 차마 할 일이냐? 너의 어머니 늦게 야 너를 낳고 초이레 안에 죽은 뒤에, 눈 어두운 늙은 것이 품 안에 너를 안고 이집 저집 다니면서 구차한 말 해 가면서 동 냥젖 얻어 먹여 이만치 자랐는데, 내 아무리 눈 어두우나 너를 눈으로 알고, 너의 어머니 죽은 뒤에 걱정 없이 살았더니 이 말이 무슨 말이냐? 마라 마라, 못 하리라. 아내 죽고 자식 잃고 내 살아서 무엇하리? 너하고 나하고 함께 죽자. 눈을 팔아 너를 살 터에 너를 팔아 눈을 뜬들 무엇을 보려고 눈를 뜨리?

㉡어떤 놈의 팔자길래 사궁지수(四窮之首) 된단 말이냐? 네 이놈 상놈들아! 장사도 좋지마는 사람 사다 제사하는 데 어 디서 보았느냐? ㉢하느님의 어지심과 귀신의 밝은 마음 앙화가 없겠느냐? 눈먼 놈의 무남독녀 철모르는 어린아이 나 모 르게 유인하여 값을 주고 산단 말이냐? 돈도 싫고 쌀도 싫다, 네 이놈 상놈들아.

〈중략〉

"네 이 무상한 사람아. 나는 너를 자식으로 알았는데 너는 나를 어미같이 알지를 않는구나. 쌀 삼백 석에 몸이 팔려 죽으러 간다 하니 효성이 지극하다마는, 네가 살아 세상에 있어 하는 것만 같겠느냐? 나와 의논했더라면 진작 주선해 주었지. 쌀 삼백 석을 이제라도 다시 내어 줄 것이니 뱃사람들 도로 주고 당치않은 말 다시 말라."

하시니 심 소저가 여쭈었다.

"당초에 말씀 못 드린 것을 이제야 후회한들 무엇하겠습니까? ㉣또 한 부모를 위해 공을 드릴 양이면 어찌 남의 명분 없는 재물을 바라며, 쌀 삼백 석을 도로 내어 주면 뱃사람들 일이 낭패이니 그도 또한 어렵고, 남에게 몸을 허락하여 약속을 정한 뒤에 다시 약속을 어기면 못난 사람들 하는 짓이니, 그 말씀을 따르지 못하겠습니다. 하물며 값을 받고 몇 달이 지난 뒤에 차마 어찌 낯을 들어 무슨 말을 하겠습니까? 부인의 하늘같은 은혜와 착하신 말씀은 저승으로 돌아가서 결초보은(結草報恩)하겠습니다."

하고 눈물이 옷깃을 적시니, 부인이 다시 보니 엄숙한지라, 하릴없이 다시 말리지 못하고 놓지도 못했다. 심소저가 울며 여쭙기를,

"부인은 전생에 나의 부모라. 어느 날에 다시 모시겠요? 글 한 수를 지어 정을 표하오니 보시면 아실 것입니다."

부인이 반기어 종이와 붓을 내어 주니 붓을 들고 글을 쓸 제, 눈물이 비가 되어 점점이 떨어지니 ㉤송이송이 꽃이 되어 그림 족자였다. 안방에 걸고 보니 그 글은 이러했다.

생기사귀일몽간(生寄死歸一夢間)에
견정하필루잠잠(牽情何必淚潛潛)이랴마는
세간(世間)에 최유단장처(最有斷腸處)하니
초록강남인미환(草綠江南人未還)을

이 글 뜻은,
　┌ 사람의 죽고 사는 게 한 꿈속이니
　│ 정에 끌려 어찌 굳이 눈물을 흘리랴마는
[A]│ 세간에 가장 애끓는 곳이 있으니
　└ 풀 돋는 강남에 사람이 돌아오지 못하는 일이라.

－ 작자미상, 「심청전」 －

42 위 글에 대한 설명으로 적절하지 <u>않은</u> 것은?

① 대화체의 사용을 통해 장면을 극대화하고 있다.

② 작품 밖의 서술자가 작품 속에서 자신의 목소리를 드러내고 있다.

③ 인물의 말을 통해 심리를 드러내고 사건의 전개에 속도감을 더한다.

④ 율문체가 사용된 문장을 통해 판소리가 정착된 소설의 특징을 엿볼 수 있다.

⑤ 인신공양(人身供養)의 풍습, 사람 목숨의 경제적 가치가 구체적으로 드러난다는 점에서 현실적, 세속적 성격을 보여준다.

43 〈보기〉를 바탕으로 위 글의 등장인물들의 생각과 대응 방식을 설명한 내용으로 적절한 것은?

┤ 보기 ├

　　원판본은 경판본보다 훨씬 더 많은 등장인물과 사건을 담고 있다. 이 가운데 장 승상 댁 부인은 심청에게 양녀가 될 것을 제안하고, 또 심청이 죽음으로 효를 실현하는 것을 반대한다. 즉, 장 승상 댁 부인은 심청이 추구하는 유교적 관념에 이의를 제기하고 현실적 해결 방법을 내놓는 인물인 것이다. 이러한 점에서 완판본은 유교적 효를 지켜야 할 규범으로 받아들이고 있으나, 한편으로 당대 현실을 회의하고 비판적으로 바라본다고 할 수 있다.

① 장 승상 댁 부인은 당시 사람들의 지배적인 가치관을 드러내기 위해 구현한 인물이다.
② 장 승상 댁 부인은 심청이 죽음으로 효를 실천하는 것을 반대하지만 이내 운명으로 받아들인다.
③ 심 봉사, 장 승상 댁 부인에 대한 심청의 태도는 당시의 지배적인 가치관에 충실한 인물의 전형을 보여준다.
④ 장 승상 댁 부인은 절대적인 효 관념에 회의를 품고 있지만 심청의 결연한 의지로 인해 이를 드러내지 못하고 있다.
⑤ 심청은 장 승상 댁 부인의 간곡한 만류와 현실적 제안에 감복하지만 이를 받아들일 수 없는 자신의 운명을 원망하고 있다.

44 ㉠~㉤에 대한 설명으로 적절한 것은?

① ㉠ : 불행한 상황에서도 긍정적으로 생각하는 심 봉사의 낙천적 성격을 알 수 있는 부분이다.
② ㉡ : 심 봉사가 '사궁(四窮)'에 모두 해당되는 자신의 신세를 한탄하는 부분이다.
③ ㉢ : 자신으로 인해 심청이가 죽게 되었다고 생각하며 스스로를 책망하는 부분이다.
④ ㉣ : 심청이 명분 없는 도움으로 자신의 마음을 어지럽히는 장 승상 댁 부인과 맞서는 부분이다.
⑤ ㉤ : 비유적 표현으로 심청의 절절한 슬픔을 드러낸 부분이다.

45 〈보기〉는 [A]에 대한 장 승상 댁 부인의 답시이다. 두 시에 대한 설명으로 적절하지 않은 것은?

┤ 보기 ├

난데없는 비바람 어두운 밤에 불어오니
아름다운 꽃 날려서 뉘 집 문에 떨어지나
인간의 귀양살이 하늘이 정하셔서
아비와 자식으로 하여금 정을 끊게 하는구나.

① 두 시 모두 비유적 표현을 사용하고 있다.
② 두 시의 내용은 모두 심청과 장 승상 댁 부인의 이별을 나타내고 있다.
③ 두 시 모두 인물의 심리를 드러내며 작품에 애상적인 분위기를 더한다.
④ 두 시에서 모두 심청의 죽음을 맞이하는 부분이 드러나며, [A]의 '사람'과 〈보기〉의 '아름다운 꽃'은 심청을 의미한다.
⑤ [A]에서는 설의적 표현이, 〈보기〉에서는 영탄적 표현이 나타난다.

[46~50] 다음 글을 읽고 물음에 답하시오.

"제가 못난 딸자식으로 아버지를 속였어요. 공양미 삼백석을 누가 저에게 주겠어요. 남경 뱃사람들에게 인당수 제물로 몸을 팔아 오늘이 떠나는 날이니 저를 마지막 보셔요."

심 봉사가 이 말을 듣고,

㉮ "참말이냐, 참말이냐? 애고 애고, 이게 웬 말인고? 못 가리라, 못 가리라. 네가 날더러 묻지도 않고 네 마음대로 한단 말이냐? 네가 살고 내가 눈을 뜨면 그는 마땅히 할 일이나, 자식 죽여 눈을 뜬들 그게 차마 할 일이냐? 너의 어머니 늦게야 너를 낳고 초이레 안에 죽은 뒤에, 눈 어두운 늙은 것이 품안에 너를 안고 이집 저집 다니면서 구차한 말 해 가면서 동냥젖 얻어 먹여 이만치 자랐는데, 내 아무리 눈 어두우나 너를 눈으로 알고, 너의 어머니 죽은 뒤에 걱정 없이 살았더니 이 말이 무슨 말이냐? 마라 마라, 못 하리라. 아내 죽고 자식 잃고 내 살아서 무엇하리? 너하고 나하고 함께 죽자. 눈을 팔아 너를 살 터에 너를 팔아 눈을 뜬들 무엇을 보려고 눈를 뜨리? / 어떤 놈의 팔자길래 사궁지수(四窮之首) 된단 말이냐? 네 이놈 상놈들아! 장사도 좋지마는 사람 사다 제사하는 데 어디서 보았느냐? 하느님의 어지심과 귀신의 밝은 마음 앙화가 없겠느냐? 눈먼 놈의 무남독녀 철모르는 어린아이 나 모르게 유인하여 값을 주고 산단 말이냐? 돈도 싫고 쌀도 싫다, 네 이놈 상놈들아. / 옛글을 모르느냐? 칠년대한(七年大旱) 가물 적에 사람으로 빌라 하니 탕임금 어지신 말씀, '내가 지금 비는 바는 사람을 위함인데 사람 죽여 빌 양이면 내 몸으로 대신하리라.' 몸소 희생되어 몸을 정히 하여 상임 뜰에 빌었더니 수천 리 너른 땅에 큰 비가 내렸느니라. 이런 일도 있었으니 내 몸으로 대신 감이 어떠하냐? 여보시오 동네 사람, 저런 놈들을 그저 두고 보오?"

심청이 아버지를 붙들고 울며 위로하기를,

"아버지 할 수 없어요. 저는 이미 죽지마는 아버지는 눈을 떠서 밝은 세상 보시고, 착한 사람 구하셔서 아들 낳고 딸을 낳아 후사나 전하고, 못난 딸자식은 생각지 마시고 오래오래 평안히 계십시오. 이도 또한 천명이니 후회한들 어찌하겠어요?" 〈중략〉

구별을 다 짓고 나서 심 소저를 가자 할 때, 무릉촌 장 승상 댁 부인이 그제야 이 말을 듣고 급히 시비를 보내어 심 소저를 부르기에, 소저가 시비를 따라가니 승상 부인이 문밖에 내달아 소저의 손을 잡고 울며 말했다.

"네 이 무상한 사람아. 나는 너를 자식으로 알았는데 너는 나를 어미같이 알지를 않는구나. ㉠쌀 삼백 석에 몸이 팔려 죽으러 간다 하니 효성이 지극하다마는, 네가 살아 세상에 있어 하는 것만 같겠느냐? 나와 의논했더라면 진작 주선해주었지. 쌀 삼백 석을 이제라도 다시 내어 줄 것이니 뱃사람들 도로 주고 당치않은 말 다시 말라." / 하시니 심 소저가 여쭈었다. / "당초에 말씀 못 드린 것을 이제야 후회한들 무엇하겠습니까? 또 ㉡한 부모를 위해 공을 드릴 양이면 어찌 남의 명분 없는 재물을 바라며, 쌀 삼백 석을 도로 내어 주면 뱃사람들 일이 낭패이니 그도 또한 어렵고, 남에게 몸을 허락하여 약속을 정한 뒤에 다시 약속을 어기면 못난 사람들 하는 짓이니, 그 말씀을 따르지 못하겠습니다. 하물며 값을 받고 몇 달이 지난 뒤에 차마 어찌 낯을 들어 무슨 말을 하겠습니까? 부인의 하늘 같은 은혜와 착하신 말씀은 저승으로 돌아가서 ____㉢____ 하겠습니다." 〈중략〉

"부인은 전생에 나의 부모라. 어느 날에 다시 모시겠어요? 글 한 수를 지어 정을 표하오니 보시면 아실 것입니다."

부인이 반기어 종이와 붓을 내어 주니 붓을 들고 글을 쓸 제, 눈물이 비가 되어 점점이 떨어지니 송이송이 꽃이 되어 그림 족자였다. 안방에 걸고 보니 그 글은 이러했다. 〈중략〉

이 글 뜻은,

㉣사람의 죽고 사는 게 한 꿈속이니

정에 끌려 어찌 굳이 눈물을 흘리랴마는

세간에 가장 애끊는 곳이 있으니

풀 돋는 강남에 사람이 돌아오지 못하는 일이라.

부인이 여러 번 붙들다가 글 짓는 것을 보시고,

"너는 과연 세상 사람 아니로다. 글은 진실로 선녀로다. 분명 인간의 인연이 다하여 상제께서 부르시니 네 어이 피할소냐. 내 또 한 이 운에 맞추어 글을 지으리라."

하고 글을 써 주었다. 〈중략〉

이 글 뜻은 이러하다.

난데없는 비바람 어둔 밤에 불어오니

아름다운 꽃 날려서 뉘 집 문에 떨어지나

인간의 귀양살이 하늘이 정하셔서

아비와 자식으로 하여금 정을 끊게 하는구나.

심소저가 그 글을 품에 품고 눈물로 이별하니 차마 보지 못할 지경이었다. 심청이 돌아와서 아버지께 하직하니 심 봉사가 붙들고 뒹굴며 괴로워하여,

"네가 날 죽이고 가지 그저는 못 가리라. 날 데리고 가거라. 네 혼자는 못 가리라."

심청이 아버지를 위로하기를,

⑩"부자간 천륜을 끊고 싶어 끊사오며 죽고 싶어 죽겠습니까마는, 액운이 막혀 있고 생사가 때가 있어 하느님이 하신 일이니 한탄한들 어찌하겠어요? 인정으로 할 양이면 떠날 날이 없을 것입니다."

하고 저의 아버지를 동네 사람에게 붙들게 하고 뱃사람들을 따라갈 제, 소리 내어 울며 치마끈 졸라매고 치마폭 거듭거듭 안고 흐트러진 머리털은 두 귀 밑에 늘어지고 비같이 흐르는 눈물 옷깃을 적신다. 엎더지며 자빠지며 붙들어 나갈 제 건넛집 바라보며,

"아무개네 큰아가, 바느질 수놓기를 뉘와 함께 하려느냐, 작년 오월 단옷날에 그네 뛰고 놀던 일을 네가 행여 생각하느냐? 아무개네 작은아가, 금년 칠월 칠석 밤에 함께 기원하자더니 이제는 허사로다. 언제나 다시 보랴. 너희는 팔자 좋아 양친 모시고 잘 있거라."

동네 남녀노소 없이 눈이 붓도록 서로 붙들고 울다가 마을 어귀에서 서로 손을 놓고 헤어졌다. 그때 하느님이 아시던지 밝은 해는 어디 가고 어두침침한 구름이 자욱하며 청산이 찡그리는 듯, 강물 소리 흐느끼고, 휘늘어져 곱던 꽃은 시들어 제빛을 잃은 듯하고, 하늘거리는 버들가지도 졸 듯이 휘늘어졌고, 복사꽃은 다정하여 슬픈 듯이 피어 있다.

'묻노라 저 꾀꼬리, 뉘를 이별하였길래 벗을 불러 울어대고, 뜻밖에 두견이는 피를 내어 우는구나. 달 밝은 너른 산을 어디 두고 애끊는 슬픈 소리 울어서 보내느냐. 네 아무리 가지 위에서 가지 말라 울건마는 값을 받고 팔린 몸이 다시 어찌 돌아올까.'

바람에 날린 꽃이 얼굴에 와 부딪치니 꽃을 들고 바라보며,

"봄바람이 사람 마음 알아주지 못한다면 무슨 까닭으로 지는 꽃을 보내리오, 한무제 수양 공주 매화 비녀 있건마는 죽으러 가는 몸이 뉘를 위해 단장하리. 앞산에 지는 꽃이 지고 싶어 지랴마는 마지못한 일이러니 누구를 탓하고 누구를 원망하리오."

한 걸음에 돌아보며 두 걸음에 눈물지며 강머리에 다다르니, 뱃머리에 판자 깔고 심청이를 인도하여 빗장 안에 실은 후에 닻을 감고 돛을 달아 여러 뱃사람들이 소리를 한다,

"어기야, 어기야, 어기야, 어기양."

소리를 하며 북을 둥둥 울리면서 노를 저어 배질하며 물결에 배를 띄워 떠나간다.

– 작자미상, 「심청전」 –

46 ㉮에 대한 설명으로 가장 적절하지 **않은** 것은?

① 중국의 고사를 인용하여 인물의 상황을 드러내고 있다.
② 대구와 설의적 표현을 통해 인물의 심리를 강조하여 나타내고 있다.
③ 구어적 표현과 운문체를 사용하여 생동감과 운율을 부여하고 있다.
④ 판소리계 소설의 특징이 드러나는 부분으로 서술자의 개입이 두드러진다.
⑤ 요약적 제시를 통해 심청이에 대한 강한 부성애를 드러내고 있다.

47 ㉠~㉤에 대한 설명으로 가장 적절하지 **않은** 것은?

① ㉠ : 효성보다 사람의 목숨이 소중함을 이유로 들어 심청이를 만류하고 있다.
② ㉡ : 심청이의 염치있고 현학적인 모습이 드러난다.
③ ㉢ : 빈칸에 해당하는 사자성어는 결초보은(結草報恩)이다.
④ ㉣ : 심청이의 글에 나타난 주된 정서는 체념과 슬픔이다.
⑤ ㉤ : 주어진 운명에 순응하는 심청이의 인생관이 드러난다.

48 〈보기〉를 참고하여 이 작품이 널리 읽히던 시대에 퍼져 있던 가치관을 파악한 것으로 가장 적절한 것은?

> ┤ 보기 ├
>
> 심 봉사는 두 판본에서 성격이 아주 다른 인물로 나타난다. 경판본의 심 봉사는 한결같이 유교적 이념에 충실한 인물이지만, 완판본의 심 봉사는 훨씬 세속적이고 현실주의적인 인물로 나타난다. 이러한 점에서 완판본은 유교적 효를 지켜야 할 규범으로 받아들이고는 있으나, 한편으로 당대 현실을 회의하고 비판적으로 바라본다고 할 수 있다.

① 당대 현실에서는 유교적 가치관의 충실한 실현만이 유일하게 인정받았다.
② 가문과 지역의 성향에 따라 유교적 이념의 실현 여부를 판단하는 것을 중요시했다.
③ 유교적 엄숙성과 숙명론적 운명관에 지배된 당대 이념이 점차 사람들의 반발을 일으켜 아예 사라질 위기에 처해졌다.
④ 각 개인의 처한 상황에 따라 유교적 이념에 충실하기도, 유교적 이념을 거부하기도 하였다.
⑤ 유교적 가치관을 따르는 것이 우세하였으나 이에 대한 회의와 비판도 공존하였다.

49 다음은 고전 소설에서 자주 나타나는 사건 전개 방식이 이 작품에서 어떻게 나타나는지 정리한 것이다. 가장 적절하지 <u>않은</u> 것은?

주인공의 탄생부터 죽음까지의 일생을 다룸.	ⓐ'심청이의 출생-고난 과정-행복한 결말'의 구조를 가짐. ⓑ다만 심청이가 제물이 된다는 점에서 신화적 요소를 가지고 있다고 할 수 있음.
착한 주인공이 어려움을 극복하고 복을 받는 내용으로 끝남.	ⓒ심청이는 가난한 형편에도 앞을 못 보는 아버지를 극진하게 모시고, 아버지를 위해 죽음까지 선택함. 그러나 이후 ⓓ연꽃으로 환생하여 황후가 되고, 아버지와 재회한 후 아버지가 눈을 뜨게 되는 내용으로 행복하게 끝남.
비현실적인 사건이나 상황이 전개됨.	ⓔ물에 빠진 심청이가 용궁에 가서 죽은 어머니와 만나는 부분이나, 연꽃 속에 들어가 다시 환생하는 부분 등 비현실적인 상황이 전개됨.

① ⓐ　　　　② ⓑ　　　　③ ⓒ　　　　④ ⓓ　　　　⑤ ⓔ

50 위 글에 나타난 '심청'의 정서와 가장 가까운 것은?

① 청산(靑山)은 엇뎨하야 만고(萬古)애 프르르며,
　유수(流水)난 엇뎨하야 주야(晝夜)애 긋디 아니난고
　우리도 그치디 마라 만고상청(萬古常靑)호리라.

② 추강(秋江)에 밤이 드니 물결이 ᄎ노매라
　낙시 드리치니 고기 아니 무노매라
　무심(無心)ᄒ 달빗만 싣고 빈 배 저어 오노매라

③ 방 안에 혓는 촉불 눌과 이별하엿관대
　눈물을 흘니면서 속 타는 줄 모르는고
　우리도 저 촉불 갓도다 속 타는 줄 모로노라

④ 잔 들고 혼자 앉아 먼 뫼흘 바라보니
　그리던 님이 오다 반가옴이 이러하랴
　말삼도 우움도 아녀도 몯내 됴하 하노라

⑤ 지당(池塘)에 비 뿌리고 양류(楊柳)에 내 끼일 때
　사공(沙工)은 어듸 가고 빈 배만 매엿는고
　석양(夕陽)에 짝 일흔 굴매기는 오락가락 ᄒ노매

[01~13] 다음 글을 읽고 물음에 답하시오.

(가) 심청이 들어와 눈물로 밥을 지어 아버지께 올리고, 상머리에 마주앉아 아무쪼록 진지 많이 잡수시게 하느라고 자반도 떼어 입에 넣어 드리고 김쌈도 싸서 수저에 놓으며,

"진지를 많이 잡수셔요." / 심 봉사는 철도 모르고,

"야, 오늘은 반찬이 유난히 좋구나. 뉘 집 제사 지냈느냐?"

그날 밤에 꿈을 꾸었는데, 부자간은 천륜지간(天倫之間)이라 꿈에 미리 보여 주는 바가 있었다.

"아가 아가, 이상한 일도 있더구나. 간밤에 꿈을 꾸니, 네가 큰 수레를 타고 한없이 가 보이더구나. 수레라 하는 것이 귀한 사람이 타는 것인데 우리 집에 무슨 좋은 일이 있을란가 보다. 그렇지 않으면 장 승상 댁에서 가마 태워 갈란가 보다."

심청이는 저 죽을 꿈인 줄 짐작하고 둘러대기를,

"그 꿈 참 좋습니다."

하고 진짓상을 물려 내고 담배 태워 드린 뒤에 밥상을 앞에 놓고 먹으려 하니 간장이 썩는 눈물은 눈에서 솟아나고, 아버지 신세 생각하며 저 죽을 일 생각하니 정신이 아득하고 몸이 떨려 밥을 먹지 못하고 물렸다. 그런 뒤에 심청이 사당에 하직하려고 들어갈 제, 다시 세수하고 사당문을 가만히 열고 하직 인사를 올렸다.

"못난 여손(女孫) 심청이는 아비 눈 뜨기를 위하여 인당수 제물로 몸을 팔려 가오매, 조상 제사를 끊게 되오니 사모하는 마음을 이기지 못하겠습니다."

울며 하직하고 사당문 닫은 뒤에 아버지 앞에 나와 두 손을 부여잡고 기절하니,

심 봉사가 깜짝 놀라,

"아가 아가, 이게 웬일이냐? 정신 차려 말하거라."

심청이 여쭙기를,

"제가 못난 딸자식으로 아버지를 속였어요. 공양미 삼백 석을 누가 저에게 주겠어요. 남경 뱃사람들에게 인당수 제물로 몸을 팔아 오늘이 떠나는 날이니 저를 마지막 보셔요."

(나) 심 봉사가 이 말을 듣고,

"참말이냐, 참말이냐? 애고 애고, 이게 웬말인고? 못 가리라, 못 가리라. 네가 날더러 묻지도 않고 네 마음대로 한단 말이냐? 네가 살고 내가 눈을 뜨면 그는 마땅히 할 일이나, 자식 죽여 눈을 뜬들 그게 차마 할 일이냐? 너의 어머니 늦게야 너를 낳고 초이레 안에 죽은 뒤에, 눈 어두운 늙은 것이 품 안에 너를 안고 이집 저집 다니면서 구차한 말 해 가면서 동냥젖 얻어 먹여 이만치 자랐는데, 내 아무리 눈 어두우나 너를 눈으로 알고, 너의 어머니 죽은 뒤에 걱정 없이 살았더니 이 말이 무슨 말이냐? 마라 마라, 못 하리라. 아내 죽고 자식 잃고 내 살아서 무엇하리? 너하고 나하고 함께 죽자. 눈을 팔아 너를 살 터에 너를 팔아 눈을 뜬들 무엇을 보려고 눈을 뜨리?

어떤 놈의 팔자길래 사궁지수(四窮之首) 된단 말이냐? 네 이놈 상놈들아! 장사도 좋지마는 사람 사다 제사하는 데 어디서 보았느냐? 하느님의 어지심과 귀신의 밝은 마음 앙화가 없겠느냐? 눈 먼 놈의 무남독녀 철모르는 어린아이 나 모르게 유인하여 값을 주고 산단 말이냐? 돈도 싫고 쌀도 싫다, 네 이놈 상놈들아.

옛글을 모르느냐? 칠년대한(七年大旱) 가물 적에 사람으로 빌라 하니 탕임금 어지신 말씀, '내가 지금 비는 바는 사람을 위함인데 사람 죽여 빌 양이면 내 몸으로 대신하리라.' 몸소 희생되어 몸을 정히 하여 상임 뜰에 빌었더니 수천 리 너른 땅에 큰 비가 내렸느니라. 이런 일도 있었으니 내 몸으로 대신 감이 어떠하냐? 여보시오 동네 사람, 저런 놈들을 그저 두고 보오?"

심청이 아버지를 붙들고 울며 위로하기를,

"아버지 할 수 없어요. 저는 이미 죽지마는 아버지는 눈을 떠서 밝은 세상 보시고, 착한 사람 구하셔서 아들 낳고 딸을 낳아 후사나 전하고, 못난 딸자식은 생각지 마시고 오래오래 평안히 계십시오. 이도 또한 ㉣천명이니 후회한들 어찌하겠어요?"

(다) 뱃사람들이 그 딱한 형편을 보고 모여 앉아 공론하기를,

"심 소저의 효성과 심 봉사의 일생 신세 생각하여 봉사님 굶지 않고 헐벗지 않게 한 살림을 꾸며 주면 어떻겠소?"

"그 말이 옳소."

하고 쌀 이백 석과 돈 삼백 냥이며, 무명 삼베 각 한 동씩 마을에 들여 놓고 동네 사람들을 모아 당부하기를,

"쌀 이백 석과 돈 삼백 냥을 착실한 사람 주어 실수 없이 온전하게 늘려 심 봉사에게 바칩시다. 삼백 석 가운데 20석은 올해 양식으로 제하고, 나머지는 해마다 빚을 주어 이자를 받으면 양식이 넉넉할 테고, 무명 삼베로는 사철 의복 장만해 드리기로 하고, 이런 내용을 관청에 공문으로 보내고 마을에도 알립시다."

구별을 다 짓고 나서 심 소저를 가자 할 때, 무릉촌 장승상댁 부인이 그제야 이 말을 듣고 급히 시비를 보내어 심 소저를 부르기에, 소저가 시비를 따라가니 승상 부인이 문밖에 내달아 소저의 손을 잡고 울며 말했다.

"네 이 무상한 사람아. 나는 너를 자식으로 알았는데 너는 나를 어미같이 알지를 않는구나. 쌀 삼백 석에 몸이 팔려 죽으러 간다 하니 효성이 지극하다마는, 네가 살아 세상에 있어 하는 것만 같겠느냐? 나와 의논했더라면 진작 주선해 주었지. 쌀 삼백 석을 이 제라도 다시 내어 줄 것이니 뱃사람들 도로 주고 당치않은 말 다시 말라."

하시니 심 소저가 여쭈었다.

"당초에 말씀 못 드린 것을 이제야 후회한들 무엇하겠습니까? 또 한 부모를 위해 공을 드릴 양이면 어찌 남의 명분 없는 재물을 바라며, 쌀 삼백 석을 도로 내어 주면 뱃사람들 일이 낭패이니 그도 또한 어렵고, 남에게 몸을 허락하여 약속을 정한 뒤에 다시 약속을 어기면 못난 사람들 하는 짓이니, 그 말씀을 따르지 못하겠습니다. 하물며 값을 받고 몇 달이 지난 뒤에 차마 어찌 낯을 들어 무슨 말을 하겠습니까? 부인의 하늘같은 은혜와 착하신 말씀은 저승으로 돌아가서 결초보은(結草報恩)하겠습니다."

하고 눈물이 옷깃을 적시니, 부인이 다시 보니 엄숙한지라, 하릴없이 다시 말리지 못하고 놓지도 못했다.

(라) 심소저가 울며 여쭙기를,

"부인은 전생에 나의 부모라. 어느 날에 다시 모시겠어요? 글 한 수를 지어 정을 표하오니 보시면 아실 것입니다."

부인이 반기어 종이와 붓을 내어 주니 붓을 들고 글을 쓸 제, 눈물이 비가 되어 점점이 떨어지니 송이송이 꽃이 되어 그림 족자였다. 안방에 걸고 보니 그 글은 이러했다.

생기사귀일몽간(生寄死歸一夢間)에
견정하필루잠잠(牽情何必淚潛潛)이랴마는
세간(世間)에 최유단장처(最有斷腸處)하니
초록강남인미환(草綠江南人未還)을

이 글 뜻은,

사람의 죽고 사는 게 한 꿈속이니
정에 끌려 어찌 굳이 눈물을 흘리랴마는
세간에 가장 애끓는 곳이 있으니
풀 돋는 강남에 사람이 돌아오지 못하는 일이라.

부인이 재삼 붙들다가 글 짓는 것을 보시고,

"너는 과연 세상 사람 아니로다. 글은 진실로 선녀로다. 분명 인간의 인연이 다하여 상제께서 부르시니 네 어이 피할소냐. 내 또 한 이 운에 맞추어 글을 지으리라."

하고 글을 써 주었다.

무단풍우야래혼(無端風雨夜來昏)하니
취송명화각하문(吹送名花却何門)고
적거인간천필연(謫居人間天必然)하사
강피부모단정은(强彼父母斷情恩)을

이 글 뜻은 이러하다.
㉠난데없는 비바람 어둔 밤에 불어오니
아름다운 꽃 날려서 뉘 집 문에 떨어지나
인간의 귀양살이 하늘이 정하셔서
아비와 자식으로 하여금 정을 끊게 하는구나.

심소저가 그 글을 품에 품고 눈물로 이별하니 차마 보지 못할 지경이었다.

(마) 심청이 돌아와서 아버지께 하직하니 심 봉사가 붙들고 뒹굴며 괴로워하여,
"네가 날 죽이고 가지 그저는 못 가리라. 날 데리고 가거라. 네 혼자는 못 가리라."
심청이 아버지를 위로하기를,
"부자간 천륜을 끊고 싶어 끊사오며 죽고 싶어 죽겠습니까마는, 액운이 막혀 있고 생사가 때가 있어 하느님이 하신 일이니 한탄한들 어찌하겠어요? 인정으로 할 양이면 떠날 날이 없을 것입니다."
하고 저의 아버지를 동네 사람에게 붙들게 하고 뱃사람들을 따라갈 제, 소리 내어 울며 치마끈 졸라매고 치마폭 거듬거듬 안고 흐트러진 머리털은 두 귀 밑에 늘어지고 비같이 흐르는 눈물 옷깃을 적신다. 엎더지며 자빠지며 붙들어 나갈 제 건넛집 바라보며,
"아무개네 큰아가, 바느질 수놓기를 뉘와 함께 하려느냐, 작년 오월 단옷날에 그네 뛰고 놀던 일을 네가 행여 생각하느냐? 아무개네 작은아가, 금년 칠월 칠석 밤에 함께 기원하자더니 이제는 허사로다. 언제나 다시 보랴. 너희는 팔자 좋아 양친 모시고 잘 있거라."
동네 남녀노소 없이 눈이 붓도록 서로 붙들고 울다가 마을 어귀에서 서로 손을 놓고 헤어졌다. [A]그때 하느님이 아시던지 밝은 해는 어디 가고 어두침침한 구름이 자욱하며 청산이 찡그리는 듯, 강물 소리 흐느끼고, 휘늘어져 곱던 꽃은 시들어 제빛을 잃은 듯하고, 하늘거리는 버들가지도 졸 듯이 휘늘어졌고, 복사꽃은 다정하여 슬픈 듯이 피어 있다.
'묻노라 저 꾀꼬리, 뉘를 이별하였길래 벗을 불러 울어대고, 뜻밖에 두견이는 피를 내어 우는구나. 달밝은 너른 산을 어디 두고 애끊는 슬픈 소리 울어서 보내느냐. 네 아무리 가지 위에서 가지 말라 울건마는 값을 받고 팔린 몸이 다시 어찌 돌아올까.'
바람에 날린 꽃이 얼굴에 와 부딪치니 꽃을 들고 바라보며,
"봄바람이 사람 마음 알아주지 못한다면 무슨 까닭으로 지는 꽃을 보내리오, 한무제 수양 공주 매화 비녀 있건마는 죽으러 가는 몸이 뉘를 위해 단장하리. 앞산에 지는 꽃이 지고 싶어 지랴마는 마지못한 일이러니 누구를 탓하고 누구를 원망하리오."

01 (가)에서 서술자가 작품의 상황에 대해 자신의 견해를 드러낸 편집자적 논평을 찾아 해당 문장의 첫 어절을 쓰시오.

02 (라)에서 '심청에게 닥친 시련'을 의미하는 구절을 찾아 10자 이내로 쓰시오.

03 〈보기〉의 '이것'을 가리키는 문학적 용어를 정확하게 언급하고, 이에 해당하는 문장을 본문에서 찾아 한 문장을 그대로 쓰시오.

┤ 보기 ├

　이것은 고전 소설에 많이 등장하는 것으로, 서술자가 자신의 견해를 밝히거나 소설의 서사 내용에 직접 간여하는 현상을 말한다.

┤ 조건 ├

1. '이것'을 가리키는 문학적 용어 언급
2. 해당 문장을 정확하게 쓰기

04 각 인물에게 (가)의 꿈이 의미하는 바가 무엇인지 서술하시오. (단, 완전한 문장의 형태로 서술할 것.)

(1) 심 봉사 : _____

(2) 심청 : _____

05 다음은 심청전의 전체 줄거리이다. 전체 줄거리를 통해 알 수 있는 고전 소설의 특징을 〈조건〉에 맞추어 서술하시오.

> 화동에 심학규라는 장님이 살고 있었다. 그는 늦은 나이에 딸 심청이를 얻었으나 산후 7일 만에 아내가 죽자 온갖 고생을 하며 딸을 기른다.
>
> 심청이는 자라면서 아버지를 지극 정성으로 봉양한다. 그러던 어느 날 심 봉사는 물에 빠지는 사고를 당하고, 이때 자신을 구해 준 몽운사 화주승에게 공양미 삼백 석을 시주하면 눈을 뜰 수 있다는 말을 듣고 덜컥 시주하겠다고 약속한다. 뒤늦게 이 일을 후회하며 근심하는 아버지를 위해 심청이는 제물로 바칠 처녀를 사러 다니는 남경 뱃사람들에게 공양미 삼백 석을 받고 인당수 제물이 되기로 한다. 아버지와 헤어진 뒤 인당수에 이르러 바다에 몸을 던진 심청이는 용왕에게 구출되어 용궁에서 어머니 곽씨 부인과 재회하고 이후 연꽃 속에 들어가 다시 세상으로 환생한다. 뱃사람들이 그 연꽃을 신기하게 생각해 임금에게 바치고 임금은 그 속에서 나온 심청이를 아내로 맞이한다. 황후가 된 심청이는 아버지를 그리워하여 심 봉사를 다시 만나기 위해 맹인 잔치를 벌인다. 우여곡절을 겪은 끝에 부녀는 재회하고, 심 봉사는 눈을 뜬다.

┤ 조건 ├
- 고전 소설의 특징을 서술할 때, 위 줄거리의 내용을 근거로 제시할 것

06 (다)는 장 승상 댁 부인과 심청의 대화 내용이다. 심청이가 장 승상 댁 부인의 배려를 거절한 이유를 한 가지만 찾아 쓰고, 그 속에서 알 수 있는 심청이의 성격을 서술하시오.

┤ 조건 ├
- 문장은 '(거절 이유)을/를 통해 심청은 (   )성격임을 알 수 있다.'의 형식으로 서술할 것.
- 거절한 이유는 본문에서 한 가지만 찾아 그대로 쓸 것.

07 (라)에서 심청에게 장 승상 댁 부인이 쓴 글에 대해 물음에 답하시오.

(1) (라)에서 '심청'을 의미하는 시 구절을 찾아 쓰시오.

(2) ㉠이 의미하는 것이 무엇인지 〈조건〉에 맞춰 구체적으로 서술하시오.

┤ 조건 ├
- 주어와 서술어를 모두 쓸 것.
- 주어의 구체적인 상황을 포함하여 서술할 것.

08 위 글의 [A]부분에서 두드러지게 드러나는 표현상의 특징을 2어절로 쓰시오.

09 〈보기 1〉은 심청전을 재창작한 가상 작품의 줄거리이다. 이 작품이 심청전을 어떤 방식으로 계승·재창작하고 있는지 〈보기 2〉의 단어를 모두 활용하여 완전한 문장으로 서술하시오.

┤ 보기 1 ├

　　어렸을 때 어머니를 잃은 심청은 아버지 심학규와 함께 사이좋게 살아간다. 하지만 아버지 심학규가 점점 시력을 잃어가면서 두 사람의 생활은 흔들리기 시작하고, 심학규는 자신의 눈을 치료하기 위한 방법을 찾다가 수상쩍은 종교집단의 유혹에 넘어간다. 자신들이 믿는 신이 심학규의 눈을 고쳐줄 것이라 이야기하는 그들의 실체는 비밀리에 인신매매와 장기매매를 자행하고 있는 사이비 종교집단. 갈수록 이상해지는 심학규의 언행에 심청은 아버지를 추적하여 종교집단에서 아버지를 구출하려한다. 하지만 아버지를 구출하는 도중 종교집단에 발각된다. 심청이 아버지를 구출하려는 의도를 알게 된 종교집단은 심학규를 시설에 감금하고, 납치해서 팔아버릴 목적으로 심청을 쫓는다.

　　심청은 도망치다 절벽 아래로 떨어지게 되고, 구사일생으로 목숨을 건진다. 그때 자신을 이미 잘 알고 있는 듯한 수수께끼의 여인을 만나 인간을 초월한 신체, 정신적 능력을 얻게 되고, 홀로 심학규가 감금된 종교집단에 침입하여 적을 모두 처단한 뒤 심학규를 구출한다. 미안하다고 말하는 아버지에게 심청은 이제는 자신이 은혜를 갚겠다며, 아버지가 눈이 멀게 되더라도 자기가 평생 모시겠다고 말한다.

┤ 보기 2 ├

효, 가치관, 현대

10 아버지에 대한 심청이의 마지막 정성을 의미하는 단어를 찾아 쓰시오.

11 〈보기1〉은 조선후기 판소리계 소설의 특징이다. 〈보기2〉를 참고하여 인물의 구체적 행위, 태도 속에 드러난 근대적 민중의식을 〈조건〉에 따라 서술하시오.

---| 보기 1 |---

　　판소리계 소설은 이전의 관념적인 소설들과는 달리 보다 현실적인 경험을 생동감 있게 표현하는 특징을 지닌다. 이는 판소리계 소설이 세속의 모습을 잘 드러낸 작품 군이기 때문이다. 이와 같은 계열의 작품은 어느 특정 작가가 창작한 것이 아니라 판소리와 소설을 향유하는 당시 민중들이 공통으로 창작한 것이라고 볼 수 있다. 즉 설화적 이야기가 전해 내려오고 정착되는 과정에서 민중의 참여에 의해 끊임없이 개작되고 그들의 체험과 소망이 투영되어 온 것이다.

　　판소리계 소설은 경제적 가치관이나 사회 현상이 전면적으로 부각되어 있으며 개인적인 성취와 사회적인 모순 사이에서 갈등이 빚어지는 모습도 그려지고 있다는 점에서 근대로의 이행기에 접어든 조선후기 사회의 모습을 충실히 반영하고 있다고 할 수 있다.

---| 보기 2 |---

　　심학규라는 장님이 늦은 나이에 딸 심청이를 얻었으나 산후 7일 만에 아내가 죽자 온갖 고생을 하며 딸을 기른다. 심청이는 자라면서 아버지를 지극 정성으로 봉양한다. 그러던 어느 날 심 봉사는 물에 빠지는 사고를 당하고, 이때 자신을 구해 준 몽운사 화주승에게 공양미 삼백 석을 시주하면 눈을 뜰 수 있다는 말을 듣고 덜컥 시주하겠다고 약속한다. 뒤늦게 이 일을 후회하며 근심하는 아버지를 위해 심청이는 제물로 바칠 처녀를 사러 다니는 남경 뱃사람들에게 공양미 삼백 석을 받고 인당수 제물이 되기로 한다. 아버지와 헤어진 뒤 인당수에 이르러 바다에 몸을 던진 심청이는 용왕에게 구출되어 용궁에서 어머니 곽씨 부인과 재회하고 이후 연꽃 속에 들어가 다시 세상으로 환생한다. 뱃사람들이 그 연꽃을 신기하게 생각해 임금에게 바치고 임금은 그 속에서 나온 심청이를 아내로 맞이한다. 황후가 된 심청이는 아버지를 그리워하여 심 봉사를 다시 만나기 위해 맹인 잔치를 벌인다. 우여곡절을 겪은 끝에 부녀는 재회하고, 심 봉사는 눈을 뜬다.

---| 조건 |---

1. 심청이나 심 봉사 중 한 명을 선택하여
2. 본문 및 〈보기2〉를 참고하여
3. 그 인물의 태도나 행적을 통해 작품 속에 투영된 근대적 민중의식을 서술할 것.

---| 예시 답 |---

(인물선택) 토끼(이/가)
(행위서술) 간을 두고 왔다는 거짓말로 용왕을 속이는 행동을 통해
(의식서술) 무능력한 집권층에 대한 힘없는 백성의 통렬한 비판을 읽어낼 수 있다.

12 (다)의 밑줄 친 부분에서 드러난 '심청'의 성격을 조건에 맞게 서술하시오.

┤ 조건 ├
- 심청의 성격을 <u>3가지</u>로 구별하여 서술할 것.
- '(A)로 보아 (B) 성격을 지니고 있다'의 형식으로 서술할 것.
- (A)는 본문의 구절에서 찾아 서술할 것.

13 〈보기〉를 읽고 ㉮~㉰에 들어갈 말을 쓰시오.

┤ 보기 ├

　그때 하느님이 아시던지 밝은 해는 어디 가고 어두침침한 구름이 자욱하며 청산이 찡그리는 듯, 강물 소리 흐느끼고, 휘늘어져 곱던 꽃은 시들어 제 빛을 잃은 듯하고, 하늘거리는 버들가지도 졸 듯이 휘늘어졌고, 복사꽃은 다정하여 슬픈 듯이 피어 있다. '묻노라 저 꾀꼬리, 뉘를 이별하였길래 벗을 불러 울어 대고, 뜻밖에 두견이는 피를 내어 우는구나. 달 밝은 너른 산을 어디 두고 애끓는 슬픈 소리 울어서 보내느냐. 네 아무리 가지 위에서 가지 말라 울건마는 값을 받고 팔린 몸이 다시 어찌 돌아올까.'

〈보기〉에 나타난 표현상의 특징은 심청이의 (㉮)을/를 자연물에 (㉯)하여 표현하고 있는 것이다. 그 대상을 모두 나열하면 (㉰)라고 할 수 있다.

┤ 조건 ├
- ㉮, ㉯는 각각 2음절로 쓸 것.

남신의주 유동 박시봉 방*

- 백석 -

「어느 사이에 나는 아내도 없고, 또,
「」: 현실적 문제로 인한 고향 상실과 가족 공동체의 비극

아내와 같이 살던 집도 없어지고,
단란하고 오붓한 가정

그리고 살뜰한 부모며 동생들과도 멀리 떨어져서,
사랑하는 마음이 지극한   가족과 떨어져 있는 화자의 처지

그 어느 바람 세인 쓸쓸한 거리 끝에 헤매이었다.」
'센'을 늘여 쓴 말(시적 허용)

바로 날도 저물어서,

바람은 더욱 세게 불고, 추위는 점점 더해 오는데, △ : 암울한 현실, 시련

나는 어느 목수(木手)네 집 헌 삿*을 깐, □ : 향토적 시어
박시봉

한 방에 들어서 쥔을 붙이었다*.
방 한 칸

이리하여 나는 이 습내 나는 춥고, 누긋한* 방에서,
좋지 않은 환경

낮이나 밤이나 나는 나 혼자도 너무 많은 것같이 생각하며,
자기 몸 하나 건사하기 힘들 정도로 어려운 생활

「딜옹배기*에 북덕불*이라도 담겨 오면,
「」: 화자의 무기력한 모습이 형상화 되어 있음.

이것을 안고 손을 쬐며 재 우에 뜻 없이 글자를 쓰기도 하며,

또 문밖에 나가지두 않구 자리에 누워서,

머리에 손깍지 벼개를 하고 굴기도 하면서,」
뒹굴기도

「」: 지나온 삶에 대한 반성
「나는 내 슬픔이며 어리석음이며를 소처럼 연하여 쌔김질*하는 것이었다.」
회한의 정서   반복적으로 지난 일을 생각함

「내 가슴이 꽉 메어 올 적이며,
「」: 슬픔과 회한을 느끼게 하는 지난 시절

내 눈에 뜨거운 것이 핑 괴일 적이며,
눈물

또 내 스스로 화끈 낯이 붉도록 부끄러울 적이며,」

나는 내 슬픔과 어리석음에 눌리어 죽을 수밖에 없는 것을 느끼는 것이었다.
삶에 대한 절망과 체념

그러나 잠시 뒤에 나는 고개를 들어,
사상의 전환   ◯ : 상승 이미지의 시어 활용 (긍정적 시상)
                    절망 → 희망(화자의 태도 변화)

허연 문창을 바라보든가 또 눈을 떠서 높은 천정을 쳐다보는 것인데,

▶ 가족과 헤어져 떠돌이 생활을 하는 '나'의 외롭고 고단한 삶

▶ 지나온 시절에 대한 회한과 한탄, 암울한 현실에 대한 절망

「: 무기력한 자아와 삶의 불가항력성에 대한 인식

「이때 나는 내 뜻이며 힘으로, 나를 이끌어 가는 것이 힘든 일인 것을 생각하고,
　　무기력한 자아 인식

이것들보다 더 크고, 높은 것이 있어서, 나를 마음대로 굴려 가는 것을 생각하는 것인데,」　▶ 운명에 이끌려 온 삶에 대한 인식
　　　　개인의 의지를 초월하는 존재, 운명　　　　　운명론적 세계관

「이렇게 하여 여러 날이 지나는 동안에,
「」: 운명에 대한 깨달음을 통해 감정이 정화됨

내 어지러운 마음에는 슬픔이며, 한탄이며, 가라앉을 것은 차츰 앙금이 되어 가라앉고,」
　　　　　　　　　　　　마음의 전정, 내면의 안정

외로운 생각이 드는 때쯤 해서는,
　가족에 대한 그리움

더러 나줏손•에 쌀랑쌀랑 싸락눈이 와서 문창을 치기도 하는 때도 있는데,

나는 이런 저녁에는 화로를 더욱 다가 끼며, 무릎을 꿇어 보며,
　　　　　　　　　　　　　　　　　　반성과 성찰의 자세

「어니• 먼 산 뒷옆에 바우 섶•에 따로 외로이 서서,
「」: 추위를 견디는 의지적 모습

어두워 오는데 하이야니 눈을 맞을, 그 마른 잎새에는,

쌀랑쌀랑 소리도 나며 눈을 맞을,」

그 드물다는 굳고 정한 갈매나무•라는 나무를 생각하는 것이었다.　　　▶ 새로운 삶에 대한 의지
　　　　고난을 이겨 내는 의지적 삶의 표상(객관적 상관물)

⊙ 어휘풀이
• **남신의주 유동 박시봉 방** 남신의주(南新義州) 유동(柳洞)이라는 지역에 사는 박시봉(朴時逢)이라는 사람의 집. '방(方)'은 예전에 편지에서 세대주나 집주인의 이름 아래 붙여 그 집에 거처하고 있음을 나타냄.
• **샷** 샷자리. 갈대를 엮어서 만든 자리.
• **쥔을 붙이다** 주인집에 세 들어 살다.
• **누긋하다** 메마르지 않고 좀 눅눅하다.
• **딜옹배기** 질옹배기. 둥글넓적하고 아가리가 벌어진 작은 질그릇.
• **북덕불** 짚이나 풀, 겨 따위가 뒤섞여 엉클어진 뭉텅이에 피운 불.
• **쌔김질** 새김질.
• **나줏손** 저녁 무렵.
• **어니** 어느.
• **바우 섶** 바위 옆.
• **갈매나무** 갈매나뭇과의 낙엽 활엽 관목. 높이는 2~5미터이며, 나무껍질은 연한 잿빛을 띤다.

⊙ 핵심정리

갈래	자유시, 서정시	성격	고백적, 반성적, 의지적
제재	유랑인의 외롭고 무기력한 삶	주제	무기력한 삶에 대한 반성과 새로운 삶에 대한 의지
특징	• 편지 형식을 빌려 화자의 근황을 드러냈다. • 평안도 방언과 향토적인 시어를 사용하여 토속적인 분위기를 형성하였다. • 쉼표(,)의 잦은 활용으로 내재율을 획득하였다. • 산문적 서술을 통해 시상을 전개하였다.		

01 이 시는 자연과 인간의 대비를 통해 풍류를 노래하고 있다. ○☐ ×☐

02 이 시는 시대적 상황을 사실적으로 제시하여 문제의식을 표출하고 있다. ○☐ ×☐

03 이 시는 무기력한 자아에 대한 반성과 내적 번민을 다루고 있다. ○☐ ×☐

04 이 시는 산문적 서술을 통해 시상을 전개하고 있다. ○☐ ×☐

05 이 시는 역설적 표현을 통해 시적 의미를 강조하고 있다. ○☐ ×☐

06 '갈매나무'는 화자와 반대되는 속성을 지닌 대상으로서, 화자의 슬픔을 강조하여 드러낸다. ○☐ ×☐

07 '그러나' 이후로 시상이 전환되며 화자의 정서가 변화하게 된다. ○☐ ×☐

08 '앙금이 되어 가라앉고' 등의 시구를 통해 화자의 운명에 대한 깨달음을 드러내고 있다. ○☐ ×☐

09 '드물다', '굳고 정한'과 같은 화자의 지난 삶을 나타내는 시구를 통해 과거의 삶에 대한 화자의 긍정적 인식을 효과적
으로 드러낸다. ○☐ ×☐

10 화자의 직업은 목수(木手)이다. ○☐ ×☐

11 화자는 적극적인 자세로 불의에 저항한다. ○☐ ×☐

[01~02] 다음 글을 읽고 물음에 답하시오.

어느 사이에 나는 아내도 없고, 또,

아내와 같이 살던 집도 없어지고,

그리고 살뜰한 부모며 동생들과도 멀리 떨어져서,

그 어느 바람 세인 쓸쓸한 거리 끝에 헤매이었다.

바로 날도 저물어서,

바람은 더욱 세게 불고, 추위는 점점 더해 오는데,

나는 어느 목수(木手)네 집 헌 삿을 깐,

한 방에 들어서 쥔을 붙이었다.

이리하여 나는 이 습내 나는 춥고, 누긋한 방에서,

낮이나 밤이나 나는 나 혼자도 너무 많은 것같이 생각하며,

딜옹배기에 ㉠북덕불이라도 담겨 오면,

이것을 안고 손을 쬐며 재 위에 뜻 없이 글자를 쓰기도 하며,

또 문 밖에 나가지두 않구 자리에 누워서,

머리에 손깍지 벼개를 하고 굴기도 하면서,

나는 내 슬픔이며 어리석음이며를 소처럼 연하여 ㉡쌔김질하는 것이었다.

내 가슴이 꽉 메어 올 적이며,

내 눈에 뜨거운 것이 핑 괴일 적이며,

또 내 스스로 화끈 낯이 붉도록 부끄러울 적이며,

나는 내 슬픔과 어리석음에 눌리어 죽을 수밖에 없는 것을 느끼는 것이었다.

그러나 잠시 뒤에 나는 고개를 들어,

허연 문창을 바라보든가 또 눈을 떠서 높은 천정을 쳐다보는 것인데,

이때 나는 내 뜻이며 힘으로, 나를 이끌어 가는 것이 힘든 일인 것을 생각하고,

이것들보다 ㉢더 크고, 높은 것이 있어서, 나를 마음대로 굴려가는 것을 생각하는 것인데,

이렇게 하여 여러 날이 지나는 동안에,

내 어지러운 마음에는 슬픔이며, 한탄이며, 가라앉을 것은 차츰 ㉣앙금이 되어 가라앉고,

외로운 생각만이 드는 때쯤 해서는,

더러 나줏손에 쌀랑쌀랑 싸락눈이 와서 문창을 치기도 하는 때도 있는데,

나는 이런 저녁에는 화로를 더욱 다가 끼며, 무릎을 꿇어 보며,

어느 먼 산 뒷옆에 바우 섶에 따로 외로이 서서,

어두워 오는데 하이야니 눈을 맞을, 그 마른 잎새에는,

쌀랑쌀랑 소리도 나며 눈을 맞을,

그 드물다는 굳고 정한 ㉤갈매나무라는 나무를 생각하는 것이었다.

– 백석, 「남신의주 유동 박시봉 방」 –

---

01 윗글에 대한 설명으로 적절하지 <u>않은</u> 것은?

① 전통적 형식에서 벗어나 시상을 자유롭게 전개하고 있다.

② 모국어의 아름다움을 지키려고 했던 시인의 의지가 반영되어 있다.

③ 편지 형식을 취함으로써 화자의 내면의식과 정서를 독자들에게 효과적으로 전달하고 있다.

④ '하강–상승–하강' 구조로 시상이 전환되면서 새로운 삶에 대한 시인의 의지를 효과적으로 드러내고 있다.

⑤ 쉼표를 사용하여 자신의 내면을 구체적으로 형상화하고 '~이며', '~것이었다.' 등을 통해 운율을 형성하고 있다.

02 ㄱ~ㅁ 중 〈보기〉의 Ⓐ와 함축적 의미가 유사한 것으로 적절한 것은?

┤ 보기 ├

동방은 하늘도 다 끝나고
비 한 방울 나리잖는 그 때에도
오히려 Ⓐ꽃은 빨갛게 피지 않는가.
내 목숨을 꾸며 쉬임 없는 날이여!

– 이육사 「꽃」 中 –

① ㄱ   ② ㄴ   ③ ㄷ   ④ ㄹ   ⑤ ㅁ

[03~04] 다음 글을 읽고 물음에 답하시오.

어느 사이에 나는 아내도 없고, 또,
아내와 같이 살던 집도 없어지고,
그리고 살뜰한 부모며 동생들과도 멀리 떨어져서,
그 어느 바람 세인 쓸쓸한 거리 끝에 헤매이었다.
바로 날도 저물어서,
㉠바람은 더욱 세게 불고, 추위는 점점 더해 오는데,
나는 어느 목수(木手)네 집 헌 삿을 깐,
한 방에 들어서 쥔을 붙이었다.
이리하여 나는 이 습내 나는 춥고, 누긋한 방에서,
낮이나 밤이나 나는 나 혼자도 너무 많은 것같이 생각하며,
㉡딜옹배기에 북덕불이라도 담겨 오면,
이것을 안고 손을 쬐며 재 위에 뜻 없이 글자를 쓰기도 하며,
또 문 밖에 나가지두 않구 자리에 누워서,
머리에 손깍지베개를 하고 굴기도 하면서,
나는 내 슬픔이며 어리석음이며를 소처럼 연하여 쌔김질하는 것이었다.
내 가슴이 꽉 메어 올 적이며,
내 눈에 뜨거운 것이 핑 괴일 적이며,
또 내 스스로 화끈 낮이 붉도록 부끄러울 적이며,
나는 내 슬픔과 어리석음에 눌리어 죽을 수밖에 없는 것을 느끼는 것이었다.
㉢그러나 잠시 뒤에 나는 고개를 들어,
허연 문창을 바라보든가 또 눈을 떠서 높은 천정을 쳐다보는 것인데,
이때 나는 내 뜻이며 힘으로, 나를 이끌어 가는 것이 힘든 일인 것을 생각하고,
이것들보다 ㉣더 크고, 높은 것이 있어서, 나를 마음대로 굴려가는 것을 생각하는 것인데,
이렇게 하여 여러 날이 지나는 동안에,

내 어지러운 마음에는 슬픔이며, 한탄이며, 가라앉을 것은 차츰 앙금이 되어 가라앉고,

외로운 생각만이 드는 때쯤 해서는,

더러 나줏손에 쌀랑쌀랑 싸락눈이 와서 문창을 치기도 하는 때도 있는데,

나는 이런 저녁에는 화로를 더욱 다가 끼며, ⓜ무릎을 꿇어 보며,

어느 먼 산 뒷옆에 바우섶에 따로 외로이 서서,

어두워 오는데 하이야니 눈을 맞을, 그 마른 잎새에는,

쌀랑쌀랑 소리도 나며 눈을 맞을,

그 드물다는 굳고 정한 갈매나무라는 나무를 생각하는 것이었다.

– 백석, 「남신의주 유동 박시봉 방」 –

03 ㉠~㉤에 대한 설명으로 적절하지 <u>않은</u> 것은?

① ㉠ : 화자에게 연이어 닥친 시련과 암울한 현실을 의미한다.

② ㉡ : 토속성이 드러난 시어를 통해 작가는 일제 강점기에 모국어에 대한 애착을 드러내고자 했다.

③ ㉢ : 화자의 태도가 변화되는 부분으로 하강의 심리에서 상승의 심리로 전환함을 암시한다.

④ ㉣ : 화자가 자신의 삶을 이끌어 가는 불가항력인 운명이 있음을 깨닫고 체념하는 삶의 자세를 드러낸다.

⑤ ㉤ : 화자는 내면의 안정을 되찾은 후, 자신의 삶에 대한 반성적이고 성찰적 태도를 엿볼 수 있다.

04 이 시를 영화로 만들기 위해 다음 〈보기〉와 같이 메모했을 때, 적절한 구상을 골라 묶은 것은?

> **┤ 보기 ├**
>
> 가. 주인공은 평안도 사투리를 자연스럽게 연기할 수 있는 사람으로 캐스팅할 것
>
> 나. 영화 초반부에는 주인공의 우울하고 무기력한 얼굴 표정이 부각되도록 클로즈업할 것
>
> 다. 배경 음악은 은은하고 낭만적인 느낌을 주는 것으로 선정할 것
>
> 라. 주인공이 편지를 쓰는 장면은 북덕불로 온기로 가득한 작지만 아늑한 방 안을 배경으로 할 것
>
> 마. 영화 엔딩은 저녁 무렵에 하얀 눈을 맞으며 서 있는 갈매나무와 입술을 꼭 다물며 서 있는 주인공을 오버랩(overlap)하며 촬영할 것.

① 가, 나, 마   ② 가, 다, 라   ③ 나, 다, 마

④ 다, 라, 마   ⑤ 가, 나, 다, 라, 마

[05~08] 다음 글을 읽고 물음에 답하시오.

어느 사이에 나는 아내도 없고, 또,

아내와 같이 살던 집도 없어지고,

그리고 살뜰한 부모며 동생들과도 멀리 떨어져서,

그 어느 바람 세인 쓸쓸한 거리 끝에 헤매이었다.

바로 날도 저물어서,

바람은 더욱 세게 불고, 추위는 점점 더해 오는데,

나는 어느 목수(木手)네 집 헌 삿을 깐,

한 방에 들어서 쥔을 붙이었다.

이리하여 나는 이 습내 나는 춥고, 누긋한 방에서,

낮이나 밤이나 나는 나 혼자도 너무 많은 것같이 생각하며,

딜옹배기에 북덕불이라도 담겨 오면,

이것을 안고 손을 쬐며 재 위에 뜻 없이 글자를 쓰기도 하며,

또 문밖에 나가지두 않구 자리에 누워서,

머리에 손깍지 벼개를 하고 굴기도 하면서,

나는 내 슬픔이며 어리석음이며를 소처럼 연하여 쌔김질하는 것이었다.

내 가슴이 꽉 메어 올 적이며,

내 눈에 뜨거운 것이 핑 괴일 적이며,

또 내 스스로 화끈 낯이 붉도록 부끄러울 적이며,

나는 내 슬픔과 어리석음에 눌리어 죽을 수밖에 없는 것을 느끼는 것이었다.

그러나 잠시 뒤에 나는 고개를 들어,

허연 문창을 바라보든가 또 눈을 떠서 높은 천정을 쳐다보는 것인데,

이때 나는 내 뜻이며 힘으로, 나를 이끌어 가는 것이 힘든 일인 것을 생각하고,

이것들보다 더 크고, 높은 것이 있어서, 나를 마음대로 굴려가는 것을 생각하는 것인데,

이렇게 하여 여러 날이 지나는 동안에,

내 어지러운 마음에는 슬픔이며, 한탄이며, 가라앉을 것은 차츰 앙금이 되어 가라앉고,

외로운 생각만이 드는 때쯤 해서는,

더러 나줏손에 쌀랑쌀랑 싸락눈이 와서 문창을 치기도 하는 때도 있는데,

나는 이런 저녁에는 화로를 더욱 다가 끼며, 무릎을 꿇어 보며,

어느 먼 산 뒷옆에 바우 섶에 따로 외로이 서서,

어두워 오는데 하이야니 눈을 맞을, 그 마른 잎새에는,

쌀랑쌀랑 소리도 나며 눈을 맞을,

그 드물다는 굳고 정한 ⓐ갈매나무라는 나무를 생각하는 것이었다.

– 백석, 「남신의주 유동 박시봉 방」 –

05 윗글에 대한 설명으로 적절하지 않은 것은?

① 산문적 서술을 통해 시상을 전개하고 있다.

② 쉼표의 잦은 활용으로 내재율을 획득하고 있다.

③ 편지의 형식을 빌려 화자의 근황을 드러내고 있다.

④ 변주를 통한 수미상관 기법으로 형식상 안정감을 부여하고 있다.

⑤ 방언과 향토적 시어를 사용하여 토속적인 분위기를 형성하고 있다.

06 윗글을 감상한 학생들의 반응으로 적절하지 <u>않은</u> 것은?

① **진화** : 화자는 '집도 없어지고', '살뜰한 부모며 동생들과도 멀리 떨어져' 있어. 게다가 '헤매이었다'라고 말하는 것을 보니 화자는 고향이 아닌 다른 장소에 있는 것 같아.

② **희원** : '날도 저물어서'라는 표현은 화자가 처한 상황과 맞물려 암울한 분위기를 형성하고 있어. '바람은 더욱 세게 불고, 추위는 점점 더해 오는데'를 보아 화자의 상황이 나아지고 있지 않다는 것을 보여주고 있는 것 같아.

③ **진미** : 화자는 '내 슬픔이며 어리석음'을 생각하며 회한의 감정을 느끼고 있어. 그러다 '죽을 수밖에 없는 것'을 느낀다는 점에서 삶에 대한 절망과 체념의 감정을 느끼고 있는 것 같아.

④ **혜미** : '고개를 들어', '눈을 떠서', '천정을 쳐다보는'과 같은 자세의 변화를 통해, 이전의 화자의 무기력한 모습이 변해감을 알 수 있어. 그리고 '내 뜻이며 힘으로, 나를 이끌어 가는 것이 힘든 일'이라고 생각하며 운명론에서 벗어나 타인에 대한 책임감을 느끼고 있는 것 같아.

⑤ **아정** : 화자를 죽음으로 내몰던 슬픔과 외로움은 '앙금이 되어' 점차 마음에 진정과 안정을 찾아가고 밖에 추위를 견디고 서있는 '굳고 정한 갈매나무'를 바라보며 화자는 의지적으로 살아갈 것을 다짐하고 있어.

07 윗글의 시어에 의미로 적절하지 <u>않은</u> 것은?

① 삿을 깔다 : 주인집에 세 들어 살다.
② 누긋하다 : 메마르지 않고 좀 눅눅하다.
③ 나줏손 : 저녁 무렵이라는 뜻의 평안도 방언
④ 딜옹배기 : 질옹배기 둥글넓적하고 아가리가 벌어진 작은 질그릇
⑤ 북덕불 : 짚이나 풀, 겨 따위가 뒤섞여 엉클어진 뭉텅이에 피운 불

08 다음 중, 밑줄 친 시어가 ⓐ와 유사한 기능을 하는 것은?

① 껍데기는 가라. / 한라에서 백두까지 / 향그러운 흙 가슴만 남고. / 그, 모오든 <u>쇠붙이</u>는 가라.

– 신동엽, 「껍데기는 가라」 –

② 죽는 날까지 하늘을 우러러 / 한 점 부끄럼이 없기를, / 잎새에 이는 <u>바람</u>에도 / 나는 괴로워했다.

– 윤동주, 「서시」 –

③ 아무도 그에게 수심(水深)을 일러 준 일이 없기에 / 흰 나비는 도무지 <u>바다</u>가 무섭지 않다.

– 김기림, 「바다와 나비」 –

④ 조국은 언제 떠났나. / <u>파초</u>의 꿈은 가련하다. // 남국을 향한 불타는 향수(鄕愁) / 너의 넋은 수녀보다 더욱 외롭구나!

– 김동명, 「파초」 –

⑤ 흐르는 구름 / 머언 원뢰(遠雷) / 꿈꾸어도 노래하지 않고 / 두 쪽으로 깨뜨려져도 / 소리하지 않는 <u>바위</u>가 되리라.

– 유치환, 「바위」 –

[09~13] 다음 글을 읽고 물음에 답하시오.

어느 사이에 나는 아내도 없고, 또,

아내와 같이 살던 집도 없어지고,

그리고 살뜰한 부모며 동생들과도 멀리 떨어져서,

그 어느 바람 세인 쓸쓸한 거리 끝에 헤매이었다.

바로 날도 저물어서,

바람은 더욱 세게 불고, 추위는 점점 더해 오는데,

나는 어느 목수(木手)네 집 헌 삿을 깐,

㉠한 방에 들어서 쥔을 붙이었다.

이리하여 나는 이 습내 나는 춥고, 누긋한 방에서,

낮이나 밤이나 나는 나 혼자도 너무 많은 것같이 생각하며,

딜옹배기에 북덕불이라도 담겨 오면,

이것을 안고 손을 쬐며 재 위에 뜻 없이 글자를 쓰기도 하며,

또 문 밖에 나가지두 않구 자리에 누워서,

머리에 손깍지 벼개를 하고 굴기도 하면서,

나는 내 슬픔이며 어리석음이며를 소처럼 연하여 ㉡쌔김질하는 것이었다.

내 가슴이 꽉 메어 올 적이며,

내 눈에 뜨거운 것이 핑 괴일 적이며,

또 내 스스로 화끈 낯이 붉도록 부끄러울 적이며,

나는 내 슬픔과 어리석음에 눌리어 죽을 수밖에 없는 것을 느끼는 것이었다.

그러나 잠시 뒤에 나는 고개를 들어,

허연 문창을 바라보든가 또 눈을 떠서 높은 천정을 쳐다보는 것인데,

이때 나는 ㉢내 뜻이며 힘으로, 나를 이끌어 가는 것이 힘든 일인 것을 생각하고,

이것들보다 ㉣더 크고, 높은 것이 있어서, 나를 마음대로 굴려가는 것을 생각하는 것인데,

이렇게 하여 여러 날이 지나는 동안에,

내 어지러운 마음에는 슬픔이며, 한탄이며, 가라앉을 것은 차츰 앙금이 되어 가라앉고,

외로운 생각만이 드는 때쯤 해서는,

더러 나줏손에 쌀랑쌀랑 싸락눈이 와서 문창을 치기도 하는 때도 있는데,

나는 이런 저녁에는 화로를 더욱 다가 끼며, 무릎을 꿇어 보며,

어느 먼 산 뒷옆에 바우 섶에 따로 외로이 서서,

어두워 오는데 하이야니 ㉤눈을 맞을, 그 마른 잎새에는,

쌀랑쌀랑 소리도 나며 눈을 맞을,

그 드물다는 굳고 정한 ⓐ갈매나무라는 나무를 생각하는 것이었다.

- 백석, 「남신의주 유동 박시봉 방」 -

09 〈보기〉는 위 글을 탐구한 내용이다. ㄱ~ㅁ 중 적절한 것은?

┌─ 보기 ┤
- 시상 전개 순서
  시상에 따라 화자의 무기력한 현재의 모습, 현재 삶에 대한 반성, 깨달음, 극복 의지를 담은 내용으로 전개된다. ·· ㄱ
  '그러나'를 중심으로 화자의 정서와 태도가 변화하며, 시상이 '상승-하강-상승'의 구조로 전개된다. ··· ㄴ
- 화자의 정서와 태도
  전반부에서는 상실감과 절망적 정서가 지배적이었으나, 후반부에서는 내면의 안정, 희망적 정서가 지배적이다. ··· ㄷ
  화자는 운명에 대한 믿음을 바탕으로 시대적 현실과 대결하려 한다. ··· ㄹ
- 형식
  편지 형식을 통해 자신의 이야기를 고백적으로 들려주며 편지를 읽을 상대방을 고려하여 감정을 절제하고 있다. ··· ㅁ
└─────────────────

① ㄱ   ② ㄴ   ③ ㄷ   ④ ㄹ   ⑤ ㅁ

10 ㉠~㉤에 대한 설명으로 적절한 것은?

① ㉠ : 무기력한 자아를 반성하고 새로운 희망을 얻기 위해 화자가 필연적으로 거쳐야 하는 선택적 공간이다.
② ㉡ : 지나온 날의 슬픔과 어리석음을 떨치기 위해 자신을 성찰하는 것을 의미한다.
③ ㉢ : 지금까지 화자의 삶을 지탱해 온 삶에 대한 강한 의지를 의미한다.
④ ㉣ : 화자가 고통스러운 현실에서 벗어나 나아가고자 하는 이상향을 의미한다.
⑤ ㉤ : 화자에게 닥친 고난을 의미하면서도 화자의 현실 극복 의지를 더욱 돋보이게 하는 소재이다.

11 〈보기〉를 바탕으로 위 글의 운율에 대해 설명한 것으로 적절하지 <u>않은</u> 것은?

┌─ 보기 ┤
　현대시의 리듬은 내적 규범을 창출한다. 현대시에서는 따라야 할 규율이 없는 대신 말소리, 휴지(休止), 고전 시가에 없던 쉼표와 마침표 등 모든 요소들의 책임이 커졌다. 이들의 반복은 내적 규범을 형성하여 시의 고유한 의미를 만들어 낸다.
└─────────────────

① 토속적 소재를 반복적으로 사용하여 운율을 형성하고 정감을 자아낸다.
② 나열의 의미를 지니는 연결 어미를 반복하여 내적 리듬을 형성하고 있다.
③ 산문적 서술이 두드러지나 쉼표를 자주 사용하여 호흡을 조절하고 운율을 형성한다.
④ 유사한 구조를 잇달아 반복함으로써 운율을 형성하고 화자의 상황, 정서를 잘 드러내고 있다.
⑤ 화자를 지칭하는 시어를 반복함으로써 운율을 형성하고 화자 중심의 이야기를 전개해 나간다.

12 〈보기〉를 참고하였을 때 ⓐ와 같은 소재가 나타나는 것은?

┌ 보기 ┐

　객관적 상관물은 창작자가 표현하려는 자신의 정서나 감정, 사상 등을 다른 사물이나 상황에 빗대어 표현할 때 이를 표현하는 사물이나 사건을 뜻한다. 즉, 개인과 감정을 그대로 드러내는 것이 아니라 사물과 사건을 통해서 객관화하려는 창작 기법이다.

① 동짓달 기나긴 밤을 한 허리를 베어 내어
　춘풍(春風) 이블 아래 서리서리 넣었다가
　어론 님 오신 날 밤이어든 굽이굽이 펴리라.

② 이 몸이 죽어 가서 무엇이 될꼬 하니
　봉래산(蓬萊山) 제일봉의 낙락장송(落落長松) 되어 있어
　백설이 만건곤(滿乾坤)할 제 독야청청(獨也靑靑)하리라.

③ 생사(生死) 길은 / 예 있으매 머뭇거리고, /
　나는 간다는 말도 / 못다 이르고 어찌 갑니까.

④ 매운 계절의 채찍에 갈겨 / 마침내 북방으로 휩쓸려 오다. / 하늘도 그만 지쳐 끝난 고원 / 서릿발 칼날진 그 위에 서다.

⑤ 먹구름이 / 몰고 온 여름에 / 수많은 이야기들이 / 들판으로 모여든다. / 할아버지 수염을 달고 / 익어가는 옥수수가 / 치마폭에 감싸여 / 이야기를 만들고 있다.

13 〈보기〉를 바탕으로 위 글을 이해한 내용으로 적절하지 <u>않은</u> 것은?

┌ 보기 ┐

　1930년대에 이어 1940년대는 일제의 수탈로 농촌의 현실은 피폐해져 갔다. 이로 인해 많은 조선인들이 농촌을 떠나거나 조선을 떠나기도 하였다. 이러한 영향으로 농촌을 떠나는 유민들의 고향 상실과 더불어 민족 해체의 반발 작용으로 민족 공동체 의식을 담은 주제와 토속적 소재를 고수하는 작가들이 나타났다.

① 상실의 아픔을 운명으로 받아들임으로써 현실을 수용하려는 작가의 의도가 담겨 있다.

② 상실의 아픔을 절절하게 그려낸 이면에는 공동체 의식을 중시하는 작가의 생각이 반영되어 있다.

③ 화자는 어쩔 수 없는 현실로 인해 가족과 고향을 상실하고 떠도는 당시 조선인을 표상하는 인물이다.

④ 민족 해체로 인해 고통 받았던 당시 조선인에 대한 작가의 안타까움이 화자의 모습과 정서에 반영되어 있다.

⑤ 토속어를 구사한 시를 창작함으로써 민족 해체의 아픔에 잠긴 우리 민족을 위로해 주려는 작가의 의도를 엿볼 수 있다.

[01~04] 다음 글을 읽고 물음에 답하시오.

[A]
어느 사이에 나는 아내도 없고, 또,
아내와 같이 살던 집도 없어지고,
그리고 살뜰한 부모며 동생들과도 멀리 떨어져서,
그 어느 바람 세인 쓸쓸한 거리 끝에 헤매이었다.
바로 날도 저물어서,
바람은 더욱 세게 불고, 추위는 점점 더해 오는데,
나는 어느 목수(木手)네 집 헌 샅을 깐,
한 방에 들어서 쥔을 붙이었다.

[B]
이리하여 나는 이 습내 나는 춥고, 누긋한 방에서,
낮이나 밤이나 나는 나 혼자도 너무 많은 것같이 생각하며,
딜옹배기에 북덕불이라도 담겨 오면,
이것을 안고 손을 쬐며 재 위에 뜻 없이 글자를 쓰기도 하며,
또 문 밖에 나가지두 않구 자리에 누워서,
머리에 손깍지베개를 하고 굴기도 하면서,
나는 내 슬픔이며 어리석음이며를 소처럼 연하여 쌔김질하는 것이었다.

[C]
내 가슴이 꽉 메어 올 적이며,
내 눈에 뜨거운 것이 핑 괴일 적이며,
또 내 스스로 화끈 낯이 붉도록 부끄러울 적이며,
나는 내 슬픔과 어리석음에 눌리어 죽을 수밖에 없는 것을 느끼는 것이었다.

[D]
그러나 잠시 뒤에 나는 고개를 들어,
허연 문창을 바라보든가 또 눈을 떠서 높은 천정을 쳐다보는 것인데,
이때 나는 내 뜻이며 힘으로, 나를 이끌어 가는 것이 힘든 일인 것을 생각하고,
이것들보다 더 크고, 높은 것이 있어서, 나를 마음대로 굴려가는 것을 생각하는 것인데,

[E]
이렇게 하여 여러 날이 지나는 동안에,
내 어지러운 마음에는 슬픔이며, 한탄이며, 가라앉을 것은 차츰 앙금이 되어 가라앉고,
외로운 생각만이 드는 때쯤 해서는,
더러 나줏손에 쌀랑쌀랑 싸락눈이 와서 문창을 치기도 하는 때도 있는데,
나는 이런 저녁에는 화로를 더욱 다가 끼며, 무릎을 꿇어 보며,
어느 먼 산 뒷옆에 바우섶에 따로 외로이 서서,
어두워 오는데 하이야니 눈을 맞을, 그 마른 잎새에는,
쌀랑쌀랑 소리도 나며 눈을 맞을,
그 드물다는 굳고 정한 갈매나무라는 나무를 생각하는 것이었다.

– 백석, 「남신의주 유동 박시봉 방」 –

01 이 시에 대한 설명으로 적절하지 <u>않은</u> 것은?

① 편지 형식을 빌려 화자 자신의 삶에 대한 성찰을 담담하게 고백하고 있다.
② 토속적인 소재와 평안도 사투리를 사용하여 향토성을 드러내고 있다.
③ 객관적 상관물을 통해 시적 화자의 태도를 상징적으로 드러내고 있다.
④ 어조의 변화를 주어 시상의 전환을 나타내고 있다.
⑤ 강렬한 상징어와 남성적 어조로 강인한 의지를 표출하고 있다.

02 시상에 흐름을 고려하여 공간을 [A]~[E]로 나누었을 때, 설명으로 적절하지 <u>않은</u> 것은?

① [A]에는 화자가 가족과 헤어져 떠돌이 생활을 하는 외로운 삶의 처지를 확인하는 공간이다.
② [B]에는 화자가 자신의 삶에 대해 고뇌하는 공간이라면, [C]에는 화자의 절망감이 심화되는 공간이다.
③ [B]에는 '나 혼자' 누워 있는 단절된 공간이었으나, [D]에서 화자가 고개를 드는 자세로 변하면서 삶에 대한 인식이 바뀌는 공간이다.
④ [D]에는 화자가 운명론적 세계관을 벗어나 더 크고 높은 이상의 세계를 지향하는 공간이다.
⑤ [C]에서 화자가 죽음을 생각하는 공간이라면, [E]에서는 화자가 현실 극복의지를 드러내는 공간이다.

03 위의 시와 현실에 대한 시적 화자의 현실 대응 방식과 가장 유사한 것은?

① 다정큼나무 숲 사이로 보이던 바다 밖으로 / 지난 가을 산국화도 몸을 던지고 / 칼을 들어 파도를 자를 자 저물었나니 / 단 한 번 인간에 다다르기 위해 / 살아갈수록 눈 내리는 파도를 탄다.

　　　　　　　　　　　　　　　　　　　　　　　　　　　　　　　　　　　 - 정호승, 「파도타기」 -

② 어제도 하룻밤 / 나그네 집에 / 까마귀 까악까악 울며 새었소. / 오늘은 또 몇 십리 / 어디로 갈까 / 산으로 올라갈까 / 들로 갈까 / 오라는 곳이 없어 나는 못가오.

　　　　　　　　　　　　　　　　　　　　　　　　　　　　　　　　　　　 - 김소월, 「길」 -

③ 다시 그 사나이가 미워져 돌아갑니다. / 돌아가다 생각하니 그 사나이가 그리워집니다. / 우물 속에는 달이 밝고 구름이 흐르고 하늘이 펼치고 파아란 바람이 불고 가을이 있고 추억처럼 사나이가 있습니다.

　　　　　　　　　　　　　　　　　　　　　　　　　　　　　　　　　　　 - 윤동주, 「자화상」 -

④ 이미 나는 중심의 시간에서 멀어져 있지만 / 어두워지기 전까지 아직 몇 시간이 남아 있다는 것이 고맙고, / 해가 다 저물기 전 구름을 물들이는 찬란한 노을과 황홀을 / 한 번은 허락하시리라는 생각만으로도 기쁘다.

　　　　　　　　　　　　　　　　　　　　　　　　　　　　　　　　　　　 - 도종환, 「세 시에서 다섯 시 사이」 -

⑤ 나도 별과 같은 사람이 / 될 수 있을까. / 외로워 쳐다보면 / 눈마주쳐 마음 비춰 주는 / 그런 사람이 될 수 있을까.

　　　　　　　　　　　　　　　　　　　　　　　　　　　　　　　　　　　 - 이성선, 「사랑하는 별 하나」 -

04 위의 시와 〈보기〉의 시의 공통점으로 가장 적절한 것은?

┌─ 보기 ─

알록조개에 입맞추며 자랐나
눈이 바다처럼 푸를 뿐더러 까무스레한 네 얼굴
가시내야
나는 발을 얼구며
무쇠다리를 건너온 함경도 사내

바람 소리도 호개도 인전 무섭지 않다만
어두운 등불 밑 안개처럼 자욱한 시름을 달게 마시련다만
어디서 흉참한 기별이 뛰어들 것만 같애
두터운 벽도 이웃도 못 미더운 북간도 술막

온갖 방자의 말을 품고 왔다
노포래를 뚫고 왔다
가시내야
너의 가슴 그늘진 숲 속을 기어간 오솔길을 나는 헤매이자
술을 부어 남실남실 술을 따르어
가난한 이야기에 고이 잠거 다오

네 두만강을 건너왔다는 석 달 전이면
단풍이 물들어 천 리 천 리 또 천 리 산마다 불탔을 겐데
그래도 외로워서 슬퍼서 치마폭으로 얼굴을 가렸더냐
두 낮 두 밤을 두루미처럼 울어 울어
불술기 구름 속을 달리는 양 유리창이 흐리더냐

차알싹 부서지는 파도 소리에 취한 듯
때로 싸늘한 웃음이 소리없이 새기는 보조개
가시내야
울 듯 울 듯 울지 않는 전라도 가시내야

두어 마디 너의 사투리로 때 아닌 봄을 불러 줄게
손때 수줍은 분홍 댕기 휘휘 날리며
잠깐 너의 나라로 돌아가거라

이윽고 얼음길이 밝으면
나는 눈포래 휘감아치는 벌판에 우줄우줄 나설 게다
노래도 없이 사라질게다
자욱도 없이 사라질게다

– 이용악, 「전라도 가시내」 –
└─

① 우리 민족의 비극적 삶을 회화적 기법으로 나타내고 있다.
② 대화를 나누는 것 같은 어조로 상황에 청자를 몰입시킨다.
③ 고향을 상실한 화자의 삶을 형상화하고 있다.
④ 유사한 시어를 반복하여 비장하고 결연한 화자의 모습을 나타내고 있다.
⑤ 자연물에 감정을 이입하여 화자의 정서를 부각시키고 있다.

[05~07] 다음 글을 읽고 물음에 답하시오.

(가) 1940년대에도 일제의 수탈로 농촌의 현실은 피폐해져 갔다. 이 시기에는 농촌을 떠나는 유민들의 고향 상실감과 민족 해체의 반발 작용으로 민족 공동체 의식을 담은 주제와 토속적 소재를 고수하는 작가들이 나타났다. 이들은 민족이 당면한 시대 상황과 현실 문제를 극복하고, 인간다운 삶을 회복할 수 있기를 바라며 다양한 문학적 노력을 기울였다.

(나)
어느 사이에 나는 아내도 없고, 또,
아내와 같이 살던 집도 없어지고,
그리고 ㉠살뜰한 부모며 동생들과도 멀리 떨어져서,
그 어느 바람 세인 쓸쓸한 거리 끝에 헤매이었다.
바로 날도 저물어서,
㉡바람은 더욱 세게 불고, 추위는 점점 더해 오는데,
나는 어느 목수네 집 헌 샅을 깐,
한 방에 들어서 쥔을 붙이었다.
이리하여 나는 이 습내 나는 춥고, 누긋한 방에서,
낮이나 밤이나 나는 나 혼자도 너무 많은 것같이 생각하며,
㉢딜옹배기에 북덕불이라도 담겨 오면,
이것을 안고 손을 쬐며 재 위에 뜻 없이 글자를 쓰기도 하며,
또 문 밖에 나가지두 않구 자리에 누워서,
머리에 손깍지 벼개를 하고 굴기도 하면서,
㉣나는 내 슬픔이며 어리석음이며를 소처럼 연하여 쌔김질하는 것이었다.
내 가슴이 꽉 메어 올 적이며,
내 눈에 뜨거운 것이 핑 괴일 적이며,
또 내 스스로 화끈 낯이 붉도록 부끄러울 적이며,
나는 내 슬픔과 어리석음에 눌리어 죽을 수밖에 없는 것을 느끼는 것이었다.
그러나 잠시 뒤에 나는 고개를 들어,
허연 문창을 바라보든가 또 눈을 떠서 높은 천정을 쳐다보는 것인데,
㉤이때 나는 내 뜻이며 힘으로, 나를 이끌어 가는 것이 힘든 일인 것을 생각하고,
이것들보다 더 크고, 높은 것이 있어서, 나를 마음대로 굴려가는 것을 생각하는 것인데,
이렇게 하여 여러 날이 지나는 동안에,
내 어지러운 마음에는 슬픔이며, 한탄이며, 가라앉을 것은 차츰 앙금이 되어 가라앉고,
외로운 생각만이 드는 때쯤 해서는,
더러 나줏손에 쌀랑쌀랑 싸락눈이 와서 문창을 치기도 하는 때도 있는데,
나는 이런 저녁에는 화로를 더욱 다가 끼며, 무릎을 꿇어 보며,
어느 먼 산 뒷옆에 바우 섶에 따로 외로이 서서,
어두워 오는데 하이야니 눈을 맞을, 그 마른 잎새에는,
쌀랑쌀랑 소리도 나며 눈을 맞을,
그 드물다는 굳고 정한 갈매나무라는 나무를 생각하는 것이었다.

– 백석, 「남신의주 유동 박시봉 방」 –

(다)

까마득한 날에
하늘이 처음 열리고
어데 닭 우는 소리 들렸으랴.

모든 산맥들이
바다를 연모(戀慕)해 휘달릴 때도
참아 이곳을 범(犯)하던 못하였으리라

끊임없는 광음(光陰)을
부지런한 계절이 피어선 지고
큰 강물이 비로소 길을 열었다.

지금 눈 내리고
매화 향기 홀로 아득하니
내 여기 가난한 노래의 씨를 뿌려라.

다시 천고(千古)의 뒤에
백마 타고 오는 초인(超人)이 있어
이 광야에서 목놓아 부르게 하리라.

– 이육사, 「광야」 –

05 (가)를 참고하여 (나)를 이해한 내용으로 적절하지 <u>않은</u> 것은?

① ㉠은 화자의 처지를 통해 일제 강점기 농촌을 떠나는 유민들의 고향 상실감을 확인할 수 있다.
② ㉡은 일제의 수탈로 우리 민족이 겪는 시대적 아픔과 시련을 드러내고 있다.
③ ㉢은 토속적 소재를 사용하여 민족 공동체 의식을 고양하기 위한 작가들의 노력으로 볼 수 있다.
④ ㉣은 우리 민족이 당면한 시대 상황과 현실 문제를 극복하기 위한 이 시기 작가들의 고뇌로 볼 수 있다.
⑤ ㉤은 인간다운 삶을 회복하기 위해서 나약한 개인보다 공동체의 노력이 중요함을 강조하고 있다.

06 (나)에 대한 설명으로 가장 적절한 것은?

① 편지 형식을 통해 화자 자신의 근황을 역설적으로 표현하고 있다.
② 청자와의 대화를 통해 특정 대상이 변해 가는 모습을 시각적으로 잘 드러내고 있다.
③ 무기력한 자아에 대한 반성과 운명에 대한 인식을 통해 당면한 현실을 체념하고 있다.
④ 가족과 헤어져 쓸쓸하게 거리를 헤매던 화자는 내면의 성찰을 통해 새로운 삶을 바라고 있다.
⑤ 연의 구분이 없지만 쉼표를 자주 사용하여 호흡을 조절하고 4음보 운율을 형성하고 있다.

07 (나)와 (다)를 감상한 내용으로 적절한 것은?

① (나)는 화자의 정서와 태도 변화가 (다)는 화자의 강한 의지가 드러나 있다.

② (나)와 (다)에는 후회 속에서 살아왔던 화자의 지난 삶의 모습이 잘 드러나 있다.

③ (나)와 (다)에는 방황하던 화자가 새로운 삶의 터전을 마련하여 정착하고자 하는 소망이 담겨 있다.

④ (나)는 (다)와 달리 시간의 흐름에 따라 시상이 전개되면서 화자의 소망을 강하게 드러내고 있다.

⑤ (나)와 달리 (다)는 화자의 정서를 직접적으로 드러내기 위해 구체적 사물에 감정을 이입하고 있다.

[08~10] 다음 글을 읽고 물음에 답하시오.

(가) 어느 사이에 나는 아내도 없고, 또,
아내와 같이 살던 집도 없어지고,
그리고 살뜰한 부모며 동생들과도 멀리 떨어져서,
그 어느 바람 세인 쓸쓸한 거리 끝에 헤매이었다.
바로 날도 저물어서,
바람은 더욱 세게 불고, 추위는 점점 더해 오는데,
나는 어느 목수(木手)네 집 헌 샷을 깐,
한 방에 들어서 쥔을 붙이었다.
이리하여 나는 이 습내 나는 춥고, 누긋한 방에서,
낮이나 밤이나 나는 나 혼자도 너무 많은 것같이 생각하며,
딜옹배기에 북덕불이라도 담겨 오면,
이것을 안고 손을 쬐며 재 위에 뜻 없이 글자를 쓰기도 하며,
또 문 밖에 나가지두 않구 자리에 누워서,
머리에 손깍지 벼개를 하고 굴기도 하면서,
나는 내 슬픔이며 어리석음이며를 소처럼 연하여 쌔김질하는 것이었다.
내 가슴이 꽉 메어 올 적이며,
내 눈에 뜨거운 것이 핑 괴일 적이며,
또 내 스스로 화끈 낯이 붉도록 부끄러울 적이며,
나는 내 슬픔과 어리석음에 눌리어 죽을 수밖에 없는 것을 느끼는 것이었다.
그러나 잠시 뒤에 나는 고개를 들어,
허연 문창을 바라보든가 또 눈을 떠서 높은 천정을 쳐다보는 것인데,
이때 나는 내 뜻이며 힘으로, 나를 이끌어 가는 것이 힘든 일인 것을 생각하고,
이것들보다 더 크고, 높은 것이 있어서, 나를 마음대로 굴려가는 것을 생각하는 것인데,
이렇게 하여 여러 날이 지나는 동안에,
내 어지러운 마음에는 슬픔이며, 한탄이며, 가라앉을 것은 차츰 앙금이 되어 가라앉고,
외로운 생각만이 드는 때쯤 해서는,
더러 나줏손에 쌀랑쌀랑 싸락눈이 와서 문창을 치기도 하는 때도 있는데,
나는 이런 저녁에는 화로를 더욱 다가 끼며, 무릎을 꿇어 보며,
어느 먼 산 뒷옆에 바우 섶에 따로 외로이 서서,
어두워 오는데 하이야니 눈을 맞을, 그 마른 잎새에는,
쌀랑쌀랑 소리도 나며 눈을 맞을,
그 드물다는 굳고 정한 갈매나무라는 나무를 생각하는 것이었다.

– 백석, 「남신의주 유동 박시봉 방」 –

(나) 차디찬 아침인데
묘향산행 승합자동차는 텅 하니 비어서
나이 어린 계집아이 하나가 오른다.
옛말속같이 진진초록 새 저고리를 입고
손잔등이 밭고랑처럼 몹시도 터졌다.
계집아이는 자성(慈城)으로 간다고 하는데
자성은 예서 삼백오십 리 묘향산 백오십 리
묘향산 어디메서 삼촌이 산다고 한다.
쌔하얗게 얼은 자동차 유리창 밖에
내지인(內地人)* 주재소장(駐在所長)* 같은 어른과 어린아이 둘이 내임을 낸다.
계집아이는 운다, 느끼며 운다.
텅 비인 차 안 한구석에서 어느 한 사람도 눈을 씻는다.
계집아이는 몇 해고 내지인 주재소장 집에서
밥을 짓고 걸레를 치고 아이보개*를 하면서
이렇게 추운 아침에도 손이 꽁꽁 얼어서
찬물에 걸레를 쳤을 것이다.

– 백석, 「팔원–서행시초3」 –

*내지인(內地人) : 일본인. '내지(內地)'는 식민지에서 본국을 이르는 말.
*주재소장(駐在所長) : 일제 강점기에 경찰의 말단 기관인 주재소의 우두머리
*아이보개 : 아이를 돌보는 일을 맡아 하는 사람

(다) 까마득한 날에
하늘이 처음 열리고
어데 닭 우는 소리 들렸으랴.

모든 산맥(山脈)들이
바다를 연모해 휘달릴 때도
참아 이곳을 범하던 못하였으리라

끊임없는 광음(光陰)을
부지런한 계절(季節)이 피어선 지고
큰 강물이 비로소 길을 열었다.

지금 눈 나리고
매화 향기 홀로 아득하니
내 여기 가난한 노래의 씨를 뿌려라.

다시 천고(千古)의 뒤에
백마(白馬) 타고 오는 초인(超人)이 있어
이 광야(曠野)에서 목 놓아 부르게 하리라.

– 이육사, 「광야」 –

08 (가)에 대한 설명으로 적절한 것만을 〈보기〉에서 있는 대로 고른 것은?

┌─ 보기 ├───

ㄱ. 제목이 편지의 발신 주소로, 편지 보내는 형식으로 자신의 근황을 감정의 변화 없이 담담하게 서술하고 있다.

ㄴ. 산문적인 서술로 내용을 전개하고 있지만 쉼표(,)의 잦은 활용으로 운율을 형성하여 '시'의 면모를 보이고 있다.

ㄷ. 화자는 운명론적 세계관으로 자신의 뜻과 힘으로는 그 어떤 일을 할 수 없음을 인식하고 무기력하게 살아가고자 하고 있다.

ㄹ. 가족과 이별하고 고향을 떠나 유랑 생활을 하는 화자는 당시 사회, 문화적 상황을 고려한다면 우리 민족이 처한 상황으로 해석될 수 있다.

ㅁ. 토속적이고 향토적인 정서의 소재를 활용하여 개인주의적이고 타인에 무관심한 현대인들에게 민족의 공동체 의식을 고양시키고자 하는 의도가 담겨 있다.

───

① ㄱ, ㄷ   ② ㄴ, ㄹ   ③ ㄱ, ㄴ, ㅁ

④ ㄴ, ㄹ, ㅁ   ⑤ ㄱ, ㄷ, ㄹ, ㅁ

09 〈보기〉를 참고하여, (가)와 (나)를 비교한 것으로 적절하지 <u>않은</u> 것은?

┌─ 보기 ├───

• 1940년대 문학

이 시기는 일제의 탄압이 극에 달하여 우리 문학의 암흑기라 할 수 있다. 한글 사용 금지와 일본식 이름 강요 등으로 우리 민족의 정신을 말살하고자 하였다. 작가들은 표현의 자유를 억압받게 되었지만, 의연하게 광복의 의지를 다지는 등의 다양한 방식으로 일제에 저항하기도 하였다.

───

① (가)와 (나)는 모두 일제 강점기임을 직접적으로 드러내는 시어를 사용하고 있다.

② (가)와 (나)는 모두 일제의 탄압에 대한 적극적인 저항의 의지가 나타나지 않고 있다.

③ (가)와 (나)에서 형상화된 인물은 모두 일제 강점기에 고난과 시련을 겪으며 살아가는 우리 민족의 모습을 대변한다고 할 수 있다.

④ (가)와 (나)는 모두 우리말을 사용하여 시를 창작했다는 것으로 모국어를 지키고자 하는 작가의 의도가 담겨 있다고 할 수 있다.

⑤ (가)에는 일제 강점하 무기력하게 살아온 환자 자신에 대한 부끄러움이 나타난다면 (나)에서는 당대의 냉혹한 현실에 놓인 대상에 대한 연민이 담겨 있다.

10 (가)와 (다)를 비교한 것으로 적절한 것만을 〈보기〉에서 있는 대로 고른 것은?

┤ 보기 ├

ㄱ. (가)와 (다)는 모두 '과거-현재-미래'의 시간의 흐름에 따라 시상을 전개하고 있다.

ㄴ. (가)와 (다)에서 '눈'은 '고난과 시련', '암담한 현실'의 부정적인 의미를 드러내고 있다.

ㄷ. (가)는 '눈물'과 '슬픔'의 정서가 시의 전반적인 분위기를 형성하고 있는 반면 (다)는 남성적인 강인한 어조가 시 전체의 분위기를 형성하고 있다.

ㄹ. (가)의 제목이 화자가 거처하는 곳을 나타내는 것이라면 (다)의 제목은 우리 민족의 삶의 터전이자 민족의 공간을 나타내는 것이라 할 수 있다.

ㅁ. (가)의 화자가 '갈매나무'를 생각하고 (다)의 화자가 '가난한 노래의 씨'를 뿌리고자 하는 것은 당대 현실에 대한 작가의 대응 방식이라고 할 수 있다.

① ㄱ, ㄷ   ② ㄴ, ㄹ   ③ ㄱ, ㄴ, ㅁ

④ ㄴ, ㄹ, ㅁ   ⑤ ㄱ, ㄷ, ㄹ, ㅁ

[11~15] 다음 글을 읽고 물음에 답하시오.

(가) 어느 사이에 나는 아내도 없고, 또,

아내와 같이 살던 ⊙집도 없어지고,

그리고 살뜰한 부모며 동생들과도 멀리 떨어져서,

그 어느 바람 세인 쓸쓸한 거리 끝에 헤매이었다.

바로 날도 저물어서,

바람은 더욱 세게 불고, 추위는 점점 더해 오는데,

나는 어느 목수(木手)네 집 헌 삿을 깐,

한 방에 들어서 쥔을 붙이었다.

이리하여 나는 이 습내 나는 춥고, 누긋한 방에서,

낮이나 밤이나 나는 나 혼자도 너무 많은 것같이 생각하며,

딜웅배기에 북덕불이라도 담겨 오면,

이것을 안고 손을 쬐며 재 위에 뜻 없이 글자를 쓰기도 하며,

또 문 밖에 나가지두 않구 자리에 누워서,

머리에 손깍지 벼개를 하고 굴기도 하면서,

나는 내 슬픔이며 어리석음이며를 소처럼 연하여 쌔김질하는 것이었다.

내 가슴이 꽉 메어 올 적이며,

내 눈에 뜨거운 것이 핑 괴일 적이며,

또 내 스스로 화끈 낯이 붉도록 부끄러울 적이며,

나는 내 슬픔과 어리석음에 눌리어 죽을 수밖에 없는 것을 느끼는 것이었다.

그러나 잠시 뒤에 나는 고개를 들어,

허연 문창을 바라보든가 또 눈을 떠서 높은 천정을 쳐다보는 것인데,

이때 나는 내 뜻이며 힘으로, 나를 이끌어 가는 것이 힘든 일인 것을 생각하고,

이것들보다 더 크고, 높은 것이 있어서, 나를 마음대로 굴려가는 것을 생각하는 것인데,

이렇게 하여 여러 날이 지나는 동안에,

내 어지러운 마음에는 슬픔이며, 한탄이며, 가라앉을 것은 차츰 앙금이 되어 가라앉고,

외로운 생각만이 드는 때쯤 해서는,

더러 나줏손에 쌀랑쌀랑 싸락눈이 와서 문창을 치기도 하는 때도 있는데,
나는 이런 저녁에는 화로를 더욱 다가 끼며, 무릎을 꿇어 보며,
어느 먼 산 뒷옆에 바우 섶에 따로 외로이 서서,
어두워 오는데 하이야니 눈을 맞을, 그 마른 잎새에는,
쌀랑쌀랑 소리도 나며 눈을 맞을,
그 드물다는 굳고 정한 갈매나무라는 나무를 생각하는 것이었다.

                                                – 백석, 「남신의주 유동 박시봉 방」 –

(나) 들가에 떨어져 나가앉은 메기슭의
넓은 바다의 물가 뒤에,
나는 지으리, 나의 ⓛ집을,
다시금 큰길을 앞에다 두고.
길로 지나가는 그 사람들은
제각금 떨어져서 혼자 가는 길.
하이얀 여울턱에 날은 저물 때.
나는 문간에 서서 기다리리
새벽새가 울며 지새는 그늘로
세상은 희게, 또는 고요하게,
번쩍이며 오는 아침부터,
지나가는 길손을 눈여겨보며,
그대인가고, 그대인가고.

                                                    – 김소월, 「나의 집」 –

(다) 노랗게 속 차오르는 배추밭머리에 서서
생각하노니
옛날에 옛날에는 배추꼬리도 맛이 있었나니 눈 덮인 움 속에서 찾아냈었나니

하얗게 밑둥 드러내는 무밭머리에 서서
생각하노니
옛날에 옛날에는 무꼬리 발에 채였었나니 아작아작 먹었었나니

달삭한 맛

산모롱을 굽이도는 기적 소리에 떠나간 사람 얼굴도 스쳐가나니 설핏 비껴가나니 풀무 불빛에 싸여 달덩이처럼

오늘은
이마 조아리며 빌고 싶은 고향

                                                    – 박용래, 「밭머리에 서서」 –

11 (가)~(다)에 대한 설명으로 적절하지 않은 것은?

① (가)~(다) 모두 색채 이미지를 활용하여 시상을 전개하고 있다.
② (가)와 (나)는 쉼표를 사용하여 호흡을 조절하고 있다.
③ (가)와 (다)는 음성 상징어를 활용하여 생동감을 드러내고 있다.
④ (나)와 달리 (가)는 산문적 서술을 통해 화자의 상황을 드러내고 있다.
⑤ (다)와 달리 (나)는 향토적 시어를 사용하여 정서를 드러내고 있다.

12 ㉠과 ㉡에 대한 이해로 가장 적절한 것은?

① ㉠은 화자가 자신을 성찰하는 공간이다.
② ㉡은 화자가 현실로부터 도피하는 공간이다.
③ ㉠은 ㉡과 달리 화자에게 절망감을 주는 공간이다.
④ ㉡은 ㉠과 달리 화자의 기대감이 반영된 공간이다.
⑤ ㉠과 ㉡ 모두 화자의 내적갈등이 심화되는 공간이다.

13 (가)와 다음 〈보기〉에 대한 이해로 적절하지 않은 것은?

┤ 보기 ├

거미새끼 하나 방바닥에 나린 것을 나는 아무 생각 없이 문밖으로 쓸어버린다
차디찬 밤이다

언제인가 새끼거미 쓸려나간 곳에 큰 거미가 왔다
나는 가슴이 짜릿한다
나는 또 큰 거미를 쓸어 문밖으로 버리며
찬 밖이라도 새끼 있는 데로 가라고 하며 서러워한다

이렇게 해서 아린 가슴이 싹기도 전이다 어데서 좁쌀알만한 알에서 가제 깨인 듯한 발이 채 서지도 못한
무척 작은 새끼거미가 이번엔 큰 거미 없어진 곳으로 와서 아물거린다
나는 가슴이 메이는 듯하다
내 손에 오르기라도 하라고 나는 손을 내어미나 분명히 울고불고 할 이 작은 것은 나를 무서우이 달아나버
리며 나를 서럽게 한다
나는 이 작은 것을 고이 보드러운 종이에 받어 또 문밖으로 버리며
이것의 엄마와 누나나 형이 가까이 이것의 걱정을 하며 있다가 쉬이 만나기나 했으면 좋으련만 하고 슬퍼
한다.

– 백석, 「수라(修羅)」 –

① (가)와 〈보기〉 모두 자연물을 활용하여 주제를 드러낸다.
② (가)와 〈보기〉 모두 가족 공동체가 해체된 상황으로 인한 아픔이 드러나 있다.
③ (가)와 달리 〈보기〉는 다양한 시어를 통해 화자의 정서가 직접적으로 드러난다.
④ 〈보기〉와 달리 (가)는 향토적 시어를 사용하여 향토적 분위기를 자아낸다.
⑤ (가)의 화자의 태도는 시상 전개에 따라 전환되고, 〈보기〉의 화자의 정서는 점층적으로 심화된다.

14 (나)와 (다)의 공통점으로 가장 적절한 것은?

① 과거에 대한 회의감이 드러나 있다.

② 대상에 대한 그리움이 드러나 있다.

③ 이상 세계에 대한 예찬이 드러나 있다.

④ 부정적인 상황에 맞서는 의지가 드러나 있다.

⑤ 종교적 삶에 대한 구도적 자세가 드러나 있다.

15 (다)에 대한 설명으로 적절하지 <u>않은</u> 것은?

① '달삭한', '기적 소리' 등 다양한 감각을 활용하고 있다.

② 3연을 한 구절로 구성하여 화자의 깨달음을 드러내고 있다.

③ '-나니', '-노니' 등 특정 어미를 반복하여 운율을 형성하고 있다.

④ 1연과 2연에서 유사한 통사구조를 반복하여 정서를 강조하고 있다.

⑤ '옛날에', '오늘은' 등의 시어를 통해 과거와 현재를 연결하여 주제를 드러내고 있다.

[16~19] 다음 글을 읽고 물음에 답하시오.

(가) 이 몸이 죽어 가서 무엇이 될꼬 하니
봉래산(蓬萊山) 제일봉에 낙락장송(落落長松) 되어 있어
백설이 만건곤(滿乾坤)할 제 독야청청(獨也靑靑)하리라.

– 성삼문 –

(나) 어느 사이에 나는 아내도 없고, 또,
아내와 같이 살던 집도 없어지고,
그리고 살뜰한 부모며 동생들과도 멀리 떨어져서,
그 어느 바람 세인 쓸쓸한 거리 끝에 헤매이었다.
바로 날도 저물어서,
바람은 더욱 세게 불고, 추위는 점점 더해 오는데,
나는 어느 목수(木手)네 집 헌 샅을 깐,
한 방에 들어서 쥔을 붙이었다.
이리하여 나는 이 습내 나는 춥고, 누긋한 방에서,
ⓐ낮이나 밤이나 나는 나 혼자도 너무 많은 것같이 생각하며,
딜옹배기에 북덕불이라도 담겨 오면,

ⓑ이것을 안고 손을 쬐며 재 위에 뜻 없이 글자를 쓰기도 하며,

또 문 밖에 나가지두 않구 자리에 누워서,

머리에 손깍지 벼개를 하고 굴기도 하면서,

나는 내 슬픔이며 어리석음이며를 소처럼 연하여 쌔김질하는 것이었다.

내 가슴이 꽉 메어 올 적이며,

ⓒ내 눈에 뜨거운 것이 핑 괴일 적이며,

나는 내 슬픔과 어리석음에 눌리어 죽을 수밖에 없는 것을 느끼는 것이었다.

그러나 잠시 뒤에 나는 고개를 들어,

허연 문창을 바라보든가 또 눈을 떠서 높은 천정을 쳐다보는 것인데,

이때 나는 내 뜻이며 힘으로, 나를 이끌어 가는 것이 힘든 일인 것을 생각하고,

이것들보다 더 크고, 높은 것이 있어서, 나를 마음대로 굴려가는 것을 생각하는 것인데,

이렇게 하여 여러 날이 지나는 동안에,

ⓓ내 어지러운 마음에는 슬픔이며, 한탄이며, 가라앉을 것은 차츰 앙금이 되어 가라앉고,

외로운 생각만이 드는 때쯤 해서는,

더러 나줏손에 쌀랑쌀랑 싸락눈이 와서 문창을 치기도 하는 때도 있는데,

ⓔ나는 이런 저녁에는 화로를 더욱 다가 끼며, 무릎을 꿇어 보며,

어느 먼 산 뒷옆에 바우 섶에 따로 외로이 서서,

어두워 오는데 하이야니 눈을 맞을, 그 마른 잎새에는,

쌀랑쌀랑 소리도 나며 눈을 맞을,

그 드물다는 굳고 정한 갈매나무라는 나무를 생각하는 것이었다.

– 백석, 「남신의주 유동 박시봉 방」–

(다) 까마득한 날에
하늘이 처음 열리고
어데 닭 우는 소리 들렸으랴.

모든 산맥(山脈)들이
바다를 연모(戀慕)해 휘달릴 때도
차마 이곳을 범(犯)하던 못하였으리라

끊임없는 광음(光陰)을
부지런한 계절이 피여선 지고
큰 강물이 비로소 길을 열었다.

지금 눈 나리고
매화 향기 홀로 아득하니
내 여기 가난한 노래의 씨를 뿌려라.

다시 천고(千古)의 뒤에
백마 타고 오는 초인(超人)이 있어
이 광야에서 목 놓아 부르게 하리라.

– 이육사, 「광야」 –

16 (가)~(다)에 대한 공통점으로 가장 적절한 것은?

① 삶과 죽음에 대한 삶의 고뇌가 짙게 드러난다.

② 고향에 정착할 수 없는 화자의 심정이 담겨 있다.

③ 지명을 통해 화자가 꿈꾸는 곳에 대한 정감을 드러낸다.

④ 현실 상황에 매몰되거나 체념하지 않는 의지가 드러난다.

⑤ 시간의 흐름을 통하여 화자의 심리 변화를 제시하고 있다.

17 (가)~(다)의 표현법에 대한 설명으로 적절한 것은?

① (가)는 (나)보다 화자가 지향하는 모습의 자연물을 직접적으로 제시하고 있다.

② (나)는 (가)와 달리 함축성이 강한 시어를 통해서 화자가 처한 상황을 표현하고 있다.

③ (나)는 (다)와 달리 남성적이고 강인한 느낌의 어휘를 사용하여 주제를 강조하고 있다.

④ (다)는 (가)와 달리 자신의 경험을 회상하는 역순행적 구성을 통해 시상을 전개하고 있다.

⑤ (나)와 (다)는 쉼표의 잦은 활용과 반복법을 사용하여 내재율을 획득하고 있다.

18 ⓐ~ⓔ에서 화자의 심리에 대한 이해로 적절한 것은?

① ⓐ : 자기 자신만을 감당하기에도 힘들어하는 모습

② ⓑ : 자신의 생각을 정리하고 삶을 계획하는 모습

③ ⓒ : 따뜻했던 옛 추억을 회상하며 다시 복원하려고 노력하는 모습

④ ⓓ : 절망감이 끝끝내 후회와 한탄으로 굳어져 낙담하는 모습

⑤ ⓔ : 무력감과 슬픔이 심화되어 이를 성찰하는 모습

19 (가)~(다)를 〈보기〉의 관점에서 감상한 내용으로 적절하지 **않은** 것은?

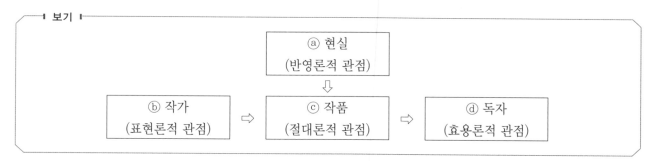

① ⓐ의 관점에서 볼 때 (가)의 '백설'은 부정적인 의미로 수양대군과 그 추종세력을 나타낸다고 볼 수 있어.

② ⓑ의 관점에서 볼 때 (가)의 '독야청청'에는 시민의 굳건한 의지로 불의에 항거하며 충절을 지키고자하는 단호함이 담겨 있어.

③ ⓒ의 관점에서 볼 때 (나)의 '북덕불'과 '쥔을 붙이었다'는 시인의 가난했던 일상에 대한 기억이라고 할 수 있어.

④ ⓒ의 관점에서 볼 때 (가)의 '백설'과 (나)의 '싸락눈' 그리고 (다)의 '눈'은 모두 시련과 고난을 상징한다고 생각해.

⑤ ⓓ의 관점에서 볼 때 나도 (다)의 '초인'이 되기 위해서는 더욱 더 조국을 사랑하고 더 열심히 살아가기로 했어.

[20~22] 다음 글을 읽고 물음에 답하시오.

(가) 어느 사이에 나는 아내도 없고, 또,
아내와 같이 살던 집도 없어지고,
그리고 살뜰한 부모며 동생들과도 멀리 떨어져서,
그 어느 바람 세인 쓸쓸한 거리 끝에 헤매이었다.
바로 날도 저물어서,
바람은 더욱 세게 불고, 추위는 점점 더해 오는데,
나는 어느 목수(木手)네 집 헌 샅을 깐,
한 방에 들어서 쥔을 붙이었다.
이리하여 나는 이 습내 나는 춥고, 누긋한 방에서,
낮이나 밤이나 나는 나 혼자도 너무 많은 것같이 생각하며,
딜옹배기에 북덕불이라도 담겨 오면,
이것을 안고 손을 쬐며 재 위에 뜻 없이 글자를 쓰기도 하며,
또 문 밖에 나가지두 않구 자리에 누워서,
머리에 손깍지 벼개를 하고 굴기도 하면서,
나는 내 슬픔이며 어리석음이며를 소처럼 연하여 쌔김질하는 것이었다.
내 가슴이 꽉 메어 올 적이며,
내 눈에 뜨거운 것이 핑 괴일 적이며,
또 내 스스로 화끈 낯이 붉도록 부끄러울 적이며,
나는 내 슬픔과 어리석음에 눌리어 죽을 수밖에 없는 것을 느끼는 것이었다.

그러나 잠시 뒤에 나는 고개를 들어,
허연 문창을 바라보든가 또 눈을 떠서 높은 천정을 쳐다보는 것인데,
이때 나는 내 뜻이며 힘으로, 나를 이끌어 가는 것이 힘든 일인 것을 생각하고,
이것들보다 더 크고, 높은 것이 있어서, 나를 마음대로 굴려가는 것을 생각하는 것인데,
이렇게 하여 여러 날이 지나는 동안에,
내 어지러운 마음에는 슬픔이며, 한탄이며, 가라앉을 것은 차츰 앙금이 되어 가라앉고,
외로운 생각만이 드는 때쯤 해서는,
더러 나줏손에 쌀랑쌀랑 싸락눈이 와서 문창을 치기도 하는 때도 있는데,
나는 이런 저녁에는 화로를 더욱 다가 끼며, 무릎을 꿇어 보며,
어느 먼 산 뒷옆에 바우 섶에 따로 외로이 서서,
어두워 오는데 하이야니 눈을 맞을, 그 마른 잎새에는,
쌀랑쌀랑 소리도 나며 눈을 맞을,
그 드물다는 굳고 정한 갈매나무라는 나무를 생각하는 것이었다.

– 백석, 「남신의주 유동 박시봉 방」 –

(나) 산모퉁이를 돌아 논가 외딴 우물을 홀로 찾아가선 가만히 들여다봅니다.

우물 속에는 달이 밝고 구름이 흐르고 하늘이 펼치고 파아란 바람이 불고 가을이 있습니다.

그리고 한 사나이가 있습니다.
어쩐지 그 사나이가 미워져 돌아갑니다.

돌아가다 생각하니 그 사나이가 가엾어집니다.
도로 가 들여다보니 사나이는 그대로 있습니다.

다시 그 사나이가 미워져 돌아갑니다.
돌아가다 생각하니 그 사나이가 그리워집니다.

우물 속에는 달이 밝고 구름이 흐르고 하늘이 펼치고 파아란 바람이 불고 가을이 있고 추억처럼 사나이가 있습니다.

– 윤동주, 「자화상」 –

(다) 이것은 소리 없는 아우성.
저 푸른 해원(海原)을 향하여 흔드는
영원한 노스탤지어의 손수건.
순정은 물결같이 바람에 나부끼고
오로지 맑고 곧은 이념의 푯대 끝에
애수(哀愁)는 백로처럼 날개를 펴다.
아! 누구던가?
이렇게 슬프고도 애달픈 마음을
맨 처음 공중에 달 줄을 안 그는.

– 유치환, 「깃발」 –

20 (가)~(다)에 대한 설명으로 적절하지 <u>않은</u> 것은?

① (가)는 (나), (다)와 달리 산문적 서술 형태를 가지고 있다.

② (가), (나)는 (다)와 달리 유사한 구절의 반복을 통해 시적 상황을 부각시킨다.

③ (가), (나)는 (다)와 달리 의도적으로 변형한 시어를 통하여 리듬감에 변화를 주었다.

④ (나)는 (가), (다)와 달리 앞서 나온 연을 변형하여 반복함으로써 안정감과 균형감을 부여한다.

⑤ (다)는 (가), (나)와 달리 역설적 표현을 통해 정서를 효과적으로 드러내었다.

21 〈보기〉를 참고하여 (가)~(다)를 이해한 것으로 적절하지 <u>않은</u> 것은?

┤ 보기 ├─

　　시의 시상은 화자 자신의 삶에 초점을 맞추어 전개되기도 하고, 외부적 대상에 초점을 맞추어 전개되기도 한다. 시상을 효과적으로 드러내기 위해 전자는 과거의 경험에 대한 환기를, 후자는 외부 대상에 대한 관찰을 바탕으로 하는 경우가 많다. 또한 이때 시·공간적 배경을 활용하거나 다양한 표현방식으로 시적 상황을 구체화하여 시상을 효과적으로 드러내기도 한다.

① (가)는 토속어의 사용과 과거의 모습에 대한 환기를 바탕으로 시상을 효과적으로 드러내고 있다.

② (나)는 시·공간적 배경의 제시와 구체적인 행동 묘사를 바탕으로 하여 화자 자신의 삶에 대한 감정을 드러내고 있다.

③ (다)는 시적 대상의 특성을 비유적 표현과 다양한 보조 관념을 사용하여 드러내고 있다.

④ (가)와 (나)는 화자의 내면에 초점을 맞추어 사상을 전개하고 있으며, (다)는 외부적 대상을 통해 자신의 가치관을 드러내고 있다.

⑤ (가), (나), (다)는 모두 시간의 흐름을 통해 시적 상황을 구체화하여 시상을 효과적으로 드러내고 있다.

22 (가)에 대한 설명으로 적절하지 <u>않은</u> 것은?

┤ 보기 ├─

　　이 시는 의미 구조상 네 부분으로 이루어져 있다. ⓐ화자가 자신의 상황을 이야기 하는 부분, ⓑ과거에 대한 자신의 감정이 드러나는 부분, ⓒ성찰을 통해 깨달음을 얻는 부분, ⓓ깨달음을 통해 삶에 대한 다짐을 하는 부분으로 이루어져 있다.

① ⓐ에서는 고향과 가족들에게서 멀리 떨어져 있는 화자의 처지를 확인할 수 있다.

② ⓑ에는 지나온 삶 반성과 더불어 삶에 대한 절망과 회한이라는 화자의 감정이 표현되어 있다.

③ ⓑ에서는 단절된 공간에서 무기력하게 자신의 삶을 반복적으로 고뇌하는 화자의 모습이 나타나 있다.

④ ⓒ에서는 운명론에서 벗어나 능동적인 삶에 대한 깨달음을 얻게 되는 의식의 반전이 나타나 있다.

⑤ ⓓ에는 마음의 평안과 안정을 찾고, 앞으로의 삶을 긍정적으로 살아가려 하는 화자의 모습이 표현되어 있다.

[23~28] 다음 글을 읽고 물음에 답하시오.

어느 사이에 나는 아내도 없고, 또,

아내와 같이 살던 집도 없어지고,

그리고 살뜰한 부모며 동생들과도 멀리 떨어져서,

그 어느 바람 세인 쓸쓸한 거리 끝에 헤매이었다.

바로 날도 저물어서,

바람은 더욱 세게 불고, 추위는 점점 더해 오는데,

나는 어느 목수(木手)네 집 헌 삿을 깐,

한 방에 들어서 쥔을 붙이었다.

이리하여 나는 이 습내 나는 춥고, 누긋한 방에서,

낮이나 밤이나 나는 나 혼자도 너무 많은 것같이 생각하며,

딜옹배기에 북덕불이라도 담겨 오면,

이것을 안고 손을 쬐며 재 위에 뜻 없이 글자를 쓰기도 하며,

또 문 밖에 나가지두 않구 자리에 누워서,

머리에 손깍지 벼개를 하고 굴기도 하면서,

나는 내 슬픔이며 어리석음이며를 소처럼 연하여 쌔김질하는 것이었다.

내 가슴이 꽉 메어 올 적이며,

내 눈에 뜨거운 것이 핑 괴일 적이며,

또 내 스스로 화끈 낯이 붉도록 부끄러울 적이며,

나는 내 슬픔과 어리석음에 눌리어 죽을 수밖에 없는 것을 느끼는 것이었다.

그러나 잠시 뒤에 나는 고개를 들어,

허연 문창을 바라보든가 또 눈을 떠서 높은 천정을 쳐다보는 것인데,

이때 나는 내 뜻이며 힘으로, 나를 이끌어 가는 것이 힘든 일인 것을 생각하고,

이것들보다 더 크고, 높은 것이 있어서, 나를 마음대로 굴려가는 것을 생각하는 것인데,

이렇게 하여 여러 날이 지나는 동안에,

내 어지러운 마음에는 슬픔이며, 한탄이며, 가라앉을 것은 차츰 앙금이 되어 가라앉고,

외로운 생각만이 드는 때쯤 해서는,

더러 나줏손에 쌀랑쌀랑 싸락눈이 와서 문창을 치기도 하는 때도 있는데,

나는 이런 저녁에는 화로를 더욱 다가 끼며, ㉠무릎을 꿇어 보며,

어느 먼 산 뒷옆에 바우 섶에 따로 외로이 서서,

어두워 오는데 하이야니 눈을 맞을, 그 마른 잎새에는,

쌀랑쌀랑 소리도 나며 눈을 맞을,

그 드물다는 굳고 정한 ㉡갈매나무라는 나무를 생각하는 것이었다.

— 백석, 「남신의주 유동 박시봉 방」 —

23 ㉠에 나타난 화자의 태도와 가장 가까운 것은?

① 나는 무얼 바라 / 나는 다만, 홀로 침전(沈澱)하는 것일까?//
  인생은 살기 어렵다는데 / 시가 이렇게 쉽게 씌어지는 것은 / 부끄러운 일이다.

  – 윤동주, 「쉽게 쓰여진 시」 –

② 막차는 좀처럼 오지 않았다. /
  대합실 밖에는 밤새 송이눈이 쌓이고 /
  흰 보라 수수꽃 눈시린 유리창마다 /
  톱밥난로가 지펴지고 있었다.

  – 곽재구, 「사평역에서」 –

③ 어린 시절에 불던 풀피리 소리 아니나고 /
  메마른 입술에 쓰디 쓰다. / 고향에 고향에 돌아와도 /
  그리던 하늘만이 높푸르구나.

  – 정지용, 「고향」 –

④ 풀이 눕는다. / 비를 몰아오는 동풍에 나부껴 /
  풀은 눕고 / 드디어 울었다. /
  날이 흐려서 더 울다가 / 다시 누웠다.

  – 김수영, 「풀」 –

⑤ 어두운 방안엔 / 빠알간 숯불이 피고, //
  외로이 늙으신 할머니가 /
  애처로이 잦아드는 어린 목숨을 지키고 계시었다.

  – 김종길, 「성탄제」 –

24 위 시와 〈보기〉의 공통적인 표현상 특징으로 가장 적절한 것은?

┤ 보기 ├

나는 이제 너에게도 슬픔을 주겠다.
사랑보다 소중한 슬픔을 주겠다.
겨울밤 거리에서 귤 몇 개 놓고
살아온 추위와 떨고 있는 할머니에게
귤값을 깎으면서 기뻐하던 너를 위하여
나는 슬픔의 평등한 얼굴을 보여 주겠다. 〈중략〉
보리밭에 내리던 봄눈들을 데리고
추워 떠는 사람들의 슬픔에게 다녀와서
눈 그친 눈길을 너와 함께 걷겠다.
슬픔의 힘에 대한 이야기를 하며
기다림의 슬픔까지 걸어가겠다.

– 정호승, 「슬픔이 기쁨에게」 –

① 특정 어미의 반복으로 운율을 형성한다.
② 동일한 구절의 반복을 통해 리듬감을 주고 있다.
③ 음성 상징어를 활용하여 구체적인 생동감을 부여한다.
④ 명령형 어미를 사용하여 화자의 의지를 강조하고 있다.
⑤ 토속적 시어의 사용을 통해 향토적 정감을 불러일으킨다.

25 위 시의 표현상 특징을 적절하지 <u>않은</u> 것은?

① 시간의 흐름에 따라 시상을 전개하고 있다.
② 어조의 변화를 통해 시상을 전환하고 있다.
③ 쉼표의 적절한 사용을 통해 내재율을 형성하고 있다.
④ 통사 구조의 반복을 통해 화자의 의지를 강조하고 있다.
⑤ 향토적 시어와 방언을 사용하여 향토적 정서를 환기하고 있다.

26 위 시에 나타난 화자의 정서에 대한 설명으로 적절하지 <u>않은</u> 것은?

	행	중심 내용	화자의 심리
㉠	1~8행	화자는 자신의 집도 없이 가족과 멀리 떨어져 지내고 있음.	쓸쓸함, 상실감
㉡	9~15행	방 안에서 슬프고 어리석게 살아온 자신의 삶을 반추하며 성찰하고 있음.	회한, 무기력함
㉢	16~19행	화자는 슬픔과 절망적 체념으로 죽음을 생각하고 있음.	한탄, 절망
㉣	20~27행	화자는 자신을 이끌어 가는 크고 높은 것이 있음을 생각함.	자괴감, 외로움
㉤	28~32행	먼 산에서 외로이 눈을 맞을 굳고 정한 갈매나무를 생각함.	의연함, 강인함

① ㉠   ② ㉡   ③ ㉢   ④ ㉣   ⑤ ㉤

27 〈보기〉를 참고하여 ㉡과 시적 기능이 같은 것은?

┤ 보기 ├

　문학 작품에서 작가가 사용하는 표현 기법 중 하나로, 작가가 드러내고자 하는 정서나 사상을 직접적으로 드러내는 것이 아니라, 다른 사물을 이용해 간접적으로 드러내고자 할 때 사용되는 대상물을 객관적 상관물이라고 부른다.

① 아무도 그에게 수심(水深)을 일러 준 일이 없기에
　<u>흰 나비</u>는 도모지 바다가 무섭지 않다.
　청(靑)무우 밭인가 해서 내려갔다가는 / 어린 날개가 물결에 절어서 / 공주(公主)처럼 지쳐서 돌아온다.
　　　　　　　　　　　　　　　　　　　　　　　　　　　　　　　　　　　－ 김기림, 「바다와 나비」 －
② 눈길 비었거든 바람 담을 지네. / 바람 비었거든 인정 담을 지네. //
　그리운 그의 모습 다시 찾을 수 없어도 /
　울고 간 그의 영혼 / <u>들에 언덕</u>에 피어날지어이.
　　　　　　　　　　　　　　　　　　　　　　　　　　　　　　　　　　　－ 신동엽, 「산에 언덕에」 －
③ 나 보기가 역겨워 / 가실 때에는 / 말없이 고이 보내 드리우리다. //
　영변에 약산 / <u>진달래꽃</u> / 아름 따다 가실 길에 뿌리우리다.
　　　　　　　　　　　　　　　　　　　　　　　　　　　　　　　　　　　－ 김소월, 「진달래꽃」 －
④ 가난하다고 해서 외로움을 모르겠는가 / 너와 헤어져 돌아오는 / <u>눈</u> 쌓인 골목길에 새파랗게 달빛이 쏟아지는데, // 가난하다고 해서 두려움이 없겠는가 / 두 점을 치는 소리
　　　　　　　　　　　　　　　　　　　　　　　　　　　　　　　　　　　－ 신경림, 「가난한 사랑 노래」 －
⑤ 여명(黎明)의 종이 울린다. /
　<u>새벽별</u>이 반짝이고 사람들이 같이 산다. /
　닭이 운다. 개가 짖는다. / 오는 사람이 있고 가는 사람이 있다.
　　　　　　　　　　　　　　　　　　　　　　　　　　　　　　　　　　　－ 김광섭, 「생의 감각」 －

28 위 시와 〈보기〉를 비교한 내용으로 가장 적절한 것은?

┤ 보기 ├

이 몸이 죽어 가서 무엇이 될꼬 하니
봉래산(蓬萊山) 제일봉에 낙락장송(落落長松) 되어 있어
백설이 만건곤(滿乾坤)할 제 독야청청(獨也靑靑) 하리라.

– 성삼문 –

① 위 시와 〈보기〉 모두 유교적 가치관에 기반을 하고 있다.
② 위 시와 달리 〈보기〉는 시적 상황을 감각적으로 형상화하고 있다.
③ 위 시와 〈보기〉 모두 당대 사회 현실에 대한 비판의식이 드러나 있다.
④ 위 시와 〈보기〉 모두 화자 자신에 대한 비판적 인식을 드러내고 있다.
⑤ 위 시와 〈보기〉 모두 자연물을 통해 화자가 지향하는 삶의 자세를 드러내고 있다.

[29~31] 다음 글을 읽고 물음에 답하시오.

(가)

　　┌어느 사이에 나는 아내도 없고, 또,
　　│아내와 같이 살던 집도 없어지고,
　　│그리고 살뜰한 부모며 동생들과도 멀리 떨어져서,
　　│⊙그 어느 바람 세인 쓸쓸한 거리 끝에 헤매이었다.
[A]│바로 날도 저물어서,
　　│바람은 더욱 세게 불고, 추위는 점점 더해 오는데,
　　│나는 어느 목수네 집 헌 샅을 깐,
　　└한 방에 들어서 쥔을 붙이었다.

　　┌이리하여 나는 이 습내 나는 춥고, 누긋한 방에서,
　　│낮이나 밤이나 나는 나 혼자도 너무 많은 것같이 생각하며,
　　│⊙딜옹배기에 북덕불이라도 담겨 오면,
[B]│이것을 안고 손을 쬐며 재 위에 뜻 없이 글자를 쓰기도 하며,
　　│또 문밖에 나가지두 않고 자리에 누워서,
　　└머리에 손깍지 벼개를 하고 굴기도 하면서,

　　┌나는 내 슬픔이며 어리석음이며를 소처럼 연하여 쌔김질하는 것이었다.
　　│내 가슴이 꽉 메어 올 적이며,
[C]│내 눈에 뜨거운 것이 핑 괴일 적이며,
　　│또 내 스스로 화끈 낯이 붉도록 부끄러울 적이며,
　　└나는 내 슬픔과 어리석음에 눌리어 죽을 수밖에 없는 것을 느끼는 것이었다.

[D]
┌ 그러나 잠시 뒤에 나는 고개를 들어,
│ ⓒ허연 문창을 바라보든가 또 눈을 떠서 높은 천장을 쳐다보는 것인데,
│ 이때 나는 내 뜻이며 힘으로, 나를 이끌어 가는 것이 힘든 일인 것을 생각하고,
│ 이것들보다 더 크고, 높은 것이 있어서, 나를 마음대로 굴려 가는 것을 생각하는 것인데,
│ 이렇게 하여 여러 날이 지나는 동안에,
└ 내 어지러운 마음에는 슬픔이며, 한탄이며, 가라앉을 것은 차츰 앙금이 되어 가라앉고,

[E]
┌ 외로운 생각만이 드는 때쯤 해서는,
│ 더러 나줏손에 쌀랑쌀랑 싸락눈이 와서 문창을 치기도 하는 때도 있는데,
│ 나는 이런 저녁에는 화로를 더욱 다가 끼며, 무릎을 꿇어 보며,
│ 어느 먼 산 뒷옆에 바우 섶에 따로 외로이 서서,
│ 어두워 오는데 하이야니 눈을 맞을, 그 마른 잎새에는,
│ 쌀랑쌀랑 소리도 나며 눈을 맞을,
└ 그 드물다는 굳고 정한 ㉮갈매나무라는 나무를 생각하는 것이었다.

– 백석, 「남신의주 유동 박시봉방」 –

(나)
까마득한 날에
하늘이 처음 열리고
어데 닭 우는 소리 들렸으랴.

모든 산맥(山脈)들이
바다를 연모(戀慕)해 휘달릴 때도
차마 이곳을 범(犯)하던 못하였으리라

끊임없는 광음(光陰)을
ⓔ부지런한 계절이 피어선 지고
큰 강물이 비로소 길을 열었다.

지금 눈 내리고
매화향기(梅花香氣) 홀로 아득하니
ⓜ내 여기 가난한 노래의 씨를 뿌려라.

다시 천고(千古)의 뒤에
백마(白馬) 타고 오는 초인(超人)이 있어
이 광야에서 목놓아 부르게 하리라.

– 이육사, 「광야」 –

29 (가)와 (나)의 표현상의 특징을 정리한 것으로 적절하지 <u>않은</u> 것은?

	표현상의 특징	(가)	(나)
㉠	토속적인 방언을 사용하여 향토적 정감을 환기하고 있다.	○	×
㉡	설의적 표현을 활용하여 대상의 모습을 드러내고 있다.	×	○
㉢	역동적인 이미지를 사용하여 대상의 속성을 강조하고 있다.	○	○
㉣	음성 상징어를 구사하여 시적 상황을 구체화하고 있다.	○	×
㉤	계절감이 드러나는 시어를 통해 시의 분위기를 형성하고 있다.	○	○

① ㉠　　　　② ㉡　　　　③ ㉢　　　　④ ㉣　　　　⑤ ㉤

30 다음 중 [A]~[E]에 나타나는 주된 정서와 일치하지 <u>않는</u> 것은?

① [A] : 산새도 날아와 / 우짖지 않고, // 구름도 떠가곤 / 오지 않는다. // 인적 끊긴 곳 / 홀로 앉은 가을 산의 어스름. // 호오이 호오이 소리 높여 / 나는 누구도 없이 불러 보나.

　　– 박두진, 「도봉」 –

② [B] : 밤의 식료품 가게 / 케케묵은 먼지 속에 / 죽어서 하루 더 손때 묻고 / 터무니없이 하루 더 기다리는 / 북어들, / 북어들의 일 개 분대가 / 나란히 꼬챙이에 꿰어져 있었다.

　　　– 최승호, 「북어」 –

③ [C] : 아픔에 하늘이 무너지는 때가 있었다. / 깨진 그 하늘이 아물 때에도 / 가슴에 뼈가 서지 못해서 / 푸르런 빛은 / 장마에 황야처럼 넘쳐 흐르는 / 흐린 강물 위에 떠 갔다.

　　　– 김광섭, 「생의 감각」 –

④ [D] : 폭포는 곧은 절벽을 무서운 기색도 없이 떨어진다. // 규정할 수 없는 물결이 / 무엇을 향하여 떨어진다는 의미도 없이 / 계절과 주야를 가리지 않고 / 고매한 정신처럼 쉴 사이 없이 떨어진다.

　　　– 김수영, 「폭포」 –

⑤ [E] : 사랑은 가고 누구도 거슬러 오르지 않는 / 절망의 강기슭에 배를 띄우며 / 우리들은 이 땅의 어둠 위에 닻을 내린 / 많고 많은 풀포기와 별빛이고자 했다.

　　　– 곽재구, 「절망을 위하여」 –

31 ㉠~㉤ 중, 〈보기〉의 밑줄 친 내용에 해당하는 표현이 사용된 것을 모두 고른 것은?

┤ 보기 ├

　　시는 시인 또는 시적 화자의 감정, 정서 등을 표현하여 읽는 이에게 감동을 주고 정서를 순화하는 것을 목적으로 한다. 그렇기 때문에 <u>맞춤법이나 띄어쓰기 등 문법에 어긋나는 표현을 일부러 사용하여 효과를 주고 강조, 변화, 아쉬움, 미련, 동정, 애착 등의 느낌을 주기도 한다.</u>

① ㉠, ㉡　　　② ㉠, ㉤　　　③ ㉡, ㉣　　　④ ㉠, ㉢, ㉤　　　⑤ ㉡, ㉢, ㉣

[01~11] 다음 글을 읽고 물음에 답하시오.

어느 사이에 나는 아내도 없고, 또,
아내와 같이 살던 집도 없어지고,
그리고 살뜰한 부모며 동생들과도 멀리 떨어져서,
그 어느 바람 세인 쓸쓸한 거리 끝에 헤매이었다.
바로 날도 저물어서,
바람은 더욱 세게 불고, 추위는 점점 더해 오는데,
나는 어느 목수(木手)네 집 헌 삿을 깐,
한 방에 들어서 쥔을 붙이었다.
이리하여 나는 이 습내 나는 춥고, 누긋한 방에서,
낮이나 밤이나 나는 나 혼자도 너무 많은 것같이 생각하며,
딜옹배기에 북덕불이라도 담겨 오면,
이것을 안고 손을 쬐며 재 위에 뜻없이 글자를 쓰기도 하며,
또 문 밖에 나가지두 않구 자리에 누워서,
머리에 손깍지 벼개를 하고 굴기도 하면서,
나는 내 슬픔이며 어리석음이며를 소처럼 연하여 쌔김질하는 것이었다.
내 가슴이 꽉 메어 올 적이며,
내 눈에 뜨거운 것이 핑 괴일 적이며,
또 내 스스로 화끈 낯이 붉도록 부끄러울 적이며,
나는 내 슬픔과 어리석음에 눌리어 죽을 수밖에 없는 것을 느끼는 것이었다.
그러나 잠시 뒤에 나는 고개를 들어,
허연 문창을 바라보든가 또 눈을 떠서 높은 천정을 쳐다보는 것인데,
이때 나는 내 뜻이며 힘으로, 나를 이끌어가는 것이 힘든 일인 것을 생각하고,
이것들보다 더 크고, 높은 것이 있어서, 나를 마음대로 굴려가는 것을 생각하는 것인데,
이렇게 하여 여러 날이 지나는 동안에,
내 어지러운 마음에는 슬픔이며, 한탄이며, 가라앉을 것은 차츰 앙금이 되어 가라앉고,
외로운 생각만이 드는 때쯤 해서는,
더러 나줏손에 쌀랑쌀랑 싸락눈이 와서 문창을 치기도 하는 때도 있는데,
나는 이런 저녁에는 화로를 더욱 다가 끼며, 무릎을 꿇어보며,
어느 먼 산 뒷옆에 바우섶에 따로 외로이 서서,
어두워 오는데 하이야니 눈을 맞을, 그 마른 잎새에는,
쌀랑쌀랑 소리도 나며 눈을 맞을,
그 드물다는 굳고 정한 갈매나무라는 나무를 생각하는 것이었다.

                                                        – 백석, 「남신의주 유동 박시봉 방」 –

01 〈보기〉를 참고하여 이 시의 작가가 제목을 이처럼 정한 효과는 무엇인지 서술하시오. (단, 두 가지 조건을 모두 적용하여 서술할 것)

> **보기**
>
> 제목 '남신의주 유동 박시봉 방'은 편지 봉투에 쓰인 발신인의 주소를 적는 형식이다. 여기서 '방(方)'은 편지에서 세대주나 집주인의 이름 아래 붙여 그 집에 거처하고 있음을 의미하는 말이다.

> **조건**
>
> 1. 시적 화자가 어떤 상황에 놓여 있는지를 구체적으로 파악하여 제시할 것
> 2. 한 문장으로 쓰되, 서술어를 '~효과적으로 전달한다.'로 할 것.

02 윗글을 읽고 물음에 답하시오.

┤ 보기 ├

　　작가는 자신이 표현하고자 하는 어떤 정서나 사상을 직접 표현하는 대신 그 감정과 직접적으로 관계가 없는 대상을 끌어와 간접적으로 표현하는 경우가 있다. 이때 화자의 감정을 간접적으로 드러내는 데에 활용되는 구체적 사물을 '객관적 상관물'이라고 한다.

(1) 〈보기〉에서 설명하고 있는 객관적 상관물에 해당하는 시어를 찾아 쓰시오.

(2) '객관적 상관물의 모습'을 시 내용에서 인용하여 서술하시오.

(3) '객관적 상관물의 의미'를 화자가 지향하는 바를 포함하여 구체적으로 서술하시오.

03 (1) 〈보기1〉의 밑줄에 해당하는 시어를 윗글에서 모두 찾고, (2) 윗글과 〈보기2〉에 사용된 시어의 공통적인 특징과 이러한 시어를 사용한 이유를 서술하시오.

┤ 보기 1 ├

　　1930년대에 이어 1940년대는 일제의 수탈로 농촌의 현실은 피폐해져 갔다. 이러한 농촌을 떠나는 유민들의 고향 상실감과 더불어 민족 해체의 반발 작용으로 민족 공동체 의식을 담은 주제와 토속적 소재를 고수하는 작가들이 나타났다.

┤ 보기 2 ├

아낙도 우두머리도 돌볼 새 없이 갔단다.
도래샘도 띠집도 버리고 강 건너로 쫓겨 갔단다.
고려 장군님 무지 무지 쳐들어와
오랑캐는 가랑잎처럼 굴러 갔단다.

구름이 모여 골짝 골짝을 구름이 흘러
백 년이 몇백 년이 뒤를 이어 흘러갔나.

너는 오랑캐의 피 한 방울 받지 않았건만,
오랑캐꽃,
너는 돌가마도 털메투리도 모르는 오랑캐꽃
두 팔로 햇빛을 막아 줄게
울어 보렴 목놓아 울어나 보렴 오랑캐꽃.

– 이용악, 「오랑캐꽃」 –

*도래샘 – 도랑가에 샘이 저절로 솟아 흘러 나가는 샘물. 도래는 '도랑'의 함경도 방언
*오랑캐꽃 – 제비꽃
*돌가마 – 돌로 만든 가마
*털메투리 – 털신

┤ 조건 ├

• '~다.'의 형태로 서술할 것.

04 ㉠〈보기1〉과 〈보기2〉의 설명에 해당하는 문학적 용어를 각각 밝혀 쓰고, ㉡윗글의 '갈매나무'는 둘 중 어디에 해당하는지와 그 이유를 조건에 맞게 서술하시오.

┤ 보기 1 ├
　글쓴이가 자신의 감정을 표현하기 위해 감정을 직접적으로 서술하는 것이 아니라, 어떤 사물의 특징이나 모양, 행동 등에 의미를 부여하여 자신의 감정을 간접적으로 드러내는 방식을 말한다. 이 때 글쓴이의 감정과는 직접적인 관련이 없는 어떤 심상, 상징, 사건에 의하여 드러나게 되며, 화자가 어떤 정서를 느끼게 되는 계기를 제공하는 대상물을 지칭하기도 한다.

┤ 보기 2 ├
　• 어떤 대상이나 소재에 화자의 감정을 집어넣어서 마치 대상이 그렇게 느끼고 생각하는 것처럼 표현하는 방법으로 정서를 직접 드러낸다.

┤ 조건 ├
1. 〈보기1〉과 〈보기2〉의 설명에 해당하는 문학적 용어 쓰기
2. 윗글의 '갈매나무'는 〈보기1〉과 〈보기2〉 중 어디에 해당하는지를 밝히고, 그 이유를 윗글의 화자의 태도나 생각 혹은 감정의 변화와 관련지어 서술

05 (1) 윗글에서 시상의 전환이 이루어지는 시행을 찾아 첫 어절을 쓰고, (2)그 전후로 화자의 정서가 어떻게 변화하고 있는지 구체적으로 서술하시오.

06 '남신의주 유동 박시봉 방'이라는 제목을 고려할 때, 이 시가 취하고 있는 형식과 그 효과를 서술하시오.

┤ 조건 ├
• 시대적 배경과 관련하여 시적 화자의 처지를 포함하여 서술할 것
• 문장은 종결형 어미 '~(이)다.'로 끝맺음을 할 것.

07 위 시의 화자가 감정의 정화, 내면의 안정을 얻을 수 있었던 계기가 되는 근본적 깨달음은 무엇이라고 생각하는지 작품을 바탕으로 서술하시오.

08 위 시는 고난을 이겨내려는 삶의 의지를 자연물을 통해 간접적으로 드러냈다. (1) 이러한 표현법의 명칭을 쓰고, (2) 이 표현법의 대상이 되는 소재를 찾아 쓰시오. (3)'감정이입'과 이 표현법의 가장 큰 차이를 서술하시오.

09 〈보기〉를 바탕으로 위 시의 작가가 토속성이 드러나는 시어를 사용한 까닭을, (1)당시 상황과 (2) 표현 목적의 측면에서 추론하여 서술하시오.

┤ 보기 ├

㉮ 우리는 사고한 내용을 언어로 표현하고, 언어를 통해 사고한다. 언어는 생각과 느낌을 표현하는 수단일 뿐만 아니라 생각과 느낌을 형성하고 규정하는 역할도 담당한다. 따라서 어떤 언어를 사용하느냐에 따라서 사고도 달라질 수 있다.

㉯ 1930년대에 이어 1940년대는 일제의 수탈로 농촌의 현실은 피폐해져 갔다. 이러한 농촌을 떠나는 유민들의 고향 상실감과 더불어 민족 해체의 반발 작용으로 민족 공동체의 의식을 담은 주제와 토속적 소재를 고수하는 작가들이 나타났다.

㉰ 나는 꿈꾸었노라, 동무들과 내가 가지런히 / 벌가의 하루 일을 다 마치고 / 석양에 마을로 돌아오는 꿈을, / 즐거이, 꿈 가운데.
그러나 집 잃은 내 몸이여, / 바라건대는 우리에게 우리의 보습 대일 땅이 있었더면! / 이처럼 떠들으랴, 아침에 저물손에 / 새라 새로운 탄식을 얻으면서.

〈후략〉

– 김소월, 「바라건대는 우리에게 우리의 보습대일 땅이 있었다면」 –

10 (1)가족공동체를 잃은 화자가 자기 수렴적 생각에 몰입하여 가족이나 주변 상황에 대한 생각조차 하지 못하고 있음을 나타내는 부분과, (2) 이후 생각의 확산을 통해 가족에 대한 그리움을 표현하는 부분을 찾아 각각 20글자 미만으로 쓰시오. (단, 띄어쓰기와 문장부호는 포함하지 않음)

11 이 시를 크게 네 부분으로 나누었을 때, (1)화자의 정서나 태도가 극적으로 변화하는 부분의 첫 행을 찾아 쓰고, (2)해당 행 직전 부분에서 지배적으로 나타나는 정서와 (3)그렇게 생각하는 이유를 작품을 바탕으로 서술하시오.

삼포 가는 길

– 황석영 –

앞부분의 줄거리

<u>공사판을 떠돌아다니는 영달</u>은 공사가 중단되자 어디로 갈 것인가를 생각하며 방황한다. 그리고 현장 사무소가 문을 닫을 즈음
떠돌이 처지인 영달

에 밀린 밥값을 내지 않고 도망치다가, 고향인 삼포로 가는 정 씨를 만나게 된다. 두 사람은 함께 삼포로 가는 기차를 타려고 감천

으로 가던 중 술집에서 도망친 백화를 만난다. 백화는 처음에 두 사람을 경계하지만 <u>자신과 비슷한 처지</u>라는 것을 알고 서서히 마
떠돌이 처지

음을 연다.

[전개] 아직 초저녁이 분명한데 날씨가 나빠서인지 곧 어두워질 것 같았다. 눈은 더욱 새하얗게 돋보였고, 사위*는

고요한데 나무 타는 소리만이 들려왔다.

"감옥뿐 아니라, 세상이란 게 따지면 고해* 아닌가……."
산업화 과정에서 하층민으로 전락한 사람들의 힘들고 고단한 삶이 드러남.

정 씨는 벗어서 불 가에다 쬐고 있던 잠바를 입으면서 중얼거렸다.

"어둡기 전에 어서 가야지."

그들은 일어났다. 아직도 불길 좋게 타고 있는 모닥불 위에 눈을 한 움큼씩 덮었다. 산천이 차츰 희미하게 어두워졌

다. 새들이 이리저리로 깃을 찾아 숲에 모여들고 있었다. 영달이가 백화에게 물었다.
보금자리

"그래, 이젠 어떡할 셈요, 집에 가면……?"

백화가 대답을 않고 웃기만 했다. 정 씨가 말했다.

"시집가야지 뭐."

"<u>시집은 안 가요. 이제 와서 무슨 시집이에요. 조용히 틀어박혀 집의 농사나 거들지요. 동생들이 많아요.</u>"
가족을 책임져야 하는 백화의 가련한 처지   ▶ 모닥불로 몸을 녹이고 해질녁이 되어 다시 길을 떠나는 세 사람

사방이 어두워지자 그들도 얘기를 그쳤다. <u>어디에나 눈이 덮여 있어서 길을 잘 분간할 수가 없었다.</u> 뒤에 처졌던
갈 곳이 없는 세 사람의 처지와 상황을 상징함

백화가 눈 덮인 길의 고랑에 빠져 버렸다. 발이라도 삐었는지 백화는 꼼짝 못 하고 주저앉아 신음을 했다. 영달이가

<u>달려들어 싫다고 뿌리치는 백화를 업었다.</u> 백화는 영달이의 등에 업히면서 말했다.
백화에 대한 영달이의 호감이 드러나는 부분 ①

"무겁죠?"

「영달이는 대꾸하지 않았다. 백화는 어린애처럼 가벼웠다. 등이 불편하지도 않았고 어쩐지 가뿐한 느낌이었다. 아

마 쇠약해진 탓이리라 생각하니 영달이는 어쩐지 대전에서의 옥자가 생각나서 눈시울이 화끈했다.」백화가 말했다.
　　　　　　　　　　　　　　　　　　　　　　　과거 영달과 함께 살았던 여자

"어깨가 참 넓으세요. 한 세 사람쯤 업겠어."

"댁이 근수°가 모자라서 그렇다구."
　　　몸무게가 적게 나가서　　　　　　　　　　▶　영달이 발을 삔 백화를 업어 주며 서로 친밀감을 형성함.

[절정] 그들은 일곱 시쯤에 감천 읍내에 도착했다. 마침 장이 섰었는지 파장°된 뒤인데도 읍내 중앙은 흥청대고 있

었다. 전 부치는 냄새, 고기 굽는 냄새, 곰국 냄새가 풍겨 왔다. 영달이는 이제 백화를 옆에서 부축하고 있었다. 발을
　　　　　　　　　　　　　　　　　　　　　　백화에 대한 영달의 호감이 드러나는 부분 ②

디딜 때마다 여자가 얼굴을 찡그렸다. 정 씨가 백화에게 물었다.

"어느 방향이오?"

"전라선이에요."

"나는 호남선 쪽인데. 여비°는 있소?"

"군용차를 사정해서 타고 가면 돼요."
여비조차 없을 정도의 딱한 처지의 백화

그들은 장터 모퉁이에서 아직도 따뜻한 온기가 남아 있는 팥 시루떡을 사 먹었다. 백화가 자기 몫에서 절반을 떼어
　　　　　　　　　　　　　　　　　　　　　　영달에 대한 고마움을 전달하는 매개체

영달에게 내밀었다.

"더 드세요. 날 업구 왔으니 기운이 배나 들었을 텐데."

역으로 가면서 백화가 말했다.

"어차피 갈 곳이 정해지지 않았다면 우리 고향에 함께 가요. 내 일자리를 주선°해 드릴게."
백화의 호감적 표현

"내야 삼포루 가는 길이지만, 그렇게 하지?"　　　　　　　▶　영달에게 자신의 고향에 함께 갈 것을 제안하는 백화
　　　정 씨의 고향　　　　　　　　　　　　　　　　　　　유랑 인생을 상징하는 공간. 기차역을 배경으로 하여
　　　　　　　　　　　　　　　　　　　　　　　　　　한 곳에 정착하지 못하는 떠돌이 인생을 상징함
정 씨도 영달이에게 권유했다. 영달이는 흙이 덕지덕지 달라붙은 신발 끝을 내려다보며 아무 말이 없었다. 대합실°
　　　　　　　　　　　　　　　백화를 따라가고 싶지만 능력이 없어 함께 가지 못하는 영달의 고민이 드러남.

에서 정 씨가 영달이를 한쪽으로 끌고 가서 속삭였다.

"여비 있소?"

"빠듯이 됩니다. 비상금이 한 천 원쯤 있으니까."

"어디루 가려오?"

"일자리 있는 데면 어디든지……."
갈 곳 없는 뜨내기 신세인 영달

스피커에서 안내하는 소리가 웅얼대고 있었다. 정 씨는 대합실 나무 의자에 피곤하게 기대어 앉은 백화 쪽을 힐끗

보고 나서 말했다.

"같이 가시지. 내 보기엔 좋은 여자 같군."

"그런 거 같아요."

"또 알우? 인연이 닿아서 <u>말뚝 박구 살게 될지. 이런 때 아주 뜨내기* 신셀 청산*해야지.</u>"
　　　　　　　　　　　　　　　　　　정착해서

<u>영달이는 시무룩해져서 역사 밖을 멍하니 내다보았다.</u> 백화는 뭔가 쑤군대고 있는 두 사내를 불안한 듯이 지켜보
백화의 제안에 고민하는 영달의 모습

고 있었다. 영달이가 말했다.

<u>"어디 능력이 있어야죠."</u>
영달이 백화를 따라가지 못하는 이유 : 살림을 차릴 만한 경제력이 없는 떠돌이 신세임.

⊙ 어휘풀이
· **사위(四圍)** 사방의 둘레.
· **고해(苦海)** '고통의 세계'라는 뜻으로, 괴로움이 끝이 없는 인간 세상을 이르는 말.
· **근수(斤數)** 저울에 단 무게의 수.
· **파장(罷場)** 시장(市場) 등이 끝남.
· **여비(旅費)** 여행하는 데에 드는 비용.
· **주선(周旋)** 일이 잘되도록 여러 가지 방법으로 힘씀.
· **대합실(待合室)** 공공시설에서 손님이 기다리며 머물 수 있도록 마련한 곳.
· **뜨내기** 일정한 거처가 없이 떠돌아다니는 사람.
· **청산(淸算)하다** 과거의 부정적 요소를 깨끗이 씻어 버리다.

확인학습 ···

01 윗글은 시간의 흐름에 따라 사건을 전개하고 있다　　　　　　　　　　　　O☐ ✕☐

02 현재와 과거 사건을 교차 배열하여 사건을 입체적으로 제시하고 있다.　　O☐ ✕☐

03 백화는 영달의 무례한 행동에 거부감을 드러내고 있다.　　　　　　　　　O☐ ✕☐

04 영달은 능력이 없는 자신의 처지 때문에 고민하고 있다.　　　　　　　　　O☐ ✕☐

05 대합실은 정 씨, 영달, 백화처럼 한 곳에 정착하지 못하는 떠돌이들의 인생을 상징한다.　　O☐ ✕☐

"삼포엘 같이 가실라우?"

"어쨌든……."

영달이가 뒷주머니에서 꼬깃꼬깃한 오백 원짜리 두 장을 꺼냈다.
아껴둔 비상금

"저 여잘 보냅시다."
백화와 함께 가는 것을 포기함.

영달이는 표를 사고 삼립 빵 두 개와 찐 달걀을 샀다. 백화에게 그는 말했다.
백화에 대한 영달의 호감이 드러나는 부분③

"우린 뒤차를 탈 텐데…… 잘 가슈."   ▶ 백화를 보내기로 하는 영달

영달이가 내민 것들을 받아 쥔 백화의 눈이 붉게 충혈되었다. 그 여자는 더듬거리며 물었다.
영달의 배려에 대한 고마움과 헤어짐에 대한 아쉬움 때문에

"아무도…… 안 가나요?"

"우린 삼포루 갑니다. 거긴 내 고향이오."

영달이 대신 정 씨가 말했다. 사람들이 개찰구●로 나가고 있었다. 백화가 보퉁이●를 들고 일어섰다.

"정말, 잊어버리지…… 않을게요."

백화는 개찰구로 가다가 다시 돌아왔다. 돌아온 백화는 눈이 젖은 채로 웃고 있었다.

"내 이름 백화가 아니에요. 본명은요……, 이점례예요."
인간의 정을 나눈 영달과 정 씨에게 마음을 열고, 자신의 참모습을 보여 주는 백화

여자는 개찰구로 뛰어나갔다. 잠시 후에 기차가 떠났다.   ▶ 자신의 본명을 알리고 떠나는 백화

그들은 나무 의자에 기대어 한 시간쯤 잤다. 깨어 보니 대합실 바깥에 다시 눈발이 흩날리고 있었다. 기차는 연착●
인물들이 헤쳐 나가야 할 고난과 시련을 의미

이었다. 밤차를 타려는 시골 사람들이 의자마다 가득 차 있었다. 두 사람은 말없이 담배를 나눠 피웠다. 먼 길을 걷고

나서 잠깐 눈을 붙였더니 더욱 피로해졌던 것이다. 영달이가 혼잣말로,

"쳇, 며칠이나 견디나……."

"뭐라구?"

"아뇨, 백화란 여자 말요. 저런 애들…… 한 사날두 촌 생활 못 배겨 나요."
백화를 비꼬는 것처럼 보이지만 진심이라기보다는 백화에 대한 연민과 미련에서 나온 말임.

"사람 나름이지만 하긴 그럴 거요. 요즘 세상에 일이 년 안으로 인정이 휙 변해가는 판인데……."
고향을 찾는 사람들이 결국 정착하지 못하고 유랑 생활을 할 것임을 암시함.

정 씨 옆에 앉았던 노인이 두 사람의 행색과 무릎 위의 배낭을 눈여겨 살피더니 말을 걸어왔다.
· 영달과 정 씨에게 삼포가 이미 관광지로 개발되어 사라진 공간임을 알려 줌.
· 산업화와 도시와가 동반한 변화에 대한 작가의 비판적 시각을 대변함

"어디 일들 가슈?"

"아뇨, 고향에 갑니다."

"고향이 어딘데······."

"삼포라고 아십니까?"

"어 알지, 우리 아들놈이 거기서 도자°를 끄는데······."

"삼포에서요? 거 어디 공사 벌릴 데나 됩니까? 고작해야 고기잡이나 하구 감자나 매는데요."
과거 삼포의 모습

△ : 과거 삼포의 모습과 관련된 소재들

"어허! 몇 년 만에 가는 거요?"

"십 년."

노인은 그렇겠다며 고개를 끄덕였다.

○ : 현재 삼포의 모습과 관련된 소재들

"말두 말우, 거긴 지금 육지야. 바다에 방둑°을 쌓아 놓구, 추럭°이 수십 대씩 돌을 실어 나른다구."
현재 삼포의 모습

"뭣 땜에요?"

"낸들 아나. 뭐 관광호텔을 여러 채 짓는담서, 복잡하기가 말할 수 없데."
산업화로 인해 삼포가 관광지로 개발되고 있음 → 고향이 더 이상 민중에게 안락한 공간이 될 수 없음.

"동네는 그대루 있을까요?"

"그대루가 뭐요. 맨 천지에 공사판 사람들에다 장까지 들어섰는걸."

"그럼 나룻배두 없어졌겠네요."

「"바다 위로 신작로°가 났는데, 나룻배는 뭐에 쓰오. 허허, 사람이 많아지니 변고°지. 사람이 많아지면 하늘을 잊
「」: 산업화와 도시화에 대한 작가의 비판적인 시각이 나타남   자연에 대한 외경심을 잃은 인간의 오만함을 비판

는 법이거든."」

작정하고 벼르다가 찾아가는 고향이었으나, 정 씨에게는 풍문°마저 낯설었다. 옆에서 잠자코 듣고 있던 영달이가
변해 버린 고향의 모습을 받아들이지 못하는 정 씨

말했다.   ▶ 노인에게 삼포의 근황을 들은 영달과 정 씨

"잘됐군. 우리 거기서 공사판 일이나 잡읍시다."
영달에게 삼포는 단지 일자리를 얻는 공간 → 정 씨의 괴로운 마음을 이해하지 못함.

그때에 기차가 도착했다. 정 씨는 발걸음이 내키질 않았다. 그는 마음의 정처°를 방금 잃어버렸던 때문이었다. 어
마음의 안식처인 고향을 상실하여 갈 곳 없는 떠돌이 신세가 됨

느 결에 정 씨는 영달이와 똑같은 입장이 되어버렸다.

기차가 눈발이 날리는 어두운 들판을 향해서 달려갔다.   ▶ 변해버린 삼포에 대한 이야기를 듣고 마음의 정처를 잃은 정 씨
인물 중심에서 객관적 대상인 기차로 서술하는 대상이 달라지는 것을 통해 여운을 형성하고,
정 씨와 영달의 앞날이 순탄치 않을 것임을 비유적으로 암시함.

⊙ **어휘풀이**

• **개찰구(改札口)** 개표구. 차표 또는 입장권 등을 들어가는 입구에서 검사하고 사람들을 안으로 받아들이는 곳.

• **보퉁이** 물건을 보에 싸서 꾸려 놓은 것.

• **연착(延着)** 정하여진 시간보다 늦게 도착함.

• **도자** 불도저(bulldozer). 토목 공사에 사용하는 특수 자동차의 하나.

• **방둑** 방죽. 물이 밀려들어 오는 것을 막기 위하여 쌓은 둑.

• **추럭** 트럭(truck). 화물 자동차.

• **신작로(新作路)** 새로 만든 길이라는 뜻으로, 자동차가 다닐 수 있을 정도로 넓게 새로 낸 길을 이르는 말.

• **변고(變故)** 갑작스러운 재앙이나 사고.

• **풍문(風聞)** 바람처럼 떠도는 소문.

• **정처(定處)** 정한 곳. 또는 일정한 장소.

⊙ **핵심정리**

갈래	현대 소설
성격	현실 비판적, 사실적
시점	전지적 작가 시점
배경	1970년대 겨울, 삼포로 가는 길
제재	산업화 과정에서 소외된 사람들의 삶
주제	급속한 산업화 속에서 고향을 상실한 떠돌이들의 애환과 그들 사이의 연 대 의식
특징	• 대화와 행동 묘사를 주로 사용하여 사실적이고 극적인 효과를 나타내 었다. • 길을 모티브로 삼고 있는 여로 소설의 구조를 통해 주제를 형상화하고 있다. • 여운을 남기는 방식으로 작품의 결말을 처리하고 있다

확인학습 ....

01 백화는 자신의 본명을 알려줄 만큼 정 씨와 영달을 진심으로 대하고 있다. ○☐ ×☐

02 영달은 백화에게 차표와 간식을 사주면서 서먹함을 없애려고 노력한다. ○☐ ×☐

03 정 씨는 백화가 시골 생활에 잘 적응할 것이라 믿고 있다. ○☐ ×☐

04 노인은 삼포가 관광지로 개발되는 것을 부정적으로 생각하고 있다. ○☐ ×☐

05 정 씨는 마음의 고향을 잃고 떠돌이 신세가 될 것이다. ○☐ ×☐

06 '눈발'은 정 씨와 영달의 새로운 삶의 출발을 의미한다. ○☐ ×☐

[01~03] 다음 표를 보고 물음에 답하시오.

그들은 나무 의자에 기대어 한 시간쯤 잤다. 깨어 보니 대합실 바깥에 다시 눈발이 흩날리고 있었다. 기차는 연착이었다. 밤차를 타려는 시골 사람들이 의자마다 가득 차 있었다. 두 사람은 말없이 담배를 나눠 피웠다. 먼 길을 걷고 나서 잠깐 눈을 붙였더니 더욱 피로해졌던 것이다. 영달이가 혼잣말로

"쳇, 며칠이나 견디나........"

"뭐라구?"

"아뇨, 백화란 여자 말요. 저런 애들...... 한 사날두 시골 생활 못 배겨 나요."

"사람 나름이지만 하긴 그럴 거요. 요즘 세상에 일이 년 안으루 인정이 획 변해가는 판인데......"

정 씨 옆에 앉았던 노인이 두 사람의 행색과 무릎 위의 배낭을 눈여겨 살피더니 말을 걸어왔다.

"어디 일들 가슈?"

"아뇨, 고향에 갑니다."

"고향이 어딘데......."

"삼포라고 아십니까?"

"어 알지, 우리 아들놈이 거기서 도자를 끄는데......"

"삼포에서요? 거 어디 공사 벌릴 데나 됩니까? 고작해야 고기잡이나 하구 감자나 매는데요."

"어허! 몇 년 만에 가는 거요?"

"십 년."

노인은 그렇겠다며 고개를 끄덕였다.

"말두 말우, 거긴 지금 육지야. 바다에 방둑을 쌓아 놓구, 추럭이 수십 대씩 돌을 실어 나른다구."

"뭣 땜에요?"

"낸들 아나, 뭐 관광호텔을 여러 채 짓는담서, 복잡하기가 말할 수 없데."

"동네는 그대루 있을까요?"

"그대루가 뭐요. 맨 천지에 공사판 사람들에다 장까지 들어섰는걸."

"그럼 나룻배두 없어졌겠네요."

"바다 위로 신작로가 났는데, 나룻배는 뭐에 쓰오. 허허 사람이 많아지니 변고지, 사람이 많아지면 하늘을 잊는 법이거든."

작정하고 벼르다가 찾아가는 고향이었으나, 정 씨에게는 풍문마저 낯설었다. 옆에서 잠자코 듣고 있던 영달이가 말했다.

"잘됐군. 우리 거기서 공사판 일이나 잡읍시다."

그때에 기차가 도착했다. 정 씨는 발걸음이 내키질 않았다. 그는 마음의 정처를 방금 잃어버렸던 때문이었다. 어느 결에 정 씨는 영달이와 똑같은 입장이 되어 버렸다.

기차는 눈발이 날리는 어두운 들판을 향해서 달려갔다.

01 이 글에 대한 설명으로 가장 적절한 것은?

① 노동자들의 의지와 미래에 대한 낙관적 희망을 제시하고 있다.

② 성실하게 살아가려는 한 지식인의 시련을 사실적으로 그리고 있다.

③ 한 인물의 내적 독백을 통해 인물 사이의 갈등을 전달하고 있다.

④ 서로 다른 장소에서 일어난 사건을 병렬적으로 구성하고 있다.

⑤ '길'을 배경으로 한 일종의 여로소설로 처음에 서먹서먹한 인물들이 인간적인 정을 나누는 관계로 발전하는 모습을 그리고 있다.

02 윗글에서 알 수 있는 내용으로 적절한 것은?

① 영달은 백화가 고향에서 잘 적응하리라 믿고 있다.
② 영달은 정 씨가 고향이 있다는 것을 부러워하고 있다.
③ 정 씨는 마음의 안식처를 잃어버렸다고 생각하고 있다.
④ 정 씨는 고향이 개발되어 관광지가 되는 것을 환영하고 있다.
⑤ 정 씨는 고향에 대한 인상이 부정적 측면에서 낙관적 측면으로 변모하고 있다.

03 삼포의 변화와 정 씨와 영달이 처한 상황을 제시하여 작가가 말하고자 하는 것으로 적절하지 않은 것은?

① 삼포 가는 길의 겨울은 가난한 사람들이 견디기 어려운 계절이다.
② '삼포'는 단순한 지명으로서의 고향이 아니라 마음의 안식처이다.
③ '삼포'는 근대화로 인해 본원적 가치가 훼손되어 버린 고향을 나타낸다.
④ 작가는 정착할 곳을 잃은 정 씨와 영달의 모습을 통해 이 시대 민중들의 모습을 드러내고 있다.
⑤ 인구의 도시 집중문제, 환경 문제, 농어촌 공동체의 활성화 등 사회적 상황을 고발하고 있다.

[04~07] 다음 표를 보고 물음에 답하시오.

사방이 어두워지자 그들도 얘기를 그쳤다. ㉠어디에나 눈이 덮여 있어서 길을 잘 분간할 수가 없었다. 뒤에 처졌던 백화가 눈 덮인 길의 고랑에 빠져 버렸다. 발이라도 삐었는지 백화는 꼼짝 못 하고 주저앉아 신음을 했다. 영달이가 달려들어 싫다고 뿌리치는 백화를 업었다. 백화는 영달이의 등에 업히면서 말했다.

"무겁죠?" 영달이는 대꾸하지 않았다. 백화는 어린애처럼 가벼웠다. 등이 불편하지도 않았고 어쩐지 가뿐한 느낌이었다. 〈중략〉

그들은 일곱 시쯤에 감천 읍내에 도착했다. 마침 장이 섰었는지 파장된 뒤인데도 읍내 중앙은 흥청대고 있었다. 전 부치는 냄새, 고기 굽는 냄새, 곰국 냄새가 풍겨 왔다. 영달이는 이제 백화를 옆에서 부축하고 있었다. 발을 디딜 때마다 여자가 얼굴을 찡그렸다. 정 씨가 백화에게 물었다.

"어느 방향이오?" / "전라선이에요."

"나는 호남선 쪽인데. 여비는 있소?"

"군용차를 사정해서 타고 가면 돼요."

그들은 장터 모퉁이에서 아직도 따뜻한 온기가 남아 있는 팥 시루떡을 사 먹었다. 백화가 자기 몫에서 절반을 떼어 영달에게 내밀었다.

"더 드세요. 날 업구 왔으니 기운이 배나 들었을 텐데."

역으로 가면서 백화가 말했다.

"어차피 갈 곳이 정해지지 않았다면 우리 고향에 함께 가요. 내 일자리를 주선 해 드릴게."

"내야 삼포루 가는 길이지만, 그렇게 하지?"

정 씨도 영달이에게 권유했다. 영달이는 흙이 덕지덕지 달라붙은 신발 끝을 내려다보며 아무 말이 없었다. 대합실에서 정 씨가 영달이를 한쪽으로 끌고 가서 속삭였다.

〈중략〉

"같이 가시지. 내 보기엔 좋은 여자 같군."

"그런 거 같아요."

"또 알우? 인연이 닿아서 말뚝 박구 살게 될지. 이런 때 아주 뜨내기 신셀 청산해야지."

영달이는 시무룩해져서 역사 밖을 멍하니 내다보았다. 백화는 뭔가 쑤군대고 있는 두 사내를 불안한 듯이 지켜보고 있었다. 영달이가 말했다.

"어디 능력이 있어야죠." / "삼포엘 같이 가실라우?"

"어쨌든……."

영달이가 뒷주머니에서 꼬깃꼬깃한 오백 원짜리 두 장을 꺼냈다.

"저 여잘 보냅시다."

ⓒ영달이는 표를 사고 삼립 빵 두 개와 찐 달걀을 샀다. 백화에게 그는 말했다.

"우린 뒤차를 탈 텐데…… 잘 가슈."

영달이가 내민 것들을 받아 쥔 백화의 눈이 붉게 충혈되었다. 그 여자는 더듬거리며 물었다.

"아무도…… 안 가나요?" / "우린 삼포루 갑니다. 거긴 내 고향이오."

영달이 대신 정 씨가 말했다. 사람들이 개찰구로 나가고 있었다. 백화가 보퉁이를 들고 일어섰다.

"정말, 잊어버리지…… 않을게요."

백화는 개찰구로 가다가 다시 돌아왔다. 돌아온 백화는 눈이 젖은 채로 웃고 있었다.

"ⓒ내 이름 백화가 아니에요, 본명은요……, 이점례예요."

여자는 개찰구로 뛰어나갔다. 잠시 후에 기차가 떠났다. 〈중략〉

정 씨 옆에 앉았던 노인이 두 사람의 행색과 무릎 위의 배낭을 눈여겨 살피더니 말을 걸어왔다.

"어디 일들 가슈?" / "아뇨, 고향에 갑니다."

"고향이 어딘데……." / "삼포라고 아십니까?"

"어 알지, 우리 아들놈이 거기서 도자를 끄는데……."

"삼포에서요? 거 어디 공사 벌릴 데나 됩니까? 고작해야 고기잡이나 하구 감자나 매는데요."

"어허! 몇 년 만에 가는 거요?" / "십 년."

노인은 그렇겠다며 고개를 끄덕였다.

"말두 말우, 거긴 지금 육지야. 바다에 방둑을 쌓아 놓구, 추럭이 수십 대씩 돌을 실어 나른다구."

"뭣 땜에요?" / "낸들 아나. 뭐 관광호텔을 여러 채 짓는담서, 복잡하기가 말할 수 없데." / "동네는 그대루 있을까요?"

"그대루가 뭐요. 맨 천지에 공사판 사람들에다 장까지 들어섰는걸."

"그럼 나룻배두 없어졌겠네요."

"바다 위로 신작로가 났는데, 나룻배는 뭐에 쓰오. 허허, 사람이 많아지니 변고지. ⓔ사람이 많아지면 하늘을 잊는 법이거든."

작정하고 벼르다가 찾아가는 고향이었으나, 정 씨에게는 풍문마저 낯설었다. 옆에서 잠자코 듣고 있던 영달이가 말했다.

"잘됐군. 우리 거기서 공사판 일이나 잡읍시다."

그때에 기차가 도착했다. 정 씨는 발걸음이 내키질 않았다. 그는 마음의 정처를 방금 잃어버렸던 때문이었다. 어느 결에 정 씨는 영달이와 똑같은 입장이 되어버렸다.

ⓜ기차가 눈발이 날리는 어두운 들판을 향해서 달려갔다.

04 윗글에 대한 설명으로 적절하지 <u>않은</u> 것은?

① 등장인물들의 삶을 통해 정착한 자와 떠도는 자의 갈등을 표현하고 있다.

② 길을 모티브로 삼고 있는 여로 소설의 구조를 통해 주제를 형상화하고 있다.

③ 계절적 배경을 통해 산업화 과정에서 소외된 사람들의 애환을 부각시켰다.

④ 대화나 행동 묘사를 주로 사용하여 사실적이고 극적인 효과를 나타내고 있다.

⑤ 여운을 남기는 방식으로 결말을 처리하여 고전소설의 권선징악적 결말방식과 차이가 있다.

05 '삼포'의 상징적 의미를 〈보기〉와 같이 정리할 때 ⓐ, ⓑ에 대한 설명으로 가장 적절한 것은?

┤ 보기 ├

ⓐ과거의 삼포 ↔ ⓑ현재의 삼포

① ⓐ : 고향의 본원적 가치가 훼손되지 않은 공간

② ⓐ : 현실의 안락함과 세속적 성공을 이룰 수 있는 공간

③ ⓐ : 산업화 세대에 소외된 자들에게 일자리를 제공하는 기회의 공간

④ ⓑ : 정씨와 영달의 갈등이 해소되는 공간

⑤ ⓑ : 떠돌이들이 꿈꾸는 마음의 안식처가 되는 공간

06 ㉠~㉢에 대한 설명으로 적절하지 <u>않은</u> 것은?

① ㉠ : 갈 곳이 없는 세 사람의 처지와 상황을 상징함.

② ㉡ : 백화에 대한 영달의 따뜻한 마음과 재회에 대한 기대감을 나타냄.

③ ㉢ : 영달과 정씨에게 마음을 열고 자신의 참모습을 보여줌.

④ ㉣ : 자연에 대한 외경심을 잃은 인간의 오만함을 비판함.

⑤ ㉤ : 정씨와 영달의 앞날이 순탄치 않을 것임을 비유적으로 암시함.

07 세 인물이 처한 상황과 아래 시적 화자의 처지가 가장 유사한 것은?

① 얇은 사(紗) 하이얀 고깔은/고이 접어서 나빌레라.//

　파르라니 깎은 머리/박사(薄紗) 고깔에 감추오고//

　두 볼에 흐르는 빛이/정작으로 고와서 서러워라.//

　빈 대(臺)에 황촉(黃燭) 불이 말없이 녹는 밤에/오동잎 잎새마다 달이 지는데//소매는 길어서 하늘은 넓고 돌아
　설 듯 날아가며/사뿐히 접어 올린 외씨버선이여.

② 흐르는 것이 물뿐이랴./우리가 저와 같아서/강변에 나가 삽을 씻으며/거기 슬픔도 퍼다 버린다./일이 끝나 저물
　어/스스로 깊어가는 강을 보며/쭈그려 앉아 담배나 피우고/나는 돌아갈 뿐이다./삽자루에 맡긴 한 생애가/이렇
　게 저물고, 저물어서/샛강 바닥 썩은 물에/달이 뜨는 구나./

③ 한 잔의 술을 마시고/우리는 버지니아 울프의 생애와/목마(木馬)를 타고 떠난 숙녀(淑女)의 옷자락을 이야기한
　다./목마(木馬)는 주인을 버리고 그저 방울 소리만 울리며/가을 속으로 떠났다. 술병에서 별이 떨어진다./상심
　(傷心)한 별은 내 가슴에 가볍게 부서진다.

④ 어머님, 나는 별 하나에 아름다운 말 한마디씩 불러봅니다. 소학교 때 책상을 같이했던 아이들의 이름과 패(佩),
　경(鏡), 옥(玉), 이런 이국(異國) 소녀들의 이름과, 벌써 애기 어머니 된 계집애들의 이름과, 가난한 이웃 사람들
　의 이름과, 비둘기, 강아지, 토끼, 노새, 노루, '프랑시스 잠', '라이너 마리아 릴케', 이런 시인의 이름을 불러봅
　니다.//

⑤ 훨훨훨 깃을 치는 청산이 좋아라. 청산이 있으면 홀로래도 좋아라.//사슴을 따라, 사슴을 따라, 양지로 양지로
　사슴을 따라, 사슴을 만나면 사슴과 놀고.//해야, 고운 해야, 해야 솟아라./꿈이 아니래도 너를 만나면, 꽃도 새
　도 짐승도 한자리에 앉아, 워어이 워어이 모두 불러 한자리에 앉아, 애띠고 고운 날을 누려 보리라.//

[08~10] 다음 표를 보고 물음에 답하시오.

앞부분의 줄거리

　공사판을 떠돌아다니는 영달은 공사가 중단되자 어디로 갈 것인가를 생각하며 방황한다. 그리고 현장 사무소가 문을 닫을 즈음에 밀린
밥값을 내지 않고 도망치다가, 고향인 삼포로 가는 정 씨를 만나게 된다. 두 사람은 함께 삼포로 가는 기차를 타려고 감천으로 가던 중 술
집에서 도망친 백화를 만난다. 백화는 처음에 두 사람을 경계하지만 자신과 비슷한 처지라는 것을 알고 서서히 마음을 연다.

　아직 초저녁이 분명한데 날씨가 나빠서인지 곧 어두워질 것 같았다. 눈은 더욱 새하얗게 돋보였고, 사위는 고요한데 나
무 타는 소리만이 들려왔다.

　㉠"감옥 뿐 아니라, 세상이란 게 따지면 고해 아닌가……."

　정 씨는 벗어서 불 가에다 쬐고 있던 잠바를 입으면서 중얼거렸다.

　"어둡기 전에 어서 가야지."

　그들은 일어났다. 아직도 불길 좋게 타고 있는 모닥불 위에 눈을 한 움큼씩 덮었다. 산천이 차츰 희미하게 어두워졌다.
새들이 이리저리로 깃을 찾아 숲에 모여들고 있었다. 영달이가 백화에게 물었다.

　"그래, 이젠 어떡할 셈요, 집에 가면……?"

　백화가 대답을 않고 웃기만 했다. 정 씨가 말했다.

　"시집가야지 뭐."

　"시집은 안 가요. 이제 와서 무슨 시집이에요. 조용히 틀어박혀 집의 농사나 거들죠. 동생들이 많아요."

　사방이 어두워지자 그들도 얘기를 그쳤다. ㉡어디에나 눈이 덮여 있어서 길을 잘 분간할 수가 없었다. 뒤에 처졌던 백

화가 눈 덮인 길의 고랑에 빠져 버렸다. 발이라도 삐었는지 백화는 꼼짝 못 하고 주저앉아 신음을 했다. 영달이가 달려들어 싫다고 뿌리치는 백화를 업었다. 백화는 영달이의 등에 업히면서 말했다.

"무겁죠?"

영달이는 대꾸하지 않았다. 백화는 어린애처럼 가벼웠다. ⓒ등이 불편하지도 않았고 어쩐지 가뿐한 느낌이었다. 아마 쇠약해진 탓이리라 생각하니 영달이는 어쩐지 대전에서의 옥자가 생각나서 눈시울이 화끈했다. 〈중략〉

"우린 삼포루 갑니다. 거긴 내 고향이오."

영달이 대신 정 씨가 말했다. 사람들이 개찰구로 나가고 있었다. 백화가 보퉁이를 들고 일어섰다.

"정말, 잊어버리지…… 않을게요."

백화는 개찰구로 가다가 다시 돌아왔다. 돌아온 백화는 눈이 젖은 채로 웃고 있었다.

ⓔ"내 이름 백화가 아니에요. 본명은요……. 이점례예요."

여자는 개찰구로 뛰어나갔다. 잠시 후에 기차가 떠났다.

그들은 나무 의자에 기대어 한 시간쯤 잤다. 깨어 보니 대합실 바깥에 다시 눈발이 흩날리고 있었다. 기차는 연착이었다. 밤차를 타려는 시골 사람들이 의자마다 가득 차 있었다. 두 사람은 말없이 담배를 나눠 피웠다. 먼 길을 걷고 나서 잠깐 눈을 붙였더니 더욱 피로해졌던 것이다. 영달이가 혼잣말로,

"쳇, 며칠이나 견디나……." / "뭐라구?"

"아뇨, 백화란 여자 말요. 저런 애들…… 한 사날두 촌 생활 못 배겨 나요."

"사람 나름이지만 하긴 그럴 거요. 요즘 세상에 일이 년 안으로 인정이 휙 변해가는 판인데……."

[A]
> 정 씨 옆에 앉았던 노인이 두 사람의 행색과 무릎 위의 배낭을 눈여겨 살피더니 말을 걸어왔다.
>
> "어디 일들 가슈?"
>
> "아뇨, 고향에 갑니다."
>
> "고향이 어딘데……."
>
> "삼포라고 아십니까?"
>
> "어 알지, 우리 아들놈이 거기서 도자를 끄는데……."
>
> "삼포에서요? 거 어디 공사 벌릴 데나 됩니까? 고작해야 고기잡이나 하구 감자나 매는데요."
>
> "어허! 몇 년 만에 가는 거요?"
>
> "십 년."
>
> 노인은 그렇겠다며 고개를 끄덕였다.
>
> "말두 말우, 거긴 지금 육지야. 바다에 방둑을 쌓아 놓구, 추럭이 수십 대씩 돌을 실어 나른다구."
>
> "뭣 땜에요?"
>
> "낸들 아나. 뭐 관광호텔을 여러 채 짓는담서, 복잡하기가 말할 수 없데."
>
> "동네는 그대루 있을까요?"
>
> "그대루가 뭐요. 맨 천지에 공사판 사람들에다 장까지 들어섰는걸."
>
> "그럼 나룻배두 없어졌겠네요."
>
> "바다 위로 신작로가 났는데, 나룻배는 뭐에 쓰오. 허허, 사람이 많아지니 변고지. 사람이 많아지면 하늘을 잊는 법이거든."
>
> 작정하고 벼르다가 찾아가는 고향이었으나, 정 씨에게는 풍문마저 낯설었다. 옆에서 잠자코 듣고 있던 영달이가 말했다.
>
> "잘됐군. 우리 거기서 공사판 일이나 잡읍시다."
>
> 그때에 기차가 도착했다. 정 씨는 발걸음이 내키질 않았다. 그는 마음의 정처를 방금 잃어버렸던 때문이었다.

어느 걸에 정 씨는 영달이와 똑같은 입장이 되어버렸다.

ⓜ기차가 눈발이 날리는 어두운 들판을 향해서 달려갔다.

08 윗글에 대한 설명으로 적절한 것은?

① 등장인물들의 일상적 삶의 모습을 순차적으로 나열하며 이야기가 전개된다.
② 길을 모티브로 등장인물들의 이야기가 전개되고 있는 일종의 여로형 소설이다.
③ 서술자가 작품 안에서 등장인물들의 말과 행동을 객관적으로 전달하고 있다.
④ 등장인물들은 처음에는 서로 의지하는 마음을 가졌으나 여정이 끝날 무렵에는 경계한다.
⑤ 등장인물들은 급격한 사회 변화에 적응하기 위해 물질에 집착하는 현대인의 모습을 보여준다.

09 다음을 참고하여 ㉠~㉤을 이해한 내용으로 적절하지 <u>않은</u> 것은?

> 이 작품은 1970년대 이후 급속하게 진행되었던 농촌의 해체와 산업화 과정에서 고향을 잃고 떠도는 사람들의 삶의 모습을 그리고 있다. 작품 속의 인물들은 막노동자, 술집 작부 등 산업화 과정에서 생겨난 소외 계층으로, 삶의 터전을 상실하고 떠돌아다니는 신세로 전락해 버린 인물들이다.
> 작가는 처음에는 서먹했던 세 사람이 시간이 지나면서 인간적인 유대감을 나누는 모습을 그리면서 소외 계층의 연대 의식을 드러내었다.

① ㉠은 정 씨의 삶을 통해 1970년대 우리나라의 농촌 해체가 어렵게 이루어졌음을 보여준다.
② ㉡은 배경 묘사를 통해 고향을 잃고 떠도는 이들의 삶의 처지를 보여준다.
③ ㉡과 ㉤은 산업화 과정에서 삶의 터전을 상실하고 소외된 이들의 삶의 애환을 보여준다.
④ ㉢과 ㉣을 통해 소외된 이들이 서로에게 연대 의식을 갖게 되었음을 보여준다.
⑤ ㉣은 정 씨와 영달의 인간적인 진심이 백화에게 전해져 서로에게 유대감이 형성되었음을 보여준다.

10 [A]에 대한 설명으로 적절한 것만을 〈보기〉에서 있는 대로 고른 것은?

> ┤ 보기 ├
> ㄱ. 노인의 말을 듣고 영달은 절망함
> ㄴ. 삼포는 영달의 아름다운 추억이 깃든 곳임
> ㄷ. 삼포는 떠돌이 정 씨에게 마음의 안식처였음
> ㄹ. 산업화의 변화에 대한 작가의 비판적 시각이 보임
> ㅁ. 대화를 통해 삼포의 달라진 모습이 구체적으로 제시됨

① ㄴ, ㅁ   ② ㄷ, ㄹ   ③ ㄱ, ㄴ, ㄹ
④ ㄷ, ㄹ, ㅁ   ⑤ ㄱ, ㄴ, ㄷ, ㅁ

아직 초저녁이 분명한데 날씨가 나빠서인지 곧 어두워질 것 같았다. 눈은 더욱 새하얗게 돋보였고, 사위는 고요한데 나무 타는 소리만이 들려왔다.

"감옥뿐 아니라, 세상이란 게 따지면 고해 아닌가……."

정 씨는 벗어서 불 가에다 쬐고 있던 잠바를 입으면서 중얼거렸다.

"어둡기 전에 어서 가야지."

그들은 일어났다. 아직도 불길 좋게 타고 있는 모닥불 위에 눈을 한 움큼씩 덮었다. 산천이 차츰 희미하게 어두워졌다. ㉠새들이 이리저리로 깃을 찾아 숲에 모여들고 있었다. 영달이가 백화에게 물었다.

"그래, 이젠 어떡할 셈요, 집에 가면……?"

백화가 대답을 않고 웃기만 했다. 정 씨가 말했다.

"시집가야지 뭐."

"시집은 안 가요. 이제 와서 무슨 시집이에요. 조용히 틀어박혀 집의 농사나 거들지요. 동생들이 많아요."

사방이 어두워지자 그들도 얘기를 그쳤다. 어디에나 눈이 덮여 있어서 길을 잘 분간할 수가 없었다. 뒤에 처졌던 백화가 눈 덮인 길의 고랑에 빠져 버렸다. 발이라도 삐었는지 백화는 꼼짝 못 하고 주저앉아 신음을 했다. 영달이가 달려들어 싫다고 뿌리치는 백화를 업었다. 백화는 영달이의 등에 업히면서 말했다.

"무겁죠?"

영달이는 대꾸하지 않았다. 백화는 어린애처럼 가벼웠다. ⓐ등이 불편하지도 않았고 어쩐지 가뿐한 느낌이었다. 아마 쇠약해진 탓이리라 생각하니 영달이는 어쩐지 대전에서의 옥자가 생각나서 눈시울이 화끈했다. 백화가 말했다.

"어깨가 참 넓으세요. 한 세 사람쯤 업겠어."

"댁이 근수가 모자라서 그렇다구."

그들은 일곱 시쯤에 감천 읍내에 도착했다. 마침 장이 섰는지 파장된 뒤인데도 읍내 중앙은 흥청대고 있었다. 전 부치는 냄새, 고기 굽는 냄새, 곰국 냄새가 풍겨 왔다. 영달이는 이제 백화를 옆에서 부축하고 있었다. 발을 디딜 때마다 여자가 얼굴을 찡그렸다. 정 씨가 백화에게 물었다.

"어느 방향이오?"

"전라선이에요."

"나는 호남선 쪽인데. 여비는 있소?"

"군용차를 사정해서 타고 가면 돼요."

그들은 장터 모퉁이에서 아직도 따뜻한 온기가 남아 있는 팥 시루떡을 사 먹었다. ⓑ백화가 자기 몫에서 절반을 떼어 영달에게 내밀었다.

"더 드세요. 날 업구 왔으니 기운이 배나 들었을 텐데."

역으로 가면서 백화가 말했다.

"어차피 갈 곳이 정해지지 않았다면 우리 고향에 함께 가요. 내 일자리를 주선 해 드릴게."

"내야 삼포루 가는 길이지만, 그렇게 하지?"

정 씨도 영달이에게 권유했다. 영달이는 흙이 덕지덕지 달라붙은 신발 끝을 내려다보며 아무 말이 없었다. 대합실에서 정 씨가 영달이를 한쪽으로 끌고 가서 속삭였다.

"여비 있소?"

"빠듯이 됩니다. 비상금이 한 천 원쯤 있으니까."

"어디루 가려오?"

"일자리 있는 데면 어디든지……."

스피커에서 안내하는 소리가 웅얼대고 있었다. 정 씨는 대합실 나무 의자에 피곤하게 기대어 앉은 백화 쪽을 힐끗 보고 나서 말했다.

"같이 가시지. 내 보기엔 좋은 여자 같군."

"그런 거 같아요."

"또 알우? 인연이 닿아서 말뚝 박구 살게 될지. 이런 때 아주 뜨내기 신셀 청산해야지."

영달이는 시무룩해져서 역사 밖을 멍하니 내다보았다. 백화는 뭔가 쑤군대고 있는 두 사내를 불안한 듯이 지켜보고 있었다. 영달이가 말했다.

"어디 능력이 있어야죠."

ⓒ"삼포엘 같이 가실라우?"

"어쨌든……."

영달이가 뒷주머니에서 꼬깃꼬깃한 오백 원짜리 두 장을 꺼냈다.

"저 여잘 보냅시다."

영달이는 ⓛ표를 사고 삼립 빵 두 개와 찐 달걀을 샀다. 백화에게 그는 말했다.

"우린 뒤차를 탈 텐데…… 잘 가슈."

영달이가 내민 것들을 받아 쥔 백화의 눈이 붉게 충혈되었다. 그 여자는 더듬거리며 물었다.

"아무도…… 안 가나요?"

"우린 삼포루 갑니다. 거긴 내 고향이오."

영달이 대신 정 씨가 말했다. 사람들이 개찰구로 나가고 있었다. 백화가 보퉁이를 들고 일어섰다.

"정말, 잊어버리지…… 않을게요."

백화는 개찰구로 가다가 다시 돌아왔다. 돌아온 백화는 눈이 젖은 채로 웃고 있었다.

ⓓ"내 이름 백화가 아니에요, 본명은요…… 이점례예요."

여자는 개찰구로 뛰어나갔다. 잠시 후에 기차가 떠났다.

그들은 나무 의자에 기대어 한 시간쯤 잤다. 깨어 보니 대합실 바깥에 다시 눈발이 흩날리고 있었다. 기차는 연착이었다. 밤차를 타려는 시골 사람들이 의자마다 가득 차 있었다. 두 사람은 말없이 담배를 나눠 피웠다. 먼 길을 걷고 나서 잠깐 눈을 붙였더니 더욱 피로해졌던 것이다. 영달이가 혼잣말로,

"쳇, 며칠이나 견디나……."

"뭐라구?"

ⓒ"아뇨, 백화란 여자 말요, 저런 애들…… 한 사날두 촌 생활 못 배겨 나요."

"사람 나름이지만 하긴 그럴 거요. 요즘 세상에 일이 년 안으로 인정이 휙 변해가는 판인데……."

정 씨 옆에 앉았던 노인이 두 사람의 행색과 무릎 위의 배낭을 눈여겨 살피더니 말을 걸어왔다.

"어디 일들 가슈?"

"아뇨, 고향에 갑니다."

"고향이 어딘데……."

"삼포라고 아십니까?"

"어 알지, 우리 아들놈이 거기서 도자를 끄는데……."

"삼포에서요? 거 어디 공사 벌릴 데나 됩니까? 고작해야 고기잡이나 하구 감자나 매는데요."

"어허! 몇 년 만에 가는 거요?"

"십 년."

노인은 그렇겠다며 고개를 끄덕였다.

"말두 말우, 거긴 지금 육지야. 바다에 방둑을 쌓아 놓구, 추럭이 수십 대씩 돌을 실어 나른다구."

"뭣 땜에요?"

"낸들 아나. 뭐 관광호텔을 여러 채 짓는담서, 복잡하기가 말할 수 없데."

"동네는 그대루 있을까요?"

"그대루가 뭐요. 맨 천지에 공사판 사람들에다 장까지 들어섰는걸."

"그럼 나룻배두 없어졌겠네요."

"바다 위로 신작로가 났는데, 나룻배는 뭐에 쓰오. 허허, 사람이 많아지니 변고지. ⓔ사람이 많아지면 하늘을 잊는 법이거든."

작정하고 벼르다가 찾아가는 고향이었으나, 정 씨에게는 풍문마저 낯설었다. 옆에서 잠자코 듣고 있던 영달이가 말했다.

"잘됐군. 우리 거기서 공사판 일이나 잡읍시다."

그때에 기차가 도착했다. 정 씨는 발걸음이 내키질 않았다. 그는 마음의 정처를 방금 잃어버렸던 때문이었다. 어느 결에 ⓔ정 씨는 영달이와 똑같은 입장이 되어버렸다.

ⓜ기차가 눈발이 날리는 어두운 들판을 향해서 달려갔다.

11 위 글에 대한 설명으로 적절한 것은?

① 등장인물인 서술자가 주인공들의 이야기를 전달하고 있다.
② 등장인물들의 내면을 그들의 대화와 행동만으로 전달하고 있다.
③ 빠른 장면 전환을 통해 등장인물 간의 시각 차이를 드러내고 있다.
④ 배경 묘사를 통해 등장인물들이 처한 현실을 상징적으로 나타내고 있다.
⑤ 공간의 이동에 따른 등장인물 간 관계의 변화를 서술자의 직접진술로 나타내고 있다.

12 위 글을 읽고 알 수 있는 내용으로 적절하지 <u>않은</u> 것은?

① 백화는 가족을 돌보기 위해 고향으로 돌아갔다.
② 정 씨는 영달에게 백화와 함께 정착하기를 권하였다.
③ 정 씨는 변해버린 삼포의 소식을 듣고 망연자실하였다.
④ 백화를 업은 영달은 과거의 여자를 떠올리며 백화에게 측은지심을 느끼게 되었다.
⑤ 영달은 기차역에서 만난 노인의 권유로 일자리를 찾으러 삼포에 가기로 결심하였다.

13 ㉠~㉤에 대한 설명으로 적절하지 <u>않은</u> 것은?

① ㉠ : 안식처를 잃은 채 떠돌아다니는 하층민을 상징한다.
② ㉡ : 백화에 대한 영달의 호감을 간접적으로 표현한다.
③ ㉢ : 영달이 백화에게 미련을 가지고 있음을 나타낸다.
④ ㉣ : 당대 현실에 대한 작가의 비판 의식을 드러낸다.
⑤ ㉤ : 영달과 정 씨의 앞날이 순탄치 않을 것임을 암시한다.

14 ⓐ~ⓔ 중 〈보기〉의 [A]에 해당하지 <u>않는</u> 것은?

┤ 보기 ├

　'삼포 가는 길'에서 '길'은 만남과 헤어짐이 나타나는 공간으로, 서로 다른 삶을 살아온 세 인물이 우연히 만나 동행하게 되면서 서로의 아픔을 이해하고 교감을 느끼는 곳이다. 서먹했던 세 사람의 여정이 진행되면서 [A]서로에 대한 유대감이 강화된다.

① ⓐ　　　　② ⓑ　　　　③ ⓒ　　　　④ ⓓ　　　　⑤ ⓔ

[01~03] 다음 글을 읽고, 물음에 답하시오.

　　공사판을 떠돌아다니는 영달은 공사가 중단되자 어디로 갈 것인가를 생각하며 방황한다. 그리고 현장 사무소가 문을 닫을 즈음에 밀린 밥값을 내지 않고 도망치다가, 고향인 삼포로 가는 정 씨를 만나게 된다. 두 사람은 함께 삼포로 가는 기차를 타려고 감천으로 가던 중 술집에서 도망친 백화를 만난다. 백화는 처음에 두 사람을 경계하지만 자신과 비슷한 처지라는 것을 알고 서서히 마음을 연다.

　　영달이가 달려들어 싫다고 뿌리치는 백화를 업었다. 백화는 영달이의 등에 업히면서 말했다. "무겁죠?" 영달이는 대꾸하지 않았다. 백화는 어린애처럼 가벼웠다. 등이 불편하지도 않았고 어쩐지 가뿐한 느낌이었다. 아마 쇠약해진 탓이리라 생각하니 영달이는 어쩐지 대전에서의 옥자가 생각나서 눈시울이 화끈했다. 백화가 말했다. "어깨가 참 넓으세요. 한 세 사람쯤 업겠어." "댁이 근수가 모자라서 그렇다구." 그들은 일곱 시쯤에 감천 읍내에 도착했다. 마침 장이 섰었는지 파장 된 뒤인데도 읍내 중앙은 흥청대고 있었다. 전 부치는 냄새, 고기 굽는 냄새, 곰국 냄새가 풍겨 왔다. ㉠영달이는 이제 백화를 옆에서 부축하고 있었다. 발을 디딜 때마다 여자가 얼굴을 찡그렸다. 〈중략〉

　　"어디루 가려오?" "일자리 있는 데면 어디든지……." 스피커에서 안내하는 소리가 웅얼대고 있었다. 정 씨는 대합실 나무 의자에 피곤하게 기대어 앉은 백화 쪽을 힐끗 보고 나서 말했다. "같이 가시지. 내 보기엔 좋은 여자 같군." "그런 거 같아요." "또 알우? 인연이 닿아서 말뚝 박구 살게 될지. 이런 때 아주 뜨내기 신셀 청산해야지." 영달이는 시무룩해져서 역사 밖을 멍하니 내다보았다. 백화는 뭔가 쑤군대고 있는 두 사내를 불안한 듯이 지켜보고 있었다. 영달이가 말했다. ㉡"어디 능력이 있어야죠."

　　"삼포엘 같이 가실라우?" "어쨌든……."

　　영달이가 뒷주머니에서 꼬깃꼬깃한 오백 원짜리 두 장을 꺼냈다. "저 여잘 보냅시다."

　　영달이는 표를 사고 삼립 빵 두 개와 찐 달걀을 샀다. 백화에게 그는 말했다.

　　"우린 뒤차를 탈 텐데…… 잘 가슈."

　　영달이가 내민 것들을 받아 쥔 백화의 눈이 붉게 충혈되었다. 그 여자는 더듬거리며 물었다.

　　"아무도…… 안 가나요?" "우린 삼포루 갑니다. 거긴 내 고향이오." 영달이 대신 정 씨가 말했다. 사람들이 개찰구로 나가고 있었다. 백화가 보퉁이를 들고 일어섰다. "정말, 잊어버리지…… 않을게요." 백화는 개찰구로 가다가 다시 돌아왔다. 돌아온 백화는 눈이 젖은 채로 웃고 있었다. ㉢"내 이름 백화가 아니에요, 본명은요…… 이점례예요." 여자는 개찰구로 뛰어나갔다. 잠시 후에 기차가 떠났다. 〈중략〉

　　"고향이 어딘데……." "삼포라고 아십니까?" "어 알지, 우리 아들놈이 거기서 도자를 끄는데……." "삼포에서요? 거 어디 공사 벌릴 데나 됩니까? 고작해야 고기잡이나 하구 감자나 매는데요." "어허! 몇 년 만에 가는 거요?" "십 년." 노인은 그렇겠다며 고개를 끄덕였다. "말두 말우, 거긴 지금 육지야. 바다에 방둑을 쌓아 놓구, 추럭이 수십 대씩 돌을 실어 나른 다구." "뭣 땜에요?" "낸들 아나. 뭐 관광호텔을 여러 채 짓는담서, 복잡하기가 말할 수 없데."

　　"동네는 그대루 있을까요?" "그대루가 뭐요. 맨 천지에 공사판 사람들에다 장까지 들어섰는걸." "그럼 나룻배두 없어졌 겠네요." "바다 위로 신작로가 났는데, 나룻배는 뭐에 쓰오. 허허, 사람이 많아지니 변고지. ㉣사람이 많아지면 하늘을 잊 는 법이거든."

　　작정하고 벼르다가 찾아가는 고향이었으나, 정 씨에게는 풍문마저 낯설었다. 옆에서 잠자코 듣고 있던 영달이가 말했 다. "잘됐군. 우리 거기서 공사판 일이나 잡읍시다." 그때에 기차가 도착했다. 정 씨는 발걸음이 내키질 않았다. 그는 마 음의 정처를 방금 잃어버렸던 때문이었다. 어느 결에 정 씨는 영달이와 똑같은 입장이 되어버렸다.

　　㉤기차가 눈발이 날리는 어두운 들판을 향해서 달려갔다.

01 윗글에 대한 이해로 적절하지 않은 것은?

① ㉠ : 백화에 대한 영달의 호감과 관심이 드러나는 부분으로 볼 수 있다.

② ㉡ : 경제력과 내세울 만한 지위가 없는 자신의 신세를 생각하는 내용으로 볼 수 있다.

③ ㉢ : 영달과 정씨에게 진실된 자신의 참모습을 보여주는 의미로 볼 수 있다.

④ ㉣ : 도시로 개발된 삼포가 급속도로 성장해 하늘이 안 보일 정도로 많은 사람들이 찾는다는 의미로 볼 수 있다.

⑤ ㉤ : 여운을 형성하며 인물들의 순탄치 않은 앞날을 비유적으로 암시한 것이라 할 수 있다.

02 〈보기〉를 참고하여 윗글을 이해한 것으로 적절하지 않은 것은?

┤ 보기 ├

성북동 산에 번지가 새로 생기면서
본래 살던 성북동 비둘기만이 번지가 없어졌다.
새벽부터 돌 깨는 산울림에 떨다가
가슴에 금이 갔다.

〈중략〉

성북동 메마른 골짜기에는
조용히 앉아 콩알 하나 찍어 먹을
널찍한 마당은커녕 가는 데마다
채석장 포성이 메아리쳐서
피난하듯 지붕에 올라앉아
아침 구공탄 굴뚝 연기에서 향수를 느끼다가
산 1번지 채석장에 도로 가서
금방 따낸 돌 온기(溫氣)에 입을 닦는다.

〈중략〉

사람과 같이 평화를 즐기던
사랑과 평화의 새 비둘기는
이제 산도 잃고 사람도 잃고
사랑과 평화의 사상까지
낳지 못하는 쫓기는 새가 되었다.

– 김광섭, 「성북동 비둘기」 –

① 〈보기〉의 '번지'는 윗글의 과거 삼포와 현재 삼포가 갖는 의미를 갖고 있다.

② 〈보기〉의 '성북동 비둘기'는 윗글의 정씨와 비슷한 상실감을 느끼는 대상이다.

③ 〈보기〉의 '성북동 메마른 골짜기'는 윗글의 배경인 산업화 시대에 나타난 현실을 내포하고 있다.

④ 〈보기〉의 '채석장 포성'은 윗글의 '도자'와 같이 자연을 파괴하는 의미로 나타나 있다.

⑤ 〈보기〉의 '쫓기는 새'는 윗글의 인물들과 같이 정착하지 못하고 사회적 비난을 피해 도망치는 대상을 의미한다.

03 〈보기1〉과 〈보기2〉를 참고하여 윗글에 대한 감상으로 적절하지 <u>않은</u> 것은?

┤ 보기 1 ├

　　1970년대는 1960년대부터 축적되어 온 경제 개발로 산업화가 본격적으로 이루어진 시대이다. 산업화는 경제 발전과 소득 수준의 증대라는 긍정적 결과를 가져왔다. 그러나 농어촌의 해체와 그에 따른 농어민의 고향 상실, 도시 빈민층의 형성 등 부정적 결과도 적지 않았다.

┤ 보기 2 ├

　　영수네 가족은 서울 변두리의 낙원구 행복동에 사는데 어느날 집의 철거 계고장을 받게 된다.

　　어머니는 대문 기둥에 붙어 있는 알루미늄 표찰을 떼기 위해 식칼로 못을 뽑고 있었다. 내가 식칼을 받아 반대쪽 못을 뽑았다. 어머니는 무허가 건물 번호가 새겨진 알루미늄 표찰을 빨리 떼어 간직하지 않으면 나중에 괴로운 일이 생길 것이라는 것을 알고 있었다. 〈중략〉

　　"떠나다니? 어디로?" / "달나라로!" / "애들아!" / 어머니의 불안한 음성이 높아졌다. 벽돌 공장의 높은 굴뚝이 눈앞으로 다가왔다. 그 맨 꼭대기에 아버지가 서 있었다. 바로 한걸음 정도 앞에 달이 걸려 있었다.

　　- 조세희, 「난장이가 쏘아 올린 작은 공」 -

① 〈보기1〉에 서술된 농어민의 고향 상실을 다룬 작품이 윗글이라면, 도시 빈민층이 형성되고 그들의 생활상을 다룬 것이 〈보기2〉와 같은 작품이겠구나.
② 〈보기1〉에 서술된 경제 발전과 소득 수준의 증대는 오히려 윗글의 영달, 정씨같은 사람들에게 상대적 박탈감을 주었을 것이야.
③ 〈보기1〉에 서술된 경제 개발은 윗글의 인물들과 〈보기2〉의 인물들이 겪은 일처럼 안식(安息)의 공간을 빼앗는 결과를 낳기도 했구나.
④ 〈보기2〉의 벽돌 공장의 높은 굴뚝은 윗글의 관광호텔과 같은 상징으로 이해할 수 있어.
⑤ 〈보기2〉의 어머니는 윗글의 노인처럼 인물들을 감싸고 대신 희생하는 역할을 하고 있어.

[04~08] 다음 글을 읽고, 물음에 답하시오.

　　사방이 어두워지자 그들도 얘기를 그쳤다. 어디에나 눈이 덮여 있어서 길을 잘 분간할 수가 없었다. 뒤에 처졌던 백화가 눈 덮인 길의 고랑에 빠져 버렸다. 발이라도 삐었는지 백화는 꼼짝 못 하고 주저앉아 신음을 했다. 영달이가 달려들어 싫다고 뿌리치는 백화를 업었다. 백화는 영달이의 등에 업히면서 말했다.

　　"무겁죠?"

　　㉠영달이는 대꾸하지 않았다. 백화는 어린애처럼 가벼웠다. 등이 불편하지도 않았고 어쩐지 가뿐한 느낌이었다. 아마 쇠약해진 탓이리라 생각하니 영달이는 어쩐지 대전에서의 옥자가 생각나서 눈시울이 화끈했다. 백화가 말했다.

　　"어깨가 참 넓으세요. 한 세 사람쯤 업겠어."

　　"댁이 근수가 모자라서 그렇다구."

　　그들은 일곱 시쯤에 감천 읍내에 도착했다. 마침 장이 섰었는지 파장된 뒤인데도 읍내 중앙은 흥청대고 있었다. 전 부치는 냄새, 고기 굽는 냄새, 곰국 냄새가 풍겨 왔다. 영달이는 이제 백화를 옆에서 부축하고 있었다. 발을 디딜 때마다 여자가 얼굴을 찡그렸다. 정 씨가 백화에게 물었다.

"어느 방향이오?" / "전라선이에요."

"나는 호남선 쪽인데. 여비는 있소?"

"군용차를 사정해서 타고 가면 돼요."

그들은 장터 모퉁이에서 아직도 따뜻한 온기가 남아 있는 팥 시루떡을 사 먹었다. 백화가 자기 몫에서 절반을 떼어 영달에게 내밀었다.

"더 드세요. 날 업구 왔으니 기운이 배나 들었을 텐데."

역으로 가면서 백화가 말했다.

"어차피 갈 곳이 정해지지 않았다면 우리 고향에 함께 가요. 내 일자리를 주선 해 드릴게."

"내야 삼포루 가는 길이지만, 그렇게 하지?"

정 씨도 영달이에게 권유했다. 영달이는 흙이 덕지덕지 달라붙은 신발 끝을 내려다보며 아무 말이 없었다. 대합실에서 정 씨가 영달이를 한쪽으로 끌고 가서 속삭였다.

"여비 있소?"

"빠듯이 됩니다. 비상금이 한 천 원쯤 있으니까."

"어디루 가려오?" / "일자리 있는 데면 어디든지……."

스피커에서 안내하는 소리가 웅얼대고 있었다. 정 씨는 대합실 나무 의자에 피곤하게 기대어 앉은 백화 쪽을 힐끗 보고 나서 말했다.

"같이 가시지. 내 보기엔 좋은 여자 같군."

"그런 거 같아요."

"또 알우? 인연이 닿아서 말뚝 박구 살게 될지. 이런 때 아주 뜨내기 신셀 청산해야지."

영달이는 시무룩해져서 역사 밖을 멍하니 내다보았다. 백화는 뭔가 쑤군대고 있는 두 사내를 불안한 듯이 지켜보고 있었다. 영달이가 말했다.

"어디 능력이 있어야죠." / "삼포엘 같이 가실라우?"

"어쨌든……."

영달이가 뒷주머니에서 꼬깃꼬깃한 오백 원짜리 두 장을 꺼냈다.

"저 여잘 보냅시다."

영달이는 표를 사고 삼립 빵 두 개와 찐 달걀을 샀다. 백화에게 그는 말했다.

"우린 뒤차를 탈 텐데…… 잘 가슈."

영달이가 내민 것들을 받아 쥔 백화의 눈이 붉게 충혈되었다. 그 여자는 더듬거리며 물었다.

"아무도…… 안 가나요?"

"우린 삼포루 갑니다. 거긴 내 고향이오."

영달이 대신 정 씨가 말했다. 사람들이 개찰구로 나가고 있었다. 백화가 보퉁이를 들고 일어섰다.

"정말, 잊어버리지…… 않을게요."

백화는 개찰구로 가다가 다시 돌아왔다. 돌아온 백화는 눈이 젖은 채로 웃고 있었다.

"내 이름 백화가 아니에요. 본명은요……. 이점례예요."

여자는 개찰구로 뛰어나갔다. 잠시 후에 기차가 떠났다.

〈중략〉

정 씨 옆에 앉았던 노인이 두 사람의 행색과 무릎 위의 배낭을 눈여겨 살피더니 말을 걸어왔다.

"어디 일들 가슈?" / "아뇨, 고향에 갑니다."

"고향이 어딘데……." / "삼포라고 아십니까?"

"어 알지, 우리 아들놈이 거기서 도자를 끄는데……."

"삼포에서요? 거 어디 공사 벌릴 데나 됩니까? 고작해야 @고기잡이나 하구 감자나 매는데요."

"어허! 몇 년 만에 가는 거요?" / "십 년."

노인은 그렇겠다며 고개를 끄덕였다.

"말두 말우, 거긴 지금 육지야. 바다에 ⓑ방둑을 쌓아 놓구, ⓒ추럭이 수십 대씩 돌을 실어 나른다구."

"뭣 땜에요?"

"낸들 아나. 뭐 ⓓ관광호텔을 여러 채 짓는담서, 복잡하기가 말할 수 없는데."

"동네는 그대루 있을까요?"

"그대루가 뭐요. 맨 천지에 ⓔ공사판 사람들에다 장까지 들어섰는걸."

"그럼 나룻배두 없어졌겠네요."

ⓛ"바다 위로 신작로가 났는데, 나룻배는 뭐에 쓰오. 허허, 사람이 많아지니 변고지, 사람이 많아지면 하늘을 잊는 법이거든."

작정하고 벼르다가 찾아가는 고향이었으나, 정 씨에게는 풍문마저 낯설었다. 옆에서 잠자코 듣고 있던 영달이가 말했다.

"잘됐군. 우리 거기서 공사판 일이나 잡읍시다."

그때에 기차가 도착했다. 정 씨는 발걸음이 내키질 않았다. 그는 마음의 정처를 방금 잃어버렸던 때문이었다. 어느 결에 정 씨는 영달이와 똑같은 입장이 되어버렸다.

기차가 눈발이 날리는 어두운 들판을 향해서 달려갔다.

– 황석영, 「삼포 가는 길」 –

04 윗글의 서술상 특징으로 가장 적절한 것은?

① 억양 묘사를 통해 인물을 희화화하고 있다.
② 여로 소설의 구조를 통해 주제를 형상화하고 있다.
③ 과거와 현재를 반복 교차하여 사건에 신빙성을 부여하고 있다.
④ 성격과 행동의 괴리를 보여주어 인물의 분열된 의식을 드러내고 있다.
⑤ 공간적 배경에 따라 서술자를 달리하여 입체적으로 상황을 제시하고 있다.

05 윗글의 공간적 배경을 이해한 내용으로 적절하지 않은 것은?

① '삼포'는 정 씨가 생각하는 정신적 안식처이자 그의 고향이군.
② '삼포'는 산업화로 인해 본연의 포근함과 안락함을 잃은 농어촌을 상징하는군.
③ '삼포'는 정씨에게 안정된 삶의 장소를 제공함으로써 그의 귀향을 완성시키는군.
④ '길'은 작품 속 세 인물이 서로 교감하고 연대 의식을 갖게 되는 공간이군.
⑤ '길'은 눈이 덮여 분간할 수가 없다고 설정되어 갈 곳이 없는 인물의 처지를 상징하는군.

06 ㉠에서의 영달이와 유사한 정서를 드러내는 작품으로 가장 적절한 것은?

① 눈은 살아 있다. / 떨어진 눈은 살아 있다. / 마당 위에 떨어진 눈은 살아 있다. / 기침을 하자. / 젊은 시인이여, 기침을 하자. / 눈더러 보자고 마음 놓고, 마음 놓고 / 기침을 하자.

② 향료를 뿌린 듯 곱다란 노을 위에 / 전신주 하나하나 기울어지고 / 먼 고가선 위에 밤이 켜진다. / 구름은 보랏빛 색지 위에 마구 칠한 한 다발 장미 / 목장의 깃발도 능금나무도 부을면 꺼질 듯이 외로운 들길.

③ 향단아 그넷줄을 밀어라. / 머언 바다로 / 배를 내어 밀 듯이. / 향단아. / 이 다소곳이 흔들리는 수양버들 나무와 / 베갯모에 놓이듯 한 풀꽃더미로부터, / 자잘한 나비 새끼 꾀꼬리들로부터, / 아주 내어 밀 듯이, 향단아.

④ 산은 날아도 새둥이나 꽃잎 하나 다치지 않고 / 짐승들의 굴 속에서도 / 흙 한 줌 돌 한 개는 들성거리지 않는다. / 새나 벌레나 짐승들이 놀랄까 봐 / 지구처럼 부동의 자세로 떠간다. / 그럴 때면 새나 짐승들은 / 기분 좋게 엎대서 / 사람처럼 날아가는 꿈을 꾼다.

⑤ 여승은 합장하고 절을 했다. / 가지취의 내음새가 났다. / 쓸쓸한 낮이 옛날같이 늙었다. / 나는 불경처럼 서러워졌다. / 산꿩도 섧게 울은 슬픈 날이 있었다. / 산 절의 마당귀에 여인이 머리오리가 눈물방울과 같이 떨어진 날이 있었다.

07 ⓐ~ⓔ 중 성격이 <u>이질적인</u> 것은?

① ⓐ   ② ⓑ   ③ ⓒ   ④ ⓓ   ⑤ ⓔ

08 산업화와 도시화에 대한 ㉡의 시각과 유사한 태도를 드러내는 작품으로 가장 적절한 것은?

① 얼음이 하도 단단하여 / 아이들은 / 스케이트를 못타고 / 썰매를 탔다. / 얼음장 위에 모닥불을 피워도 / 녹지 않는 겨울 강

② 성북동 산에 번지가 새로 생기면서 / 본래 살던 성북동 비둘기만이 번지가 없어졌다. / 새벽부터 돌 깨는 산울림에 떨다가 / 가슴에 금이 갔다.

③ 노인은 삽으로 / 영산강을 퍼 올린다 바닥이 보일 때까지 / 머지 않아 그대 눈물의 뿌리가 보일 때까지 / 노인은 다만 / 성난 사람을 혼자서 퍼 올린다.

④ 굳어지기 전까지 저 딱딱한 것들은 물결이었다 / 파도와 해일이 쉬고 있는 바닷속 / 지느러미의 물결 사이에 끼어 / 유유히 흘러다니던 무수한 갈래의 길이었다

⑤ 온종일 비가 내렸습니다. / 연락선이 왔다 갔다는 항구로 / 남행 열차는 쉴 새 없이 달렸습니다. / 싹튼 보리밭이 보이고 / 포플러가 보이고 늙은 산맥이 보였습니다.

[09~13] 다음 글을 읽고, 물음에 답하시오.

앞부분의 줄거리

공사판을 떠돌아다니는 영달은 공사가 중단되자 어디로 갈 것인가를 생각하며 방황한다. 그리고 현장 사무소가 문을 닫을 즈음에 밀린 밥값을 내지 않고 도망치다가, 고향인 삼포로 가는 정 씨를 만나게 된다. 두 사람은 함께 삼포로 가는 기차를 타려고 감천으로 가던 중 술집에서 도망친 백화를 만난다. 백화는 처음에 두 사람을 경계하지만 자신과 비슷한 처지라는 것을 알고 서서히 마음을 연다.

아직 초저녁이 분명한데 날씨가 나빠서인지 곧 어두워질 것 같았다. 눈은 더욱 새하얗게 돋보였고, 사위는 고요한데 나무 타는 소리만이 들려왔다.

"감옥뿐 아니라, 세상이란 게 따지면 고해 아닌가……."

정 씨는 벗어서 불 가에다 쬐고 있던 잠바를 입으면서 중얼거렸다.

"어둡기 전에 어서 가야지."

그들은 일어났다. 아직도 불길 좋게 타고 있는 모닥불 위에 눈을 한 움큼씩 덮었다. 산천이 차츰 희미하게 어두워졌다. 새들이 이리저리로 깃을 찾아 숲에 모여들고 있었다. 영달이가 백화에게 물었다.

"그래, 이젠 어떡할 셈요, 집에 가면……?"

백화가 대답을 않고 웃기만 했다. 정 씨가 말했다.

"시집가야지 뭐."

"시집은 안 가요. 이제 와서 무슨 시집이에요. 조용히 틀어박혀 집의 농사나 거들지요. 동생들이 많아요."

사방이 어두워지자 그들도 얘기를 그쳤다. 어디에나 눈이 덮여 있어서 길을 잘 분간할 수가 없었다. 뒤에 처졌던 백화가 눈 덮인 길의 고랑에 빠져 버렸다. 발이라도 삐었는지 백화는 꼼짝 못 하고 주저앉아 신음을 했다. 영달이가 달려들어 싫다고 뿌리치는 백화를 업었다. 백화는 영달이의 등에 업히면서 말했다.

"무겁죠?"

영달이는 대꾸하지 않았다. 백화는 어린애처럼 가벼웠다. ㉠등이 불편하지도 않았고 어쩐지 가뿐한 느낌이었다. 아마 쇠약해진 탓이리라 생각하니 영달이는 어쩐지 대전에서의 옥자가 생각나서 눈시울이 화끈했다. 백화가 말했다.

"어깨가 참 넓으세요. 한 세 사람쯤 업겠어."

"댁이 근수가 모자라서 그렇다구."

그들은 일곱 시쯤에 감천 읍내에 도착했다. 마침 장이 섰었는지 파장된 뒤인데도 읍내 중앙은 흥청대고 있었다. 전 부치는 냄새, 고기 굽는 냄새, 곰국 냄새가 풍겨 왔다. 영달이는 이제 백화를 옆에서 부축하고 있었다. 발을 디딜 때마다 여자가 얼굴을 찡그렸다. 정 씨가 백화에게 물었다.

"어느 방향이오?"

"전라선이에요."

"나는 호남선 쪽인데. 여비는 있소?"

"군용차를 사정해서 타고 가면 돼요."

그들은 장터 모퉁이에서 아직도 따뜻한 온기가 남아 있는 팥 시루떡을 사 먹었다. 백화가 자기 몫에서 절반을 떼어 영달에게 내밀었다.

"더 드세요. 날 업구 왔으니 기운이 배나 들었을 텐데."

역으로 가면서 백화가 말했다.

"어차피 갈 곳이 정해지지 않았다면 우리 고향에 함께 가요. 내 일자리를 주선해 드릴게."

"내야 삼포루 가는 길이지만, 그렇게 하지?"

정 씨도 영달이에게 권유했다. 영달이는 흙이 덕지덕지 달라붙은 신발 끝을 내려다보며 아무 말이 없었다. 대합실에서 정 씨가 영달이를 한쪽으로 끌고 가서 속삭였다.

"여비 있소?"

"빠듯이 됩니다. 비상금이 한 천 원쯤 있으니까."

"어디루 가려오?"

"일자리 있는 데면 어디든지······."

스피커에서 안내하는 소리가 웅얼대고 있었다. 정 씨는 대합실 나무 의자에 피곤하게 기대어 앉은 백화 쪽을 힐끗 보고 나서 말했다.

"같이 가시지. 내 보기엔 좋은 여자 같군."

"그런 거 같아요."

"또 알우? 인연이 닿아서 말뚝 박구 살게 될지. 이런 때 아주 뜨내기 신셀 청산해야지."

ⓛ영달이는 시무룩해져서 역사 밖을 멍하니 내다보았다. 백화는 뭔가 쑤군대고 있는 두 사내를 불안한 듯이 지켜보고 있었다. 영달이가 말했다.

"어디 능력이 있어야죠."

"삼포엘 같이 가실라우?"

"어쨌든······."

영달이가 뒷주머니에서 꼬깃꼬깃한 오백 원짜리 두 장을 꺼냈다.

"저 여잘 보냅시다."

ⓒ영달이는 표를 사고 삼립 빵 두 개와 찐 달걀을 샀다. 백화에게 그는 말했다.

"우린 뒤차를 탈 텐데····· 잘 가슈."

영달이가 내민 것들을 받아 쥔 백화의 눈이 붉게 충혈되었다. 그 여자는 더듬거리며 물었다.

"아무도····· 안 가요?"

"우린 삼포루 갑니다. 거긴 내 고향이오."

영달이 대신 정 씨가 말했다. 사람들이 개찰구로 나가고 있었다. 백화가 보퉁이를 들고 일어섰다.

"정말, 잊어버리지····· 않을게요."

백화는 개찰구로 가다가 다시 돌아왔다. 돌아온 백화는 눈이 젖은 채로 웃고 있었다.

"내 이름 백화가 아니에요. 본명은요······. 이점례예요."

여자는 개찰구로 뛰어나갔다. 잠시 후에 기차가 떠났다.

그들은 나무 의자에 기대어 한 시간쯤 잤다. 깨어 보니 대합실 바깥에 다시 눈발이 흩날리고 있었다. 기차는 연착이었다. 밤차를 타려는 시골 사람들이 의자마다 가득 차 있었다. 두 사람은 말없이 담배를 나눠 피웠다. 먼 길을 걷고 나서 잠깐 눈을 붙였더니 더욱 피로해졌던 것이다. 영달이가 혼잣말로,

"쳇, 며칠이나 견디나······."

"뭐라구?"

"아뇨, 백화란 여자 말요. 저런 애들····· 한 사날두 촌 생활 못 배겨 나요."

"사람 나름이지만 하긴 그럴 거요. 요즘 세상에 일이 년 안으로 인정이 확 변해가는 판인데······."

정 씨 옆에 앉았던 노인이 두 사람의 행색과 무릎 위의 배낭을 눈여겨 살피더니 말을 걸어왔다.

"어디 일들 가슈?"

"아뇨, 고향에 갑니다."

"고향이 어딘데······."

"삼포라고 아십니까?"

"어 알지, 우리 아들놈이 거기서 도자를 끄는데······."

"삼포에서요? 거 어디 공사 벌릴 데나 됩니까? 고작해야 고기잡이나 하구 감자나 매는데요."

"어허! 몇 년 만에 가는 거요?"

"십 년."

노인은 그렇겠다며 고개를 끄덕였다.

"ⓔ말두 말우. 거긴 지금 육지야. 바다에 방둑을 쌓아 놓구, 추럭이 수십 대씩 돌을 실어 나른다구."

"뭣 땜요?"

"낸들 아나. 뭐 관광호텔을 여러 채 짓는담서, 복잡하기가 말할 수 없데."

"동네는 그대루 있을까요?"

"그대루가 뭐요. 맨 천지에 공사판 사람들에다 장까지 들어섰는걸."

"그럼 나룻배두 없어졌겠네요."

"바다 위로 신작로가 났는데, 나룻배는 뭐에 쓰오. 허허, 사람이 많아지니 변고지. ⑩사람이 많아지면 하늘을 잊는 법이거든."

작정하고 벼르다가 찾아가는 고향이었으나, 정 씨에게는 풍문마저 낯설었다. 옆에서 잠자코 듣고 있던 영달이가 말했다.

"잘됐군. 우리 거기서 공사판 일이나 잡읍시다."

그때에 기차가 도착했다. ⓐ정 씨는 발걸음이 내키질 않았다. 그는 마음의 정처를 방금 잃어버렸던 때문이었다. 어느 결에 정 씨는 영달이와 똑같은 입장이 되어버렸다.

기차가 눈발이 날리는 어두운 들판을 향해서 달려갔다.

– 황석영, 「삼포 가는 길」 –

09 윗글에 대한 설명으로 적절한 것을 〈보기〉에서 골라 묶은 것은?

┌─ 보기 ├─
ㄱ. 길을 모티브로 하여 이야기가 전개되는 여로형 소설이다.
ㄴ. 감각적인 표현을 활용하여 작품의 서정성을 살리고 있다.
ㄷ. 빈번한 장면 전환을 통해 긴장감을 고조시키고 있다.
ㄹ. 대화나 행동 묘사를 주로 사용하여 극적인 효과를 나타낸다.
└─────────

① ㄱ, ㄴ　　　② ㄱ, ㄷ　　　③ ㄱ, ㄹ　　　④ ㄴ, ㄷ　　　⑤ ㄷ, ㄹ

10 ㉠~㉤에 대한 설명으로 적절하지 않은 것은?

① ㉠ : 백화에 대한 연민의 감정에서 비롯된다.
② ㉡ : 백화의 제안에 자존심이 상한 모습을 드러낸다.
③ ㉢ : 백화에 대한 영달의 호감을 드러내고 있다.
④ ㉣ : 문맥상 적절한 한자성어는 '상전벽해(桑田碧海)'이다.
⑤ ㉤ : 자연에 대한 외경심이 사라져가고 있음을 암시한다.

11 윗글에서 '노인'의 역할로 가장 적절한 것은?

① 소외된 사람들의 삶을 위로한다.
② 착취와 수탈의 현장을 고발한다.
③ 특정 공간에 대한 정보를 제공한다.
④ 인물 간의 관계를 돈독하게 개선한다.
⑤ 사라져가는 전통 문화를 보존하고자 한다.

12 ⓐ에 나타난 정 씨의 심리가 가장 잘 형상화된 것은?

① 우리들의 사랑을 위하여서는 / 이별이, 이별이 있어야 하네. // 높았다, 낮았다, 출렁이는 물살과 / 물살 몰아 갔다 오는 바람만이 있어야 하네.

– 서정주, 「견우의 노래」 –

② 여보소, 공중에 / 저 기러기 / 열십자(十字) 복판에 내가 섰소.// 갈래갈래 갈린 길 / 길이라도 / 내게 바이 갈 길은 하나 없소.

– 김소월, 「길」 –

③ 고향에 돌아온 날 밤에 내 백골(白骨)이 따라와 한 방에 누웠다. // 어둔 방은 우주로 통하고 / 하늘에선가 소리처럼 바람이 불어 온다.

– 윤동주, 「또 다른 고향」 –

④ 동방은 하늘도 다 끝나고 / 비 한 방울 나리잖는 그때에도 / 오히려 꽃은 빨갛게 피지 않는가. / 내 목숨을 꾸며 쉬임 없는 날이여!

– 이육사, 「꽃」 –

⑤ 가야 할 때가 언제인가를 / 분명히 알고 가는 이의 / 뒷모습은 얼마나 아름다운가. // 봄 한철 / 격정을 인내한 / 나의 사랑은 지고 있다.

– 이형기, 「낙화(洛花)」 –

13 〈보기〉에서 [A]에 들어갈 내용으로 가장 적절한 것은?

┤ 보기 ├

학습 활동

*'삼포 가는 길'을 읽고 다음 활동을 해 봅시다.

1. 등장 인물이 처한 상황을 살펴보자.
   – 백화는 고달팠던 술집의 생활에서 도망쳐 나와 고향으로 돌아가려고 함.
   – 정 씨는 떠돌아다니는 막노동꾼으로, 고향인 삼포로 돌아가려고 함.
   – 영달은 공사판을 전전하며 떠돌아다니는 막노동꾼으로, 일자리를 찾으러다니는 중임.

2. '삼포'의 변화로 보아 '삼포'가 상징하는 의미를 알아보자.
   ([A]   )

① 뜨내기로 살아온 영달이 생각하는 정신적 안식처이자 그의 고향
② 근대화가 진행되는 현실 속에서 도덕성을 잃어 가는 공간
③ 산업화로 인해 본연의 포근함과 안락함을 잃은 농어촌
④ 현대 사회의 익명성과 피상적인 인간 관계를 느낄 수 있는 공간
⑤ 인간적인 유대감을 형성하고 관계를 회복할 수 있는 공간

[14~18] 다음 글을 읽고, 물음에 답하시오.

(가) 세 사람은 감천 가는 도중에 있는 마지막 마을로 들어섰다. 마을 어귀의 얼어붙은 개천 위로 물오리들이 종종걸음을 치거나 주위를 선회하고 있었다. 마을의 골목길은 조용했고, 굴뚝에서 매캐한 청솔 연기 냄새가 돌담을 휩싸고 있었는데 나직한 창호지의 들창 안에서는 사람들의 따뜻한 말소리들이 불투명하게 들려 왔다. 영달이가 정씨에게 제의했다.

"허기가 져서 떨려요. 감천엔 어차피 밤에 떨어질 텐데, 여기서 뭣 좀 얻어먹구 갑시다."

"여긴 바닥이 작아 주막이나 가게두 없는 거 같군."

"어디 아무 집이나 찾아가서 사정을 해보죠."

백화도 두 손을 코트 주머니에 찌르고 간신히 발을 떼면서 말했다.

"온몸이 얼었어요. 밥은 고사하고, 뜨뜻한 아랫목에서 발이나 녹이구 갔으면."

정씨가 두 사람을 재촉했다.

"얼른 지나가지. 여기서 지체하면 하룻밤 자게 될 테니, 감천엘 가면 하숙두 있구, 우리를 태울 기차두 있단 말요."

그들은 이 적막한 산골 마을을 지나갔다. 눈 덮인 들판 위로 물오리 떼가 내려앉았다가는 날아오르곤 했다. 길가에 퇴락한 초가 한 간이 보였다. 지붕의 한쪽은 허물어져 입을 벌렸고 토담도 반쯤 무너졌다. 누군가가 살다가 먼 곳으로 떠나간 폐가임이 분명했다. 영달이가 폐가 안을 기웃해 보며 말했다.

"저기서 신발이라두 말리구 갑시다."

백화가 먼저 그 집의 눈 쌓인 마당으로 절뚝이며 들어섰다. 안방과 건넌방의 구들장은 모두 주저앉았으나 봉당은 매끈하고 판판한 흙바닥이 그런대로 쉬어가기에 알맞았다. 정씨도 그들을 따라 처마 밑에 가서 엉거주춤 서 있었다. 영달이는 흙벽 틈에 삐죽이 솟은 나무 막대나 문짝, 선반 등속의 땔 만한 것들을 끌어모아다가 봉당 가운데 쌓았다. 불을 지피자 오랫동안 말라 있던 나무라 노란 불꽃으로 타올랐다. 불길과 연기가 차츰 커졌다. 정씨마저도 불가로 다가앉아 젖은 신과 바짓가랑이를 불길 위에 갖다대고 지그시 눈을 감았다. 불이 생기니까 세 사람 모두가 먼 곳에서 지금 막 집에 도착한 느낌이 들었고, 잠이 왔다. 영달이가 긴 나무를 무릎으로 꺾어 불 위에 얹고, 눈물을 흘려 가며 입김을 불어대는 모양을 백화는 이윽히 바라보고 있었다.

㉠"댁에…… 괜찮은 사내야. 나는 아주 치사한 건달인 줄 알았어."

"이거 왜 이래. 괜히 나이롱 비행기 태우지 말어."

"아녜요. 불때는 꼴이 제법 그럴 듯해서 그래요."

정씨가 싱글벙글 웃으면서 영달에게 말했다.

"저런 무딘 사람 같으니, 이 아가씨가 자네한테 반했어…… 그 말이야."〈중략〉

그들은 일곱시쯤에 감천 읍내에 도착했다. 마침 장이 섰었는지 파장된 뒤인데도 읍내 중앙은 흥청대고 있었다. 전 부치는 냄새, 고기 굽는 냄새, 곰국 냄새가 풍겨 왔다. 영달이는 이제 백화를 옆에서 부축하고 있었다. 발을 디딜 때마다 여자가 얼굴을 찡그렸다. 정씨가 백화에게 물었다.

"어느 방향이오?"

"전라선이예요."

"나는 호남선 쪽인데. 여비는 있소?"

"군용차를 사정해서 타구 가면 돼요."

그들은 장터 모퉁이에서 아직도 따뜻한 온기가 남아 있는 팥시루떡을 사 먹었다. 백화가 자기 몫에서 절반을 떼어 영달에게 내밀었다.

"더 드세요. 날 업구 왔으니 기운이 배나 들었을 텐데."

역으로 가면서 백화가 말했다.

"어차피 갈 곳이 정해지지 않았다면 우리 고향에 함께 가요. 내 일자리를 주선해 드릴게."

"내야 삼포루 가는 길이지만, 그렇게 하지?"

정씨도 영달이에게 권유했다. ⓐ영달이는 흙이 덕지덕지 달라붙은 신발 끝을 내려다보며 아무 말이 없었다. 대합실에서 정씨가 영달이를 한쪽으로 끌고 가서 속삭였다.

"여비 있소?"

"빠듯이 됩니다. 비상금이 한 천 원쯤 있으니까."

"어디루 가려우?"

ⓛ"일자리 있는 데면 어디든지……"

스피커에서 안내하는 소리가 웅얼대고 있었다. 정씨는 대합실 나무 의자에 피곤하게 기대어 앉은 백화 쪽을 힐끗 보고 나서 말했다.

"같이 가시지. 내 보기엔 좋은 여자 같군."

"그런 거 같아요."

"또 알우? 인연이 닿아서 말뚝 박구 살게 될지. 이런 때 아주 뜨내기 신셀 청산해야지."

영달이는 시무룩해져서 역사 밖을 멍하니 내다보았다. 백화는 뭔가 쑤군대고 있는 두 사내를 불안한 듯이 지켜보고 있었다. 영달이가 말했다.

"어디 능력이 있어야죠."

ⓒ"삼포엘 같이 가실라우?"

"어쨌든……"

영달이가 뒷주머니에서 꼬깃꼬깃한 오백 원짜리 두 장을 꺼냈다.

"저 여잘 보냅시다."

ⓡ영달이는 표를 사고 삼립빵 두 개와 찐 달걀을 샀다. 백화에게 그는 말했다.

"우린 뒷 차를 탈 텐데…… 잘 가슈."

ⓑ영달이가 내민 것들을 받아 쥔 백화의 눈이 붉게 충혈되었다.

그 여자는 더듬거리며 물었다.

"아무도…… 안 가나요."

"우린 삼포루 갑니다. 거긴 내 고향이오."

영달이 대신 정씨가 말했다. 사람들이 개찰구로 나가고 있었다. 백화가 보퉁이를 들고 일어섰다.

"정말, 잊어버리지…… 않을게요."

백화는 개찰구로 가다가 다시 돌아왔다. 돌아온 백화는 눈이 젖은 채 웃고 있었다.

ⓜ"내 이름 백화가 아니예요. 본명은요…… 이점례예요."

여자는 개찰구로 뛰어나갔다. 잠시 후에 기차가 떠났다.

– 황석영, 「삼포 가는 길」 –

(나) S#64. 바다를 중심으로 한 풍경

바다가 보이기 시작한다. 쭉 트인 아스팔트 길로 버스가 보기 좋게 미끄러져 간다. 정씨가 영달에게 뭐라고 침이 마르도록 설명한다. 버스는 계속 달린다. 영달은 잠들어 있고 정씨는 눈을 감고 있으나 그의 표정은 벅차 있다. ㉮정씨의 이미지가 펼쳐진다.

S#65. 버스 정류소

(버스가 선다. 손님이 몇 내리고 탄다. 정씨가 차장과 싸우며 영달과 함께 내린다.)

정씨: 아니 내 고향 삼포를 내가 몰라? 여긴 삼포가 아니란 말야! 삼포는 나룻배 타고 바다를 건너가야 하는데 여기가 삼포라니…….

차장: 별 미친 사람 다 보겠네! 눈앞에 삼포를 두고 삼포를 찾다니!

(떠나 버리는 버스. 같이 내린 노인 하나가 빙그레 웃으며)

노인: 고향 떠난 지 오래 되신 모양이구먼요?

정씨: 예, 한 십 년 됐습니다만, 아무러면 제 고향을 몰라보겠습니까?

노인: 십 년이요? 일 년도 아니고 십 년? 여보, 지금 일 년 이면 세상이 어떻게 변하는 데…….

정씨: 그야 그렇겠지만.……

노인: 바로 여기가 삼포요! 옛날엔 나룻배가 다녔지만 지금은 저 바다 위로 길이 나서 버스가 다니고 있단 말이오.

(노인이 바다 위를 가리킨다. 정씨의 눈에 보이는 바다 위의 대교. 언덕 위엔 호텔이 섰고 사방에 벌어져 있는 공사판. 정씨 얼이 빠져 돌아보는데 영달은 공사판을 가리키며 살판났다고 신나서 지껄인다. 두 사람이 서 있는 옆으로 각종 차량이 가로세로 정신없이 달려가고 달려온다. 그 차량들을, 노란 헬멧을 쓰고 깃발을 든 안내원 아가씨가 멋들어진 동작으로 지시한다. 그 아가씨가 정씨와 영달에게 연신 호루라기를 불며 위험하다고 경고한다. 얼빠진 정씨. 영달은 안 되겠다는 듯이 정씨를 어디론가 끌고 간다.)

S#66. 공사판
맹렬히 돌아가는 착암기. 영달은 벌써 공사판에 뛰어들어 착암기를 잡았다. 그 생동하는 모습. 비 오듯 땀을 흘리며 온 정신을 착암기에 집중하고 있는 영달. 우르르 꽝. 바위가 무너지고 새 길이 뚫려간다.

S#69. 산소
오랫동안 사람의 손길이 가지 않은 황폐한 무덤들. 정씨 우두커니 서 있다. 이때
소리 : 아저씨 아니세요?
(정씨 휙 돌아본다. 청년 하나가 다가온다.)
정씨 : (몰라보고)……?
청년 : 저예요. 저 몰라보세요? 제가 대근이에요!
(하며 넙죽 절한다. 정씨는 그제야 알아보고 청년의 손을 꽉 잡으며)
정씨 : 날 알아보겠니?
청년 : 아까 장터에서 봤지만 긴가민가해서 인사드리지 못했어요.
정씨 : 그래 다들 어디 사느냐?
청년 : 다들 이사 가구 몇 집 안 남았어요. 참 필순인 만나보셨어요?
정씨 : (다급히) 어디 있느냐?
청년 : 버스 정류장에서 못 보셨어요? 교통 안내원으로 일하고 있잖아요!
정씨 : 그래? 그 애가 바로……?

S#70. 버스 정류장
미친 듯 달려오는 정씨. 정씨의 딸 필순이는 여전히 교통정리를 하고 있다. 차도를 건너 달려오는 정씨를 보고 필순이 호루라기를 불며 저지한다. 정씨의 발이 멎는다. 필순은 차도로 건너지 말고 횡단보도로 건너라고 연신 호루라기를 불어댄다. 착잡해지는 표정의 정씨. 손에 쥐고 있는 고무신 봉지를 내려다본다. 그리고 필순이 신고 있는 멋진 부츠를 바라본다. 정씨는 자기도 모르게 고무신 봉지를 뒤로 감춘다.

- 황석영 원작 / 유동훈 각색, 「삼포로 가는 길」 -

14 ⓐ와 ⓑ에 대한 공통된 설명으로 가장 적절한 것은?

① 인물의 모습을 통해 심리를 드러내고 있다.
② 요약적 서술로 사건의 의미를 제시하고 있다.
③ 삼인칭 서술자가 인물의 성격을 직접 서술하고 있다.
④ 상황에 대한 서술자의 주관적 판단을 드러내고 있다.
⑤ 배경 제시를 통해 인물이 처한 상황을 보여주고 있다.

15 〈보기〉를 바탕으로 (가)를 감상한 내용으로 적절하지 <u>않은</u> 것은?

┌─ 보기 ┐

　　길은 인생의 행로로서 그 길을 걷는 이들의 삶을 드러낸다. 이 작품에는 떠돌이로서의 삶을 살아가는 이들이 우연히 길 위에서 마주쳐 동행하는 과정이 그려져 있다. 동행은 일시적이지만 이 과정에서 인물들은 낯선 타인의 관계에서 벗어나 유대감과 온정을 느끼게 된다.

└────────┘

① '산골 마을'을 지나는 인물들이 추위와 허기 속에서도 여정을 계속하는 것에서 고달픈 떠돌이의 삶을 읽을 수 있군.
② '폐가'는 '불가'에 다가앉아 온기를 느끼는 일시적인 쉼터가 된다고 할 수 있군.
③ '읍내'는 백화와 영달, 정씨와 같이 중심부에서 밀려난 자들을 포용하는 공간이라고 할 수 있군.
④ '장터'에서 '따뜻한 온기가 남아 있는 팥시루떡'을 나누는 모습에서 인물들 사이의 유대감을 느낄 수 있군.
⑤ '역'은 백화가 '고향'으로 가면서 세 인물의 동행이 끝나는 공간이라고 할 수 있군.

16 ㉠~㉤에 대한 이해로 적절하지 <u>않은</u> 것은?

① ㉠ : 백화가 영달에게 호감을 갖게 되었음을 알 수 있다.
② ㉡ : 영달은 일자리를 찾을 수 있다는 희망에 부풀어 있음을 알 수 있다.
③ ㉢ : 정씨는 영달의 처지를 고려하여 함께 갈 것을 제안하고 있음을 알 수 있다.
④ ㉣ : 백화에 대한 영달의 따뜻한 마음을 알 수 있다.
⑤ ㉤ : 정씨와 영달에 대한 신뢰와 고마움의 표현으로 볼 수 있다.

17 ㉮의 내용으로 적절한 것만을 〈보기〉에서 모두 골라 묶은 것은?

┌─ 보기 ┐

ㄱ. 아침 해가 비치는 어촌 마을의 아늑한 정경.
ㄴ. 만선의 깃발을 올리며 돌아오는 고깃배에 당당하게 서 있는 정씨의 모습.
ㄷ. 선착장에 동네 사람들이 몰려 나와 함성을 지르며 고깃배를 맞이하는 모습
ㄹ. 고깃배에서 뛰어내린 정씨에게 달려오는 한 소녀와 굳게 포옹하는 모습.
ㅁ. 마당에서 정씨 가족들이 둥글게 둘러앉아 왁자지껄하게 떠들며 고기를 구워 먹는 모습.

└────────┘

① ㄱ, ㄴ, ㄷ
② ㄱ, ㄴ, ㄷ, ㄹ
③ ㄱ, ㄴ, ㄷ, ㅁ
④ ㄴ, ㄷ, ㄹ, ㅁ
⑤ ㄱ, ㄴ, ㄷ, ㄹ, ㅁ

18 (나)를 영화로 만들기 위한 계획으로 적절하지 <u>않은</u> 것은?

① S#64 : 버스가 달리는 모습을 멀리서 잡은 후, 버스 안에서 정씨와 영달의 모습을 촬영한다.
② S#65 : 정씨의 어조와 표정에서 감정의 변화가 잘 드러나도록 연기한다.
③ S#66 : 일에 몰두하는 영달의 모습에서 현실로 인해 갈등하는 마음이 잘 드러나도록 연기한다.
④ S#69 : 새로운 인물의 출현으로 인해 적막했던 분위기가 반전되는 느낌이 잘 살아나도록 촬영한다.
⑤ S#70 : 도로의 소음과 호루라기 소리 등의 효과음을 통해 번잡스러움이 잘 드러나도록 촬영한다.

[19~21] 다음 글을 읽고, 물음에 답하시오.

영달이는 표를 사고 삼립 빵 두 개와 찐 달걀을 샀다. 백화에게 그는 말했다.

"우린 뒤차를 탈 텐데…… 잘 가슈."

영달이가 내민 것들을 받아 쥔 백화의 눈이 붉게 충혈되었다. 그 여자는 더듬거리며 물었다.

"아무도…… 안 가나요?"

"우린 삼포루 갑니다. 거긴 내 고향이오."

영달이 대신 정 씨가 말했다. 사람들이 개찰구로 나가고 있었다. 백화가 보통이를 들고 일어섰다.

"정말, 잊어버리지…… 않을게요."

백화는 개찰구로 가다가 다시 돌아왔다. 돌아온 백화는 눈이 젖은 채로 웃고 있었다.

"내 이름 백화가 아니에요. 본명은요……. 이점례예요."

여자는 개찰구로 뛰어나갔다. 잠시 후에 기차가 떠났다.

그들은 나무 의자에 기대어 한 시간쯤 잤다. 깨어 보니 대합실 바깥에 다시 눈발이 흩날리고 있었다. 기차는 연착이었다. 밤차를 타려는 시골 사람들이 의자마다 가득 차 있었다. 두 사람은 말없이 담배를 나눠 피웠다. 먼 길을 걷고 나서 잠깐 눈을 붙였더니 더욱 피로해졌던 것이다. 영달이가 혼잣말로

"쳇, 며칠이나 견디나……."

"뭐라구?"

"아뇨, 백화란 여자 말요. 저런 애들…… 한 사날두 시골 생활 못 배겨 나요."

"사람 나름이지만 하긴 그럴 거요. 요즘 세상에 일이 년 안으루 인정이 휙 변해가는 판인데……"

정 씨 옆에 앉았던 노인이 두 사람의 행색과 무릎 위의 배낭을 눈여겨 살피더니 말을 걸어왔다.

"어디 일들 가슈?"

"아뇨, 고향에 갑니다."

"고향이 어딘데……."

"삼포라고 아십니까?"

"어 알지, 우리 아들놈이 거기서 도자를 끄는데……."

"삼포에서요? 거 어디 공사 벌릴 데나 됩니까? 고작해야 고기잡이나 하구 감자나 매는데요."

"어허! 몇 년 만에 가는 거요?"

"십 년."

노인은 그렇겠다며 고개를 끄덕였다.

"말두 말우 거긴 지금 육지야. 바다에 방둑을 쌓아 놓구, 추럭이 수십 대씩 돌을 실어 나른다구."

"뭣 땜에요?"

"낸들 아나, 뭐 관광호텔을 여러 채 짓는담서, 복잡하기가 말할 수 없데."

"동네는 그대루 있을까요?"

"그대루가 뭐요. 맨 천지에 공사판 사람들에다 장까지 들어섰는걸."

"그럼 나룻배두 없어졌겠네요."

"바다 위로 신작로가 났는데, 나룻배는 뭐에 쓰오. 허허 사람이 많아지니 변고지, ㉠사람이 많아지면 하늘을 잊는 법이거든."

작정하고 벼르다가 찾아가는 고향이었으나, 정 씨에게는 풍문마저 낯설었다. 옆에서 잠자코 듣고 있던 영달이가 말했다.

"잘됐군. 우리 거기서 공사판 일이나 잡읍시다."

그때에 기차가 도착했다. 정 씨는 발걸음이 내키질 않았다. 그는 마음의 정처를 방금 잃어버렸던 때문이었다. 어느 결에 정 씨는 영달이와 똑같은 입장이 되어 버렸다.

기차는 눈발이 날리는 어두운 들판을 향해서 달려갔다.

— 황석영, 「삼포 가는 길」 —

19 '노인'의 역할로 가장 적절한 것은?

① 인물의 조력자 역할을 하고 있다.
② 소설의 시점이 전환되는 계기를 마련하는 인물이다.
③ 인물 간의 갈등이 해결되는 계기를 마련하는 인물이다.
④ 인물들에게 새로운 소식을 전달하는 역할을 하고 있다.
⑤ 현실의 어려움을 극복할 수 있는 가능성을 보여 주고 있다.

20 작품 내용의 전체를 고려할 때 인물에 대한 설명으로 적절하지 않은 것은?

① 감옥살이를 한 경험이 있는 영달은 세상을 감옥처럼 고통스러운 곳이라고 여긴다.
② 공사판 일이 없어진 영달은 정처 없이 길을 가다가 삼포로 가는 정씨를 만나서 동행하게 되었다.
③ 여덟 사람을 옥바라지 하고 떠나보낸 백화는 대가를 바라지 않는 순수한 마음을 지닌 인물이라고 할 수 있다.
④ 백화는 영달에 대해 처음에 아주 치사한 건달이라고 생각했으나 점차 괜찮은 사람이라는 우호적인 감정을 갖게 된다.
⑤ 뚱뚱이 여자는 백화가 술집에서 도망치는 바람에 손해가 크다며 영달과 정씨에게 백화를 잡아오면 만 원을 주겠다고 제안한다.

21 ⊙이 내표한 의미와 가장 유사한 주제의식을 가진 작품을 고르면?

① 연탄은, 일단 제 몸에 불이 옮겨 붙었다 하면 / 하염없이 뜨거워지는 것 / 매일 따스한 밥과 국물 퍼먹으면서도 몰랐네 / 온몸으로 사랑하고 나면 / 한 덩이 재로 쓸쓸하게 남는 게 두려워 / 여태껏 나는 누구에게 연탄 한 장도 되지 못하였네

– 안도현, 「연탄 한 장」 –

② 산 너머 남촌에는 누가 살길래 / 해마다 봄바람이 남으로 오네 / 꽃 피는 사월이면 진달래 향기 / 밀 익는 오월이면 보리 내음새 / 어느 한 가진들 실어 안오리 / 남촌서 남풍불 제 나는 좋데나

– 김동환, 「산 너머 남촌에는」 –

③ 산성 눈 내린다 / 12월 썩은 구름들 아래 / 병실 밖의 아이들은 놀다 간다 / 성가의 후렴들이 지워지고 / 산성 눈 하얗게 온 세상 덮고 있다 / 하마터면 아름답다고 말할 뻔 했다 / 캄캄하고 고요하다

– 이문재, 「산성 눈 내리네」 –

④ 흙이 가진 것 중에 / 제일 부러운 것은 그의 이름이다 / 흙 흙 흙 하고 그를 불러 보라 / 심장 저 깊은 곳으로부터 / 눈물 냄새가 차오르고 / 이내 두 눈이 젖어 온다

– 문정희, 「흙」 –

⑤ 세상은 아무래도 산 위에서 보는 것과 같지만은 않다 / 지금 우리는 혹시 세상을 / 너무 멀리서만 보고 있는 것은 아닐까 아니면 / 너무 가까이서만 보고 있는 것은 아닐까

– 신경림, 「장자를 빌려 –원통에서」 –

[22~26] 다음 글을 읽고, 물음에 답하시오.

그들은 일어났다. 아직도 불길 좋게 타고 있는 모닥불 위에 눈을 한 움큼씩 덮었다. 산천이 차츰 희미하게 어두워졌다. ⓐ새들이 이리 저리로 깃을 찾아 숲에 모여들고 있었다. 영달이가 백화에게 물었다.

"그래 이제는 어떡할 셈요, 집에 가면......?"

백화가 대답을 않고 웃기만 했다. 정 씨가 말했다.

"시집가야지 뭐."

ⓒ"시집은 안 가요, 이제 와서 무슨 시집이에요. 조용히 틀어박혀 집의 농사나 거들지요. 동생들이 많아요."

사방이 어두워지자 그들도 얘기를 그쳤다. 어디에나 눈이 덮여 있어서 길을 잘 분간할 수가 없었다. 뒤에 처졌던 백화가 눈 덮인 길의 고랑에 빠져 버렸다. 발이라도 삐었는지 백화는 꼼짝 못 하고 주저앉아 신음을 했다. 영달이가 달려들어 싫다고 뿌리치는 백화를 업었다. 백화는 영달이의 등에 업히면서 말했다.

"무겁죠?"

영달이는 대꾸하지 않았다. 백화가 어린애처럼 가벼웠다. 등이 불편하지도 않았고 어쩐지 가뿐한 느낌이었다. 아마 쇠약해진 탓이리라 생각하니 영달이는 어쩐지 대전에서의 옥자가 생각나서 눈시울이 화끈했다. 백화가 말했다.

"어깨가 참 넓네요. 한 세 사람쯤 업겠어."

ⓒ"댁이 근수가 모자라니 그렇다구."

그들은 일곱 시쯤에 감천 읍내에 도착했다. 마침 장이 섰었는지 파장된 뒤인데도 읍내 중앙은 흥청대고 있었다. 전 부치는 냄새, 고기 굽는 냄새, 곰국 냄새가 풍겨 왔다. 영달이는 이제 백화를 옆에서 부축하고 있었다. 발을 디딜 때마다 여자가 얼굴을 찡그렸다. 정 씨가 백화에게 물었다.

"어느 방향이오?"

"전라선이에요."

"나는 호남선 쪽인데. 여비는 있소?"

"군용차를 사정해서 타구 가면 돼요."

그들은 장터 모퉁이에서 아직도 따뜻한 온기가 남아 있는 팥시루떡을 사 먹었다. 백화가 자기 몫에서 절반을 떼어 영달에게 내밀었다.

ⓓ"더 드세요, 날 업구 왔으니 기운이 배나 들었을 텐데."

역으로 가면서 백화가 말했다.

"어차피 갈 곳이 정해지지 않았다면 우리 고향에 함께 가요. 내 일자리를 주선해 드릴게."

"내야 삼포로 가는 길이지만, 그렇게 하지?"

정 씨도 영달이에게 권유했다. 영달이는 흙이 덕지덕지 달라붙은 신발 끝을 내려다보며 아무 말이 없었다. 대합실에서 정 씨가 영달이를 한쪽으로 끌고 가서 속삭였다.

"여비 있소?"

"빠듯이 됩니다. 비상금이 한 천 원쯤 있으니까."

"어디로 가려우?"

"일자리 있는 데면 어디든지......"

스피커에서 안내하는 소리가 웅얼대고 있었다. 정 씨는 대합실 나무 의자에 피곤하게 기대어 앉은 백화 쪽을 힐끗 보고 나서 말했다.

"같이 가시지. 내 보기엔 좋은 여자 같군."

"그런 거 같아요."

"또 알우? 인연이 닿아서 말뚝 박구 살게 될지. ⓔ이런 때 아주 뜨내기 신셀 청산해야지."

영달이는 시무룩해져서 역사 밖을 멍하니 내다보았다. 백화는 뭔가 쑤군대고 있는 두 사내를 불안한 듯이 지켜보고 있었다. 영달이가 말했다.

"어디 능력이 있어야죠."

"삼포엘 같이 가실라우?"

"어쨌든......"

영달이가 뒷주머니에서 꼬깃꼬깃한 오백 원짜리 두 장을 꺼냈다.

"저 여잘 보냅시다."

영달이는 표를 사고 삼립 빵 두 개와 찐 달걀을 샀다. 백화에게 그는 말했다.

"우린 뒤차를 탈 텐데...... 잘 가슈."

영달이가 내민 것들을 받아 쥔 백화의 눈이 붉게 충혈되었다. 그 여자는 더듬거리며 물었다.

"아무도...... 안 가나요?"

"우린 삼포로 갑니다. 거긴 내 고향이오."

영달이 대신 정 씨가 말했다. 사람들이 개찰구로 나가고 있었다. 백화가 보퉁이를 들고 일어섰다.

"정말, 잊어버리지...... 않을게요."

백화는 개찰구로 가다가 다시 돌아왔다. 돌아온 백화는 눈이 젖은 채 웃고 있었다.

"내 이름 백화가 아니에요. 본명은요......이점례예요."

여자는 개찰구로 뛰어나갔다. 잠시 후에 기차가 떠났다.

〈중략〉

정 씨 옆에 앉았던 노인이 두 사람의 행색과 무릎 위의 배낭을 눈여겨 살피더니 말을 걸어왔다.

"어디 일들 가슈?"

"아뇨, 고향에 갑니다."

"고향이 어딘데……."

"삼포라고 아십니까?"

"어 알지, 우리 아들놈이 거기서 도자를 끄는데……."

"삼포에서요? 거 어디 공사 벌릴 데나 됩니까? 고작해야 고기잡이나 하구 감자나 매는데요."

"어허! 몇 년 만에 가는 거요?"

"십 년."

노인은 그렇겠다며 고개를 끄덕였다.

"말두 말우, 거긴 지금 육지야. 바다에 방둑을 쌓아 놓구, 추럭이 수십 대씩 돌을 실어 나른다구."

"뭣 땜에요?"

"낸들 아나. 뭐 관광호텔을 여러 채 짓는담서, 복잡하기가 말할 수 없데."

"동네는 그대루 있을까요?"

"그대루가 뭐요. 맨 천지에 공사판 사람들에다 장까지 들어섰는걸."

"그럼 나룻배두 없어졌겠네요."

"바다 위로 신작로가 났는데, 나룻배는 뭐에 쓰오. 허허, 사람이 많아지니 변고지. 사람이 많아지면 하늘을 잊는 법이거든."

작정하고 벼르다가 찾아가는 고향이었으나, 정 씨에게는 풍문마저 낯설었다. 옆에서 잠자코 듣고 있던 영달이가 말했다.

"잘됐군. 우리 거기서 공사판 일이나 잡읍시다."

그때에 기차가 도착했다. 정 씨는 발걸음이 내키질 않았다. 그는 마음의 정처를 방금 잃어버렸던 때문이었다. 어느 결에 정 씨는 영달이와 똑같은 입장이 되어버렸다.

기차가 눈발이 날리는 어두운 들판을 향해서 달려갔다.

– 황석영 「삼포 가는 길」 –

22 이 글의 서술상의 특징을 바르게 지적한 것은?

① 대화를 통해 인물의 심리적 변화가 드러난다.

② 인물의 과거가 대화 속에 요약적으로 제시된다.

③ 장면에 따라 서술자를 바꾸어 사건을 전달한다.

④ 서술자의 개입을 통해 인물 간의 갈등이 제시된다.

⑤ 현재와 과거의 사건을 교차 배열하여 서사를 입체적으로 드러낸다.

23 윗글에 대한 설명으로 적절한 것은?

① 정 씨에게 삼포의 변화를 알려 주는 노인은 작가의 시각을 대변하는 인물이다.

② 백화는 자신을 측은하게 여기는 영달과 정 씨를 돕기 위해 자신의 본명을 밝힌다.

③ 대합실은 영달과 함께 자신의 고향에 가고자 하는 백화의 욕망을 상징하는 공간이다.

④ 마음의 정처를 잃어버린 정 씨와 영달은 새로운 희망의 공간을 찾고자 하는 노력을 계속한다.

⑤ 영달은 정 씨에게 백화가 시골 생활을 서너 달도 버티지 못하면 어떻게 하냐며 그녀의 앞날을 걱정한다.

24 밑줄 친 ㉠~㉤의 의미로 적절하지 않은 것은?

① ㉠-인물의 처지와 대조적인 사물을 등장시켜 비극성을 더한다.

② ㉡-주어진 상황에 적응하려는 인물의 태도가 드러난다.

③ ㉢-인물에 대한 화자의 연민의 감정을 암시한다.

④ ㉣-상대에 대한 인물의 심리를 암시한다.

⑤ ㉤-상대의 행운을 질투하는 화자의 태도가 암시된다.

25 〈보기〉를 참고하여 이 글을 감상한 내용으로 적절하지 <u>않은</u> 것은?

┌─ 보기 ┐

　　이 작품은 1970년대 이후 급속하게 진행되었던 농촌의 해체와 근대화 과정에서 고향을 잃고 떠도는 사람들의 삶의 모습을 그리고 있다. 작품 속의 인물들은 막노동자, 술집 작부 등 산업화 과정에서 생겨난 소외 계층으로, 삶의 터전을 상실하고 떠돌아다니는 신세로 전략해 버린 인물들이다.
　　작가는 처음에는 서먹했던 세 사람이 시간이 지나면서 인간적인 유대감을 나누는 모습을 그리면서 소외 계층의 연대 의식을 드러내었다.

① 정 씨, 영달, 백화는 산업화 과정에서 생겨난 소외 계층이라고 할 수 있어.
② 정 씨, 영달, 백화는 여행의 과정을 통해 점차 유대감을 확인하고 있어.
③ 대합실은 정 씨, 영달, 백화처럼 한 곳에 정착하지 못하는 떠돌이들의 인생을 상징하는 곳이야.
④ 백화가 자신의 본명을 알려준다는 것은 정씨와 영달에 대한 자신의 진심을 드러내는 것이야.
⑤ 영달은 백화에게 차표와 간식을 사주면서 같이 가고 싶은 마음을 표현하고 있어.

26 〈보기〉를 통해 윗글을 이해한 내용으로 적절한 것은?

┌─ 보기 ┐

　　1970년대는 1960년대부터 축적되어 온 경제 개발로 산업화가 본격적으로 이루어진 시대이다. 산업화는 경제 발전과 소득 수준의 증대라는 긍정적 결과를 가져왔다. 그러나 농어촌의 해체와 그에 따른 농어민의 고향 상실, 도시 빈민층의 형성 등 부정적 결과도 적지 않았다. 그 밖에도 산업화는 인구의 도시 집중, 환경 문제, 농촌 공동체의 붕괴 등 여러 가지 문제점을 낳기도 하였다.

① 고향을 상실한 채 떠돌아다니는 민중의 무기력한 삶을 비판하고 있다.
② 1970년대 농어촌의 붕괴로 고향을 상실한 노동자들의 애환이 지속될 것임을 나타내고 있다.
③ 삶의 터전을 잃은 인물들이 하층민으로 살아가며 국가 경제 발전을 위해 기여하는 모습을 담고 있다.
④ 산업화로 인해 마음의 안식처를 상실한 인물들이 새로운 환경에 적응하기 위해 노력하는 모습을 담고 있다.
⑤ 소득을 높이기 위해 고향을 떠나 도시로 이주하였으나, 또다시 도시 빈민층으로 몰락하는 인간 군상의 모습을 보여주고 있다.

[01~13] 다음 글을 읽고, 물음에 답하시오.

(가) "삼포엘 같이 가실라우?"

"어쨌든……."

영달이가 뒷주머니에서 꼬깃꼬깃한 오백 원짜리 두 장을 꺼냈다.

"저 여잘 보냅시다."

영달이는 표를 사고 삼립 빵 두 개와 찐 달걀을 샀다. 백화에게 그는 말했다.

"우린 뒤차를 탈 텐데…… 잘 가슈."

영달이가 내민 것들을 받아 쥔 [ㄱ]백화의 눈이 붉게 충혈되었다. 그 여자는 더듬거리며 물었다.

"아무도…… 안 가나요?"

"우린 삼포루 갑니다. 거긴 내 고향이오."

영달이 대신 정 씨가 말했다. 사람들이 개찰구로 나가고 있었다. 백화가 보통이를 들고 일어섰다.

"정말, 잊어버리지…… 않을게요."

백화는 개찰구로 가다가 다시 돌아왔다. 돌아온 백화는 눈이 젖은 채로 웃고 있었다.

"내 이름 백화가 아니에요. 본명은요……. 이점례예요."

여자는 개찰구로 뛰어나갔다. 잠시 후에 기차가 떠났다.

그들은 나무 의자에 기대어 한 시간쯤 잤다. 깨어 보니 대합실 바깥에 다시 눈발이 흩날리고 있었다. 기차는 연착이었다. 밤차를 타려는 시골 사람들이 의자마다 가득 차 있었다. 두 사람은 말없이 담배를 나눠 피웠다. 먼 길을 걷고 나서 잠깐 눈을 붙였더니 더욱 피로해졌던 것이다. 영달이가 혼잣말로

"쳇, 며칠이나 견디나…….."

"뭐라구?"

"아뇨, 백화란 여자 말요. 저런 애들…… 한 사날두 시골 생활 못 배겨 나요."

"사람 나름이지만 하긴 그럴 거요. 요즘 세상에 일이 년 안으루 인정이 획 변해가는 판인데……."

정 씨 옆에 앉았던 노인이 두 사람의 행색과 무릎 위의 배낭을 눈여겨 살피더니 말을 걸어왔다.

"어디 일들 가슈?"

"아뇨, 고향에 갑니다."

"고향이 어딘데……."

"삼포라고 아십니까?"

"어 알지, 우리 아들놈이 거기서 도자를 끄는데……."

"삼포에서요? 거 어디 공사 벌릴 데나 됩니까? 고작해야 고기잡이나 하구 감자나 매는데요."

"어허! 몇 년 만에 가는 거요?"

"십 년."

노인은 그렇겠다며 고개를 끄덕였다.

"말두 말우, 거긴 지금 육지야. 바다에 방둑을 쌓아 놓구, 추럭이 수십 대씩 돌을 실어 나른다구."

"뭣 땜에요?"

"낸들 아나, 뭐 관광호텔을 여러 채 짓는담서, 복잡하기가 말할 수 없데."

"동네는 그대루 있을까요?"

"그대루가 뭐요. 맨 천지에 공사판 사람들에다 장까지 들어섰는걸."

"그럼 나룻배두 없어졌겠네요."

"바다 위로 신작로가 났는데, 나룻배는 뭐에 쓰오. 허허 사람이 많아지니 변고지, 사람이 많아지면 하늘을 잊는 법이거든."

작정하고 벼르다가 찾아가는 고향이었으나, 정 씨에게는 풍문마저 낯설었다. 옆에서 잠자코 듣고 있던 영달이가 말했다.

"잘됐군. 우리 거기서 공사판 일이나 잡읍시다."

그때에 기차가 도착했다. 정 씨는 발걸음이 내키질 않았다. 그는 마음의 정처를 방금 잃어버렸던 때문이었다. ⓐ어느 결에 정 씨는 영달이와 똑같은 입장이 되어 버렸다.

[A]기차는 눈발이 날리는 어두운 들판을 향해서 달려갔다.

(나) 삼포 가는 길'의 시대적 배경이 되는 1970년대는 1960년대부터 축적되어 온 경제 개발로 산업화가 본격적으로 이루어진 시대이다. 산업화는 경제 발전과 소득 수준의 증대라는 긍정적 결과를 가져왔다. 그러나 농어촌의 해체와 그에 따른 농어민의 고향 상실, 도시 빈민층의 형성 등 부정적 결과도 적지 않았다. 그 밖에도 산업화는 인구의 도시 집중, 환경 문제, 농촌 공동체의 붕괴 등 여러 가지 문제점을 낳기도 하였다.

– 황석영, 「삼포 가는 길」 –

01 산업화로 인해 자연 훼손 문제에 대한 작가의 간접적인 비판이 드러나 있는 부분을 본문에서 찾아 쓰시오. (단, 한 문장으로 쓸 것)

02 '삼포'와 같이 등장인물들이 한 곳에 정착하지 못하고 떠돌이 인생이 지속될 것을 상징하는 어휘를 찾아 쓰시오.

03 작가가 [A]와 같이 마무리한 이유를 작품의 주제와 관련하여 서술하시오.

┤ 조건 ├
• '1970년대, 여운, 고향, 민중, 산업화'를 반드시 넣어서 작성할 것.
• '~다.'의 형태로 서술할 것.

04 본문를 읽고 인물들의 특징을 정리한 다음의 내용에서 ㉠과 ㉡에 들어갈 적절한 내용을 각각 서술하시오.

〈인물의 특징〉

- **영달** : 공사판의 일자리를 찾아 전전하는 막노동자로 말은 거칠게 하지만 마음은 따뜻함.
- **정씨** : 교도소에서 출감하고 공사장에서 막노동을 하며 살아가는 인물로 생각이 깊고 인정이 있음.
- **백화** : 술집 작부로 일하며 산전수전을 다 겪음.
- **영달, 정씨, 백화의 공통점** : 삶의 터전을 잃거나 또는 삶의 터전 없이 떠돌이의 삶을 살고 있다. 또한 ㉠_____.
- **노인** : '㉡_____'의 문장을 통해 자연에 대한 경외심을 잃은 인간의 오만한 모습을 비판적으로 바라보고 있음을 알 수 있음.

┤ 조건 ├

㉠은 (나)의 핵심 단어 하나를 사용하여 서술(핵심 단어가 아닌 경우 부분점수 없음)
㉡에 해당하는 내용은 (가)에서 한 문장을 찾아 그대로 쓰기

05 〈보기〉를 읽고 윗글과 관련해 빈칸에 알맞은 내용을 서술하시오.

┤ 보기 ├

문학 작품에서 '길'은 인생의 축소판으로 비유된다. 길에서 많은 사람들이 만나고 헤어지기도 한다. 이를 토대로 종합적으로 고려해볼 때, 〈삼포가는 길〉에 내포된 길은 (   ) 공간이다.

06 윗글의 노인이 소설 속에서 하는 기능을 두 가지 서술하시오. (단, 완전한 문장의 형태로 서술할 것.)

07 〈보기〉는 윗글에 대한 설명이다. 이를 바탕으로 결말의 의미와 특징을 서술하시오. (단, 완전한 문장의 형태로 서술할 것.)

┤ 보기 ├

　　이 작품의 계절적 배경은 겨울이다. 작가는 작품의 배경을 겨울로 설정하여 인물들의 상황을 부각하면서 주제를 드러내고 있다. 특히 작품의 마지막 문장을 살펴보면 밤이라는 시간적 배경과 겨울이라는 계절적 배경을 바탕으로 하고 있어 그 의미를 한층 더 살리고 있다.

08 [ㄱ]에서 느꼈을 백화의 감정을 〈조건〉을 고려하여 주어진 문장 형식으로 서술하시오.

백화는 영달의 행동을 보며 (　　　　)과/와 (　　　　)을/를 느꼈을 것이다.

• 빈 칸을 채워 문장 전체로 서술할 것.
• '슬픔', '비애', '아픔', '호감', '사랑', '연민' 이외의 감정을 적을 것.
• 위의 여섯 가지 감정을 적을 시에는 0점 처리함.

09 윗글에서 '한 곳에 정착하지 못하는 떠돌이 인생을 상징하는 공간'을 찾아 3음절로 쓰시오.

10 윗글에서 정 씨와 영달의 앞날이 순탄치 않을 것임을 비유적으로 암시하는 문장을 찾아 7어절로 쓰시오.

11 다음 물음에 답하시오.

(1) @에 담긴 정서를 조건과 같은 형식으로 설명하시오.

┤ 조건 ├

• 대상, 이유, 정서가 모두 나타날 것

  예 돌아가신 어머니에 대한 그리움

• 문제에 나타난 어휘는 사용하지 말 것

(2) 다음 시에서 @의 정서를 가장 잘 표현한 시행을 찾아 쓰시오.

성북동 산에 번지가 새로 생기면서
본래 살던 성북동 비둘기만이 번지가 없어졌다.
새벽부터 돌 깨는 산울림에 떨다가
가슴에 금이 갔다.
그래도 성북동 비둘기는
하느님의 광장 같은 새파란 아침 하늘에
성북동 주민에게 축복의 메시지나 전하듯
성북동 하늘을 한 바퀴 휘돈다.

— 김광섭, 「성북동 비둘기」 중에서 —

12 〈보기〉를 참고하여 '삼포'의 변화를 나타내는 단어와 '삼포'의 변화와 '정 씨'의 삶의 변화를 관련지어 각각 쓰시오.

┤ 보기 ├

　　1970년대는 1960년대부터 축적되어 온 경제개발로 산업화가 본격적으로 이루어진 시대이다. 산업화는 경제 발전과 소득 수준의 증대라는 긍정적 결과를 가져왔다. 그러나 농어촌의 해체와 그에 따른 농어민의 고향 상실, 도시 빈민층의 형성, 인구의 도시 집중, 환경 문제, 농촌 공동체의 붕괴 등 부정적 결과도 적지 않았다.

(1) '삼포'의 과거와 현재를 나타내는 단어를 찾아 각각 한 개씩 쓰시오.

(2) '삼포'의 변화와 '정 씨'의 삶의 변화를 관련지어 쓰시오.

13 〈보기〉를 참고하여, '삼포'의 변화와 정씨와 영달이 처한 상황을 제시하여 작가가 말하고자 한 것이 무엇인지에 대해 〈조건〉에 맞게 서술하시오.

┤ 보기 ├

　　1970년대는 1960년대부터 축적되어 온 경제 개발로 산업화가 본격적으로 이루어진 시대이다. 산업화는 경제 발전과 소득 수준의 증대라는 긍정적 결과를 가져왔다. 그러나 농어촌의 해체와 그에 따른 농어민의 고향 상실, 도시 빈민층의 형성 등 부정적 결과도 적지 않았다. 그 밖에도 산업화는 인구의 도시 집중, 환경 문제, 농촌 공동체의 붕괴 등 여러 가지 문제점을 낳기도 하였다.

┤ 조건 ├

• '변해 버린 삼포는 ~을(를) 말해 준다. 작가는 ~을(를) 통해 ~을(를) 드러내고자 하였다.'의 형태로만 작성할 것.
• 글자 수에 제한은 없지만 질문의 요지에 부합하지 않는 내용이 들어 있으면 감점 처리.
• 맞춤법이나 〈조건〉을 지키지 않은 경우 감점 처리.

[01~05] 다음 글을 읽고, 물음에 답하시오.

(가)

생사(生死) 길은
예 있으매 머뭇거리고,
나는 간다는 말도
못다 이르고 어찌 갑니까.
어느 가을 이른 ⓐ바람에
이에 저에 떨어질 ⓑ잎처럼,
한 가지에 나고
가는 곳 모르온저.
아아, 미타찰(彌陀刹)에서 만날 나
도(道) 닦아 기다리겠노라.

– 제망매가, '월명사' –

(나)

이 몸이 죽어 가서 무엇이 될꼬 하니
봉래산(蓬萊山) 제일봉에 낙락장송(落落長松) 되어 있어
백설이 만건곤(滿乾坤)할 제 독야청청(獨也靑靑)하리라.

– 성삼문 –

(다)

동짓달 기나긴 밤을 한 허리를 베어 내어
춘풍(春風) 이불 아래 서리서리 넣었다가
어론 님 오신 날 밤이어든 굽이굽이 펴리라

– 황진이 –

(라)

개를 여나믄이나 기르되 요 개같이 얄미우랴
미운 님 오며는 꼬리를 홰홰 치며 치뛰락 나리 뛰락 반겨서 내닫고 고운 님 오며는 뒷발을 바둥바둥 무르락 나오락 캉캉 짖는 요 도리암캐
쉰 밥이 그릇그릇 날진들 너 먹일 줄이 있으랴

– 작자 미상 –

01 (가)에 대한 설명으로 적절하지 <u>않은</u> 것은?

① 불교적 내세 사상을 바탕으로 하고 있다.
② 한자의 음과 뜻을 빌려 표기한 노래이다.
③ 10구체의 형식을 지닌 신라 시대 노래이다.
④ 3단 구성을 보이며 낙구(9행) 첫머리에 감탄사가 나타난다.
⑤ 선경후정의 방식과 관념적인 한자어를 주로 사용하고 있다.

02 (가)의 ⓐ, ⓑ와 〈보기〉의 밑줄 친 시어들을 비교하여 이해한 내용으로 적절하지 <u>않은</u> 것은?

┌─ 보기 ├─

간밤에 불던 <u>바람</u>에 눈서리 차단말가
낙락장송이 다 기울어 가노메라
하물며 못다 핀 <u>꽃</u>이야 일러 무삼하리오

① ⓑ와 〈보기〉의 '꽃'은 화자가 안타깝게 느끼는 대상이다.
② ⓐ와 달리 〈보기〉의 '바람'은 화자의 시련을 상징하고 있다.
③ ⓑ와 〈보기〉의 '꽃'은 행위의 대상이 되는 수동성을 지니고 있다.
④ ⓑ와 〈보기〉의 '꽃'은 화자에게 비애의 감정을 불러일으키고 있다.
⑤ ⓐ와 〈보기〉의 '바람'은 어떤 결과를 가져오는 원인으로 작용하고 있다.

03 (나)와 (다)에서 화자의 정서를 표현하기 위해 공통적으로 사용한 방식에 대한 설명으로 가장 적절한 것은?

① 공간의 대비를 통해 화자의 처지를 부각하고 있다.
② 명령형 문장을 활용하여 청자에게 바라는 점을 전달하고 있다.
③ 유사한 통사 구조를 반복하여 화자의 담담한 심정을 보여주고 있다.
④ 실현 가능한 상황을 설정하여 화자의 절실한 심정을 표현하고 있다.
⑤ 다짐하는 뜻을 나타내는 종결 어미를 사용해 화자의 의지를 드러내고 있다.

04 (다)에 대한 설명으로 적절하지 <u>않은</u> 것은?

① 추상적 개념을 구체적으로 표현하고 있다.
② 아름다운 우리말 음성상징어를 사용하였다.
③ 임에 대한 그리움과 기다림을 주제로 하고 있다.
④ 진솔한 감정의 표현을 통해 해학성을 보여주고 있다.
⑤ 여성 특유의 섬세한 감정을 비유적으로 형상화하였다.

05 〈보기〉의 내용을 참고하여 (라)를 이해한 학생들의 반응으로 적절하지 <u>않은</u> 것은?

┌─── 보기 ───

　　조선 후기 평민 사회에서는 언문이 확산되어 다양한 문학작품이 창작되었다. 자수(字數) 등에 제약을 받는 기존 문학에서 탈피하여 서민들이 겪는 삶의 애환이나 관료들에 대한 비판 등 다양한 주제를 다룬 작품들이 주를 이루었다. 또한 여류 작가들의 등장으로 애정 문제, 여성의 기구한 삶 등을 반영한 여성 화자가 등장하는 작품이 창작되기도 하였다. 그러나 대부분의 작가들이 낮은 신분의 평범한 인물들이었기에 작품이 기록과 보존이 어려워 소실된 경우도 많고, 현재까지 전해지는 경우에도 구체적인 작가의 정보를 알 수 없는 작품이 대다수이다.

① 평범한 서민의 애정 문제를 소재로 한 작품이군!
② 중장을 보면 기존의 문학 형식에서 벗어나 있음을 알 수 있어!
③ 관료들에 대한 비판적인 의식이 바탕에 깔려있군!
④ 작가를 알 수 없는 이유는 작가의 신분이 낮았기 때문일 수 있군!
⑤ 주제를 고려할 때 여성 화자가 등장하는 작품이라고 볼 수 있겠군!

[06~09] 다음 글을 읽고 물음에 답하시오.

　　〈전체 줄거리〉 황해도 도화동에 심학규라는 장님이 살고 있었다. 그는 늦은 나이에 딸 심청이를 얻었으나 산후 7일 만에 아내가 죽자 온갖 고생을 하며 딸을 기른다. 심청이는 자라면서 아버지를 지극 정성으로 봉양한다. 그러던 어느 날 심 봉사는 물에 빠지는 사고를 당하고, 이때 자신을 구해 준 용문사 화주승에게 공양미 삼백 석을 시주하면 눈을 뜰 수 있다는 말을 듣고 덜컥 시주하겠다고 약속한다. 뒤늦게 이 일을 후회하며 근심하는 아버지를 위해 심청이는 제물로 바칠 처녀를 사러 다니는 남경 뱃사람들에게 공양미 삼백 석을 받고 인당수 제물이 되기로 한다. 아버지와 헤어진 뒤 인당수에 이르러 바다에 몸을 던진 심청이는 용왕에게 구출되어 용궁에서 어머니 곽씨 부인과 재회하고 이후 연꽃 속에 들어가 다시 세상으로 환생한다. 뱃사람들이 그 연꽃을 신기하게 생각해 임금에게 바치고 임금은 그 속에서 나온 심청이를 아내로 맞이한다. 황후가 된 심청이는 아버지를 그리워하여 심 봉사를 다시 만나기 위해 맹인 잔치를 벌인다. 우여곡절을 겪은 끝에 부녀는 재회하고, 심 봉사는 눈을 뜬다.

(가) 심청이 들어와 눈물로 밥을 지어 아버지께 올리고, 상머리에 마주앉아 아무쪼록 진지 많이 잡수시게 하느라고 자반도 떼어 입에 넣어 드리고 김쌈도 싸서 수저에 놓으며,

"진지를 많이 잡수셔요."

심 봉사는 철도 모르고,

"야, 오늘은 반찬이 유난히 좋구나. 뉘 집 제사 지냈느냐?"

그날 밤에 꿈을 꾸었는데, 부자간은 천륜지간(天倫之間)이라 꿈에 미리 보여주는 바가 있었다.

"아가 아가, 이상한 일도 있더구나. 간밤에 꿈을 꾸니, 네가 큰 수레를 타고 한없이 가 보이더구나. 수레라 하는 것이 귀한 사람이 타는 것인데 우리 집에 무슨 좋은 일이 있을란가 보다. 그렇지 않으면 장 승상 댁에서 가마 태워 갈란가 보다."

심청이는 저 죽을 꿈인 줄 짐작하고 둘러대기를,

"그 꿈 참 좋습니다."

하고 진짓상을 물려 내고 담배 태워 드린 뒤에 밥상을 앞에 놓고 먹으려 하니 간장이 썩는 눈물은 눈에서 솟아나고, 아버지 신세 생각하며 저 죽을 일 생각하니 정신이 아득하고 몸이 떨려 밥을 먹지 못하고 물렸다.

(나) 심청이 여쭙기를,

"제가 못난 딸자식으로 아버지를 속였어요. 공양미 삼백 석을 누가 저에게 주겠어요. 남경 뱃사람들에게 인당수 제물로 몸을 팔아 오늘이 떠나는 날이니 저를 마지막 보셔요."

심 봉사가 이 말을 듣고,

"참말이냐, 참말이냐? 애고 애고, 이게 웬 말인고? 못 가리라, 못 가리라. 네가 날더러 묻지도 않고 네 마음대로 한단 말이냐? 네가 살고 내가 눈을 뜨면 그는 마땅히 할 일이나, 자식 죽여 눈을 뜬들 그게 차마 할 일이냐?

〈중략〉

어떤 놈의 팔자길래 (㉠) 된단 말이냐? 네 이놈 상놈들아! 장사도 좋지마는 사람 사다 제사하는 데 어디서 보았느냐? 하느님의 어지심과 귀신의 밝은 마음 앙화가 없겠느냐? 눈먼 놈의 무남독녀 철모르는 어린아이 나 모르게 유인하여 값을 주고 산단 말이냐? 돈도 싫고 쌀도 싫다, 네 이놈 상놈들아.

옛글을 모르느냐? 칠년대한(七年大旱) 가물 적에 사람으로 빌라 하니 탕임금 어지신 말씀, '내가 지금 비는 바는 사람을 위함인데 사람 죽여 빌 양이면 내 몸으로 대신하리라.' 몸소 희생되어 몸을 정히 하여 상임 뜰에 빌었더니 수천 리 너른 땅에 큰 비가 내렸느니라. 이런 일도 있었으니 내 몸으로 대신 감이 어떠하냐? 여보시오 동네 사람, 저런 놈들을 그저 두고 보오?"

(다) 뱃사람들이 그 딱한 형편을 보고 모여 앉아 공론하기를,

"심 소저의 효성과 심 봉사의 일생 신세 생각하여 봉사님 굶지 않고 헐벗지 않게 한 살림을 꾸며 주면 어떻겠소?"

"그 말이 옳소."

하고 쌀 이백 석과 돈 삼백 냥이며, 무명 삼베 각 한 동씩 마을에 들여 놓고 동네 사람들을 모아 당부하기를,

"쌀 이백 석과 돈 삼백 냥을 착실한 사람 주어 실수 없이 온전하게 늘려 심 봉사에게 바칩시다. 삼백 석 가운데 이십 석은 올해 양식으로 제하고, 나머지는 해마다 빚을 주어 이자를 받으면 양식이 넉넉할 테고, 무명 삼베로는 사철 의복 장만해 드리기로 하고, 이런 내용을 관청에 공문으로 보내고 마을에도 알립시다."

(라) 구별을 다 짓고 나서 심 소저를 가자 할 때, 무릉촌 장 승상 댁 부인이 그제야 이 말을 듣고 급히 시비를 보내어 심 소저를 부르기에, 소저가 시비를 따라가니 승상 부인이 문밖에 내달아 소저의 손을 잡고 울며 말했다.

"네 이 무상한 사람아. 나는 너를 자식으로 알았는데 너는 나를 어미같이 알지를 않는구나. 쌀 삼백 석에 몸이 팔려 죽으러 간다 하니 효성이 지극하다마는, 네가 살아 세상에 있어 하는 것만 같겠느냐? 나와 의논했더라면 진작 주선해 주었지. 쌀 삼백 석을 이제라도 다시 내어 줄 것이니 뱃사람들 도로 주고 당치 않은 말 다시 말라."

하시니 심 소저가 여쭈었다.

"당초에 말씀 못 드린 것을 이제야 후회한들 무엇하겠습니까? 또 한 부모를 위해 공을 드릴 양이면 어찌 남의 명분 없는 재물을 바라며, 쌀 삼백 석을 도로 내어 주면 뱃사람들 일이 낭패이니 그도 또한 어렵고, 남에게 몸을 허락하여 약속을 정한 뒤에 다시 약속을 어기면 못난 사람들 하는 짓이니, 그 말씀을 따르지 못하겠습니다. 하물며 값을 받고 몇 달이 지난 뒤에 차마 어찌 낯을 들어 무슨 말을 하겠습니까? 부인의 하늘 같은 은혜와 착하신 말씀은 저승으로 돌아가서 결초보은(結草報恩)하겠습니다."

– 작자미상, 「심청전」 –

06 (가)의 밑줄 친 '꿈'에 대한 의견으로 적절한 것을 〈보기〉에서 모두 고른 것은?

┤ 보기 ├

ㄱ. 심 봉사와 심청은 '꿈'을 긍정적인 의미로 받아들이고 있다.

ㄴ. '꿈'에 대한 심 봉사의 해석은 심청의 슬픔을 극대화하고 부녀의 이별을 더욱 안타깝게 한다.

ㄷ. 소설 전체를 고려할 때, 심청이 황후가 된다는 점에서 '꿈'은 나중에 일어날 일을 암시하는 복선의 역할을 한다.

① ㄱ   ② ㄴ   ③ ㄱ, ㄷ   ④ ㄴ, ㄷ   ⑤ ㄱ, ㄴ, ㄷ

07 (나)의 ㉠에 들어갈 말로 적절한 것은?

① 사궁지수(四窮之首)   ② 반포지효(反哺之孝)   ③ 망운지정(望雲之情)

④ 풍수지탄(風樹之歎)   ⑤ 혼정신성(昏定晨省)

08 (나)의 심 봉사가 말하는 부분에 드러나는 특징으로 적절하지 않은 것은?

① 반복을 통해 일정한 율격이 느껴지는 문체가 사용되었다.

② 설의적 표현을 사용하여 심 봉사의 슬픈 심정을 드러내고 있다.

③ 고사를 인용하여 뱃사람들을 비판하려는 심 봉사의 의도를 알 수 있다.

④ 일상 대화보다 글에서 주로 쓰는 말투를 사용하여 심 봉사의 진지하고 단호한 태도를 부각한다.

⑤ 대구법을 통해 심청이 인당수 제물이 되는 상황을 부당하게 여기는 심 봉사의 생각이 드러난다.

09 윗글에서 통해 알 수 있는 인물에 대한 설명으로 적절하지 않은 것은?

① (가)에서 심청은 자신이 죽은 뒤 혼자 남겨질 아버지를 걱정하고 있다.

② (나)에서 심 봉사는 뱃사람들에 대한 분노를 표출하고 있다.

③ (다)에서 뱃사람들은 심청을 제물로 바치는 일이 잘못될까 염려되어 심 봉사에게 인정을 베풀고 있다.

④ (라)에서 심청은 자신에게 닥친 일을 주체적으로 해결하려는 태도를 보이고 있다.

⑤ (라)에서 장 승상 댁 부인은 상황을 자신에게 미리 말하지 않은 심청에게 서운함을 느끼고 있다.

(가) 어느 사이에 나는 아내도 없고, 또,
아내와 같이 살던 집도 없어지고,
그리고 살뜰한 부모며 동생들과도 멀리 떨어져서,
그 어느 바람 세인 쓸쓸한 거리 끝에 헤매이었다.
바로 날도 저물어서,
바람은 더욱 세게 불고, 추위는 점점 더해 오는데,
나는 어느 목수(木手)네 집 헌 샅을 깐,
한 방에 들어서 쥔을 붙이었다.

(나) 이리하여 나는 이 습내 나는 춥고, 누긋한 방에서,
낮이나 밤이나 나는 나 혼자도 너무 많은 것같이 생각하며,
딜옹배기에 북덕불이라도 담겨 오면,
이것을 안고 손을 쬐며 재 위에 뜻 없이 글자를 쓰기도 하며,
또 문 밖에 나가지두 않구 자리에 누워서,
머리에 손깍지 벼개를 하고 굴기도 하면서,
나는 내 슬픔이며 어리석음이며를 소처럼 연하여 쌔김질하는 것이었다.

(다) 내 가슴이 꽉 메어 올 적이며,
내 눈에 뜨거운 것이 핑 괴일 적이며,
또 내 스스로 화끈 낯이 붉도록 부끄러울 적이며,
나는 내 슬픔과 어리석음에 눌리어 죽을 수밖에 없는 것을 느끼는 것이었다.

(라) 그러나 잠시 뒤에 나는 고개를 들어,
허연 문창을 바라보든가 또 눈을 떠서 높은 천정을 쳐다보는 것인데,
이때 나는 내 뜻이며 힘으로, 나를 이끌어 가는 것이 힘든 일인 것을 생각하고,
이것들보다 더 크고, 높은 것이 있어서, 나를 마음대로 굴려가는 것을 생각하는 것인데,
이렇게 하여 여러 날이 지나는 동안에,
내 어지러운 마음에는 슬픔이며, 한탄이며, 가라앉을 것은 차츰 앙금이 되어 가라앉고,
외로운 생각만이 드는 때쯤 해서는,
더러 나줏손에 쌀랑쌀랑 싸락눈이 와서 문창을 치기도 하는 때도 있는데,

(마) 나는 이런 저녁에는 화로를 더욱 다가 끼며, 무릎을 꿇어 보며,
어느 먼 산 뒷옆에 바우 섶에 따로 외로이 서서,
어두워 오는데 하이야니 눈을 맞을, 그 마른 잎새에는,
쌀랑쌀랑 소리도 나며 눈을 맞을,
그 드물다는 굳고 정한 갈매나무라는 나무를 생각하는 것이었다.

– 백석, 「남신의주 유동 박시봉 방」 –

10 윗글을 시상에 따라 다음과 같이 중심 내용과 화자의 정서로 정리했을 때 가장 적절한 것은?

	중심 내용	화자의 정서
㉠	(가) : 화자는 가족과 멀리 떨어져 지내고 있음.	반성, 쓸쓸함
㉡	(나) : 급격한 정서 변화를 느끼며 암울한 현실에 대해 절망하고 있음.	상실감, 반성
㉢	(다) 화자는 답답함을 느끼며 죽을 수밖에 없다고 느낌.	의연함, 한탄
㉣	(라) 자신을 이끄는 크고 높은 것을 느낌.	의연함, 한탄
㉤	(마) 새로운 삶에 대한 의지를 드러냄.	반성, 성찰

① ㉠   ② ㉡   ③ ㉢   ④ ㉣   ⑤ ㉤

11 윗글의 현실 대응 방식과 가장 유사한 것은?

① 거울속의나는왼손잡이오
　내악수를받을줄모르는―악수를모르는왼손잡이요
　거울때문에나는거울속의나를만져보지를못하는구료마는
　거울이아니었던들내가어찌거울속의나를만나보기라도했겠소
　나는지금거울을안가졌소마는거울속에는늘거울속의내가있소
　잘은모르지만외로된사업에골몰할게요

　　　　　　　　　　　　　　　　　　　　　　　　　　　　– 이상, 「거울」 –

② 험한 벼랑을 굽이굽이 돌아간/ 백무선 철길 위에
　느릿느릿 밤새워 달리는/ 화물차의 검은 지붕에//
　연달린 산과 산 사이/ 너를 남기고 온
　작은 마을에도 복된 눈 내리는가//
　잉크병 얼어드는 이러한 밤에/ 어쩌자고 잠을 깨어/
　그리운 곳 차마 그리운 곳

　　　　　　　　　　　　　　　　　　　　　　　　　　　　– 이용악, 「그리움」 –

③ 끊임없는 광음을
　부지런한 계절이 피어선 지고
　큰 강물이 비로소 길을 열었다.//
　지금 눈 나리고 매화 향기 홀로 아득하니
　내 여기 가난한 노래의 씨를 뿌려라.

　　　　　　　　　　　　　　　　　　　　　　　　　　　　– 이육사, 「광야」 –

④ 산그늘 길게 늘이며/ 붉게 해는 넘어가고
　황혼과 함께/ 이어 별과 밤은 오리니.
　삶은 오직 갈수록 쓸쓸하고/ 사랑은 한갓 괴로울 뿐.
　그대 위하여 나는 이제도, 이/ 긴 밤과 슬픔을 갖거니와,
　이 밤을 그대는, 나도 모르는/ 어느 마을에서 쉬느뇨.

　　　　　　　　　　　　　　　　　　　　　　　　　　　　– 박두진, 「도봉」 –

⑤ 어릴 적 질리도록 먹은 건 싫어하게 된다더니, 감자 삶는 냄새 이것은,　치명적 그리움
　꽃은 꽃대로 놓아두고 저는 땅 밑으로만 궁그는,
　꽃 진 자리엔 얼씬도 하지 않는,
　열한 개의 구덩이를 가진 늙은 애기집

　　　　　　　　　　　　　　　　　　　　　　　　　　　– 김선우, 「감자 먹는 사람들」 –

12 윗글의 표현상의 특징으로 적절하지 <u>않은</u> 것은?

① 향토적인 소재나 평안도 방언을 통해 공동체에 대한 관심을 이끌어 내고 민족의 정체성을 세우고자 하였다.

② 편지글 형식의 산문적 서술을 통해 화자의 근황을 드러내며 시상을 전개한다.

③ 담담한 어조로 자신의 내면을 드러내고 있으며, 쉼표를 사용해 내재율을 획득하고 있다.

④ 어조, 분위기, 시의 내용이 극적으로 바뀌는 역설적 표현을 통해 시상이 전환되고 있다.

⑤ 시상이 전환된 후 화자의 정서와 태도가 변화하고 주제에도 큰 영향을 미치고 있다.

[13~15] 다음 글을 읽고, 물음에 답하시오.

(아직 초저녁이 분명한데 날씨가 나빠서인지 곧 어두워질 것 같았다. 눈은 더욱 새하얗게 돋보였고, 사위는 고요한데 나무 타는 소리만이 들려왔다.

"감옥 뿐 아니라, 세상이란 게 따지면 고해 아닌가…….."

정 씨는 벗어서 불 가에다 쬐고 있던 잠바를 입으면서 중얼거렸다.

"어둡기 전에 어서 가야지."

그들은 일어났다. 아직도 불길 좋게 타고 있는 모닥불 위에 눈을 한 움큼씩 덮었다.

〈중략〉

사방이 어두워지자 그들도 얘기를 그쳤다. 어디에나 눈이 덮여 있어서 길을 잘 분간할 수가 없었다. 뒤에 처졌던 백화가 눈 덮인 길의 고랑에 빠져 버렸다. 발이라도 삐었는지 백화는 꼼짝 못 하고 주저앉아 신음을 했다. ㉠영달이가 달려들어 싫다고 뿌리치는 백화를 업었다. 백화는 영달이의 등에 업히면서 말했다.

"무겁죠?"

영달이는 대꾸하지 않았다. 백화는 어린애처럼 가벼웠다. 등이 불편하지도 않았고 어쩐지 가뿐한 느낌이었다. 아마 쇠약해진 탓이리라 생각하니 영달이는 어쩐지 대전에서의 옥자가 생각나서 눈시울이 화끈했다.

〈중략〉

영달이는 이제 백화를 옆에서 부축하고 있었다. 발을 디딜 때마다 여자가 얼굴을 찡그렸다. 정 씨가 백화에게 물었다.

"어느 방향이오?"

"전라선이에요."

"나는 호남선 쪽인데. 여비는 있소?"

"군용차를 사정해서 타고 가면 돼요."

그들은 장터 모퉁이에서 아직도 따뜻한 온기가 남아 있는 ㉡팥 시루떡을 사 먹었다. 백화가 자기 몫에서 절반을 떼어 영달에게 내밀었다.

"더 드세요. 날 업구 왔으니 기운이 배나 들었을 텐데."

역으로 가면서 백화가 말했다.

"어차피 갈 곳이 정해지지 않았다면 우리 고향에 함께 가요. 내 일자리를 주선 해 드릴게."

"내야 삼포루 가는 길이지만, 그렇게 하지?"

정 씨도 영달이에게 권유했다. 영달이는 흙이 덕지덕지 달라붙은 신발 끝을 내려다보며 아무 말이 없었다. ©대합실에서 정 씨가 영달이를 한쪽으로 끌고 가서 속삭였다.

"여비 있소?"

"빠듯이 됩니다. 비상금이 한 천 원쯤 있으니까."

"어디루 가려오?"

"일자리 있는 데면 어디든지……."

〈중략〉

영달이는 시무룩해져서 역사 밖을 멍하니 내다보았다. 백화는 뭔가 쑤군대고 있는 두 사내를 불안한 듯이 지켜보고 있었다. 영달이가 말했다.

"어디 능력이 있어야죠."

"삼포엘 같이 가실라우?"

"어쨌든……."

영달이가 뒷주머니에서 꼬깃꼬깃한 오백 원짜리 두 장을 꺼냈다.

"저 여잘 보냅시다."

영달이는 표를 사고 삼립 빵 두 개와 찐 달걀을 샀다. 백화에게 그는 말했다.

"우린 뒤차를 탈 텐데…… 잘 가슈."

영달이가 내민 것들을 받아 쥔 백화의 눈이 붉게 충혈되었다. 그 여자는 더듬거리며 물었다.

"아무도…… 안 가나요?"

"우린 삼포루 갑니다. 거긴 내 고향이오."

영달이 대신 정 씨가 말했다. 사람들이 개찰구로 나가고 있었다. 백화가 보퉁이를 들고 일어섰다.

"정말, 잊어버리지…… 않을게요."

백화는 개찰구로 가다가 다시 돌아왔다. 돌아온 백화는 눈이 젖은 채로 웃고 있었다.

@"내 이름 백화가 아니에요. 본명은요……, 이점례예요."

여자는 개찰구로 뛰어나갔다. 잠시 후에 기차가 떠났다.

그들은 나무 의자에 기대어 한 시간쯤 잤다. 깨어 보니 대합실 바깥에 다시 눈발이 흩날리고 있었다. 기차는 연착이었다. 밤차를 타려는 시골 사람들이 의자마다 가득 차 있었다. 두 사람은 말없이 담배를 나눠 피웠다. 먼 길을 걷고 나서 잠깐 눈을 붙였더니 더욱 피로해졌던 것이다. 〈중략〉

정 씨 옆에 앉았던 노인이 두 사람의 행색과 무릎 위의 배낭을 눈여겨 살피더니 말을 걸어왔다.

"어디 일들 가슈?"

"아뇨, 고향에 갑니다."

"고향이 어딘데……."

"삼포라고 아십니까?"

"어 알지, 우리 아들놈이 거기서 ⑩도자를 끄는데……."

"삼포에서요? 거 어디 공사 벌릴 데나 됩니까? 고작해야 고기잡이나 하구 감자나 매는데요."

"어허! 몇 년 만에 가는 거요?"

"십 년."

노인은 그렇겠다며 고개를 끄덕였다.

"말두 말우, 거긴 지금 육지야. 바다에 방둑을 쌓아 놓구, 추럭이 수십 대씩 돌을 실어 나른다구."

"뭣 땜에요?"

"낸들 아나. 뭐 관광호텔을 여러 채 짓는담서, 복잡하기가 말할 수 없데."

"동네는 그대루 있을까요?"

"그대루가 뭐요. 맨 천지에 공사판 사람들에다 장까지 들어섰는걸."

"그럼 나룻배두 없어졌겠네요."

"바다 위로 신작로가 났는데, 나룻배는 뭐에 쓰오. ⓑ허허, 사람이 많아지니 변고지. 사람이 많아지면 하늘을 잊는 법이거든."

작정하고 벼르다가 찾아가는 고향이었으나, 정 씨에게는 풍문마저 낯설었다. 옆에서 잠자코 듣고 있던 영달이가 말했다.

"잘됐군. 우리 거기서 공사판 일이나 잡읍시다."

그때에 기차가 도착했다. 정 씨는 발걸음이 내키질 않았다. 그는 마음의 정처를 방금 잃어버렸던 때문이었다. 어느 결에 정 씨는 영달이와 똑같은 입장이 되어버렸다.

기차가 눈발이 날리는 어두운 들판을 향해서 달려갔다.

– 황석영, 「삼포 가는 길」 –

13 밑줄 친 ㉠~ⓑ에 대한 설명으로 적절하지 <u>않은</u> 것은?

① ㉠은 영달에 대한 백화의 호감을 나타내고 ㉡은 영달이가 백화에 대한 고마운 마음을 표현한 매개체로 둘은 인간적인 정을 나눈 사이임을 알 수 있다.

② ㉢은 하루에도 수많은 사람이 오가는 장소로 한 곳에 정착하지 못하고 유랑하는 떠돌이 인생을 상징한다고 할 수 있다.

③ ㉣에서 백화가 떠나기 전 본명을 밝힌 이유는 자신에게 잘해준 영달과 정 씨에게 자신의 진짜 모습을 보여주고 싶어서이다.

④ ㉤은 현재 삼포의 모습을 알 수 있는 단어로 방둑, 추럭, 관광 호텔 등이 상징하는 것과 의미가 같다고 할 수 있다.

⑤ ⓑ에 담긴 뜻은 사람이 많아지며 자연에 대한 외경심을 잃게 된다는 뜻으로 노인의 입을 통해 작가의 입장을 간접적으로 밝혔다고 볼 수 있다.

14 윗글의 정 씨와 〈자료〉의 시적 화자에 대한 설명으로 적절하지 <u>않은</u> 것은?

┤ 보기 ├

고향에 고향에 돌아와도
그리던 고향은 아니러뇨.

산꿩이 알을 품고
뻐꾸기 제철에 울건만,

마음은 제 고향 지니지 않고
머언 항구로 떠도는 구름.

오늘도 뫼 끝에 홀로 오르니
흰 점 꽃이 인정스레 웃고,

어린 시절에 불던 풀피리 소리 아니 나고
메마른 입술에 쓰디쓰다.

고향에 고향에 돌아와도
그리던 하늘만이 높푸르구나.

– 정지용, 「고향」 –

① 정 씨와 시적 화자는 모두 고향을 떠나 객지 생활을 경험한 사람들이다.
② 정 씨는 고향 소식만을 전해들은 상태이고, 시적 화자는 현재 고향에 돌아온 상태이다.
③ 정 씨와 시적 화자 모두 고향 소식을 알기 전까지는 마음속에 고향에 대한 그리움과 기대감을 가지고 있었다.
④ 정 씨는 노인에게 들은 고향 소식에 망연자실하며, 시적 화자는 고향에 돌아와 그대로인 고향의 모습에 안락함을 느낀다.
⑤ 정 씨가 기억하는 고향은 나룻배를 타고 고기잡이를 하는 마을이며, 시적 화자가 기억하는 고향은 산에 꽃이 피고 풀피리 불던 마을이다.

15 〈보기〉를 참고하여 윗글을 감상한 학생들이 보인 반응으로 적절하지 <u>않은</u> 것은?

┤ 보기 ├

1970년대는 1960년대부터 축적되어 온 경제 개발로 산업화가 본격적으로 이루어진 시대이다. 산업화는 경제 발전과 소득 수준의 증대라는 긍정적 결과를 가져왔다. 그러나 농어촌의 해체와 그에 따른 농어민의 고향 상실, 도시 빈민층의 형성 등 부정적 결과도 적지 않았다. 〈삼포 가는 길〉은 작가가 한국 사회가 겪고 있던 당시의 사회적 문제점을 문학적으로 형상화한 작품인 것이다.

① 백화, 영달, 정 씨는 모두 산업화 과정에서 소외된 하층민들로 비슷한 처지에 동병상련을 느끼겠군.
② '삼포'는 정 씨의 고향이기도 하지만 산업화로 인해 본연의 포근함과 안락함을 잃어버린 농어촌을 상징하는 것이겠군.
③ 영달이가 떠돌며 얻을 수 있는 일자리는 결국 정착할 수 있는 안정적인 일자리가 아니라 공사판 등의 막노동 일이 많았겠군.
④ 계절적 배경인 겨울은 산업화 과정에서 소외된 인물들의 애환을 더욱 강조하고 작품의 주제의식을 부각시키는 효과가 있다고 볼 수 있겠군.
⑤ 산업화는 결국 경제 발전과 소득 수준의 증대를 가져온 것으로 소설 마지막 줄의 기차의 모습은 새 출발을 하는 주인공들의 밝은 미래를 보여주는 것이겠군.

7

해결해 봅시다

로봇 시대, 인간의 일

- 구본권 -

[처음] 인공지능은 컴퓨터 프로그램을 활용해 인간과 비슷한 인지적 능력을 구현한 기술을 말한다. 인공지능은 기본적으로 보고 듣고 읽고 말하는 능력을 갖춤으로써 인간과 대화할 수 있을 뿐만 아니라 지적 판단이 필요한 상황에서 합리적 결정을 내릴 수 있다.

▶ 인공지능의 개념

인공지능이 인간의 말을 알아듣고 명령을 실행하는 똑똑한 기계가 되는 것은 반길 일인가, 아니면 주인과 노예의 관계를 역전시키는 재앙이라고 경계해야 할 일인가? 인간의 지적 능력을 뛰어넘는 인공지능 개발에 관한 보도가 잇따르는 가운데, 「세계적 석학®들이 인공지능 개발이 결국엔 인류의 종말로 이어질 것이라는 경고를 내놓기 시작했다.

세계적 물리학자 스티븐 호킹(Stephen Hawking)®은 "인공지능은 결국 의식을 갖게 되어 인간의 자리를 대체할 것"이라며, "생물학적 진화 속도보다 과학 기술의 진보가 더 빠르기 때문"이라고 말했다.」

'생각하는 기계'가 축복이 될지 재앙이 될지는 미지의 영역이며 미래 사회가 어디로 향할 것인지는 격렬한 공방®을 가져올 주제이다. 하지만 분명한 것은 인류가 이제껏 고민해 본 적이 없는 문제와 마주했다는 점이다. 거대한 영향력을 지닌 신기술의 도입으로 예상치 못한 심각한 부작용이 생기면, 기술과 인간의 관계는 밑바닥에서부터 재검토되어야 한다.

▶ 인공지능의 발달과 더불어 대두된 기술과 인간의 관계

[중간] 인공지능 발달이 우리에게 던지는 새로운 과제는 두 갈래다. 로봇을 향한 길과 인간을 향한 길이다.

첫째는, 인류를 위협할지도 모를 강력한 인공지능을 우리가 어떻게 통제할 것인가의 문제이다. 「로봇에 대응하는 차원에서 로봇이 지켜야 할 도덕적 기준을 만들어 준수하게 하는 방법이나, 살인 로봇을 막는 국제 규약®을 제정하는 것이 접근방법이 될 수 있다. 또한, 다양한 상황에 관한 사회적 합의를 담은 알고리즘®을 만들어 사회적 규약을 벗어나지 않는 범위에서 로봇이 작동하게 하는 방법도 모색®할 수 있다. 설계자의 의도를 배반하지 못하도록 로봇이 스스로 무력화(武力化)할 수 없는 원격 자폭 스위치를 넣는 것도 가능하다. 인공지능 로봇이 인간의 통제를 벗어나지 못하게 과학자들은 다양한 기술적 방법을 만들어 내고, 입법자들은 강력한 법률과 사회적 합의를 적용할 것이다.」

둘째는, 생각하는 기계가 모방할 수 없는 인간의 특징을 찾아 인간의 가치를 높이는 것이다. 즉, 「로봇이 아니라

<small>과제 ②</small> <small>「 」:해결 방안</small>

인간을 깊이 생각하고 인간 고유의 특징을 활용하는 것이다.」 인공지능이 마침내 인간의 의식 현상을 구현해 낸다고

하더라도 인간과 인공지능은 여전히 구분될 것이다. 인간에게는 감정과 의지가 있기 때문이다.

<small>인간과 기계의 가장 큰 차이점</small>

감정은 비이성적이고 비효율적이지만 인간됨을 규정하는 본능으로, 감정에 따라 판단하고 의지적으로 행동하는

<small>인간의 특징</small>

인간에게 감정은 강점이면서 동시에 결함이 된다. 논리적으로 설명할 수 없는 인간의 행동은 대부분 감정과 의지에

서 비롯한 것이다. 인류는 진화의 세월을 거쳐 공감과 두려움, 만족 등 다양한 감정을 발달시켜 왔다. 인간의 감정과

의지는 수백만 년의 진화 과정에서 인류가 살아남으려고 선택한 전략의 결과이다. ▶ <small>인공지능 발달이 우리에게 던지는 두 가지 과제</small>

인공지능을 통제하는 것이 과학자들과 입법자들의 과제라면, '인간이란 무엇인가?', '인공지능이 대체할 수 없는

<small>인공지능 발달과 관련하여 각 개인이 고민해 보아야 할 질문</small>

나만의 특징과 존재 이유는 무엇일까?'라는 철학적인 질문은 각 개인에게 던져진 과제이다.

인공지능 시대는 필연적으로 인간의 본질과 삶의 의미에 대해 근원적 질문을 던진다. 인공지능과 자동화는 우리에

게 기계가 인간을 능가할 수 없는, 기계가 도저히 흉내 낼 수 없는 인간의 능력이 무엇이냐고 묻는다. 이것은 단지 기

<small>인간이 가지고 있는 고유한 특징</small>

계와의 경주에서 살아남기 위해 경쟁력 있는 직업을 유지할 수 있는 인간만의 고유한 기능이 무엇인지를 묻는 게 아

니다. 인공지능이 점점 더 똑똑해지고, 인간이 해 오던 많은 일을 기계가 대신하게 되는 상황에서 인간이 인간다워지

는 것의 의미를 묻는 것이다. ▶ <small>두 번째 과제에 대한 고민의 필요성이 가지는 의의</small>

인공지능 시대에 인간을 인간답게 만드는 것은 무엇보다 결핍과 그에 따른 고통이다. 인류의 역사와 문명은 이러한 결

핍과 고통에서 느낀 감정을 동력*으로 발달해 온 고유의 생존 시스템이다. 처음 마주하는 위험과 결핍은 두렵고 고통스

러웠지만, 인류는 놀라운 유연성과 창의성으로 대응해 왔다. 결핍과 고통을 벗어나는 과정에서 인류가 체득*한 생존의

<small>인공지능이 대체할 수 없는 인간의 능력</small>

방법이 유연성과 창의성이다. 이것은 기계에 가르칠 수 없는 속성이다. 그래서 인간의 약점은 인간과 기계를 구별하는 최

<small>감정</small>

후의 요소라고 할 수 있다. 우리는 기계를 설계할 때 부정확한 인식과 판단, 감정에서 비롯한 변덕스럽고 비합리적인 행

동, 망각과 고통 같은 인간의 약점을 기계에 부여하지 않는다. 인간은 우리가 기계에 부여하지 않을, 이러한 부족함과 결

핍을 지닌 존재이다. 하지만 거기에 인공지능 시대 우리가 가야 할 사람의 길이 있다. ▶ <small>인공지능이 대체할 수 없는 인간의 능력인 유연성과 창의성</small>

<small>사람이 가진 고유한 능력을 통해 인공지능 시대에 대응할 수 있음</small>

[끝] 결국, 앞에서 이야기한 두 가지 과제의 궁극적인 방향은 기계와의 경쟁이 아닌 공존과 공생이다. 인간 고유의

<small>글쓴이가 생각하는 인공지능 시대에 인간이 나아갈 방향</small>

속성인 유연성과 창의성은 인공지능 시대라는 새로운 변화에서도 인간이 생존할 방법을 찾아낼 것이다.

▶ <small>인공지능 시대 인간의 생존에 대한 전망</small>

— 구본권, 「로봇 시대, 인간의 일」 —

⊙ **어휘풀이**

- **석학(碩學)** 학식이 많고 깊은 사람.
- **스티븐 호킹(1942~2018)** 영국의 천체 물리학자. 블랙홀과 양자 중력 등을 연구하여 우주론 연구에 크게 이바지하였으며,《시간과 역사》,《호두 껍질 속의 우주》 등의 책을 썼다.
- **공방(攻防)** 서로 공격하고 방어함.
- **규약(規約)** 조직체 안에서, 서로 지키도록 협의하여 정하여 놓은 규칙.
- **알고리즘(algorism)** 어떤 문제의 해결을 위하여, 입력된 자료를 토대로 하여 원하는 출력을 유도하여 내는 규칙의 집합.
- **모색(摸索)** 일이나 사건 따위를 해결할 수 있는 방법이나 실마리를 더듬어 찾음.
- **동력(動力)** 어떤 일을 발전시키고 밀고 나가는 힘.
- **체득(體得)** 몸소 체험하여 알게 됨.

⊙ **핵심정리**

갈래	설명적 논설문
성격	시사적, 해설적
제재	인공지능과 인간의 관계
주제	인공지능 시대에 인간과 기계가 공존·공생하는 길
특징	• 전문가의 말을 인용하여 문제를 제기함. • 문제 해결의 방안을 로봇에 대한 것과 인간에 대한 것으로 나누어 접근함. • 인류 문명과 역사에 대한 유추를 통해 미래 사회의 문제를 해결하기 위한 접근법을 모색함.

확인학습 ···

01 이 글은 오늘날 일어나고 있는 사회적 현상에 대한 객관적인 분석을 통해 원인을 진단하고 있다.　　　　O☐ X☐

02 이 글은 현실의 문제점에 대한 글쓴이의 생각과 그 해결 방안을 논리적으로 제시하고 있다.　　　　O☐ X☐

03 이 글은 글의 핵심 주제와 관련된 개념의 정의를 제시하여 독자들의 이해를 돕고 있다.　　　　O☐ X☐

04 이 글은 해당 분야의 전문가가 한 말을 인용하여 문제 제기에 타당성을 더하고 있다.　　　　O☐ X☐

05 이 글은 문제 상황의 심각성을 깨닫지 못하고 있는 현대인들의 태도를 비판하고 있다.　　　　O☐ X☐

06 인공지능이 미래 사회에 축복이 될 것인지 재앙이 될 것인지 현재는 알 수 없다.　　　　O☐ X☐

07 세계적 석학들은 인공지능이 일정 수준 이상 발달하는 것을 우려하며 더 이상의 발전을 반대한다.　　　　O☐ X☐

08 글쓴이가 생각하는 우리 사회의 문제 상황은 인공지능의 통제 불능으로 인해 심각한 혼란이 초래된 것이다.　O☐ X☐

09 이 글은 철학적 질문에 대한 대답을 바탕으로 문제 해결의 실마리를 제시하고 있다.　　　　O☐ X☐

10 이 글에서 글쓴이가 말하고자 하는 바는 인간보다 합리적이고 논리적인 판단을 하는 인공지능을 효과적으로 활용하고 의존할 필요가 있다는 것이다.　　　　O☐ X☐

[01~04] 다음 글을 읽고 물음에 답하시오.

인공지능이 인간의 말을 알아듣고 명령을 실행하는 똑똑한 기계가 되는 것은 반길 일인가, 아니면 주인과 노예의 관계를 역전시키는 재앙이라고 경계해야 할일인가? 인간의 지적 능력을 뛰어넘는 인공지능 개발에 관한 보도가 잇따르는 가운데, 세계적 석학들이 인공지능 개발이 결국엔 인류의 종말로 이어질 것이라는 경고를 내놓기 시작했다. 세계적 물리학자 스티븐 호킹(Stephen Hawking)은 "인공지능은 결국 의식을 갖게 되어 인간의 자리를 대체할 것"이라며, "생물학적 진화 속도보다 과학 기술의 진보가 더 빠르기 때문"이라고 말했다.

'생각하는 기계'가 축복이 될지 재앙이 될지는 미지의 영역이며 미래 사회가 어디로 향할 것인지는 격렬한 공방을 가져올 주제이다. 하지만 분명한 것은 인류가 이제껏 고민해 본 적이 없는 문제와 마주했다는 점이다. 거대한 영향력을 지닌 신기술의 도입으로 예상치 못한 심각한 부작용이 생기면, 기술과 인간의 관계는 밑바닥에서부터 재검토되어야 한다.

인공지능 발달이 우리에게 던지는 새로운 과제는 두 갈래다. 로봇을 향한 길과 인간을 향한 길이다.

첫째는, 인류를 위협할지도 모를 강력한 인공지능을 우리가 어떻게 통제할 것인가의 문제이다. 로봇에 대응하는 차원에서 로봇이 지켜야 할 도덕적 기준을 만들어 준수하게 하는 방법이나, 살인 로봇을 막는 국제 규약을 제정하는 것이 접근방법이 될 수 있다. 또한, 다양한 상황에 관한 사회적 합의를 담은 알고리즘을 만들어 사회적 규약을 벗어나지 않는 범위에서 로봇이 작동하게 하는 방법도 모색할 수 있다. 설계자의 의도를 배반하지 못하도록 로봇이 스스로 무력화(無力化)할 수 없는 원격 자폭 스위치를 넣는 것도 가능하다. 인공지능 로봇이 인간의 통제를 벗어나지 못하게 과학자들은 다양한 기술적 방법을 만들어 내고, 입법자들은 강력한 법률과 사회적 합의를 적용할 것이다.

둘째는, 생각하는 기계가 모방할 수 없는 인간의 특징을 찾아 인간의 가치를 높이는 것이다. 즉, 로봇이 아니라 인간을 깊이 생각하고 인간 고유의 특징을 활용하는 것이다. 인공지능이 마침내 인간의 의식 현상을 구현해 낸다고 하더라도 인간과 인공지능은 여전히 구분될 것이다. 인간에게는 감정과 의지가 있기 때문이다.

감정은 비이성적이고 비효율적이지만 인간됨을 규정하는 본능으로, 감정에 따라 판단하고 의지적으로 행동하는 인간에게 감정은 강점이면서 동시에 결함이 된다. 논리적으로 설명할 수 없는 인간의 행동은 대부분 감정과 의지에서 비롯한 것이다. 인류는 진화의 세월을 거쳐 공감과 두려움, 만족 등 다양한 감정을 발달시켜 왔다. 인간의 감정과 의지는 수백만 년의 진화 과정에서 인류가 살아남으려고 선택한 전략의 결과이다.

인공지능을 통제하는 것이 과학자들과 입법자들의 과제라면, '인간이란 무엇일까?', '인공지능이 대체할 수 없는 나만의 특징과 존재 이유는 무엇일까?'라는 철학적인 질문은 각 개인에게 던져진 과제이다.

인공지능 시대는 필연적으로 인간의 본질과 삶의 의미에 대해 근원적 질문을 던진다. 인공지능과 자동화는 우리에게 기계가 인간을 능가할 수 없는, 기계가 도저히 흉내 낼 수 없는 인간의 능력이 무엇이냐고 묻는다. 이것은 단지 기계와의 경주에서 살아남기 위해 경쟁력 있는 직업을 유지할 수 있는 인간만의 고유 기능이 무엇인지를 묻는 게 아니다. 인공지능이 점점 더 똑똑해지고, 인간이 해오던 많은 일을 기계가 대신하게 되는 상황에서 인간이 인간다워지는 것의 의미를 묻는 것이다.

인공지능 시대에 인간을 인간답게 만드는 것은 무엇보다 결핍과 그에 따른 고통이다. 인류의 역사와 문명은 이러한 결핍과 고통에서 느낀 감정을 동력으로 발달해 온 고유의 생존 시스템이다. 처음 마주하는 위험과 결핍은 두렵고 고통스러웠지만, 인류는 놀라운 유연성과 창의성으로 대응해 왔다. 결핍과 고통을 벗어나는 과정에서 인류가 체득한 생존의 방법이 유연성과 창의성이 있다. 이것은 기계에 가르칠 수 없는 속성이다. 그래서 인간의 약점은 인간과 기계를 구별하는 최후의 요소라고 할 수 있다. 우리는 기계를 설계할 때 부정확한 인식과 판단, 감정에서 비롯한 변덕스럽고 비합리적인 행동, 망각과 고통 같은 인간의 약점을 기계에 부여하지 않는다. 인간은 우리가 기계에 부합하지 않을, 이러한 부족함과 결핍을 지닌 존재이다. 하지만 거기에 인공지능 시대 우리가 가야 할 사람의 길이 있다.

결국, 앞에서 이야기한 두 가지 과제의 궁극적인 방향은 기계와의 경쟁이 아닌 공존과 공생이다. 인간 고유의 속성인 유연성과 창의성은 인공지능 시대라는 새로운 변화에서도 인간이 생존할 방법을 찾아낼 것이다.

01 윗글을 읽고 해결할 수 있는 질문으로 적절한 것은?

① 인공 지능 연구 발전의 역사적 계기는 무엇이고 인간의 지적 능력에 미칠 영향은 어떠할까.

② 인류의 생존을 위협하는 과학 기술로 인한 역기능 사례들을 평가 절하하는 이유는 무엇인가.

③ 인간과 인공 지능과의 진정한 상생을 위해 추진할 필요가 있는 제도적 방안은 어떤 것이 있는가.

④ 첨단을 거듭하는 신기술에 맞설 수 있을 인간의 고유한 능력은 어떻게 창조해낼 수 있는가.

⑤ 인공 지능이 대화가 가능하고, 합리적인 지적 판단까지 할 수 있는 과학적 원리는 무엇인가.

02 윗글의 논지 전개 방식에 대한 설명으로 적절한 것은?

① 중심 화제에 관한 학자들의 견해 차이를 설명하며 절충적 관점에서 통합하려고 한다.

② 근본 개념의 의미와 정의를 밝히면서 역사적으로 확대 적용된 온 사례를 통해 이해를 돕는다.

③ 중심 화제와 관련된 일상생활 속 체험을 상기시켜 기존 이론의 한계와 대안을 찾아본다.

④ 문제 상황과 개념을 설명하고, 접근 기준을 제시하여 해결 가능성을 모색한다.

⑤ 현상을 설명하는 가설을 제시하고 여러 전문가의 이론을 통해 뒷받침하고 있다.

03 윗글의 내용을 통해 알 수 있는 내용으로 적절한 것은?

① 인공지능에 대한 통제가 절실한 이유는 상용화 예정인 인간 생명 유지 장치와 직결되기 때문이다.

② 생각하는 기계는 인간의 약점과 부족함을 충분히 극복하고 보완할 수 있는 강점이 있음을 다각도로 입증해 주는 사례들이 있다.

③ 기계에 비해 비이성적이고 비효율적인 인간의 감정 본능을 통제하고 결핍을 극복할 전략을 강구해 내야 한다.

④ 인간과 인공지능의 불가피한 대결이 초래하게 될 인간 소외로 인한 불안 현상이 앞으로 심각한 사회 문제가 될 것이다.

⑤ 인류의 생존 방향을 긍정적으로 이끌 다양한 사회적 합의를 위해 과학자와 입법자간 제도적 협업이 필요할 것이다.

04 윗글을 바탕으로 〈보기〉를 이해한 내용으로 가장 적절한 것은?

┤ 보기 ├

　국내에 6개 대학병원이 '의료AI(인공지능)' 활용을 위한 실무적 논의 및 진료비 반영과 관련된 법적 검토를 위한 컨소시엄을 출범하고 본격 운영에 나섰다. 그러나 의사 입장에서는 인공지능이 분석·진단을 도와줄 수 있지만 반대로 판단이 배치될 수 있고 또, 환자 입장에서는 인공지능이 처방해준 약을 먹어도 될지 고민이 따른다는 논란이 일고 있다. 이런 와중에 인공지능 로봇에 특정 권리와 의무를 갖는 전자적 인격체로서의 지위를 부여하는 등의 내용을 담은 '로봇기본법'이 발의되었다.

－ ○○ 신문 기사 －

① 의료 수술에서 발생할 수 있는 다양한 상황에 관하여 병원에서는 알고리즘의 제약을 받지 않는 인공지능 기계가 작동하도록 사회적 합의를 담아내는 방안을 검토하여야 한다.

② 의료AI가 인공지능 활용을 설계한 전문가의 의도와 다르게 환자를 진단하고 약을 처방해 준다면 원격자폭스위치를 사용할 수 있는 기술적 방법이 필요 없다.

③ 인공지능을 통제하는 방법 중에 인공지능 로봇에 전기적 인격체로서의 지위를 부여하는 것은 입법자들의 과제가 아닌 과학자들의 과제에 해당한다.

④ 인공지능 알고리즘을 이용해 환자의 생체신호를 분석해 주는 의료AI에 관하여 의사 입장에서 진단 결과가 배치될 때 고민하는 것은 인간만의 특징이다.

⑤ 의료AI가 대신할 수 없는 인간의 감정과 의지에 따른 생각하는 인간 고유의 기능을 찾아서 인류 생존 전략을 구현해 나가는 것이 기계와 경쟁하는 시대를 살아가는 방법이다.

[05~10] 다음 글을 읽고 물음에 답하시오.

인공지능은 컴퓨터 프로그램을 활용해 인간과 비슷한 인지적 능력을 구현한 기술을 말한다. 인공지능은 기본적으로 보고 듣고 읽고 말하는 능력을 갖춤으로써 인간과 대화할 수 있을 뿐만 아니라 지적 판단이 필요한 상황에서 합리적 결정을 내릴 수 있다.

인공지능이 인간의 말을 알아듣고 명령을 실행하는 똑똑한 기계가 되는 것은 반길 일인가, 아니면 주인과 노예의 관계를 역전시키는 재앙이라고 경계해야 할 일인가? 인간의 지적 능력을 뛰어넘는 인공지능 개발에 관한 보도가 잇따르는 가운데, 세계적 석학들이 인공지능 개발이 결국엔 인류의 종말로 이어질 것이라는 경고를 내놓기 시작했다. 세계적 물리학자 스티븐 호킹(Stephen Hawking)은 "인공지능은 결국 의식을 갖게 되어 인간의 자리를 대체할 것"이라며, "생물학적 진화 속도보다 과학 기술의 진보가 더 빠르기 때문"이라고 말했다.

'생각하는 기계'가 축복이 될지 재앙이 될지는 미지의 영역이며 미래 사회가 어디로 향할 것인지는 격렬한 공방을 가져올 주제이다. 하지만 분명한 것은 인류가 이제껏 고민해 본 적이 없는 문제와 마주했다는 점이다. 거대한 영향력을 지닌 신기술의 도입으로 예상치 못한 심각한 부작용이 생기면, 기술과 인간의 관계는 밑바닥에서부터 재검토되어야 한다.

인공지능 발달이 우리에게 던지는 새로운 과제는 두 갈래다. 바로 로봇을 향한 길과 인간을 향한 길이다.

첫째는, ㉠인류를 위협할지도 모를 강력한 인공지능을 우리가 어떻게 통제할 것인가의 문제이다. 로봇에 대응하는 차원에서 로봇이 지켜야 할 도덕적 기준을 만들어 준수하게 하는 방법이나, 살인 로봇을 막는 국제 규약을 제정하는 것이 접근 방법이 될 수 있다. 또한, 다양한 상황에 관한 사회적 합의를 담은 알고리즘을 만들어 사회적 규약을 벗어나지 않는 범위에서 로봇이 작동하게 하는 방법도 모색할 수 있다. 설계자의 의도를 배반하지 못하도록 로봇이 스스로 무력화(無力化)할 수 없는 원격 자폭 스위치를 넣는 것도 가능하다. 인공지능 로봇이 인간의 통제를 벗어나지 못하게 과학자들은 다양한 기술적 방법을 만들어 내고, 입법자들은 강력한 법률과 사회적 합의를 적용할 것이다.

둘째는, 생각하는 기계가 모방할 수 없는 인간의 특징을 찾아 인간의 가치를 높이는 것이다. 즉, 로봇이 아니라 인간을 깊이 생각하고 인간 고유의 특징을 활용하는 것이다. 인공지능이 마침내 인간의 의식 현상을 구현해 낸다고 하더라도 인간과 인공지능은 여전히 구분될 것이다. 인간에게는 감정과 의지가 있기 때문이다.

감정은 비이성적이고 비효율적이지만 인간됨을 규정하는 본능으로, 감정에 따라 판단하고 의지적으로 행동하는 인간에게 감정은 강점이면서 동시에 결함이 된다. 논리적으로 설명할 수 없는 인간의 행동은 대부분 감정과 의지에서 비롯한 것이다. 인류는 진화의 세월을 거쳐 공감과 두려움, 만족 등 다양한 감정을 발달시켜 왔다. 인간의 감정과 의지는 수백만 년의 진화 과정에서 인류가 살아남으려고 선택한 전략의 결과이다.

인공지능을 통제하는 것이 과학자들과 입법자들의 과제라면, '인간이란 무엇일까?', '인공지능이 대체할 수 없는 나만의 특징과 존재 이유는 무엇일까?'라는 철학적인 질문은 각 개인에게 던져진 과제이다.

인공지능 시대는 필연적으로 인간의 본질과 삶의 의미에 대해 근원적 질문을 던진다. 인공지능과 자동화는 우리에게 기계가 인간을 능가할 수 없는, 기계가 도저히 흉내 낼 수 없는 인간의 능력이 무엇이냐고 묻는다. 이것은 단지 기계와의 경주에서 살아남기 위해 경쟁력 있는 직업을 유지할 수 있는 인간만의 고유한 기능이 무엇인지를 묻는 게 아니다. 인공지능이 점점 더 똑똑해지고, 인간이 해오던 많은 일을 기계가 대신하게 되는 상황에서 인간이 인간다워지는 것의 의미를 묻는 것이다.

인공지능 시대에 인간을 인간답게 만드는 것은 무엇보다 결핍과 그에 따른 고통이다. 인류의 역사와 문명은 이러한 결핍과 고통에서 느낀 감정을 동력으로 발달해 온 고유의 생존 시스템이다. 처음 마주하는 위험과 결핍은 두렵고 고통스러웠지만, 인류는 놀라운 유연성과 창의성으로 대응해 왔다. 결핍과 고통을 벗어나는 과정에서 인류가 체득한 생존의 방법이 유연성과 창의성이 있다. 이것은 기계에 가르칠 수 없는 속성이다. 그래서 인간의 약점은 인간과 기계를 구별하는 최후의 요소라고 할 수 있다. 우리는 기계를 설계할 때 부정확한 인식과 판단, 감정에서 비롯한 변덕스럽고 비합리적인 행동, 망각과 고통 같은 인간의 약점을 기계에 부여하지 않는다. 인간은 우리가 기계에 부합하지 않을, 이러한 부족함과 결핍을 지닌 존재이다. 하지만 거기에 인공지능 시대 우리가 가야 할 사람의 길이 있다.

결국, 앞에서 이야기한 두 가지 과제의 궁극적인 방향은 기계와의 경쟁이 아닌 공존과 공생이다. 인간 고유의 속성인 유연성과 창의성은 인공지능 시대라는 새로운 변화에서도 인간이 생존할 방법을 찾아낼 것이다.

– 구본권, 「로봇 시대, 인간의 일」–

05 윗글의 특징으로 적절한 것을 〈보기〉에서 있는 대로 고른 것은?

┌─── 보기 ├─
ㄱ. 질문의 형식을 사용하여 문제를 제기하고 있다.
ㄴ. 전문가의 말을 인용하여 내용의 타당성을 높이고 있다.
ㄷ. 독자의 이해를 돕기 위해 시청각 자료를 사용하고 있다.
ㄹ. 사회적으로 문제가 되었던 구체적인 상황을 제시하여 심각성을 드러내고 있다.

① ㄱ, ㄴ ② ㄱ, ㄹ ③ ㄴ, ㄷ ④ ㄴ, ㄷ, ㄹ ⑤ ㄱ, ㄴ, ㄷ

06 ㉠에 대한 해결방안으로 적절하지 않은 것은?

① 살인 로봇을 막는 국제 규약을 제정해야 한다.
② 로봇이 지켜야 할 도덕적 기준을 만들어 준수하게 하여야 한다.
③ 인공지능이 모방하거나 대체할 수 없는 인간의 특징과 가치를 찾아야 한다.
④ 설계자의 의도를 배반하지 못하도록 로봇이 스스로 무력화할 수 없는 원격 자폭 스위치를 넣어야 한다.
⑤ 다양한 상황에 관한 사회적 합의를 담은 규칙을 만들어 사회적 규약을 벗어나지 않는 범위에서 로봇이 작동하게 해야 한다.

07 윗글을 읽고 답할 수 있는 질문으로 적절하지 않은 것은?

① 인공지능의 개념은 무엇인가?
② 인공지능에 대한 논의가 필요한 이유는 무엇인가?
③ 인공지능으로 인해 인간이 겪은 피해는 무엇인가?
④ 인공지능 발달이 우리에게 던지는 과제는 무엇인가?
⑤ 인공지능의 발달과 관련하여 각 개인이 고민해 보아야 할 질문은 무엇인가?

08 윗글을 통해 알 수 있는 글쓴이의 생각으로 가장 적절한 것은?

① 인공지능의 발달은 인간의 삶을 더 행복하고 편리하게 해 줄 것이다.
② 인간 고유의 속성인 유연성과 창의성을 발휘하여 인공지능과 공존·공생해야 한다.
③ 인공지능이 인간의 감정을 이해하는 미래가 곧 올 것이며 인간은 그에 따른 대비가 필요하다.
④ 기계가 스스로 창의적인 답안을 찾아낼 수 있도록 인공지능을 끊임없이 발전시켜 나아가야 한다.
⑤ 인공지능이 대체할 수 없는 인간의 도덕성, 양심, 인류애와 같은 선의 가치를 키워 기계와 경쟁하려는 노력을 해야 한다.

09 윗글에 드러나는 내용으로 적절하지 <u>않은</u> 것은?

① 인공지능은 부작용을 초래할 가능성이 있다.

② 인간은 감정과 의지를 가진 비논리적인 존재이지만, 이 특성으로 인해 비로소 인간다워진다.

③ 인간은 부정적 상황과 맞닥뜨릴 때마다 유연성과 창의성을 발휘하여 생존을 위한 방법을 찾아왔다.

④ 인공지능의 발전은 인류를 위협할 가능성이 있으므로 로봇의 통제를 위한 개인의 노력이 필요하다.

⑤ 인간은 인간 고유의 특성인 감정, 의지, 유연성, 창의성을 통해 인공지능과 공생할 방법을 찾아낼 것이다.

10 윗글을 바탕으로 〈보기〉를 이해한 것으로 가장 적절한 것은?

┤ 보기 ├

　영화 〈로봇, 소리〉에는 자신이 한 일에 책임감을 느껴, 입력된 프로그램의 명령을 거부하는 로봇이 등장한다. 이 로봇은 감정을 느끼고 스스로 판단을 내리는, 마치 인간과 같은 존재로 그려진다. 연신 "그녀를 찾아야 한다."라고 말하는 이 로봇은, 원래 인공위성에서 도청을 하기 위해 사용되던 것이었다. 그러다 폭격으로 부모를 잃은 아이가 울부짖는 것을 듣고 그 폭격이 자신이 제공한 정보로 인해 벌어진 일이라는 자책감에 스스로 교신을 끊고 그 아이를 찾기 위해 지구로 불시착한 것이다.

　바다에 떨어진 로봇은 주인공 해관을 만나 인간과 소통하고, 해관은 이 로봇에 '소리'라는 이름을 붙여 부르며 의지한다. 해관이 로봇의 도움으로 자신의 잘못을 깨닫고 마음의 상처를 치유하는 모습과 로봇이 사람의 도움을 받아 자신의 잘못을 바로잡기 위해 길을 떠나는 모습은, 인간과 로봇이 어떻게 함께 도우며 공존할 수 있는지를 보여 주는 하나의 답이라고 할 수 있다.

① 윗글과 〈보기〉는 모두 감정의 학습이 가능하다고 생각한다.

② 윗글은 〈보기〉와 달리 인공지능의 개발이 결국 재앙을 일으킬 것으로 생각한다.

③ 〈보기〉는 윗글과 달리 로봇이 인간처럼 감정과 의지를 가지게 될 수 있을 것이라고 생각한다.

④ 윗글과 〈보기〉는 모두 인간과 로봇이 공존하기 위해서는 로봇이 감정을 가져야 한다고 생각한다.

⑤ 윗글은 〈보기〉와 달리 로봇은 지적 판단이 필요한 상황에서 합리적 결정을 내릴 수 있다고 생각한다.

[11~14] 다음 글을 읽고 물음에 답하시오.

(가) 인공지능은 컴퓨터 프로그램을 활용해 인간과 비슷한 인지적 능력을 구현한 기술을 말한다. 인공지능은 기본적으로 보고 듣고 읽고 말하는 능력을 갖춤으로써 인간과 대화할 수 있을 뿐만 아니라 지적 판단이 필요한 상황에서 합리적 결정을 내릴 수 있다.

인공지능이 인간의 말을 알아듣고 명령을 실행하는 똑똑한 기계가 되는 것은 반길 일인가, 아니면 주인과 노예의 관계를 역전시키는 재앙이라고 경계해야 할 일인가? 인간의 지적 능력을 뛰어넘는 인공지능 개발에 관한 보도가 잇따르는 가운데, 세계적 석학들이 인공지능 개발이 결국엔 인류의 종말로 이어질 것이라는 경고를 내놓기 시작했다. 세계적 물리학자 스티븐 호킹(Stephen Hawking)은 "인공지능은 결국 의식을 갖게 되어 인간의 자리를 대체할 것"이라며, "생물학적 진화 속도보다 과학 기술의 진보가 더 빠르기 때문"이라고 말했다.

'생각하는 기계'가 축복이 될지 재앙이 될지는 미지의 영역이며 미래 사회가 어디로 향할 것인지는 격렬한 공방을 가져올 주제이다. 하지만 분명한 것은 인류가 이제껏 고민해 본 적이 없는 문제와 마주했다는 점이다. 거대한 영향력을 지닌 신기술의 도입으로 예상치 못한 심각한 부작용이 생기면, 기술과 인간의 관계는 밑바닥에서부터 재검토되어야 한다.

(나) 인공지능 발달이 우리에게 던지는 새로운 과제는 두 갈래다. ㉠로봇을 향한 길과 ㉡인간을 향한 길이다.

첫째는, 인류를 위협할지도 모를 강력한 인공지능을 우리가 어떻게 통제할 것인가의 문제이다. 로봇에 대응하는 차원에서 로봇이 지켜야 할 도덕적 기준을 만들어 준수하게 하는 방법이나, 살인 로봇을 막는 국제 규약을 제정하는 것이 접근방법이 될 수 있다. 또한, 다양한 상황에 관한 사회적 합의를 담은 알고리즘을 만들어 사회적 규약을 벗어나지 않는 범위에서 로봇이 작동하게 하는 방법도 모색할 수 있다. 설계자의 의도를 배반하지 못하도록 로봇이 스스로 무력화(無力化)할 수 없는 원격 자폭 스위치를 넣는 것도 가능하다. 인공지능 로봇이 인간의 통제를 벗어나지 못하게 과학자들은 다양한 기술적 방법을 만들어 내고, 입법자들은 강력한 법률과 사회적 합의를 적용할 것이다.

(다) 둘째는, 생각하는 기계가 모방할 수 없는 인간의 특징을 찾아 인간의 가치를 높이는 것이다. 즉, 로봇이 아니라 인간을 깊이 생각하고 인간 고유의 특징을 활용하는 것이다. 인공지능이 마침내 인간의 의식 현상을 구현해 낸다고 하더라도 인간과 인공지능은 여전히 구분될 것이다. 인간에게는 감정과 의지가 있기 때문이다.

감정은 비이성적이고 비효율적이지만 인간됨을 규정하는 본능으로, 감정에 따라 판단하고 의지적으로 행동하는 인간에게 감정은 강점이면서 동시에 결함이 된다. 논리적으로 설명할 수 없는 인간의 행동은 대부분 감정과 의지에서 비롯한 것이다. 인류는 진화의 세월을 거쳐 공감과 두려움, 만족 등 다양한 감정을 발달시켜 왔다. 인간의 감정과 의지는 수백만 년의 진화 과정에서 인류가 살아남으려고 선택한 전략의 결과이다.

(라) 인공지능을 통제하는 것이 과학자들과 입법자들의 과제라면, '인간이란 무엇일까?', '인공지능이 대체할 수 없는 나만의 특징과 존재 이유는 무엇일까?'라는 철학적인 질문은 각 개인에게 던져진 과제이다.

인공지능 시대는 필연적으로 인간의 본질과 삶의 의미에 대해 근원적 질문을 던진다. 인공지능과 자동화는 우리에게 기계가 인간을 능가할 수 없는, 기계가 도저히 흉내 낼 수 없는 인간의 능력이 무엇이냐고 묻는다. 이것은 단지 기계와의 경주에서 살아남기 위해 경쟁력 있는 직업을 유지할 수 있는 인간만의 고유한 기능이 무엇인지를 묻는 게 아니다. 인공지능이 점점 더 똑똑해지고, 인간이 해오던 많은 일을 기계가 대신하게 되는 상황에서 인간이 인간다워지는 것의 의미를 묻는 것이다.

(마) 인공지능 시대에 인간을 인간답게 만드는 것은 무엇보다 결핍과 그에 따른 고통이다. 인류의 역사와 문명은 이러한 결핍과 고통에서 느낀 감정을 동력으로 발달해 온 고유의 생존 시스템이다. 처음 마주하는 위험과 결핍은 두렵고 고통스러웠지만, 인류는 놀라운 유연성과 창의성으로 대응해 왔다. 결핍과 고통을 벗어나는 과정에서 인류가 체득한 생존의 방법이 유연성과 창의성이 있다. 이것은 기계에 가르칠 수 없는 속성이다. 그래서 인간의 약점은 인간과 기계를 구별하는 최후의 요소라고 할 수 있다. 우리는 기계를 설계할 때 부정확한 인식과 판단, 감정에서 비롯한 변덕스럽고 비합리적인 행동, 망각과 고통 같은 인간의 약점을 기계에 부여하지 않는다. 인간은 우리가 기계에 부합하지 않을, 이러한 부족함과 결핍을 지닌 존재이다. 하지만 거기에 인공지능 시대 우리가 가야 할 사람의 길이 있다.

결국, 앞에서 이야기한 두 가지 과제의 궁극적인 방향은 기계와의 경쟁이 아닌 공존과 공생이다. 인간 고유의 속성인 유연성과 창의성은 인공지능 시대라는 새로운 변화에서도 인간이 생존할 방법을 찾아낼 것이다.

- 구본권, 「로봇 시대, 인간의 일」 -

11 윗글의 서술 방식에 대한 설명으로 적절한 것은?

① 대상의 특성을 여러 가지 예를 들어 설명하고 있다.

② 대상에 대한 여러 주장들을 체계적으로 비판하고 있다.

③ 대상의 개념을 설명하고 그와 관련된 문제를 제기하고 있다.

④ 대상에 대한 연구 과정을 시간 순서에 따라 정리하고 있다.

⑤ 서로 대비되는 견해를 절충하여 결론을 도출하고 있다.

12 윗글에서 제시한 내용이 <u>아닌</u> 것은?

① 인공지능의 개념과 특성

② 인공지능 발달에 따른 인간과 로봇의 관계

③ 인공지능에 대한 논의가 필요한 이유

④ 인공지능의 실생활 사례와 그 장단점

⑤ 인공지능 발달이 우리에게 던진 두 가지 과제

13 윗글에서 글쓴이가 궁극적으로 주장하고자 하는 것은?

① 인공지능 발달에 내재된 위험성을 알리고 이에 따른 법적인 규제를 제정하자!

② 인공지능의 발달을 통해 인간의 비효율적인 속성을 개선할 수 있는 방안을 찾자!

③ 인공지능이 발달하게 된 원인을 분석하여 인간의 생존과 번영에 필요한 요소를 차용하자!

④ 인공지능이 우리에게 주는 과제의 장단점을 분석하여 인류가 기계를 극복하는 방안을 찾자!

⑤ 인공지능 시대에 인간과 기계가 공존할 수 있는 길을 찾고 이를 위해 인간만의 속성을 개발하자!

14 밑줄 친 ㉠과 ㉡에 대한 설명으로 적절하지 <u>않은</u> 것은?

① ㉠과 ㉡은 모두 인공지능 발달로 인해 우리에게 던져진 과제이다.

② ㉠은 기술적 차원에서, ㉡은 입법적 차원에서 각각 해결 방안을 찾을 수 있다.

③ ㉠은 과학자들과 입법자들이 해결해야 할 과제이고, ㉡은 각 개인에게 던져진 과제이다.

④ ㉠은 인공지능을 통제하는 것과 관련된 과제이고, ㉡은 인간의 가치를 찾는 것과 관련된 과제이다.

⑤ ㉠은 인공지능이 인류를 위협할 수 있다는 입장과 관련된 것이고, ㉡은 인공지능이 모방할 수 없는 인간만의 특징과 관련된 것이다.

[15~16] 다음 글을 읽고 물음에 답하시오.

(가) 인공지능은 컴퓨터 프로그램을 활용해 인간과 비슷한 인지적 능력을 구현한 기술을 말한다. 인공지능은 기본적으로 보고 듣고 읽고 말하는 능력을 갖춤으로써 인간과 대화할 수 있을 뿐만 아니라 지적 판단이 필요한 상황에서 합리적 결정을 내릴 수 있다.

(나) 인공지능이 인간의 말을 알아듣고 명령을 실행하는 똑똑한 기계가 되는 것은 반길 일인가, 아니면 주인과 노예의 관계를 역전시키는 재앙이라고 경계해야 할 일인가? 인간의 지적 능력을 뛰어넘는 인공지능 개발에 관한 보도가 잇따르는 가운데, 세계적 석학들이 인공지능 개발이 결국엔 인류의 종말로 이어질 것이라는 경고를 내놓기 시작했다.

(다) '생각하는 기계'가 축복이 될지 재앙이 될지는 미지의 영역이며 미래 사회가 어디로 향할 것인지는 격렬한 공방을 가져올 주제이다. 하지만 분명한 것은 인류가 이제껏 고민해 본 적이 없는 문제와 마주했다는 점이다. 거대한 영향력을 지닌 신기술의 도입으로 예상치 못한 심각한 부작용이 생기면, 기술과 인간의 관계는 밑바닥에서부터 재검토되어야 한다.

(라) 인공지능 발달이 우리에게 던지는 새로운 과제는 두 갈래다. 바로 로봇을 향한 길과 인간을 향한 길이다.

(마) 첫째는, 인류를 위협할지도 모를 강력한 인공지능을 우리가 어떻게 통제할 것인가의 문제이다. 로봇에 대응하는 차원에서 로봇이 지켜야 할 도덕적 기준을 만들어 준수하게 하는 방법이나, 살인 로봇을 막는 국제 규약을 제정하는 것이 접근 방법이 될 수 있다. 또한, 다양한 상황에 관한 사회적 합의를 담은 알고리즘을 만들어 사회적 규약을 벗어나지 않는 범위에서 로봇이 작동하게 하는 방법도 모색할 수 있다. 설계자의 의도를 배반하지 못하도록 로봇이 스스로 무력화(無力化)할 수 없는 원격 자폭 스위치를 넣는 것도 가능하다. 인공지능 로봇이 인간의 통제를 벗어나지 못하게 과학자들은 다양한 기술적 방법을 만들어 내고, 입법자들은 강력한 법률과 사회적 합의를 적용할 것이다.

15 이 글의 글쓴이가 사용한 글쓰기 전략으로 적절하지 <u>않은</u> 것은?

① 글의 핵심 주제와 관련된 개념의 정의를 제시하여 독자들의 이해를 도와야겠어.
② 화제의 관점 제시 방법으로 상반되는 질문을 제시하여 독자에게 문제를 제기해야겠어.
③ 인공지능 발달이 우리에게 던지는 과제를 두 가지로 구분해서 제시해야겠어.
④ 문제 상황의 심각성을 깨닫지 못하고 있는 현대인들의 태도를 비판해야겠어.
⑤ 문제 상황을 해결하기 위한 해결 방안이 될 수 있는 여러 예를 열거하여 제시해야겠어.

16 글쓴이가 다음과 같은 사례를 활용하여 글의 내용을 보강하려 할 때 가장 적절한 것은?

┤ 보기 ├
　　세계적 물리학자 스티븐 호킹(Stephen Hawking)은 "인공지능은 결국 의식을 갖게 되어 인간의 자리를 대체할 것"이라며, "생물학적 진화 속도보다 과학 기술의 진보가 더 빠르기 때문"이라고 말했다.

① (가)의 뒤　　　② (나)의 뒤　　　③ (다)의 뒤　　　④ (라)의 뒤　　　⑤ (마)의 뒤

(가) 둘째는, 생각하는 기계가 모방할 수 없는 인간의 특징을 찾아 인간의 가치를 높이는 것이다. 즉, 로봇이 아니라 인간을 깊이 생각하고 인간 고유의 특징을 활용하는 것이다.

[A] 인공지능이 마침내 인간의 의식 현상을 구현해 낸다고 하더라도 인간과 인공지능은 여전히 구분될 것이다. 인간에게는 감정과 의지가 있기 때문이다.

(나) 감정은 비이성적이고 비효율적이지만 인간됨을 규정하는 본능으로, 감정에 따라 판단하고 의지적으로 행동하는 인간에게 감정은 강점이면서 동시에 결함이 된다. 논리적으로 설명할 수 없는 인간의 행동은 대부분 감정과 의지에서 비롯한 것이다. 인류는 진화의 세월을 거쳐 공감과 두려움, 만족 등 다양한 감정을 발달시켜 왔다. 인간의 감정과 의지는 수백만 년의 진화 과정에서 인류가 살아남으려고 선택한 전략의 결과이다.

(다) 인공지능을 통제하는 것이 과학자들과 입법자들의 과제라면, '인간이란 무엇일까?', '인공지능이 대체할 수 없는 나만의 특징과 존재 이유는 무엇일까?'라는 철학적인 질문은 각 개인에게 던져진 과제이다.

(라) 인공지능 시대는 필연적으로 인간의 본질과 삶의 의미에 대해 근원적 질문을 던진다. 인공지능과 자동화는 우리에게 기계가 인간을 능가할 수 없는, 기계가 도저히 흉내 낼 수 없는 인간의 능력이 무엇이냐고 묻는다. 이것은 단지 기계와의 경주에서 살아남기 위해 경쟁력 있는 직업을 유지할 수 있는 인간만의 고유한 기능이 무엇인지를 묻는 게 아니다. 인공지능이 점점 더 똑똑해지고, 인간이 해오던 많은 일을 기계가 대신하게 되는 상황에서 인간이 인간다워지는 것의 의미를 묻는 것이다.

(마) 인공지능 시대에 인간을 인간답게 만드는 것은 무엇보다 결핍과 그에 따른 고통이다. 인류의 역사와 문명은 이러한 결핍과 고통에서 느낀 감정을 동력으로 발달해 온 고유의 생존 시스템이다. 처음 마주하는 위험과 결핍은 두렵고 고통스러웠지만, 인류는 놀라운 유연성과 창의성으로 대응해 왔다. 결핍과 고통을 벗어나는 과정에서 인류가 체득한 생존의 방법이 유연성과 창의성이 있다. 이것은 기계에 가르칠 수 없는 속성이다. 그래서 인간의 약점은 인간과 기계를 구별하는 최후의 요소라고 할 수 있다. 우리는 기계를 설계할 때 부정확한 인식과 판단, 감정에서 비롯한 변덕스럽고 비합리적인 행동, 망각과 고통 같은 인간의 약점을 기계에 부여하지 않는다. 인간은 우리가 기계에 부합하지 않을, 이러한 부족함과 결핍을 지닌 존재이다. 하지만 거기에 인공지능 시대 우리가 가야 할 사람의 길이 있다.

(바) 결국, 앞에서 이야기한 두 가지 과제의 궁극적인 방향은 기계와의 경쟁이 아닌 공존과 공생이다. 인간 고유의 속성인 유연성과 창의성은 인공지능 시대라는 새로운 변화에서도 인간이 생존할 방법을 찾아낼 것이다.

17 (가)~(마)에서 확인할 수 있는 내용으로 적절하지 않은 것은?

① (가) : 인간의 가치를 높임으로써 문제 상황을 해결할 수 있다.
② (나) : 인간은 진화를 통해 로봇만큼 강한 정신력을 갖게 되었다.
③ (다) : 각 개인에게는 인간에 대한 철학적인 질문이 과제로 던져졌다.
④ (라) : 인공지능 시대는 인간의 본질과 삶에 대한 근원적 질문을 던질 수밖에 없다.
⑤ (마) : 결핍은 기계와는 다른 인간만의 특징이자 인공지능이 대체할 수 없는 유연성과 창의성을 체득하게 한다.

18 윗글의 내용과 일치하지 <u>않는</u> 것은?

① 세계적 석학들이 인공지능의 개발에 대해 우려를 표하는 상황이다.

② 인간의 의식 수준을 갖춘 인공지능의 구체적 개발 사례가 책으로 간행되었다.

③ 전문가는 인공지능의 진보가 인간의 진화보다 더 빠르게 진행되고 있다고 했다.

④ 과학자들은 기술적 차원에서, 입법자들은 입법적 차원에서 인공지능 로봇을 통제할 수 있다.

⑤ 인간의 지적 능력을 뛰어 넘는 인공지능의 개발이 인류의 삶을 보다 편리하게 해 줄 것인지, 인류의 생존을 위협할지 지금은 알 수 없다.

19 [A] 부분에 대해, 〈보기〉의 순서대로 비판적 · 창의적으로 읽기를 하였다. 적절하지 <u>않은</u> 것은?

┤ 보기 ├

1. 글쓴이의 관점 파악하기
• 글쓴이는 감정과 의지는 인간만이 가지고 있는 것이며, 감정과 의지가 인간과 기계를 구분하는 요소라고 보고 있다. ··································· ㉠

↓

2. 글쓴이의 관점에 대한 자신의 생각을 정리하고 이유 밝히기
• 글쓴이의 관점에 동의한다. – 인공지능이 발달하여 인간의 지능을 뛰어넘게 된다 하더라도 인간의 감정을 모방할 수 없을 것이다. ··································· ㉡ • 글쓴이의 관점에 동의하지 않는다. – 인공지능이 인간의 감정을 학습한다 하더라도 복잡하고 미묘한 인간의 감정을 완벽히 대처하는 것은 불가능하다. ··································· ㉢

↓

3. 글쓴이의 관점을 보완하거나 대체할 방안 생각하기
• 로봇이 인간의 감정을 학습하고 나아가 주체적으로 판단을 내리는 상황에 대비할 필요가 있다. ··································· ㉣ • 일정 기준 이상으로 주체적인 사고를 하는 인공지능 개발에 대하여서는 국제적 규약에 의해 관리, 감독하는 시스템을 갖추는 것이 필요하다. ··································· ㉤

① ㉠   ② ㉡   ③ ㉢   ④ ㉣   ⑤ ㉤

20 윗글의 글쓴이가 〈보기1〉을 접했을 때의 내용으로 적절하지 <u>않은</u> 것을 〈보기2〉에서 모두 고르면?

┤ 보기1 ├

우리는 이미 과거와 다른 방식으로 뇌를 사용한다. 디지털 기술의 발달로 암기와 관련된 부분은 대부분 디지털 기술에 의존하고 있다. 대표적인 사례가 전화번호다. 휴대 전화가 등장하기 전까지만 해도 수십 명의 전화번호를 외우고 다니는 경우가 흔했다. 하지만 지금은 단축 번호나 검색으로 전화번호를 금방 찾을 수 있어서, 가까운 지인의 전화번호조차 못 외우는 경우가 다반사다.

우리는 이미 의학적으로 두뇌의 변화를 경험하고 있다. ○○병원 △△△교수는 "기억 대신 검색이 중요한 위치를 차지하게 되면서 검색에 필요한 뇌 기능은 발달하지만, 두뇌의 기억 용량은 감소하게 된다."라며 "디지털 기기에 지나치게 의존하면 기억력이 쇠퇴한다."라고 이야기했다. 사람의 기억은 뇌의 해마라는 부위에서 주로 담당하는데, 기억력을 사용하지 않으면 해마가 위축되어 기억 용량이 줄어든다고 한다.

– 조중혁, 「인터넷 진화와 뇌의 종말」 –

┤ 보기2 ├

ㄱ. 디지털 기술 발달로 인간 두뇌의 기억 용량이 줄어들므로 휴대 전화 사용을 자제해야 한다.

ㄴ. 디지털 기술 시대 속에서 인간의 모든 능력과 기능이 디지털 기기로 대체되는 비관적 미래를 맞이할 것이다.

ㄷ. 디지털 기술 발달로 인한 인간의 기억력 쇠퇴는 디지털 기술 도입 시에는 예상치 못한 문제 상황이었을 것이다.

ㄹ. 디지털 기술 발달로 인간의 뇌 기능 중 검색 부분이 중요해졌다면 검색의 뇌 기능을 발달시켜 활용하는 것이 필요하다.

① ㄱ   ② ㄴ   ③ ㄱ, ㄴ   ④ ㄴ, ㄷ   ⑤ ㄴ, ㄷ, ㄹ

객관식 심화문제

[01~03] 다음 글을 읽고, 물음에 답하시오.

　인공지능은 컴퓨터 프로그램을 활용해 인간과 비슷한 인지적 능력을 구현한 기술을 말한다. 인공지능은 기본적으로 보고 듣고 읽고 말하는 능력을 갖춤으로써 인간과 대화할 수 있을 뿐만 아니라 지적 판단이 필요한 상황에서 합리적 결정을 내릴 수 있다.

　인공지능이 인간의 말을 알아듣고 명령을 실행하는 똑똑한 기계가 되는 것은 반길 일인가, 아니면 주인과 노예의 관계를 ㉠역전시키는 재앙이라고 경계해야 할 일인가? 인간의 지적 능력을 뛰어넘는 인공지능 개발에 관한 보도가 잇따르는 가운데, 세계적 ㉡석학들이 인공지능 개발이 결국엔 인류의 종말로 이어질 것이라는 경고를 내놓기 시작했다. 세계적 물리학자 스티븐 호킹(Stephen Hawking)은 "인공지능은 결국 의식을 갖게 되어 인간의 자리를 ㉢대체할 것"이라며, "생물학적 진화 속도보다 과학 기술의 진보가 더 빠르기 때문"이라고 말했다.

　'생각하는 기계'가 축복이 될지 재앙이 될지는 미지의 영역이며 미래 사회가 어디로 향할 것인지는 격렬한 공방을 가져올 주제이다. 하지만 분명한 것은 인류가 이제껏 고민해 본 적이 없는 문제와 마주했다는 점이다. 거대한 영향력을 지닌 신기술의 도입으로 예상치 못한 심각한 부작용이 생기면, 기술과 인간의 관계는 밑바닥에서부터 재검토되어야 한다.

　인공지능 발달이 우리에게 던지는 새로운 과제는 두 갈래다. ⓐ로봇을 향한 길과 ⓑ인간을 향한 길이다.

　첫째는, 인류를 위협할지도 모를 강력한 인공지능을 우리가 어떻게 통제할 것인가의 문제이다. 로봇에 대응하는 차원에서 로봇이 지켜야 할 도덕적 기준을 만들어 ㉣준수하게 하는 방법이나, 살인 로봇을 막는 국제 규약을 제정하는 것이 접근 방법이 될 수 있다. 또한, 다양한 상황에 관한 사회적 합의를 담은 알고리즘을 만들어 사회적 규약을 벗어나지 않는 범위에서 로봇이 작동하게 하는 방법도 ㉤모색할 수 있다. 설계자의 의도를 배반하지 못하도록 로봇이 스스로 무력화(無力化)할 수 없는 원격 자폭 스위치를 넣는 것도 가능하다. 인공지능 로봇이 인간의 통제를 벗어나지 못하게 과학자들은 다양한 기술적 방법을 만들어 내고, 입법자들은 강력한 법률과 사회적 합의를 적용할 것이다.

　둘째는, 생각하는 기계가 모방할 수 없는 인간의 특징을 찾아 인간의 가치를 높이는 것이다. 즉, 로봇이 아니라 인간을 깊이 생각하고 인간 고유의 특징을 활용하는 것이다. 인공지능이 마침내 인간의 의식 현상을 구현해 낸다고 하더라도 인간과 인공지능은 여전히 구분될 것이다. 인간에게는 감정과 의지가 있기 때문이다.

　감정은 비이성적이고 비효율적이지만 인간됨을 규정하는 본능으로, 감정에 따라 판단하고 의지적으로 행동하는 인간에게 감정은 강점이면서 동시에 결함이 된다. 논리적으로 설명할 수 없는 인간의 행동은 대부분 감정과 의지에서 비롯한 것이다. 인류는 진화의 세월을 거쳐 공감과 두려움, 만족 등 다양한 감정을 발달시켜 왔다. 인간의 감정과 의지는 수백만 년의 진화 과정에서 인류가 살아남으려고 선택한 전략의 결과이다.

　인공지능을 통제하는 것이 과학자들과 입법자들의 과제라면, '인간이란 무엇일까?', '인공지능이 대체할 수 없는 나만의 특징과 존재 이유는 무엇일까?'라는 철학적인 질문은 각 개인에게 던져진 과제이다.

　인공지능 시대는 필연적으로 인간의 본질과 삶의 의미에 대해 근원적 질문을 던진다. 인공지능과 자동화는 우리에게 기계가 인간을 능가할 수 없는, 기계가 도저히 흉내 낼 수 없는 인간의 능력이 무엇이냐고 묻는다. 이것은 단지 기계와의 경주에서 살아남기 위해 경쟁력 있는 직업을 유지할 수 있는 인간만의 고유한 기능이 무엇인지를 묻는 게 아니다. 인공지능이 점점 더 똑똑해지고, 인간이 해오던 많은 일을 기계가 대신하게 되는 상황에서 인간이 인간다워지는 것의 의미를 묻는 것이다.

– 구본권, 「로봇 시대, 인간의 일」 –

01 ⓐ와 ⓑ에 대한 설명으로 바르지 <u>않은</u> 것은?

① ⓐ에 대한 고민은 과학자와 입법자의 과제이다.
② ⓐ는 로봇을 어떻게 통제할 것인가에 대한 문제이다.
③ ⓑ에 대한 고민은 철학자의 과제이다.
④ ⓑ는 로봇과 구별되는 인간의 특징과 가치를 찾는 일이다.
⑤ ⓐ와 ⓑ 모두 인공지능의 발달로 대두된 우리의 과제이다.

02 이 글의 설명 방법으로 적절한 것은?

① 화제와 관련된 개념의 역사적 변천과정을 소개하고 있다.
② 대조의 방법으로 관련 화제에 대한 문제를 제기하고 있다.
③ 문제에 대한 다양한 사례를 제시하여 이해를 높이고 있다.
④ 논제에 대한 두 가지 상반된 견해를 소개하고 절충하고 있다.
⑤ 문제의 원인을 분석한 뒤 해결방안을 병렬적으로 제시하고 있다.

03 ㉠~㉤의 단어의 의미를 <u>잘못</u> 이해한 것은?

① ㉠ : 힘을 다하여 싸움.
② ㉡ : 학식이 많고 학문이 깊음. 또는 그런 사람.
③ ㉢ : 다른 것으로 바꿈.
④ ㉣ : 규칙·명령 등을 그대로 좇아서 지킴.
⑤ ㉤ : 방법이나 실마리를 더듬어 찾음

[04~06] 다음 글을 읽고 물음에 답하시오.

인공지능은 컴퓨터 프로그램을 활용해 인간과 비슷한 인지적 능력을 구현한 기술을 말한다. 인공지능은 기본적으로 보고 듣고 읽고 말하는 능력을 갖춤으로써 인간과 대화할 수 있을 뿐만 아니라 지적 판단이 필요한 상황에서 합리적 결정을 내릴 수 있다.

인공지능이 인간의 말을 알아듣고 명령을 실행하는 똑똑한 기계가 되는 것은 반길 일인가, 아니면 주인과 노예의 관계를 역전시키는 재앙이라고 경계해야 할 일인가? 인간의 지적 능력을 뛰어넘는 인공지능 개발에 관한 보도가 잇따르는 가운데, 세계적 석학들이 인공지능 개발이 결국엔 인류의 종말로 이어질 것이라는 경고를 내놓기 시작했다. 세계적 물리학자 스티븐 호킹(Stephen Hawking)은 "인공지능은 결국 의식을 갖게 되어 인간의 자리를 대체할 것"이라며, "생물학적 진화 속도보다 과학 기술의 진보가 더 빠르기 때문"이라고 말했다.

'생각하는 기계'가 축복이 될지 재앙이 될지는 미지의 영역이며 미래 사회가 어디로 향할 것인지는 격렬한 공방을 가져올 주제이다. 하지만 분명한 것은 인류가 이제껏 고민해 본 적이 없는 문제와 마주했다는 점이다. 거대한 영향력을 지닌 신기술의 도입으로 예상치 못한 심각한 부작용이 생기면, 기술과 인간의 관계는 밑바닥에서부터 재검토되어야 한다.

인공지능 발달이 우리에게 던지는 새로운 과제는 두 갈래다. 바로 로봇을 향한 길과 인간을 향한 길이다.

첫째는, 인류를 위협할지도 모를 강력한 인공지능을 우리가 어떻게 통제할 것인가의 문제이다. 로봇에 대응하는 차원에서 로봇이 지켜야 할 도덕적 기준을 만들어 준수하게 하는 방법이나, 살인 로봇을 막는 국제 규약을 제정하는 것이 접근 방법이 될 수 있다. 또한, 다양한 상황에 관한 사회적 합의를 담은 알고리즘을 만들어 사회적 규약을 벗어나지 않는 범위에서 로봇이 작동하게 하는 방법도 모색할 수 있다. 설계자의 의도를 배반하지 못하도록 로봇이 스스로 무력화(無力化)할 수 없는 원격 자폭 스위치를 넣는 것도 가능하다. 인공지능 로봇이 인간의 통제를 벗어나지 못하게 과학자들은 다양한 기술적 방법을 만들어 내고, 입법자들은 강력한 법률과 사회적 합의를 적용할 것이다.

둘째는, 생각하는 기계가 모방할 수 없는 인간의 특징을 찾아 인간의 가치를 높이는 것이다. 즉, 로봇이 아니라 인간을 깊이 생각하고 인간 고유의 특징을 활용하는 것이다. 인공지능이 마침내 인간의 의식 현상을 구현해 낸다고 하더라도 인간과 인공지능은 여전히 구분될 것이다. 인간에게는 감정과 의지가 있기 때문이다.

감정은 비이성적이고 비효율적이지만 인간됨을 규정하는 본능으로, 감정에 따라 판단하고 의지적으로 행동하는 인간에게 감정은 강점이면서 동시에 결함이 된다. 논리적으로 설명할 수 없는 인간의 행동은 대부분 감정과 의지에서 비롯한 것이다. 인류는 진화의 세월을 거쳐 공감과 두려움, 만족 등 다양한 감정을 발달시켜 왔다. 인간의 감정과 의지는 수백만 년의 진화 과정에서 인류가 살아남으려고 선택한 전략의 결과이다.

인공지능을 통제하는 것이 과학자들과 입법자들의 과제라면, '인간이란 무엇일까?', '인공지능이 대체할 수 없는 나만의 특징과 존재 이유는 무엇일까?'라는 철학적인 질문은 각 개인에게 던져진 과제이다.

인공지능 시대는 필연적으로 인간의 본질과 삶의 의미에 대해 근원적 질문을 던진다. 인공지능과 자동화는 우리에게 기계가 인간을 능가할 수 없는, 기계가 도저히 흉내 낼 수 없는 인간의 능력이 무엇이냐고 묻는다. 이것은 단지 기계와의 경주에서 살아남기 위해 경쟁력 있는 직업을 유지할 수 있는 인간만의 고유한 기능이 무엇인지를 묻는 게 아니다. 인공지능이 점점 더 똑똑해지고, 인간이 해오던 많은 일을 기계가 대신하게 되는 상황에서 인간이 인간다워지는 것의 의미를 묻는 것이다.

인공지능 시대에 인간을 인간답게 만드는 것은 무엇보다 결핍과 그에 따른 고통이다. 인류의 역사와 문명은 이러한 결핍과 고통에서 느낀 감정을 동력으로 발달해 온 고유의 생존 시스템이다. 처음 마주하는 위험과 결핍은 두렵고 고통스러웠지만, 인류는 놀라운 유연성과 창의성으로 대응해 왔다. 결핍과 고통을 벗어나는 과정에서 인류가 체득한 생존의 방법이 유연성과 창의성이 있다. 이것은 기계에 가르칠 수 없는 속성이다. 그래서 인간의 약점은 인간과 기계를 구별하는 최후의 요소라고 할 수 있다. 우리는 기계를 설계할 때 부정확한 인식과 판단, 감정에서 비롯한 변덕스럽고 비합리적인 행동, 망각과 고통 같은 인간의 약점을 기계에 부여하지 않는다. 인간은 우리가 기계에 부합하지 않을, 이러한 부족함과 결핍을 지닌 존재이다. 하지만 거기에 인공지능 시대 우리가 가야 할 사람의 길이 있다.

결국, 앞에서 이야기한 두 가지 과제의 궁극적인 방향은 기계와의 경쟁이 아닌 공존과 공생이다. 인간 고유의 속성인 유연성과 창의성은 인공지능 시대라는 새로운 변화에서도 인간이 생존할 방법을 찾아낼 것이다.

― 구본권, 「로봇 시대 인간의 일」―

04 윗글의 서술상의 특징으로 적절하지 <u>않은</u> 것은?

① 전문가의 말을 인용하여 문제를 제기하고 있다.
② 글의 핵심 개념을 설명하여 독자의 이해를 돕고 있다.
③ 문제의 해결 방안이 될 수 있는 여러 가지 예를 들고 있다.
④ 사회 현상에 대한 분석을 통해 문제의 원인을 진단하고 있다.
⑤ 문제를 해결하기 위한 방안을 두 가지로 나누어 접근하고 있다.

05 윗글의 내용을 이해한 것으로 적절한 것은?

① 인류에게 '생각하는 기계'는 영원히 풀 수 없는 문제이다.
② 과학자들은 인공지능이 대체할 수 없는 인간의 특징과 가치를 찾는 과제를 처리한다.
③ 인류는 부정적 상황에서 벗어나기 위해 노력하는 과정에서 생존의 방법을 체득하게 된다.
④ 인공지능의 개발이 인간의 부족한 부분을 대신하는 경우 재앙이 되는 상황이 발생할 수 있다.
⑤ 효율적인 감정은 인간에게 결함으로 작용하여 논리적으로 설명할 수 없는 행동을 하도록 충동질한다.

06 윗글과 〈보기〉의 관점의 차이로 가장 적절한 것은?

┤ 보기 ├

　영화 〈로봇, 소리〉에는 자신이 한 일에 책임감을 느껴, 입력된 프로그램의 명령을 거부하는 로봇이 등장한다. 이 로봇은 감정을 느끼고 스스로 판단을 내리는, 마치 인간과 같은 존재로 그려진다. 연신 "그녀를 찾아야 한다."라고 말하는 이 로봇은, 원래 인공위성에서 도청을 하기 위해 사용되던 것이었다. 그러다 폭격으로 부모를 잃은 아이가 울부짖는 것을 들은 로봇이, 그 폭격이 자신이 제공한 정보로 인해 벌어진 일이라는 자책감에 스스로 교신을 끊고 그 아이를 찾기 위해 지구로 불시착한 것이다.
　바다에 떨어진 로봇은 주인공 해관을 만나 인간과 소통하고, 해관은 이 로봇에 '소리'라는 이름을 붙여 부르며 의지한다. 해관이 로봇의 도움으로 자신의 잘못을 깨닫고 마음의 상처를 치유하는 모습과 로봇이 사람의 도움을 받아 자신의 잘못을 바로잡기 위해 길을 떠나는 모습은, 인간과 로봇이 어떻게 함께 도우며 공존할 수 있는지를 보여 주는 하나의 답이라고 할 수 있다.

① 인간과 기계를 나누는 기준
② 로봇에 대한 인간의 편협한 사고
③ 로봇과 인간의 양립 가능성의 여부
④ 인간이 모방할 수 없는 기계만의 특징
⑤ 인공지능 시대에 인간이 나아가야 할 방향

[07~11] 다음 글을 읽고 물음에 답하시오.

인공지능은 컴퓨터 프로그램을 활용해 인간과 비슷한 인지적 능력을 구현한 기술을 말한다. 인공지능은 기본적으로 보고 듣고 읽고 말하는 능력을 갖춤으로써 인간과 대화할 수 있을 뿐만 아니라 지적 판단이 필요한 상황에서 합리적 결정을 내릴 수 있다.

인공지능이 인간의 말을 알아듣고 명령을 실행하는 똑똑한 기계가 되는 것은 반길 일인가, 아니면 주인과 노예의 관계를 역전시키는 재앙이라고 경계해야 할 일인가? 인간의 지적 능력을 뛰어넘는 인공지능 개발에 관한 보도가 잇따르는 가운데, 세계적 석학들이 인공지능 개발이 결국엔 인류의 종말로 이어질 것이라는 경고를 내놓기 시작했다. 세계적 물리학자 스티븐 호킹(Stephen Hawking)은 "인공지능은 결국 의식을 갖게 되어 인간의 자리를 대체할 것"이라며, "생물학적 진화 속도보다 과학 기술의 진보가 더 빠르기 때문"이라고 말했다.

㉠'생각하는 기계'가 축복이 될지 재앙이 될지는 미지의 영역이며 미래 사회가 어디로 향할 것인지는 격렬한 공방을 가져올 주제이다. 하지만 분명한 것은 인류가 이제껏 고민해 본 적이 없는 문제와 마주했다는 점이다. 거대한 영향력을 지닌 신기술의 도입으로 예상치 못한 심각한 부작용이 생기면, 기술과 인간의 관계는 밑바닥에서부터 재검토되어야 한다.

인공지능 발달이 우리에게 던지는 새로운 과제는 두 갈래다. ㉡로봇을 향한 길과 인간을 향한 길이다.

첫째는, 인류를 위협할지도 모를 강력한 인공지능을 우리가 어떻게 통제할 것인가의 문제이다. 로봇에 대응하는 차원에서 로봇이 지켜야 할 도덕적 기준을 만들어 준수하게 하는 방법이나, 살인 로봇을 막는 국제 규약을 제정하는 것이 접근 방법이 될 수 있다. 또한, 다양한 상황에 관한 사회적 합의를 담은 알고리즘을 만들어 사회적 규약을 벗어나지 않는 범위에서 로봇이 작동하게 하는 방법도 모색할 수 있다. 설계자의 의도를 배반하지 못하도록 로봇이 스스로 무력화(無力化)할 수 없는 원격 자폭 스위치를 넣는 것도 가능하다. 인공지능 로봇이 인간의 통제를 벗어나지 못하게 과학자들은 다양한 기술적 방법을 만들어 내고, 입법자들은 강력한 법률과 사회적 합의를 적용할 것이다.

둘째는, 생각하는 기계가 모방할 수 없는 인간의 특징을 찾아 인간의 가치를 높이는 것이다. 즉, 로봇이 아니라 인간을 깊이 생각하고 인간 고유의 특징을 활용하는 것이다. 인공지능이 마침내 인간의 의식 현상을 구현해 낸다고 하더라도 인간과 인공지능은 여전히 구분될 것이다. 인간에게는 ㉢감정과 의지가 있기 때문이다.

감정은 비이성적이고 비효율적이지만 인간됨을 규정하는 본능으로, 감정에 따라 판단하고 의지적으로 행동하는 인간에게 감정은 강점이면서 동시에 결함이 된다. 논리적으로 설명할 수 없는 인간의 행동은 대부분 감정과 의지에서 비롯한 것이다. 인류는 진화의 세월을 거쳐 공감과 두려움, 만족 등 다양한 감정을 발달시켜 왔다. 인간의 감정과 의지는 수백만 년의 진화 과정에서 인류가 살아남으려고 선택한 전략의 결과이다.

㉣인공지능을 통제하는 것이 과학자들과 입법자들의 과제라면, '인간이란 무엇일까?', '인공지능이 대체할 수 없는 나만의 특징과 존재 이유는 무엇일까?'라는 철학적인 질문은 각 개인에게 던져진 과제이다.

인공지능 시대는 필연적으로 인간의 본질과 삶의 의미에 대해 근원적 질문을 던진다. 인공지능과 자동화는 우리에게 기계가 인간을 능가할 수 없는, 기계가 도저히 흉내 낼 수 없는 인간의 능력이 무엇이냐고 묻는다. 이것은 단지 기계와의 경주에서 살아남기 위해 경쟁력 있는 직업을 유지할 수 있는 인간만의 고유한 기능이 무엇인지를 묻는 게 아니다. 인공지능이 점점 더 똑똑해지고, 인간이 해오던 많은 일을 기계가 대신하게 되는 상황에서 인간이 인간다워지는 것의 의미를 묻는 것이다.

인공지능 시대에 인간을 인간답게 만드는 것은 무엇보다 결핍과 그에 따른 고통이다. 인류의 역사와 문명은 이러한 결핍과 고통에서 느낀 감정을 동력으로 발달해 온 고유의 생존 시스템이다. 처음 마주하는 위험과 결핍은 두렵고 고통스러웠지만, 인류는 놀라운 유연성과 창의성으로 대응해 왔다. 결핍과 고통을 벗어나는 과정에서 인류가 체득한 생존의 방법이 유연성과 창의성이 있다. 이것은 기계에 가르칠 수 없는 속성이다. 그래서 인간의 약점은 인간과 기계를 구별하는 최후의 요소라고 할 수 있다. 우리는 기계를 설계할 때 부정확한 인식과 판단, 감정에서 비롯한 변덕스럽고 비합리적인 행동, 망각과 고통 같은 인간의 약점을 기계에 부여하지 않는다. 인간은 우리가 기계에 부합하지 않을, 이러한 부족함과 결핍을 지닌 존재이다. 하지만 거기에 인공지능 시대 우리가 가야 할 사람의 길이 있다.

결국, 앞에서 이야기한 두 가지 과제의 궁극적인 방향은 기계와의 경쟁이 아닌 ㉤공존과 공생이다. 인간 고유의 속성인 유연성과 창의성은 인공지능 시대라는 새로운 변화에서도 인간이 생존할 방법을 찾아낼 것이다.

– 구본권, 「로봇 시대, 인간의 일」 –

07 윗글에 대한 이해로 적절하지 <u>않은</u> 것은?

① 핵심 용어에 대한 개념 설명을 통해 독자의 흥미를 유발한다.
② 주요 문제점은 의문문의 형식을 대조적으로 배치하여 제기한다.
③ 세계적인 전문가의 말을 인용하여 문제 제기에 대한 타당성을 더해준다.
④ 주요 문제점에 대한 해결책으로 두 방향을 제시하는데 입법차원과 기술차원의 해결방안이다.
⑤ 글쓴이가 생각하는 궁극적인 방향을 제시하여 사회적 문제에 대한 전망을 제시하고 있다.

08 ㉠~㉤에 대한 설명으로 적절하지 <u>않은</u> 것은?

① ㉠은 인공지능이 인간의 삶을 더 행복하고 편리하게 해줄 수 있을지 아니면 인류의 생존을 위협할지에 대한 고민을 담고 있다.
② ㉡은 인공지능 발달이 우리에게 던지는 새로운 두 과제 중 인공지능을 어떻게 통제할 것인가에 관련된 과제이다.
③ ㉢은 인간에게는 있으나 기계에는 없는 가장 큰 차이점으로 글쓴이의 핵심적인 관점이다.
④ ㉣은 앞선 첫 번째 과제에 대한 고민의 필요성이 가지는 의의를 설명하고 있다.
⑤ ㉤은 글쓴이가 생각하는 인공지능 시대에 인간이 나아갈 방향을 말한다.

09 윗글에 대해 표로 정리한 내용 중 적절한 것은?

*사회의 문제점	㉠ 인공지능과 지나친 공존으로 인간의 안전과 인류의 생존이 위협받을 수 있다.	
*해결 방안	〈방안 1〉 : 로봇을 통제하는 것	〈방안 2〉 : 인간의 가치를 높이는 것
구체적으로 어떻게 하는가?	㉡ 로봇이 지켜야 할 도덕적 기준이나 살인 로봇을 막는 국제 규약을 제정하는 방법 ㉢ 기계가 모방할 수 없는 인간만의 특징인 감정과 의지를 강화하는 방법	㉣ 로봇이 사회적 규약을 벗어나지 않는 범위에서만 작동하게 설계하는 방법 ㉤ 기계에 가르칠 수 없는 인간 고유의 속성인 유연성과 창의성을 발휘하여 인공지능의 발전을 제지하는 방법
누가 하는가?	입법자, 과학자	각 개인
*결과	인간 고유의 속성을 발휘하면 로봇과 공존, 공생할 수 있을 것이다.	

① ㉠　　　　② ㉡　　　　③ ㉢　　　　④ ㉣　　　　⑤ ㉤

10 〈보기〉와 윗글에 대한 내용으로 적절한 것은?

┌─ 보기 ┤

　로봇이 의식을 가질 수 있을까? 이 의문은 컴퓨터 공학계뿐만 아니라 철학계, 사회과학계에서도 뜨거운 논쟁을 불러일으키고 있다. 역사적으로 인간이 동물이나 기계와 어떤 점에서 다른가는 중요한 철학적 문제였다. 동물은 기계의 일종으로 볼 수 있다는 생각은 데카르트를 비롯한 여러 근대철학자들에게서 나타난다. 인간이 동물과 달리 자유의지, 의식, 문화 등을 가지고 있다고 생각하는 철학적 입장은 동물과 인간 사이의 '단절'에 초점을 맞춘다.

　하지만 인간이 동물과 연장선상에 있다는 주장도 그 대립적 흐름으로 존재했다. 최근에는 동물의 지능은 점차적으로 인정되는 추세이다. 하지만 기계가 지능을 가질 것인지는 여전히 논란거리이고, 이는 인공지능이 의식을 가질까의 문제로 확대, 심화된다.

　인간에게는 물리적 속성으로 환원될 수 없는 어떤 의식적인 요소가 있다고 주장하여 인공지능이 본질적으로 의식을 획득할 수 없다는 입장을 표명하는 심리철학자들도 있다. 하지만 데닛은 인간의 의식을 이원론적으로 보는 것에 반대하여, 인간의 의식은 모두 물질적이거나 진화적으로 설명될 수 있다고 주장한다.

　스티븐 핑커와 같은 심리학자는 인간의 사고와 감정은 궁극적으로 계산할 수 있는 일련의 알고리즘에 불과하며, 정신의 작용이 알고리즘적 현상이 아니라는 신비주의적 '환상'이 존재하는 것은 정신작용이 복잡하기 때문이라고 말한다. 결국 복잡한 현상을 분석하고, 분해한다면 정신작용, 감정 등도 계산할 수 있다는 것이다. 특히 신경과학자들에 의해 발명된 인공신경망은 종래의 투입과 산출이라는 단순한 규칙에 의해 지배되는 컴퓨터와는 다르게 '학습'의 능력을 발휘해 이들의 주장에 힘을 더해주고 있다. 레이몬드 쿠르츠바일 같은 사람은 중앙처리장치(CPU)의 성능이 계속 발전한다면 고성능 CPU가 진화의 법칙에 따라 필요한 프로그램을 스스로 개발해 인공지능의 출현이 불가피할 것이라고 주장한다.

　한편 사람들의 의식은 사회적 상호작용을 통해 형성되며, 그 과정에서 규범을 공유하고, 규범을 강제하며 인간들 상호간의 소통을 통해 문화를 만든다는 점을 들어 위와 같은 주장에 반론을 제기하는 사람들도 있다. 인간은 수많은 경험을 통해 규칙을 습득하고 새로운 규칙을 만들 수도 있지만 기계는 인공지능 설계자가 부여한 규칙의 테두리 안에서만 작동한다는 것이다. 하지만 최근 인공지능 연구는 규칙들을 경험에 비추어 지속적으로 바꾸어가는 경지에까지 이르고 있다.

　데닛은 인간과 컴퓨터 양자 모두 지향적 시스템의 원리에 지배를 받으며 그런 점에서 컴퓨터와 인간은 많은 공통점이 있다고 본다. 이런 공통점은 진화를 통해서 컴퓨터가 의식을 가질 수 있는 수준까지 갈 수 있다.

　　　　　　　　　　　　　　　　　　　－ 이상욱 외, 「과학으로 생각한다 : 과학 속 사상, 사상 속 과학」 －

① 〈보기〉와 윗글에서는 인공지능 시대에 로봇이 의식을 가질 수 있느냐가 핵심 쟁점이다.

② 〈보기〉는 동물이 자유의지, 의식, 문화 등을 통해 기계와 다르다는 것을 철학적으로 접근하고 있다.

③ 윗글은 인간을 인간답게 만드는 결핍과 그에 따른 고통에 의해서 인공지능도 더욱 발전할 것이라고 예상한다.

④ 〈보기〉는 인간의 사고와 감정은 기계의 처리방식처럼 분석 하는 일이 가능하며 지속적인 발전에 의해 자발적인 인공지능 개발도 가능할 것으로 본다.

⑤ 윗글은 인간이 사회적 상호작용을 통해 의식을 형성하고, 상호간의 소통을 통해 문화를 만든다는 점을 로봇에 주입할 수 있다고 본다.

11 윗글을 바탕으로 〈보기〉를 읽는 독자의 사고과정이다. 적절하지 <u>않은</u> 것은?

┤ 보기 ├

　우리는 이미 과거와 다른 방식으로 뇌를 사용한다. 디지털 기술의 발달로 암기와 관련된 부분은 대부분 디지털 기술에 의존하고 있다. 대표적인 사례가 전화번호다. 휴대 전화가 등장하기 전까지만 해도 수십 명의 전화번호를 외우고 다니는 경우가 흔했다. 하지만 지금은 단축 번호나 검색으로 전화번호를 금방 찾을 수 있어서, 가까운 지인의 전화번호조차 못 외우는 경우가 다반사이다.

　우리는 이미 의학적으로 두뇌의 변화를 경험하고 있다. ○○병원 ○○○ 교수는 "기억 대신 검색이 중요한 위치를 차지하게 되면서 검색에 필요한 뇌 기능은 발달하지만, 두뇌의 기억 용량은 감소하게 된다."라며 "디지털 기기에 지나치게 의존하면 기억력이 쇠퇴한다."라고 이야기했다. 사람의 기억은 뇌의 해마라는 부위에서 주로 담당하는데, 기억력을 사용하지 않으면 해마가 위축되어 기억 용량이 줄어든다고 한다.

－ 조중혁, 「인터넷 진화와 뇌의 종말」 －

① 우리가 과거와 다른 방식으로 뇌를 사용한다고? 과거에는 어떻게 뇌를 사용했을까? 궁금해, 좀 더 내용을 읽으며 찾아보자.

② 나의 경우만 봐도 친구들의 전화번호를 과거에는 모두 외웠다면 현재는 단축 번호나 검색으로 찾고 있어. 정말 뇌를 다르게 사용하고 있구나.

③ 어떤 전문가의 의견을 보니 뇌의 해마부위를 보고 기억의 용량을 알 수 있다는데 실제로 이러한 경우가 있는지 다른 사례도 찾아봐야겠어.

④ 정리해보면 〈보기〉는 디지털 기술의 발달로 지나치게 디지털 기기에 의존하였을 때 두뇌의 기억 용량이 감소하고 기억력이 쇠퇴한다는 문제 상황을 제시하고 있는 것 같아.

⑤ 윗글을 바탕으로 보면 〈보기〉는 인간보다 나은 기계의 개발이 가져오는 폐해를 알 수 있게 하므로 인간의 과거 뇌 기능을 다시 복원해야 함을 시사해 주는 것 같아.

[12～15] 다음 글을 읽고 물음에 답하시오.

　인공지능은 컴퓨터 프로그램을 활용해 인간과 비슷한 인지적 능력을 구현한 기술을 말한다. 인공지능은 기본적으로 보고 듣고 읽고 말하는 능력을 갖춤으로써 인간과 대화할 수 있을 뿐만 아니라 지적 판단이 필요한 상황에서 합리적 결정을 내릴 수 있다.

　인공지능이 인간의 말을 알아듣고 명령을 실행하는 똑똑한 기계가 되는 것은 반길 일인가, 아니면 주인과 노예의 관계를 역전시키는 재앙이라고 경계해야 할 일인가? 인간의 지적 능력을 뛰어넘는 인공지능 개발에 관한 보도가 잇따르는 가운데, 세계적 ㉠석학들이 인공지능 개발이 결국엔 인류의 종말로 이어질 것이라는 경고를 내놓기 시작했다. 세계적 물리학자 스티븐 호킹(Stephen Hawking)은 "인공지능은 결국 의식을 갖게 되어 인간의 자리를 대체할 것"이라며, "생물학적 진화 속도보다 과학 기술의 진보가 더 빠르기 때문"이라고 말했다.

　'생각하는 기계'가 축복이 될지 재앙이 될지는 미지의 영역이며 미래 사회가 어디로 향할 것인지는 격렬한 ㉡공방을 가져올 주제이다. 하지만 분명한 것은 인류가 이제껏 고민해 본 적이 없는 문제와 마주했다는 점이다. 거대한 영향력을 지닌 신기술의 도입으로 예상치 못한 심각한 부작용이 생기면, 기술과 인간의 관계는 밑바닥에서부터 재검토되어야 한다.

　인공지능 발달이 우리에게 던지는 새로운 과제는 두 갈래다. 바로 로봇을 향한 길과 인간을 향한 길이다.

첫째는, 인류를 위협할지도 모를 강력한 인공지능을 우리가 어떻게 통제할 것인가의 문제이다. 로봇에 대응하는 차원에서 로봇이 지켜야 할 도덕적 기준을 만들어 준수하게 하는 방법이나, 살인 로봇을 막는 국제 규약을 제정하는 것이 접근 방법이 될 수 있다. 또한, 다양한 상황에 관한 사회적 합의를 담은 알고리즘을 만들어 사회적 규약을 벗어나지 않는 범위에서 로봇이 작동하게 하는 방법도 ⓒ모색할 수 있다. 설계자의 의도를 배반하지 못하도록 로봇이 스스로 무력화(無力化)할 수 없는 원격 자폭 스위치를 넣는 것도 가능하다. 인공지능 로봇이 인간의 통제를 벗어나지 못하게 과학자들은 다양한 기술적 방법을 만들어 내고, 입법자들은 강력한 법률과 사회적 합의를 적용할 것이다.

둘째는, 생각하는 기계가 모방할 수 없는 인간의 특징을 찾아 인간의 가치를 높이는 것이다. 즉, 로봇이 아니라 인간을 깊이 생각하고 인간 고유의 특징을 활용하는 것이다. 인공지능이 마침내 인간의 의식 현상을 ⓓ구현해 낸다고 하더라도 인간과 인공지능은 여전히 구분될 것이다. 인간에게는 감정과 의지가 있기 때문이다.

감정은 비이성적이고 비효율적이지만 인간됨을 규정하는 본능으로, 감정에 따라 판단하고 의지적으로 행동하는 인간에게 감정은 강점이면서 동시에 결함이 된다. 논리적으로 설명할 수 없는 인간의 행동은 대부분 감정과 의지에서 비롯한 것이다. 인류는 진화의 세월을 거쳐 공감과 두려움, 만족 등 다양한 감정을 발달시켜 왔다. 인간의 감정과 의지는 수백만 년의 진화 과정에서 인류가 살아남으려고 선택한 전략의 결과이다.

인공지능을 통제하는 것이 과학자들과 입법자들의 과제라면, '인간이란 무엇일까?', '인공지능이 대체할 수 없는 나만의 특징과 존재 이유는 무엇일까?'라는 철학적인 질문은 각 개인에게 던져진 과제이다.

인공지능 시대는 필연적으로 인간의 본질과 삶의 의미에 대해 근원적 질문을 던진다. 인공지능과 자동화는 우리에게 기계가 인간을 능가할 수 없는, 기계가 도저히 흉내 낼 수 없는 인간의 능력이 무엇이냐고 묻는다. 이것은 단지 기계와의 경주에서 살아남기 위해 경쟁력 있는 직업을 유지할 수 있는 인간만의 고유한 기능이 무엇인지를 묻는 게 아니다. 인공지능이 점점 더 똑똑해지고, 인간이 해오던 많은 일을 기계가 대신하게 되는 상황에서 인간이 인간다워지는 것의 의미를 묻는 것이다.

인공지능 시대에 인간을 인간답게 만드는 것은 무엇보다 결핍과 그에 따른 고통이다. 인류의 역사와 문명은 이러한 결핍과 고통에서 느낀 감정을 동력으로 발달해 온 고유의 생존 시스템이다. 처음 마주하는 위험과 결핍은 두렵고 고통스러웠지만, 인류는 놀라운 유연성과 창의성으로 ⓔ대응해 왔다. 결핍과 고통을 벗어나는 과정에서 인류가 체득한 생존의 방법이 유연성과 창의성이 있다. 이것은 기계에 가르칠 수 없는 속성이다. 그래서 인간의 약점은 인간과 기계를 구별하는 최후의 요소라고 할 수 있다. 우리는 기계를 설계할 때 부정확한 인식과 판단, 감정에서 비롯한 변덕스럽고 비합리적인 행동, 망각과 고통 같은 인간의 약점을 기계에 부여하지 않는다. 인간은 우리가 기계에 부합하지 않을, 이러한 부족함과 결핍을 지닌 존재이다. 하지만 거기에 인공지능 시대 우리가 가야 할 사람의 길이 있다.

결국, 앞에서 이야기한 두 가지 과제의 궁극적인 방향은 기계와의 경쟁이 아닌 공존과 공생이다. 인간 고유의 속성인 유연성과 창의성은 인공지능 시대라는 새로운 변화에서도 인간이 생존할 방법을 찾아낼 것이다.

– 구본권, 「로봇 시대, 인간의 일」 –

12 윗글의 내용과 일치하지 <u>않는</u> 것은?

① 감정은 인간됨을 규정하는 본능이다.

② 인공지능이 축복이 될지 재앙이 될지는 알 수 없는 영역이다.

③ 인류의 진화과정에서 생존하기 위해 선택한 것이 인간의 감정과 의지이다.

④ 인류가 발달할 수 있었던 이유는 결핍과 고통으로 인한 감정이 동력으로 작용했기 때문이다.

⑤ 과학자들은 인공지능 로봇이 인간의 통제를 벗어나지 못하게 사회적 합의를 만들어내야 한다.

13 글쓴이의 관점과 생각을 아래와 같이 정리할 때, ㉠에 들어갈 내용으로 적절하지 <u>않은</u> 것은?

문제 상황 : 인간의 지적 능력을 뛰어넘는 인공지능의 개발이 인간에게 축복이 될지 재앙이 될지 알 수 없음.

과제1: 로봇을 향한 길	과제2: 인간을 향한 길

㉠문제 해결 방안

① 인간 고유의 특징인 감정과 의지를 활용하는 것

② 로봇과 인간이 경쟁을 하지 않고 공존하게 하는 것

③ 로봇이 지켜야 할 도덕적 기준을 만들어 준수하게 하는 것

④ 유연성과 창의성을 발휘하여 인공 지능 시대에 대응하는 것

⑤ 로봇이 사회적 규약을 벗어나지 않는 범위에서 작동하도록 설계하는 것

14 ㉠~㉤의 사전적 의미를 알맞게 설명한 것은?

① ㉠ : 대학원의 석사 과정을 마치고 규정된 절차를 밟은 사람에게 수여하는 학위 또는 그 학위를 딴 사람

② ㉡ : 찬성과 반대

③ ㉢ : 구석구석 뒤지어 찾음

④ ㉣ : 꿈, 기대 따위를 실제로 이룸

⑤ ㉤ : 어떤 일이나 사태에 맞추어 태도나 행동을 취함

15 윗글의 내용을 바탕으로 하여, 〈보기〉에 제시된 문제를 해결할 수 있는 방법으로 적절한 것은?

> ┤ 보기 ├
>
> 우리는 이미 과거와 다른 방식으로 뇌를 사용한다. 디지털 기술의 발달로 암기와 관련된 부분은 대부분 디지털 기술에 의존하고 있다. 대표적인 사례가 전화번호다. 휴대 전화가 등장하기 전까지만 해도 수십 명의 전화번호를 외우고 다니는 경우가 흔했다. 하지만 지금은 단축 번호나 검색으로 전화번호를 금방 찾을 수 있어서, 가까운 지인의 전화번호조차 못 외우는 경우가 다반사다.
>
> 우리는 이미 의학적으로 두뇌의 변화를 경험하고 있다. ○○ 병원 ○○○ 교수는 "기억 대신 검색이 중요한 위치를 차지하게 되면서 검색에 필요한 뇌 기능은 발달하지만, 두뇌의 기억 용량은 감소하게 된다."라며 "디지털 기기에 지나치게 의존하면 기억력이 쇠퇴한다."라고 이야기했다. 사람의 기억은 뇌의 해마라는 부위에서 주로 담당하는데, 기억력을 사용하지 않으면 해마가 위축되어 기억 용량이 줄어든다고 한다.
>
> ─ 조중혁, 「인터넷 진화와 뇌의 종말」 ─

① '검색'의 뇌 기능을 발달시켜 이를 활용한다.

② 뇌의 사용 방식을 과거로 되돌릴 수 있는 방안을 찾는다.

③ 두뇌의 기억 용량을 늘릴 수 있는 과학 기술을 개발한다.

④ 디지털 기기에 지나치게 의존하지 않도록 교육을 강화한다.

⑤ 기계에 의존하지 않고 사소한 것도 외울 수 있도록 노력한다.

[16~18] 다음 글을 읽고 물음에 답하시오.

(가) 인공지능 발달이 우리에게 던지는 새로운 과제는 두 갈래다. 로봇을 향한 길과 인간을 향한 길이다.

첫째는, 인류를 위협할지도 모를 강력한 인공지능을 우리가 어떻게 통제할 것인가의 문제이다. 로봇에 대응하는 차원에서 로봇이 지켜야 할 도덕적 기준을 만들어 준수하게 하는 방법이나, 살인 로봇을 막는 국제 규약을 제정하는 것이 접근 방법이 될 수 있다. 또한, 다양한 상황에 관한 사회적 합의를 담은 알고리즘을 만들어 사회적 규약을 벗어나지 않는 범위에서 로봇이 작동하게 하는 방법도 모색할 수 있다. 설계자의 의도를 배반하지 못하도록 로봇이 스스로 무력화(無力化)할 수 없는 원격 자폭 스위치를 넣는 것도 가능하다. 인공지능 로봇이 인간의 통제를 벗어나지 못하게 과학자들은 다양한 기술적 방법을 만들어 내고, 입법자들은 강력한 법률과 사회적 합의를 적용할 것이다.

둘째는, 생각하는 기계가 모방할 수 없는 인간의 특징을 찾아 인간의 가치를 높이는 것이다. 즉, 로봇이 아니라 인간을 깊이 생각하고 인간 고유의 특징을 활용하는 것이다. 인공지능이 마침내 인간의 의식 현상을 구현해 낸다고 하더라도 인간과 인공지능은 여전히 구분될 것이다. 인간에게는 감정과 의지가 있기 때문이다.

감정은 비이성적이고 비효율적이지만 인간됨을 규정하는 본능으로, 감정에 따라 판단하고 의지적으로 행동하는 인간에게 감정은 강점이면서 동시에 결함이 된다. 논리적으로 설명할 수 없는 인간의 행동은 대부분 감정과 의지에서 비롯한 것이다. 인류는 진화의 세월을 거쳐 공감과 두려움, 만족 등 다양한 감정을 발달시켜 왔다. 인간의 감정과 의지는 수백만 년의 진화 과정에서 인류가 살아남으려고 선택한 전략의 결과이다.

인공지능을 통제하는 것이 과학자들과 입법자들의 과제라면, '인간이란 무엇일까?', '인공지능이 대체할 수 없는 나만의 특징과 존재 이유는 무엇일까?'라는 철학적인 질문은 각 개인에게 던져진 과제이다. 〈중략〉

인공지능 시대에 인간을 인간답게 만드는 것은 무엇보다 결핍과 그에 따른 고통이다. 인류의 역사와 문명은 이러한 결핍과 고통에서 느낀 감정을 동력으로 발달해 온 고유의 생존 시스템이다. 처음 마주하는 위험과 결핍은 두렵고 고통스러웠지만, 인류는 놀라운 유연성과 창의성으로 대응해 왔다. 결핍과 고통을 벗어나는 과정에서 인류가 체득한 생존의 방법이 유연성과 창의성이 있다. 이것은 기계에 가르칠 수 없는 속성이다. 그래서 인간의 약점은 인간과 기계를 구별하는 최후의 요소라고 할 수 있다. 우리는 기계를 설계할 때 부정확한 인식과 판단, 감정에서 비롯한 변덕스럽고 비합리적인 행동, 망각과 고통 같은 인간의 약점을 기계에 부여하지 않는다. 인간은 우리가 기계에 부합하지 않을, 이러한 부족함과 결핍을 지닌 존재이다. 하지만 거기에 인공지능 시대 우리가 가야 할 사람의 길이 있다.

결국, 앞에서 이야기한 두 가지 과제의 궁극적인 방향은 기계와의 경쟁이 아닌 공존과 공생이다. 인간 고유의 속성인 유연성과 창의성은 인공지능 시대라는 새로운 변화에서도 인간이 생존할 방법을 찾아낼 것이다.

(나) 인공지능이 이토록 강력해지게 된 데에는 우리 모두의 공로가 크다.

매일 SNS에 올리는 수많은 사진과 글을 비롯한 인터넷상의 무궁무진한 빅데이터가 인공지능을 학습시키고 있으니 말이다.

무엇보다 빅데이터와 딥러닝의 가장 큰 장점은 과거와 현재를 바탕으로 미래를 예측하여 새로운 가치를 창출할 수 있다는 점이다. 데이터를 분석해 6개월 후에 뜰 스타를 찾을 수도 있고, 특정 제품을 구입한 사람들의 소비 패턴을 분석해 그 다음에 살 제품을 예측할 수도 있다. 유튜브가 개별 사용자마다 다른 추천영상을 제공하는 것처럼, 미리 유사 집단에서 선호하는 것을 분석해 추천함으로써 드러나지 않은 욕구를 자극해 특정 행동이나 소비를 이끌어낼 수도 있다. 더 나아가 독감이 유행할 지역을 예측할 수도 있고, 땅값이 오르는 지역을 찾아낼 수 있다.

똑똑한 인공지능 덕분에 우리가 사는 세상이 점점 멋지게 변하고 있는 것처럼 보인다. 그런데 점점 더 인간을 닮아가고 있는 인공지능이 혹시 닮은 것을 넘어서 인간을 배반하지는 않을까? 인공지능이 인간 세상을 파괴하는 건 과연 SF영화에만 등장하는 이야기일까? 지금까지 우리는 인공지능의 선한 면, 지킬박사의 얼굴을 보았다. 이제 인공지능의 또 다른 면, ㉠하이드 씨의 얼굴을 볼 차례다.

(다) 인공지능 개발자가 반드시 염두에 두어야 할 로봇 3원칙도 있다. 미국 SF의 거장 아이작 아시모프가 자신의 소설에서 제안한 로봇의 작동 원리인데, 다음과 같다. 제1원칙, 로봇은 인간에게 해를 입혀서는 안 되며 위험에 처한 인간을 모른 척해서도 안 된다. 제2원칙, (제1원칙에 위배되지 않는 한) 로봇은 인간의 명령에 복종해야 한다. 제3원칙, (제1원칙

과 제2원칙에 위배되지 않는 한) 로봇은 로봇 자신을 지켜야 한다.

　일본의 한 로봇 회사는 자신들의 로봇이 범죄나 전쟁, 테러에 이용되지 않도록 로봇에 손가락을 만들지 않았다. 폭탄을 들고 테러리스트가 되는 것을 막기 위해서다. 또 범죄에 악용되지 않도록 사진을 찍을 때는 반드시 소리를 내도록 만들었다. 이렇듯 인공지능을 개발하고 발전시키는 사람의 판단과 노력이 올바른 방향을 향해 있는 것이 가장 중요하다.

　(라) 미국의 매사추세츠 종합병원에서 의료 분야 인공지능 개발을 주도하고 있는 데이비드 팅 박사는 인공지능이 기존에 의사가 하던 일의 많은 부분을 하게 될 것으로 내다봤다. 그렇다고 인공지능이 의사를 대체하는 것은 아니다. 인공지능이 필요한 기록을 단번에 찾아내고 진료 추적까지 해줌으로써 의사는 잡무에서 벗어나 고차원적인 일을 할 수 있다. 인공지능이 의사의 믿음직한 파트너로 활동하는 것이다. 의사는 환자를 진료할 때 컴퓨터가 알아서 데이터를 기록하기 때문에 환자에게 더 집중할 수 있다. 그 덕분에 환자는 의사에게 더욱 정교한 상담을 받을 수 있고, 세계 어디에서나 보편적인 치료를 받을 수 있게 될 것이다. 물론 이것은 어디까지나 자본의 논리로 병원을 운영하지 않을 때의 이야기이다. 이윤만을 추구한다면 의사는 로봇에 밀려날 것이고, 가난한 환자는 진료를 받을 수 없게 될지도 모른다.

　결국 더불어 사는 세상에 대한 가치를 회복하는 것만이 인공지능 시대에 인류를 살릴 유일한 방안이다. 기술을 개발하는 이유가 '인간'만을 향하도록 할 수 있다면 인공지능은 하이드 씨의 얼굴을 거둘 수 있다.

---

16 (가)~(라)를 읽고 이해한 내용으로 적절한 것은?

① 기업이 이윤 추구를 목적으로 인공지능을 개발한다면 인간의 일자리는 사라지겠군.
② 인공지능을 개발하고 발전시키는 사람의 판단과 노력에 인류의 생존을 맡기면 되겠군.
③ 인공지능 발달로 인한 문제점에 대해 개인적 차원에서 해결 불가능한 방안을 제시하고 있군.
④ 로봇 3원칙이 있더라도 인공지능이 점점 인간을 닮아간다면 인간을 배반할 가능성이 사라지겠군.
⑤ 인공지능처럼 인간도 알고리즘과 코딩을 학습한다면 딥러닝을 통해 인공지능을 넘어서 새로운 가치를 창출할 수 있겠군.

17 (가)를 읽고 활동한 내용으로 적절하지 <u>않은</u> 것은?

글쓴이의 관점	• 글쓴이는 감정과 의지가 인간과 기계를 구분하는 요소라고 보고 있다. ·············· ⓐ	
	동의한다	동의하지 않는다
[A] 글쓴이에 대한 학생의 생각	• 인공지능이 인간의 지능을 학습한다 하더라도 복잡하고 미묘한 인간의 감정을 완벽히 대체하는 것은 불가능하다. ······ ⓑ	• 이미 인간의 감정을 이해하는 로봇이 개발되었으므로 머지않아 로봇이 인간처럼 상황에 따라 감정을 표현할 수 있게 될 것이다. ················ ⓒ
[A]에 대해 보완하거나 대체할 방안	• 인간은 기계보다 우위에 있어 유연성과 창의성을 발휘하여 기계를 제어할 강력한 법안을 만들어야 한다. ················· ⓓ	• 기계가 인간의 감정을 학습할 수도 있으므로 기계에 절대적인 선의 가치를 우선적으로 갖추게 해야 한다. ················· ⓔ

① ⓐ 　　　　② ⓑ 　　　　③ ⓒ 　　　　④ ⓓ 　　　　⑤ ⓔ

18 ⊙과 의미가 유사한 것은?

① '눈에는 눈'식으로 하면 결국 온 세상의 눈이 멀게 된다.

　　　　　　　　　　　　　　　　　　　　　　　　　　　　　　　　　　　　　　　－ 마하트마 간디 －

② 나를 파괴시키지 못하는 것은 무엇이든지 나를 강하게 만들 뿐이다.

　　　　　　　　　　　　　　　　　　　　　　　　　　　　　　　　　　　　　　－ 프레드리히 니체 －

③ 사람들은 대개 선(善)을 바란다. 단순히 이전 세대에 가졌던 것이 아닌

　　　　　　　　　　　　　　　　　　　　　　　　　　　　　　　　　　　　　－ 아리스토텔레스 －

④ 교육은 양날의 칼과 같다. 제대로 다루지 못하면 위험한 용도로 쓰일 수 있다.

　　　－ 우팅펑 －

⑤ 나는 자유가 부족해서 오는 불편함보다는 자유가 넘쳐나서 오는 불편함을 겪겠다.

　　　　　　　　　　　　　　　　　　　　　　　　　　　　　　　　　　　　　　－ 토마스 제퍼슨 －

[19～23] 다음 글을 읽고 물음에 답하시오.

인공지능은 컴퓨터 프로그램을 활용해 인간과 비슷한 인지적 능력을 구현한 기술을 말한다. 인공지능은 기본적으로 보고 듣고 읽고 말하는 능력을 갖춤으로써 인간과 대화할 수 있을 뿐만 아니라 지적 판단이 필요한 상황에서 합리적 결정을 내릴 수 있다.

인공지능이 인간의 말을 알아듣고 명령을 실행하는 똑똑한 기계가 되는 것은 반길 일인가, 아니면 주인과 노예의 관계를 역전시키는 재앙이라고 경계해야 할 일인가? 인간의 지적 능력을 뛰어넘는 인공지능 개발에 관한 보도가 잇따르는 가운데, 세계적 석학들이 인공지능 개발이 결국엔 인류의 종말로 이어질 것이라는 경고를 내놓기 시작했다. 세계적 물리학자 스티븐 호킹은 "인공지능은 결국 의식을 갖게 되어 인간의 자리를 대체할 것"이라며, "생물학적 진화 속도보다 과학 기술의 진보가 더 빠르기 때문"이라고 말했다.

'생각하는 기계'가 축복이 될지 재앙이 될지는 미지의 영역이며 미래 사회가 어디로 향할 것인지는 격렬한 공방을 가져올 주제이다. 하지만 분명한 것은 인류가 이제껏 고민해 본 적이 없는 문제와 마주했다는 점이다. 거대한 영향력을 지닌 신기술의 도입으로 예상치 못한 심각한 부작용이 생기면, 기술과 인간의 관계는 밑바닥에서부터 재검토되어야 한다.

인공지능 발달이 우리에게 ⊙던지는 새로운 과제는 두 갈래다. 바로 로봇을 향한 길과 인간을 향한 길이다.

첫째는, 인류를 위협할지도 모를 강력한 인공지능을 우리가 어떻게 통제할 것인가의 문제이다. 로봇에 대응하는 차원에서 로봇이 지켜야 할 도덕적 기준을 만들어 준수하게 하는 방법이나, 살인 로봇을 막는 국제 규약을 제정하는 것이 접근 방법이 될 수 있다. 또한, 다양한 상황에 관한 사회적 합의를 담은 알고리즘을 만들어 사회적 규약을 벗어나지 않는 범위에서 로봇이 작동하게 하는 방법도 모색할 수 있다. 설계자의 의도를 배반하지 못하도록 로봇이 스스로 무력화(無力化)할 수 없는 원격 자폭 스위치를 넣는 것도 가능하다. 인공지능 로봇이 인간의 통제를 벗어나지 못하게 과학자들은 다양한 기술적 방법을 만들어 내고, 입법자들은 강력한 법률과 사회적 합의를 적용할 것이다.

둘째는, 생각하는 기계가 모방할 수 없는 인간의 특징을 찾아 인간의 가치를 높이는 것이다. 즉, 로봇이 아니라 인간을 깊이 생각하고 인간 고유의 특징을 활용하는 것이다. 인공지능이 마침내 인간의 의식 현상을 구현해 낸다고 하더라도 인간과 인공지능은 여전히 구분될 것이다. 인간에게는 감정과 의지가 있기 때문이다. 〈중략〉

인공지능을 통제하는 것이 과학자들과 입법자들의 과제라면, '인간이란 무엇일까?', '인공지능이 대체할 수 없는 나만의 특징과 존재 이유는 무엇일까?'라는 철학적인 질문은 각 개인에게 던져진 과제이다.

인공지능 시대는 필연적으로 인간의 본질과 삶의 의미에 대해 근원적 질문을 던진다. 인공지능과 자동화는 우리에게 기계가 인간을 능가할 수 없는, 기계가 도저히 ⓛ흉내 낼 수 없는 인간의 능력이 무엇이냐고 묻는다. 이것은 단지 기계와의 경주에서 살아남기 위해 경쟁력 있는 직업을 유지할 수 있는 인간만의 고유한 기능이 무엇인지를 묻는 게 아니다. 인공지능이 점점 더 똑똑해지고, 인간이 해오던 많은 일을 기계가 대신하게 되는 상황에서 인간이 인간다워지는 것의 의미를 묻는 것이다.

인공지능 시대에 인간을 인간답게 만드는 것은 무엇보다 결핍과 그에 따른 고통이다. 인류의 역사와 문명은 이러한 결핍과 고통에서 느낀 감정을 동력으로 발달해 온 고유의 생존 시스템이다. 처음 마주하는 위험과 결핍은 두렵고 고통스러웠지만, 인류는 놀라운 유연성과 창의성으로 대응해 왔다. 결핍과 고통을 ⓒ벗어나는 과정에서 인류가 체득한 생존의 방법이 유연성과 창의성이 있다. 이것은 기계에 가르칠 수 없는 속성이다. 그래서 인간의 약점은 인간과 기계를 구별하는 최후의 요소라고 할 수 있다. 우리는 기계를 설계할 때 부정확한 인식과 판단, 감정에서 비롯한 변덕스럽고 비합리적인 행동, 망각과 고통 같은 인간의 약점을 기계에 부여하지 않는다. 인간은 우리가 기계에 부합하지 않을, 이러한 부족함과 결핍을 지닌 존재이다. 하지만 ⓐ거기에 인공지능 시대 우리가 가야 할 사람의 길이 ⓔ있다.

결국, 앞에서 이야기한 두 가지 과제의 궁극적인 방향은 기계와의 경쟁이 아닌 공존과 공생이다. 인간 고유의 속성인 유연성과 창의성은 인공지능 시대라는 새로운 변화에서도 인간이 생존할 방법을 ⓜ찾아낼 것이다.

---

19 윗글의 서술방식에 대한 설명으로 적절하지 않은 것은?

① 핵심 용어에 대한 개념을 설명하여 독자들의 이해를 돕고 있다.
② 문제 해결을 위한 과제를 크게 두 갈래로 나누어서 설명하고 있다.
③ 묻고 답하는 형식을 사용하여 앞으로 논의할 문제를 제기하고 있다.
④ 대립적인 두 이론을 설명하고 이를 절충할 수 있는 대안을 제시하고 있다.
⑤ 전문가의 말을 인용하여 인공지능 개발에 대한 부정적인 전망을 뒷받침하고 있다.

20 윗글의 내용과 일치하지 않는 것은?

① 인공지능은 인간의 인지능력뿐만 아니라 감정도 이해하는 능력을 구현한 기술력을 말한다.
② 세계적인 석학들은 인공지능 개발이 결국 인류의 종말을 초래할 것이라고 경고하고 있다.
③ 인공지능 개발이 우리에게 던진 두 해결 과제는 로봇 통제방법과 인간의 가치를 높이는 방법이다.
④ 인공지능 시대에 인간다움을 찾는 길은 각 개인에게 주어진 과제라고 할 수 있다.
⑤ 인간의 자신의 약점을 극복하는 과정에서 체득한 생존방법이 유연성과 창의성이다.

21 글의 전개상으로 볼 때, ⓐ의 의미로 보기 어려운 것은?

① 인간의 감정과 의지적 태도
② 인공지능을 뛰어넘는 경쟁력
③ 기계에는 부여하지 않을 결핍과 고통
④ 부정확하고 비합리적인 인간의 판단과 행동
⑤ 인류가 생존해오면서 터득한 유연성과 창의성

22 ㉠~㉤과 바꾸어 쓸 수 있는 한자어로 적절하지 <u>않은</u> 것은?

① ㉠ : 제기(提起)하는
② ㉡ : 모방(模倣)할
③ ㉢ : 이탈(離脫)하는
④ ㉣ : 존재(存在)한다
⑤ ㉤ : 모색(摸索)할

23 〈보기〉에서 소개한 영화를 본 관객이 윗글의 필자에게 비판할 수 있는 내용으로 적절하지 <u>않은</u> 것은?

┤ 보기 ├

　영화 〈로봇, 소리〉에는 자신이 한 일에 책임감을 느껴, 입력된 프로그램의 명령을 거부하는 로봇이 등장한다. 이 로봇은 감정을 느끼고 스스로 판단을 내리는, 마치 인간과 같은 존재로 그려진다. 연신 "그녀를 찾아야 한다."라고 말하는 이 로봇은, 원래 인공위성에서 도청을 하기 위해 사용되던 것이었다. 그러다 폭격으로 부모를 잃은 아이가 울부짖는 것을 들은 로봇이, 그 폭격이 자신이 제공한 정보로 인해 벌어진 일이라는 자책감에 스스로 교신을 끊고 그 아이를 찾기 위해 지구로 불시착한 것이다.
　바다에 떨어진 로봇은 주인공 해관을 만나 인간과 소통하고, 해관은 이 로봇에 '소리'라는 이름을 붙여 부르며 의지한다. 해관이 로봇의 도움으로 자신의 잘못을 깨닫고 마음의 상처를 치유하는 모습과 로봇이 사람의 도움을 받아 자신의 잘못을 바로 잡기 위해 길을 떠나는 모습은, 인간과 로봇이 어떻게 함께 도우며 공조할 수 있는지를 보여 주는 하나의 답이라고 할 수 있다.

① 로봇과 인간이 더불어 살아갈 수 있는 방법을 찾을 수 있지 않을까요?
② 로봇도 인간의 감정을 이해할 수 있는 단계까지 발전하지 않을까요?
③ 로봇도 자신의 주체적 의지로 행동할 수 있는 존재로 진화하지 않을까요?
④ 로봇이 인간의 명령에 복종하지 않는다고 항상 위험한 것은 아니지 않을까요?
⑤ 인간보다 더 탁월한 의지력과 감정을 지닌 로봇이 생겨 날 수도 있지 않을까요?

　인공지능은 컴퓨터 프로그램을 활용해 인간과 비슷한 인지적 능력을 구현한 기술을 말한다. 인공지능은 기본적으로 보고 듣고 읽고 말하는 능력을 갖춤으로써 인간과 대화할 수 있을 뿐만 아니라 지적 판단이 필요한 상황에서 합리적 결정을 내릴 수 있다.

　인공지능이 인간의 말을 알아듣고 명령을 실행하는 똑똑한 기계가 되는 것은 반길 일인가, 아니면 주인과 노예의 관계를 역전시키는 재앙이라고 경계해야 할 일인가? 인간의 지적 능력을 뛰어넘는 인공지능 개발에 관한 보도가 잇따르는 가운데, 세계적 석학들이 인공지능 개발이 결국엔 인류의 종말로 이어질 것이라는 경고를 내놓기 시작했다. 세계적 물리학자 스티븐 호킹(Stephen Hawking)은 "인공지능은 결국 의식을 갖게 되어 인간의 자리를 대체할 것"이라며, "생물학적 진화 속도보다 과학 기술의 진보가 더 빠르기 때문"이라고 말했다.

　'생각하는 기계'가 축복이 될지 재앙이 될지는 미지의 영역이며 미래 사회가 어디로 향할 것인지는 격렬한 ⓐ공방을 가져올 주제이다. 하지만 분명한 것은 인류가 이제껏 고민해 본 적이 없는 문제와 마주했다는 점이다. 거대한 영향력을 지닌 신기술의 도입으로 예상치 못한 심각한 부작용이 생기면, 기술과 인간의 관계는 밑바닥에서부터 재검토되어야 한다.

　인공지능 발달이 우리에게 던지는 새로운 과제는 두 갈래다. 로봇을 향한 길과 인간을 향한 길이다.

　첫째는, ㉠[인류를 위협할지도 모를 강력한 인공지능을 우리가 어떻게 통제할 것인가의 문제이다.] ㉡[로봇에 대응하는 차원에서 로봇이 지켜야 할 도덕적 기준을 만들어 ⓑ준수하게 하는 방법이나, 살인 로봇을 막는 국제 규약을 ⓒ제정하는 것이 접근 방법이 될 수 있다.] ㉢[또한, 다양한 상황에 관한 사회적 합의를 담은 알고리즘을 만들어 사회적 규약을 벗어나지 않는 범위에서 로봇이 작동하게 하는 방법도 모색할 수 있다.] ㉣[설계자의 의도를 배반하지 못하도록 로봇이 스스로 ⓓ무력화(無力化)할 수 없는 원격 자폭 스위치를 넣는 것도 가능하다.] ㉤[인공지능 로봇이 인간의 통제를 벗어나지 못하게 과학자들은 다양한 기술적 방법을 만들어 내고, 입법자들은 강력한 법률과 사회적 합의를 적용할 것이다.]

　둘째는, 생각하는 기계가 모방할 수 없는 인간의 특징을 찾아 인간의 가치를 높이는 것이다. 즉, 로봇이 아니라 인간을 깊이 생각하고 인간 고유의 특징을 활용하는 것이다. 인공지능이 마침내 인간의 의식 현상을 ⓔ구현해 낸다고 하더라도 인간과 인공지능은 여전히 구분될 것이다. 인간에게는 감정과 의지가 있기 때문이다.

　감정은 비이성적이고 비효율적이지만 인간됨을 규정하는 본능으로, 감정에 따라 판단하고 의지적으로 행동하는 인간에게 감정은 강점이면서 동시에 결함이 된다. 논리적으로 설명할 수 없는 인간의 행동은 대부분 감정과 의지에서 비롯한 것이다. 인류는 진화의 세월을 거쳐 공감과 두려움, 만족 등 다양한 감정을 발달시켜 왔다. 인간의 감정과 의지는 수백만 년의 진화 과정에서 인류가 살아남으려고 선택한 전략의 결과이다.

　인공지능을 통제하는 것이 과학자들과 입법자들의 과제라면, '인간이란 무엇일까?', '인공지능이 대체할 수 없는 나만의 특징과 존재 이유는 무엇일까?'라는 철학적인 질문은 각 개인에게 던져진 과제이다.

　인공지능 시대는 필연적으로 인간의 본질과 삶의 의미에 대해 근원적 질문을 던진다. 인공지능과 자동화는 우리에게 기계가 인간을 능가할 수 없는, 기계가 도저히 흉내 낼 수 없는 인간의 능력이 무엇이냐고 묻는다. 이것은 단지 기계와의 경주에서 살아남기 위해 경쟁력 있는 직업을 유지할 수 있는 인간만의 고유한 기능이 무엇인지를 묻는 게 아니다. 인공지능이 점점 더 똑똑해지고, 인간이 해오던 많은 일을 기계가 대신하게 되는 상황에서 인간이 인간다워지는 것의 의미를 묻는 것이다.

　인공지능 시대에 인간을 인간답게 만드는 것은 무엇보다 결핍과 그에 따른 고통이다. 인류의 역사와 문명은 이러한 결핍과 고통에서 느낀 감정을 동력으로 발달해 온 고유의 생존 시스템이다. 처음 마주하는 위험과 결핍은 두렵고 고통스러웠지만, 인류는 놀라운 유연성과 창의성으로 대응해 왔다. 결핍과 고통을 벗어나는 과정에서 인류가 체득한 생존의 방법이 유연성과 창의성이 있다. 이것은 기계에 가르칠 수 없는 속성이다. 그래서 인간의 약점은 인간과 기계를 구별하는 최후의 요소라고 할 수 있다. 우리는 기계를 설계할 때 부정확한 인식과 판단, 감정에서 비롯한 변덕스럽고 비합리적인 행동, 망각과 고통 같은 인간의 약점을 기계에 부여하지 않는다. 인간은 우리가 기계에 부합하지 않을, 이러한 부족함과 결핍을 지닌 존재이다. 하지만 거기에 인공지능 시대 우리가 가야 할 사람의 길이 있다.

　결국, 앞에서 이야기한 두 가지 과제의 궁극적인 방향은 기계와의 경쟁이 아닌 공존과 공생이다. 인간 고유의 속성인 유연성과 창의성은 인공지능 시대라는 새로운 변화에서도 인간이 생존할 방법을 찾아낼 것이다.

24 위 글을 어떤 강연의 내용이라고 할 때, 강연의 제목으로 적절한 것은?

① 과학의 미래 – 바람직한 삶의 태도
② 인공지능과 로봇의 특징 – 차이를 아는 지식인
③ 미래 인간의 생존전략 – 통제의 알고리즘
④ 나는 과학, 기는 인간 – 미래 인간의 생존전략
⑤ 인공지능과 인간의 관계 – 사람이 가야할 길

25 위 글의 내용에 일치하지 않은 것은?

① 인공지능 발달이 인류에게 끼치는 영향은 양면성이 있지만 과학자들은 부정적으로 보고 있다.
② 과학자들이 로봇을 통제하는 방법은 로봇이 지켜야 할 도덕적 기준을 만들어 준수하게 하거나, 살인 로봇을 막는 국제 규약을 제정하는 것이다.
③ 인공지능이 모방할 수 없는 인간의 특징은 진화 과정에서 인류가 살아남으려고 선택한 전략의 결과인 감정과 의지이다.
④ 인공지능이 인간을 능가할 수 없는 인간의 능력은 인간이 인간다워지는 것이다.
⑤ 인공지능 시대에 인간이 가야할 길은 결핍과 고통에서 벗어나는 과정에서 체득한 유연성과 창의성이다.

26 위 글의 전개방법으로 적절하지 않은 것은?

① 관련 분야의 전문가 말을 인용하여 문제를 제기했다.
② 정의를 통해 대상의 개념을 명확히 하여 내용을 전개했다.
③ 문제 해결의 방안을 로봇에 대한 것과 인간에 대한 것으로 나누어 접근했다.
④ 인류 문명과 역사에 대한 유추를 통해 미래 사회의 문제를 해결하기 위한 접근법을 모색했다.
⑤ 질문으로 문제를 제기하여 독자들의 관심을 유도하고 이에 대한 대답을 통해 미래를 낙관하고 있다.

27 ㉠~㉤ 문장의 논리적 구조를 바르게 분석한 것은?

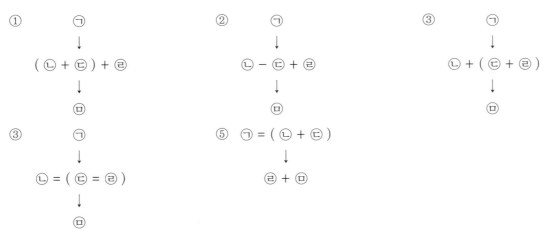

28 위 글에 나타난 필자의 관점을 비판한 것으로 적절하지 <u>않은</u> 것은?

① 글쓴이의 관점은 기계가 주어진 문제를 해결하기 위한 유연성과 창의성을 가지고 있지 않다고 했지만, 이미 인공지능 로봇들은 데이터의 수집과 조합을 반복하면서 창의적으로 문제를 해결하는 모습을 보여 주고 있다.

② 인간의 감정 표현도 상당 부분 학습을 통해 이루어지는 것이므로, 인공지능도 인간처럼 감정을 이해하고 상황에 따라 감정을 표현할 수 있게 될 것이다.

③ 인간의 감정 표현이 상당 부분 학습에 의한 것이라면 로봇도 인간의 감정을 학습하고 나아가 주체적으로 판단을 내리는 상황이 올 것이다.

④ 필자는 결핍과 그에 따른 고통이 인간만이 가지는 특징이라고 했지만 다른 동물들도 결핍과 고통을 느끼며 이를 해결하기 위해 다양한 형태로 자신의 감정을 표현한다.

⑤ 인공지능이 아직은 인간이 설계한 한계 안에서의 창의적 문제 해결일 수 있으나, 빅데이터의 활용과 더 복합한 조합의 적용으로 언제든 한계를 넘어설 수 있을 것이다. 따라서 기계가 스스로 창의적인 답안을 찾아낼 수 없다고 단정할 수는 없다.

29 위 글의 내용을 바탕으로 〈보기〉의 문제 상황에 대한 해결책을 제시한 내용으로 적절한 것은?

> ┤ 보기 ├
>
> 우리는 이미 의학적으로 두뇌의 변화를 경험하고 있다. ○○병원 ○○○ 교수는 "기억 대신 검색이 중요한 위치를 차지하게 되면서 검색에 필요한 뇌 기능은 발달하지만, 두뇌의 기억 용량은 감소하게 된다."라며 "디지털 기기에 지나치게 의존하면 기억력이 쇠퇴한다."라고 이야기했다. 사람의 기억은 뇌의 해마라는 부위에서 주로 담당하는데, 기억력을 사용하지 않으면 해마가 위축되어 기억 용량이 줄어든다고 한다.
>
> – 조중혁, 「인터넷 진화와 뇌의 종말」 –

① 디지털 기술의 발달로 인해 현대인은 디지털 기기에 지나치게 의존하게 되어 두뇌의 기억 용량이 감소하고 기억력이 쇠퇴하고 있다.

② 기억 대신 더 중요한 위치를 갖게 된 '검색'의 뇌 기능을 발달시켜 이를 활용하는 것이 필요할 것이다.

③ '검색'의 뇌 기능이 발달하게 되면 인간의 창의적 사고능력을 떨어드리므로 디지털 기기의 활용을 자제해야 한다.

④ 디지털 기기에 대한 의존성을 더 심화되겠지만 '뇌' 기능을 활성화할 수 있는 유전공학의 발전으로 해결될 것이다.

⑤ '검색'의 뇌 기능이 발달을 억제하고 두뇌의 기억을 활성화하기 위해서는 각 개인이 가진 창조적 역량을 개발하려는 필요하다.

30 다음 중 ⓐ~ⓔ의 문맥적 의미를 바르게 활용되지 <u>못한</u> 것은?

① ⓐ : 그는 무의미한 정치적 <u>공방</u>을 그만두자고 호소했다.

② ⓑ : 이 규칙은 <u>준수</u>하는 사람이 거의 없어서 사문화된 것이나 다름없다.

③ ⓒ : 색동회는 매년 5월 1일을 어린이날로 <u>제정</u>하였었다.

④ ⓓ : 미국이 적국(敵國)의 화학무기를 <u>무력화</u>하기 위한 계획을 추진 중이라는 소식이 보도되었다.

⑤ ⓔ : 그는 자신의 철학을 <u>구현</u>하기 위해 정치에 뛰어들었다고 밝혔다.

[31~34] 다음 글을 읽고 물음에 답하시오.

(가) 인공지능은 컴퓨터 프로그램을 활용해 인간과 비슷한 인지적 능력을 구현한 기술을 말한다. 인공지능은 기본적으로 보고 듣고 읽고 말하는 능력을 갖춤으로써 인간과 대화할 수 있을 뿐만 아니라 ㉠지적 판단이 필요한 상황에서 합리적 결정을 내릴 수 있다.

인공지능이 인간의 말을 알아듣고 명령을 실행하는 똑똑한 기계가 되는 것은 반길 일인가, 아니면 ㉡주인과 노예의 관계를 역전시키는 재앙이라고 경계해야 할 일인가? 인간의 지적 능력을 뛰어넘는 인공지능 개발에 관한 보도가 잇따르는 가운데, 세계적 석학들이 인공지능 개발이 결국엔 인류의 종말로 이어질 것이라는 경고를 내놓기 시작했다. 세계적 물리학자 스티븐 호킹(Stephen Hawking)은 "인공지능은 결국 의식을 갖게 되어 인간의 자리를 대체할 것"이라며, "생물학적 진화 속도보다 과학 기술의 진보가 더 빠르기 때문"이라고 말했다.

'생각하는 기계'가 축복이 될지 재앙이 될지는 미지의 영역이며 미래 사회가 어디로 향할 것인지는 격렬한 공방을 가져올 주제이다. 하지만 분명한 것은 인류가 이제껏 고민해 본 적이 없는 문제와 마주했다는 점이다. 거대한 영향력을 지닌 신기술의 도입으로 예상치 못한 심각한 부작용이 생기면, 기술과 인간의 관계는 밑바닥에서부터 재검토되어야 한다.

(나) 인공지능 발달이 우리에게 던지는 새로운 과제는 두 갈래다. ㉢로봇을 향한 길과 인간을 향한 길이다.

첫째는, 인류를 위협할지도 모를 강력한 인공지능을 우리가 어떻게 통제할 것인가의 문제이다. 로봇에 대응하는 차원에서 로봇이 지켜야 할 도덕적 기준을 만들어 준수하게 하는 방법이나, 살인 로봇을 막는 국제 규약을 제정하는 것이 접근 방법이 될 수 있다. 또한, 다양한 상황에 관한 사회적 합의를 담은 알고리즘을 만들어 사회적 규약을 벗어나지 않는 범위에서 로봇이 작동하게 하는 방법도 모색할 수 있다. 설계자의 의도를 배반하지 못하도록 로봇이 스스로 무력화(無力化)할 수 없는 원격 자폭 스위치를 넣는 것도 가능하다. 인공지능 로봇이 인간의 통제를 벗어나지 못하게 과학자들은 다양한 기술적 방법을 만들어 내고, 입법자들은 강력한 법률과 사회적 합의를 적용할 것이다.

둘째는, 생각하는 기계가 모방할 수 없는 인간의 특징을 찾아 인간의 가치를 높이는 것이다. 즉, 로봇이 아니라 인간을 깊이 생각하고 인간 고유의 특징을 활용하는 것이다. 인공지능이 마침내 인간의 의식 현상을 구현해 낸다고 하더라도 인간과 인공지능은 여전히 구분될 것이다. 인간에게는 감정과 의지가 있기 때문이다.

감정은 비이성적이고 비효율적이지만 인간됨을 규정하는 본능으로, 감정에 따라 판단하고 의지적으로 행동하는 인간에게 감정은 강점이면서 동시에 결함이 된다. 논리적으로 설명할 수 없는 인간의 행동은 대부분 감정과 의지에서 비롯한 것이다. 인류는 진화의 세월을 거쳐 공감과 두려움, 만족 등 다양한 감정을 발달시켜 왔다. 인간의 감정과 의지는 수백만 년의 진화 과정에서 인류가 살아남으려고 선택한 전략의 결과이다.

인공지능을 통제하는 것이 과학자들과 ㉣입법자들의 과제라면, '인간이란 무엇일까?', '인공지능이 대체할 수 없는 나만의 특징과 존재 이유는 무엇일까?'라는 철학적인 질문은 각 개인에게 던져진 과제이다.

인공지능 시대는 필연적으로 인간의 본질과 삶의 의미에 대해 근원적 질문을 던진다. 인공지능과 자동화는 우리에게 기계가 인간을 능가할 수 없는, 기계가 도저히 흉내 낼 수 없는 인간의 능력이 무엇이냐고 묻는다. 이것은 단지 기계와의 경주에서 살아남기 위해 경쟁력 있는 직업을 유지할 수 있는 인간만의 고유한 기능이 무엇인지를 묻는 게 아니다. 인공지능이 점점 더 똑똑해지고, 인간이 해오던 많은 일을 기계가 대신하게 되는 상황에서 인간이 인간다워지는 것의 의미를 묻는 것이다.

인공지능 시대에 인간을 인간답게 만드는 것은 무엇보다 결핍과 그에 따른 고통이다. 인류의 역사와 문명은 이러한 결핍과 고통에서 느낀 감정을 동력으로 발달해 온 고유의 생존 시스템이다. 처음 마주하는 위험과 결핍은 두렵고 고통스러웠지만, 인류는 놀라운 유연성과 창의성으로 대응해 왔다.

㉤결핍과 고통을 벗어나는 과정에서 인류가 체득한 생존의 방법이 유연성과 창의성이 있다. 이것은 기계에 가르칠 수 없는 속성이다. 그래서 인간의 약점은 인간과 기계를 구별하는 최후의 요소라고 할 수 있다. 우리는 기계를 설계할 때 부정확한 인식과 판단, 감정에서 비롯한 변덕스럽고 비합리적인 행동, 망각과 고통 같은 인간의 약점을 기계에 부여하지 않

는다. 인간은 우리가 기계에 부합하지 않을, 이러한 부족함과 결핍을 지닌 존재이다. 하지만 거기에 인공지능 시대 우리가 가야 할 사람의 길이 있다.

(다) 결국, 앞에서 이야기한 두 가지 과제의 궁극적인 방향은 기계와의 경쟁이 아닌 공존과 공생이다. 인간 고유의 속성인 유연성과 창의성은 인공지능 시대라는 새로운 변화에서도 인간이 생존할 방법을 찾아낼 것이다.

– 구본권, 「로봇 시대, 인간의 일」 –

31 윗글의 ㉠~㉤에 대한 설명으로 적절하지 <u>않은</u> 것은?

① ㉠ : 인간과 비슷한 인지적 능력
② ㉡ : 인간이 기계의 지배를 받는 상황
③ ㉢ : 인공지능을 통제하는 것과 관련된 과제
④ ㉣ : 인간이 인간다워지는 규범을 제정하는 것
⑤ ㉤ : 인간을 인간답게 만드는 이유

32 윗글 (나)의 서술 방식에 대한 설명으로 가장 적절한 것은?

① 문제 상황에 대한 두 견해의 특징과 장단점을 제시하고 있다.
② 문제 상황에 대한 해결방안을 두 가지 측면에서 나누어 제시하고 있다.
③ 화제의 대상과 관련된 상반된 견해를 절충하여 해결책을 제시하고 있다.
④ 구체적인 사례를 제시하고 그와 관련된 해결방안과 한계를 설명하고 있다.
⑤ 문제 상황이 일어나게 된 근본 원인을 분석하여 일관된 해결책을 제시하고 있다.

33 윗글로 미루어 볼 때 그 답변을 확인할 수 <u>없는</u> 질문은?

① 인공지능을 통제하는 방법은 무엇인가?
② 기계와 구분되는 인간의 특성은 무엇인가?
③ 인공지능이 감정과 의지를 구현해 냈을 때 생기는 문제점은 무엇인가?
④ 수백만 년의 진화 과정에서 인류가 살아남으려고 선택한 전략은 무엇인가?
⑤ 인공지능을 개발하는 것이 결국엔 인류의 종말로 이어질 것이라고 '스티븐 호킹'이 경고한 이유는 무엇인가?

34 윗글의 입장에서 〈보기〉를 읽고 대화한 내용으로 적절하지 <u>않은</u> 것은?

┌─ 보기 ├─

　　이세돌 대 알파고 혹은 딥마인드 챌린지 매치(Google Deepmind Challenge match)는 2016년 3월 9일부터 15일까지, 하루 한 차례의 대국으로 총 5회에 걸쳐 서울의 포시즌스 호텔에서 진행되는 이세돌과 알파고(영어 : AlphaGo) 간의 바둑 대결이다. 최고의 바둑 인공지능 프로그램과 바둑의 최고 중 최고 인간 실력자의 대결로 주목을 받았으며, 최종 결과는 알파고가 4승 1패로 이세돌을 이겼다.

　　다음은 ○○뉴스 손○○ 아나운서와 프로 바둑기사 이세돌(이하 이세돌) 간의 인터뷰 내용을 정리한 것이다.

　　"알파고와의 대국 이전에는 당연히 이길 줄 알았다. 이겨야 된다는 생각이 강해서 3국에서 가장 많이 흔들렸고 그래서 패했다. 알파고와의 대국 이전에는 안일하게 감각에 의존해서 바둑을 많이 두었는데 알파고와의 대국 이후에는 명확한 목표 의식을 가지고 대전하게 되었다. 그에 따라 (바둑의) 수읽기의 정확도를 높이는 것과 창의적인 바둑의 수를 생각하게 되었다. 알파고는 이길 수 없는 존재는 아니다. 프로바둑기사로서 알파고에 패한 것이 아쉽고 부끄럽다. 더 노력해서 알파고와 다시 둘 수 있는 위치까지 도달할 수 있도록 노력하겠다."

① **춘향** : 이세돌이 이겨야 된다는 생각이 강해서 마음이 흔들려 패했다고 한 것으로 보아 인간의 감정은 인간에게 큰 단점이군.

② **몽룡** : 알파고는 이세돌이 초조해하는 마음을 읽었기 때문에 더욱 자신감을 가지고 느긋하게 대응해서 이길 수 있었군.

③ **춘향** : 이세돌이 프로 바둑 기사로서 알파고에 패한 것이 부끄럽다고 한 것으로 보아 인간에게는 결핍에 따른 고통이 수반되는군.

④ **몽룡** : 이세돌이 알파고와의 대국 이후 목표의식이 더 명확해졌다고 한 것으로 보아 인간에게는 고통을 딛고 의지를 발휘하는 능력이 있군.

⑤ **춘향** : 알파고와의 대국에서 패한 결핍감이 이세돌로 하여금 창의적인 바둑의 수를 더 생각하게 했군.

서술형 심화문제

[01~05] 다음 글을 읽고 물음에 답하시오.

(가) 인공지능은 컴퓨터 프로그램을 활용해 인간과 비슷한 인지적 능력을 구현한 기술을 말한다. 인공지능은 기본적으로 보고 듣고 읽고 말하는 능력을 갖춤으로써 인간과 대화할 수 있을 뿐만 아니라 지적 판단이 필요한 상황에서 합리적 결정을 내릴 수 있다.

인공지능이 인간의 말을 알아듣고 명령을 실행하는 똑똑한 기계가 되는 것은 반길 일인가, 아니면 주인과 노예의 관계를 역전시키는 재앙이라고 경계해야 할 일인가? 인간의 지적 능력을 뛰어넘는 인공지능 개발에 관한 보도가 잇따르는 가운데, 세계적 석학들이 인공지능 개발이 결국엔 인류의 종말로 이어질 것이라는 경고를 내놓기 시작했다. ㉠세계적 물리학자 스티븐 호킹(Stephen Hawking)은 "인공지능은 결국 의식을 갖게 되어 인간의 자리를 대체할 것"이라며, "생물학적 진화 속도보다 과학 기술의 진보가 더 빠르기 때문"이라고 말했다.

'생각하는 기계'가 축복이 될지 재앙이 될지는 미지의 영역이며 미래 사회가 어디로 향할 것인지는 격렬한 공방을 가져올 주제이다. 하지만 분명한 것은 인류가 이제껏 고민해 본 적이 없는 문제와 마주했다는 점이다. 거대한 영향력을 지닌 신기술의 도입으로 예상치 못한 심각한 부작용이 생기면, 기술과 인간의 관계는 밑바닥에서부터 재검토되어야 한다.

(나) 인공지능 발달이 우리에게 던지는 새로운 과제는 두 갈래다. 로봇을 향한 길과 인간을 향한 길이다.

첫째는, 인류를 위협할지도 모를 강력한 인공지능을 우리가 어떻게 통제할 것인가의 문제이다. 로봇에 대응하는 차원에서 로봇이 지켜야 할 도덕적 기준을 만들어 준수하게 하는 방법이나, 살인 로봇을 막는 국제 규약을 제정하는 것이 접근방법이 될 수 있다. 또한, 다양한 상황에 관한 사회적 합의를 담은 알고리즘을 만들어 사회적 규약을 벗어나지 않는 범위에서 로봇이 작동하게 하는 방법도 모색할 수 있다. 설계자의 의도를 배반하지 못하도록 로봇이 스스로 무력화(無力化)할 수 없는 원격 자폭 스위치를 넣는 것도 가능하다. 인공지능 로봇이 인간의 통제를 벗어나지 못하게 과학자들은 다양한 기술적 방법을 만들어 내고, 입법자들은 강력한 법률과 사회적 합의를 적용할 것이다.

(다) 둘째는, 생각하는 기계가 모방할 수 없는 인간의 특징을 찾아 인간의 가치를 높이는 것이다. 즉, 로봇이 아니라 인간을 깊이 생각하고 인간 고유의 특징을 활용하는 것이다. 인공지능이 마침내 인간의 의식 현상을 구현해 낸다고 하더라도 인간과 인공지능은 여전히 구분될 것이다. 인간에게는 감정과 의지가 있기 때문이다.

감정은 비이성적이고 비효율적이지만 인간됨을 규정하는 본능으로, 감정에 따라 판단하고 의지적으로 행동하는 인간에게 감정은 강점이면서 동시에 결함이 된다. 논리적으로 설명할 수 없는 인간의 행동은 대부분 감정과 의지에서 비롯된 것이다. 인류는 진화의 세월을 거쳐 공감과 두려움, 만족 등 다양한 감정을 발달시켜 왔다. 인간의 감정과 의지는 수백만 년의 진화 과정에서 인류가 살아남으려고 선택한 전략의 결과이다.

(라) 인공지능을 통제하는 것이 과학자들과 입법자들의 과제라면, '인간이란 무엇일까?', '인공지능이 대체할 수 없는 나만의 특징과 존재 이유는 무엇일까?'라는 철학적인 질문은 각 개인에게 던져진 과제이다.

인공지능 시대는 필연적으로 인간의 본질과 삶의 의미에 대해 근원적 질문을 던진다. 인공지능과 자동화는 우리에게 기계가 인간을 능가할 수 없는, 기계가 도저히 흉내 낼 수 없는 인간의 능력이 무엇이냐고 묻는다. 이것은 단지 기계와의 경주에서 살아남기 위해 경쟁력 있는 직업을 유지할 수 있는 인간만의 고유한 기능이 무엇인지를 묻는 게 아니다. 인공지능이 점점 더 똑똑해지고, 인간이 해오던 많은 일을 기계가 대신하게 되는 상황에서 인간이 인간다워지는 것의 의미를 묻는 것이다.

(마) 인공지능 시대에 인간을 인간답게 만드는 것은 무엇보다 결핍과 그에 따른 고통이다. 인류의 역사와 문명은 이러한 결핍과 고통에서 느낀 감정을 동력으로 발달해 온 고유의 생존 시스템이다. 처음 마주하는 위험과 결핍은 두렵고 고통스러웠지만, 인류는 놀라운 유연성과 창의성으로 대응해 왔다. 결핍과 고통을 벗어나는 과정에서 인류가 체득한 생존의 방법이 유연성과 창의성이 있다. 이것은 기계에 가르칠 수 없는 속성이다. 그래서 인간의 약점은 인간과 기계를 구별하는

최후의 요소라고 할 수 있다. 우리는 기계를 설계할 때 부정확한 인식과 판단, 감정에서 비롯한 변덕스럽고 비합리적인 행동, 망각과 고통 같은 인간의 약점을 기계에 부여하지 않는다. 인간은 우리가 기계에 부합하지 않을, 이러한 부족함과 결핍을 지닌 존재이다. 하지만 거기에 ⓐ인공지능 시대 우리가 가야 할 사람의 길이 있다.

결국, 앞에서 이야기한 두 가지 과제의 궁극적인 방향은 기계와의 경쟁이 아닌 공존과 공생이다. 인간 고유의 속성인 유연성과 창의성은 인공지능 시대라는 새로운 변화에서도 인간이 생존할 방법을 찾아낼 것이다.

– 구본권,「로봇 시대, 인간의 일」 –

01 밑줄 친 ⓐ와 연관하여 글쓴이가 강조한 인간만의 속성 <u>2가지</u>를 본문에서 찾아 쓰시오.

02 윗글에서 ㉮필자가 로봇을 통제하려는 이유가 무엇에 대한 두려움 때문이라고 이야기하고 있는지 핵심에 가까운 내용을 찾아서 2어절로 쓰시오. 또한 ㉯이러한 논의에서 필자의 주장에 담긴 핵심 목표가 무엇인지 2음절로 쓰시오.

03 윗글에서 ㉮'인간의 약점이자 강점'이 무엇인지 찾아 쓰고, 이러한 약점을 가진 인간이 인공지능 시대에 로봇에 대응해 ㉯무엇을 도구로 삼아서, ㉰어떻게 대응해야 하는지 서술하시오.

04 (가)의 ㉠에 사용된 쓰기 전략을 〈조건〉에 맞추어 이어진 한 문장으로 서술하시오.

> ┤ 조건 ├
> • '~을 ~하여 ~에 ~고 있다.'의 형식을 갖출 것.
> • 쓰기 전략과 더불어 그 효과도 함께 서술할 것.

05 〈보기〉와 윗글에서 글쓴이들의 입장의 공통점과 차이점을 각각 한 문장으로 쓰시오.

┤ 보기 ├

　　영화 〈로봇, 소리〉에는 자신이 한 일에 책임감을 느껴, 입력된 프로그램의 명령을 거부하는 로봇이 등장한다. 이 로봇은 감정을 느끼고 스스로 판단을 내리는, 마치 인간과 같은 존재로 그려진다. 연신 "그녀를 찾아야 한다."라고 말하는 이 로봇은, 원래 인공위성에서 도청을 하기 위해 사용되던 것이었다. 그러다 폭격으로 부모를 잃은 아이가 울부짖는 것을 들은 로봇이, 그 폭격이 자신이 제공한 정보로 인해 벌어진 일이라는 자책감에 스스로 교신을 끊고 그 아이를 찾기 위해 지구로 불시착한 것이다.

　　바다에 떨어진 로봇은 주인공 해관을 만나 인간과 소통하고, 해관은 이 로봇에 '소리'라는 이름을 붙여 부르며 의지한다. 해관이 로봇의 도움으로 자신의 잘못을 깨닫고 마음의 상처를 치유하는 모습과 로봇이 사람의 도움을 받아 자신의 잘못을 바로잡기 위해 길을 떠나는 모습은, 인간과 로봇이 어떻게 함께 도우며 공존할 수 있는지를 보여 주는 하나의 답이라고 할 수 있다.

㉮ 공통점 : 인공 지능(로봇)과 인간의 관계의 측면에서 서술할 것
㉯ 차이점 : 인공 지능(로봇)과 인간의 특징의 측면에서 서술할 것
　－윗글의 글쓴이 : (　　　　　　　　　)
　－〈보기〉의 글쓴이 : (　　　　　　　　　)

[06~08] 다음 글을 읽고 물음에 답하시오.

　(가) 인공지능 발달이 우리에게 던지는 새로운 과제는 두 갈래다. 로봇을 향한 길과 인간을 향한 길이다.

　첫째는, 인류를 위협할지도 모를 강력한 인공지능을 우리가 어떻게 통제할 것인가의 문제이다. 로봇에 대응하는 차원에서 로봇이 지켜야 할 도덕적 기준을 만들어 준수하게 하는 방법이나, 살인 로봇을 막는 국제 규약을 제정하는 것이 접근 방법이 될 수 있다. 또한, 다양한 상황에 관한 사회적 합의를 담은 알고리즘을 만들어 사회적 규약을 벗어나지 않는 범위에서 로봇이 작동하게 하는 방법도 모색할 수 있다. 설계자의 의도를 배반하지 못하도록 로봇이 스스로 무력화(無力化)할 수 없는 원격 자폭 스위치를 넣는 것도 가능하다. 인공지능 로봇이 인간의 통제를 벗어나지 못하게 과학자들은 다양한 기술적 방법을 만들어 내고, 입법자들은 강력한 법률과 사회적 합의를 적용할 것이다.

　둘째는, 생각하는 기계가 모방할 수 없는 인간의 특징을 찾아 인간의 가치를 높이는 것이다. 즉, 로봇이 아니라 인간을 깊이 생각하고 인간 고유의 특징을 활용하는 것이다. 인공지능이 마침내 인간의 의식 현상을 구현해 낸다고 하더라도 인간과 인공지능은 여전히 구분될 것이다. 인간에게는 감정과 의지가 있기 때문이다.

　감정은 비이성적이고 비효율적이지만 인간됨을 규정하는 본능으로, 감정에 따라 판단하고 의지적으로 행동하는 인간에게 감정은 강점이면서 동시에 결함이 된다. 논리적으로 설명할 수 없는 인간의 행동은 대부분 감정과 의지에서 비롯된 것이다. 인류는 진화의 세월을 거쳐 공감과 두려움, 만족 등 다양한 감정을 발달시켜 왔다. 인간의 감정과 의지는 수백만 년의 진화 과정에서 인류가 살아남으려고 선택한 전략의 결과이다.

인공지능을 통제하는 것이 과학자들과 입법자들의 과제라면, '인간이란 무엇일까?', '인공지능이 대체할 수 없는 나만의 특징과 존재 이유는 무엇일까?'라는 철학적인 질문은 각 개인에게 던져진 과제이다. 〈중략〉

인공지능 시대에 인간을 인간답게 만드는 것은 무엇보다 결핍과 그에 따른 고통이다. 인류의 역사와 문명은 이러한 결핍과 고통에서 느낀 감정을 동력으로 발달해 온 고유의 생존 시스템이다. 처음 마주하는 위험과 결핍은 두렵고 고통스러웠지만, 인류는 놀라운 유연성과 창의성으로 대응해 왔다. 결핍과 고통을 벗어나는 과정에서 인류가 체득한 생존의 방법이 유연성과 창의성이 있다. 이것은 기계에 가르칠 수 없는 속성이다. 그래서 인간의 약점은 인간과 기계를 구별하는 최후의 요소라고 할 수 있다. 우리는 기계를 설계할 때 부정확한 인식과 판단, 감정에서 비롯한 변덕스럽고 비합리적인 행동, 망각과 고통 같은 인간의 약점을 기계에 부여하지 않는다. 인간은 우리가 기계에 부합하지 않을, 이러한 부족함과 결핍을 지닌 존재이다. 하지만 거기에 인공지능 시대 우리가 가야 할 사람의 길이 있다.

결국, 앞에서 이야기한 두 가지 과제의 궁극적인 방향은 기계와의 경쟁이 아닌 공존과 공생이다. 인간 고유의 속성인 유연성과 창의성은 인공지능 시대라는 새로운 변화에서도 인간이 생존할 방법을 찾아낼 것이다.

(나) 인공지능이 이토록 강력해지게 된 데에는 우리 모두의 공로가 크다.

매일 SNS에 올리는 수많은 사진과 들을 비롯한 인터넷상의 무궁무진한 빅데이터가 인공지능을 학습시키고 있으니 말이다.

무엇보다 빅데이터와 딥러닝의 가장 큰 장점은 과거와 현재를 바탕으로 미래를 예측하여 새로운 가치를 창출할 수 있다는 점이다. 데이터를 분석해 6개월 후에 뜰 스타를 찾을 수도 있고, 특정 제품을 구입한 사람들의 소비 패턴을 분석해 그 다음에 살 제품을 예측할 수도 있다. 유튜브가 개별 사용자마다 다른 추천영상을 제공하는 것처럼, 미리 유사 집단에서 선호하는 것을 분석해 추천함으로써 드러나지 않은 욕구를 자극해 특정 행동이나 소비를 이끌어낼 수도 있다. 더 나아가 독감이 유행할 지역을 예측할 수도 있고, 땅값이 오르는 지역을 찾아낼 수 있다.

똑똑한 인공지능 덕분에 우리가 사는 세상이 점점 멋지게 변하고 있는 것처럼 보인다. 그런데 점점 더 인간을 닮아가고 있는 인공지능이 혹시 닮은 것을 넘어서 인간을 배반하지는 않을까? 인공지능이 인간 세상을 파괴하는 건 과연 SF영화에만 등장하는 이야기일까? 지금까지 우리는 인공지능의 선한 면, 지킬박사의 얼굴을 보았다. 이제 인공지능의 또 다른 면, 하이드 씨의 얼굴을 볼 차례다.

(다) 인공지능 개발자가 반드시 염두에 두어야 할 로봇 3원칙도 있다 . 미국 SF의 거장 아이작 아시모프가 자신의 소설에서 제안한 로봇의 작동 원리인데, 다음과 같다. 제1원칙, 로봇은 인간에게 해를 입혀서는 안 되며 위험에 처한 인간을 모른 척해서도 안 된다. 제2원칙, (제1원칙에 위배되지 않는 한) 로봇은 인간의 명령에 복종해야 한다. 제3원칙, (제1원칙과 제2원칙에 위배되지 않는 한) 로봇은 로봇 자신을 지켜야 한다.

일본의 한 로봇 회사는 자신들의 로봇이 범죄나 전쟁, 테러에 이용되지 않도록 로봇에 손가락을 만들지 않았다. 폭탄을 들고 테러리스트가 되는 것을 막기 위해서다. 또 범죄에 악용되지 않도록 사진을 찍을 때는 반드시 소리를 내도록 만들었다. 이렇듯 인공지능을 개발하고 발전시키는 사람의 판단과 노력이 올바른 방향을 향해 있는 것이 가장 중요하다.

(라) 미국의 매사추세츠 종합병원에서 의료 분야 인공지능 개발을 주도하고 있는 데이비드 팅 박사는 인공지능이 기존에 의사가 하던 일의 많은 부분을 하게 될 것으로 내다봤다. 그렇다고 인공지능이 의사를 대체하는 것은 아니다. 인공지능이 필요한 기록을 단번에 찾아내고 진료 추적까지 해줌으로써 의사는 잡무에서 벗어나 고차원적인 일을 할 수 있다. 인공지능이 의사의 믿음직한 파트너로 활동하는 것이다. 의사는 환자를 진료할 때 컴퓨터가 알아서 데이터를 기록하기 때문에 환자에게 더 집중할 수 있다. 그 덕분에 환자는 의사에게 더욱 정교한 상담을 받을 수 있고, 세계 어디에서나 보편적인 치료를 받을 수 있게 될 것이다. 물론 이것은 어디까지나 자본의 논리로 병원을 운영하지 않을 때의 이야기이다. 이윤만을 추구한다면 의사는 로봇에 밀려날 것이고, 가난한 환자는 진료를 받을 수 없게 될지도 모른다.

결국 더불어 사는 세상에 대한 가치를 회복하는 것만이 인공지능 시대에 인류를 살릴 유일한 방안이다. 기술을 개발하는 이유가 '인간'만을 향하도록 할 수 있다면 인공지능은 하이드 씨의 얼굴을 거둘 수 있다.

06 (가)~(라)를 읽고 공통적으로 제시된 인공지능 시대의 문제점을 쓰고, 글쓴이가 궁극적으로 말하고자 하는 바를 서술하시오.

┤ 조건 ├
• 맞춤법과 문장 호응에 유의하여 완결된 문장으로 서술할 것

07 윗글에서 로봇이 모방할 수 없는 인간 고유의 특징으로 글쓴이가 제시하는 것을 찾아 2어절로 쓰시오.

08 윗글과 〈보기〉에 나타나는 글쓴이의 관점의 차이점을 서술하시오.

┤ 보기 ├
　　인간의 감정 표현은 상당 부분 학습을 통해 이루어지는 것이다. 인공지능 또한 나날이 발전하고 있고, 이미 인간의 감정을 이해하는 로봇이 개발되었으므로 머지않아 로봇이 인간처럼 상황에 따라 감정을 표현할 수 있게 될 것이다.

┤ 조건 ├
• '윗글과 달리 〈보기〉는 ~'으로 시작할 것.

협상은 개인이나 집단 사이에서 이익이나 주장이 달라 갈등이 생길 때, 문제를 해결하기 위해 타협하고 조정하면
협상의 개념
서 해결 방법을 찾아가는 의사소통 방법이다. 협상 주체들은 시작 단계, 조정 단계, 해결 단계에 따라 자신의 말하기
협상의 절차
를 점검 · 조정하고, 다양한 전략을 마련하면서 협상하는 태도가 필요하다. ▶ 협상의 개념과 절차

화장(火葬) 시설 건립 문제에 대한 푸른시와 초록구의 협상을 살펴보며, 타협하고 조정하면서 협상으로 문제를 해
시체를 불에 살라 장사 지냄.
결하는 방법을 알아보자.

● 협상의 목적과 상황, 대상을 고려하여 말할 내용을 준비한다.

푸른시 관계자들과 초록구 주민들은 협상에 앞서 말할 내용을 마련하고 자기 측이 유리하게 협상을 이끌 수 있도
록 각각 전략을 준비하고 의견을 나누었다.

푸른시 측		초록구 측
• 푸른시는 화장 시설 부족으로 화장장 건립 이 반드시 필요함. • 초록구 하늘산 일대가 시설 건립에 최적임.	양측의 입장은 무엇인가?	• 푸른시의 추모 공원 건립에 주민의 80% 이상이 반대함. • 환경 오염, 교통 혼잡 등의 피해가 예상됨.
• 공해 발생과 에너지 소비를 최소화하는 시 스템을 사용하겠음. 대안 ① • 공원 형태로 건립하여 주민에게 문화적 혜 택을 제공하겠음. 대안 ②	무엇을 대안으로 제시할 것인가?	• 화장 시설 건립을 수용하되, 화장장 이외의 시설을 최소화해야 함. 대안 ① • 구민 피해 보상 차원에서 생활 편의 시설 유치를 주장하겠음. 대안 ②
• 화장로 15기 설치로 최소 화장 시설을 확보 해야 함.	최소 요구 사항은 무엇인가?	• 화장 시설이 환경적으로 안전하게 운용되어야 함. • 초록구에 의료 시설을 유치해야 함.

[의사소통의 요소]
• **화자**: 대화 상황에서 말하는 사람.
• **청자**: 대화 상황에서 듣는 사람.
• **메시지**: 전달하고자 하는 내용.
• **상황과 맥락**: 의사소통의 배경이 되는 환경(시간과 공간, 화자와 청자의 관계, 시대적 · 문화적 상황 등).

초록구 하늘산 일대 추모 공원 건립에 대한 협상

• 일시: 20○○년 ○○월 ○○일 • 장소: 푸른시청 회의실

초록구 대표 우리 초록구는 하늘산 자락에 자리를 잡아 공기가 맑고 주변 환경이 조용하기로 유명합니다. 초록구가 다른 지역보다 도시 기반 시설이 부족한데도 우리 구민들은 하늘산의 자연조건에 큰 의의를 두며 생활해 왔습니다. 푸른시에서 추진하는 추모 공원 건립 사업이 시 차원에서 필요한 일인 것은 알겠지만, 이러한 결정이 <u>화장 시설 가동으로 발생하는 환경 오염 문제와 혐오 시설 설치에 따른 집값 하락 등 지역 주민이 입을 피해</u>를 고려하신
　　　주모 공원 건립에 대한 문제의식
것인지 궁금합니다. 「<u>구민이 입게 될 피해를 최소화할 현실적인 해결책</u>이 없다면 우리 초록구는 시에서 추진하고
　　　　문제 해결의 가능성
있는 추모 공원 건립을 반대합니다.」「 」: 추모 공원 건립에 대한 초록구의 기본 입장

푸른시 관계자 최근 화장에 대한 국민 호응이 급속히 높아지면서 푸른시의 화장률은 2016년에 이미 80%를 넘어섰고, 앞으로 점점 더 높아질 전망입니다. 그러나 <u>푸른시에는 화장 시설이 하나밖에 없습니다. 현재 시설 규모는 한
　　　　　　　　　　　　　　추모 공원 건립의 필요성, 문제의식
계 능력을 초과</u>하여 수요자의 약 20 % 정도가 삼일장(三日葬)을 원하는데도 사일장(四日葬) 이상을 치르거나 다른 지역 화장 시설을 이용하는 불편을 겪고 있습니다.

　이에 시에서 시민과 전문가의 의견을 수렴한 결과 「하늘산 일대가 시설 건립의 최적지라고 판단하였습니다.」물
　　　　　　　　　　　　　　　　　　　　　　「 」: 추모 공원 건립에 대한 푸른시의 기본 입장
론, 초록구에서는 환경 오염과 집값 하락의 가능성을 걱정하실 수 있습니다만, 이것은 <u>이미 확보된 기술로 해결할
　　　　　　　　　　　　　　　　　　　　　　　　　　　　　　문제 해결의 가능성
수 있다고 생각합니다.</u>　　　　　　　　　　　　▶　추모 공원 건립에 대한 초록구와 푸른시의 문제의식과 문제 해결의 가능성

확인학습

01 이 글에서 두 집단 사이의 이익이나 주장이 달라 갈등이 생기고 있다.　　　　　　　　　○☐ ×☐

02 이 글은 두 집단 사이 갈등의 원인을 분석하고 문제 해결의 가능성을 확인하고 있다.　　　　○☐ ×☐

03 두 집단 중 어느 한쪽의 이익을 위해서는 다른 한쪽이 불이익을 받을 수밖에 없는 상황이다.　○☐ ×☐

04 푸른시의 화장 시설 부족으로 인하여 사람들은 어쩔 수 없이 장례 절차를 앞당겨 끝마치고 있다.　○☐ ×☐

조정하기 상대의 처지와 관점을 이해하고 대안을 상호 검토하여 입장 차를 좁힌다.

초록구 대표 우리는 다음과 같은 사항에서 심각한 피해를 예상하며, 이를 해결하지 못하면 우리 구에 추모 공원을 건
_{초록구의 입장}
립할 수 없다는 것이 구민의 의견입니다. 저희 조사에 따르면「화장 시설이 있는 다른 지역에서 카드뮴, 염화 수소,
_{「 」: 입장에 대한 근거}
미세 먼지, 다이옥신, 수은 등이 배출되어 피해를 보는 사례가 보고되고 있습니다. 또한, 대형 차량이 통행하면서

발생할 교통 혼잡과 소음 등이 조용한 삶을 선호하는 주민들에게 피해를 줄 것입니다.」우리 주민은 환경적 조건을

가장 중요하게 생각하여 이 지역에 거주하고 있습니다. 환경 오염에 대한 시의 대책은 무엇입니까? 다음으로 이러
_{추모 공원 설립으로 인해 예상되는 초록구의 피해 ①}
한 주거 조건 하락으로 입을 경제적 손실도 우려됩니다. 우리는 화장 시설 설치가 주민의 주거권을 침해하고 삶의
_{추모 공원 설립으로 인해 예상되는 초록구의 피해 ②}
질을 떨어뜨릴 것이라고 생각합니다.

푸른시 관계자 아직 우리나라에서 화장장이나 묘지가 혐오 시설로 여겨지는 것은 사실입니다. 그러나 화장 시설 설
_{상대의 입장을 고려한 발언}
치는 지방 자치 단체의 의무 사항으로 우리 시가 해결해야 하는 매우 중요한 문제입니다.「미국이나 유럽은 물론
_{푸른시의 입장} _{「 」: 다른 나라의 사례 제시}
이웃 국가인 일본이나 중국도 주택가에 화장장이 있습니다. 일본은 도쿄 도심에만 공영 화장장이 20개가 넘는데,

그중에는 주택가 한복판에 위치해 바로 옆에 6층 높이의 아파트가 나란히 서 있는 현대식 화장장도 있습니다.」이

번에 건립하는 시설도 장례식장, 화장장, 봉안당을 포함한 추모 공원 형태로 조성할 계획입니다. 시민들이 녹지와
_{주거 조건 하락이라는 문제점에 대한 대안}
다양한 문화 시설을 휴식 공간으로 사용함으로써 오히려 삶의 질을 높일 수 있을 것입니다.

초록구 대표 아니, 장례식장과 봉안당이 있는 곳에 어떤 문화 시설을 조성할 수 있으며, 주민이 어떻게 그곳에서 휴

식을 취하고 문화를 즐길 수 있다는 말씀이십니까?

푸른시 관계자 초록구 주민들께서는 새로 조성되는 추모 공원이 문화 시설로서 기능할 수 없을 것을 우려하시는 것

같습니다. 그러면 봉안당과 장례식장을 제외하고 최소 필요 시설인 화장장만 설치하는 것으로 원안을 수정하여,
_{초록구의 요구에 대한 수용 → 수정안 제시}
문화 시설의 성격이 강화된 추모 공원을 조성하는 안에 대해서는 어떻게 생각하십니까?

초록구 대표 저희의 처지를 이해하고 봉안당과 장례식장을 제외하는 안으로 수정해 주셔서 고맙습니다. 그러나 화장

장이 있다는 것이 최대한 외부에 드러나지 않았으면 합니다. 장례 차량의 출입이 하늘산 등산객과 인근 주민의 눈
_{초록구의 요구}
에 덜 띄도록 화장 시설을 지하화하고 진입로도 외부로 잘 드러나지 않게 해 주십시오.

푸른시 관계자 저희도 주민의 처지에서 화장장이 외부에 노출되는 것을 원하지 않을 것으로 생각하였습니다. 그래서
_{초록구의 요구에 동의, 수용}

이를 반영한 설계안을 마련했습니다. 여기, 준비한 설계안을 보시겠습니까? 지상에는 나무숲 공원을 조성하고 방
_{상대방의 입장을 고려하여 준비한 자료}

문객이 출입하는 곳은 이 나무숲에 가려지게 설계하여 땅에 묻힌 듯 드러나지 않는 건물을 지으려고 합니다. 그리

고 외부에서는 주변 경관에 어울리는 지붕만 보이도록 하겠습니다.

초록구 대표 말씀 잘 들었습니다. 건축 설계적 차원에서 기존 화장장의 단점을 보완하려 고심하신 점이 느껴졌습니

다. 그러나 저희가 더 우려하는 것은 환경 문제입니다. 「화장장에서 발생하는 소음이나 매연, <u>분진</u> 및 <u>다이옥신</u>과
^{플라스틱이나 쓰레기를 소각할 때 생기는 독성 물질}
_{「 」: 환경오염에 대한 문제 제기} _{티와 먼지. =티끌}

<u>수은</u> 등으로 주거 환경이 오염되어 주민의 건강한 삶이 위협받을 수 있다는 점」에 대해서는 어떻게 생각하십니까?
_{상온에서 유일하게 액체로 존재하는 금속으로, 독성이 강함}

푸른시 관계자 네, 환경 문제를 우려하는 주민의 마음은 충분히 이해합니다. 그래서 저희는 <u>화장 문화가 발달한 나라</u>
_{환경 문제에 대한 푸른시의 대안 ①}

<u>의 선진 기술을 도입하여 유해 물질을 제거하는 연소 설비와 가스 냉각 설비를 최고 수준으로 갖출 예정입니다.</u> 특

히, 화장로 시스템을 획기적으로 개선하여 공해 발생을 최소화하는 '향류형 화장로'를 설치할 것입니다. 이 시설은

배출되는 다이옥신과 수은을 90% 이상 제거할 수 있습니다.

초록구 대표 향류형 화장로가 기존 방식과 무엇이 다르다는 말씀이십니까? 또, 제거를 확신하시지만, 다이옥신과 수

은이 배출되는 것은 사실 아닙니까?

푸른시 관계자 네, 향류형 화장로라는 말이 좀 생소하시죠? 조금 더 설명해 드리겠습니다. 「향류형 화장로는 연소 물
_{「 」: 상대방의 배경지식을 고려하여 부가 설명을 제시함.}

질을 화장로 내부에서 4회 연소하는 방식입니다. 매연가스가 밖으로 바로 배출되지 않아서 주민들이 염려하시는

배출 가스와 냄새 문제를 해결한 최첨단 친환경 화장로입니다. 또한, 걱정하시는 다이옥신과 수은의 배출량은 매

우 미미합니다. 다이옥신 배출은 소각 시설 허용 기준의 10분의 1 이하이며 수은 배출은 기준치의 1,000분의 1 수

준입니다. 저희가 설치할 화장로는 이 또한 분사 냉각 장치와 여과 집진 시설로써 90% 이상 제거할 수 있습니다.」

초록구 대표 아무리 화장로 시스템이 개선되었다 해도 화장로 15기로 하루 6회씩이나 화장을 하는 것은 지나칩니다.

<u>화장장 및 화장로의 규모를 반으로 축소해 주십시오.</u>
_{환경 오염 문제와 관련된 추가적인 요구}

푸른시 관계자 현재 우리 <u>시의 상황을 고려할 때 화장로 규모는 양보하기 어렵습니다.</u> 부족한 화장 시설을 확보하려
_{초록구의 요구를 수용하지않음}

면 <u>15기는 꼭 필요합니다.</u> 우리 시민들이 인근 시의 화장 시설에 의존하지 않고, 원하는 때에 쾌적하고 경건한 분
_{최소 요구 사항}

위기 속에서 장례를 치를 수 있는 환경을 조성하는 것은 초록구 주민 여러분을 위한 일이기도 합니다. 15기 미만을

운용하면 새 화장장을 건립하는 의미가 없습니다. 원래 계획은 20기를 설치해 하루 8회씩 운용하는 것이었으나, 환경 및 주민 건강에 대한 우려를 반영하여 최소 규모로 추진하려는 것입니다.

초록구 대표 알겠습니다. 15기 운용이 현실적인 최소 필요량이라는 것은 인정합니다. 그러나 환경적으로 안전하도록
<small>초록구의 양보, 합의 ㅤㅤㅤㅤㅤㅤㅤㅤㅤㅤㅤㅤㅤㅤㅤㅤㅤㅤㅤㅤㅤㅤ 환경 오염 문제와 관련된 초록구의 요구</small>
관리를 철저하게 하여 시설을 운용해 주셔야 합니다. 주민 대표로 구성된 감시단이 지속해서 감시하고, 환경 문제가 발생하면 그 즉시 운용 축소를 요구하겠습니다.

푸른시 관계자 저희도 환경 감시 제도를 운용하여 시설 관리를 강화할 계획이었습니다. 주변 500m 이내의 대기, 수
<small>환경 문제에 대한 푸른시의 대안 ②</small>
질, 토양, 생활 환경을 지속해서 평가하는 환경 감시단 활동에 지역 주민 대표가 참여하는 것에 동의합니다. 또한, 환경 오염 없이 시설이 운영되도록 철저히 관리하겠으며, 만약 주민이 우려하는 환경 문제가 발생하면 화장로 가동 횟수를 감축하겠습니다.

초록구 대표 네, 저희도 적극적으로 참여하여 깨끗한 환경이 유지되도록 협조하겠습니다. 그런데 푸른시의 필요 시설 확충으로 저희 구민이 입게 되는 유·무형의 피해를 보상할 현실적 방안은 무엇입니까? 저희는 시에서 생활 편의 시설도 함께 유치해 주시기를 바랍니다. 특히, 초록구는 의료 시설이 부족해 가까운 다른 시나 도심의 의료 시
<small>초록구 주민이 입을 경제적 손실에 대한 요구</small>
설을 이용하고 있으며 문화 체육 시설도 부족합니다. 시립 의료 시설과 종합 체육관을 함께 유치해 주십시오.

확인학습 ···

01 이 글은 친교를 목적으로 하는 말하기이다. ㅤㅤㅤㅤㅤㅤㅤㅤㅤㅤㅤㅤㅤㅤㅤㅤㅤㅤㅤㅤㅤㅤㅤㅤㅤㅤ O□ X□

02 이 글은 공통의 문제의식을 지닌 사람들이 가장 합리적인 해결 방안을 모색하는 말하기이다. ㅤㅤ O□ X□

03 초록구 대표는 화장장 설치로 인해 환경이 오염되는 것보다 화장장이 외부에 노출되는 것을 더욱 우려하고 있다.
ㅤㅤ O□ X□

04 푸른시 관계자는 구체적인 사례를 들어 설명하면서 초록구 대표가 우려하는 점에 대해 안심하도록 유도하고 있다.
ㅤㅤ O□ X□

05 이와 같은 글은 상대방의 반박을 예상하고 이에 적절하게 대응해야 한다. ㅤㅤㅤㅤㅤㅤㅤㅤㅤㅤㅤ O□ X□

06 이와 같은 글은 상대의 입장을 인정하고 의견을 존중하고 있음을 보여 줘야 한다. ㅤㅤㅤㅤㅤㅤㅤ O□ X□

07 이와 같은 글은 상대방의 말에 무조건 동의하고 따뜻한 말로 상대방의 기분을 헤아리며 말해야 한다. ㅤ O□ X□

08 초록구 대표는 푸른시 관계자의 수정안 제시에 불만을 표시하며 외부 노출 방지를 요구한다. ㅤㅤ O□ X□

해결하기 타협과 조정으로 최선의 해결책을 마련하고 합의한다.

푸른시 관계자 푸른시의 평균적 사회·문화 시설 현황에 비추어 볼 때 초록구의 기반 시설이 부족하다는 문제는 시

에서도 이미 파악하고 있습니다. 그러나 현실적으로 종합 체육관 건설은 그 비용과 용도 면에서 부정적입니다. 가

까운 사랑구의 <u>종합 체육관도 만성 적자로 운영이 어렵습니다.</u> 또한, 초록구민도 사랑구의 종합 체육관을 충분히
초록구의 요구를 수용하기 어려움

이용하고 있는 것으로 알고 있습니다.

<u>다만, 시립 의료 병원은 현재 시설이 낙후하여 이전 검토 중인 것으로 알고 있습니다. 시에서도 초록구에 의료</u>
초록구의 요구를 부분적으로 수용함

<u>시설을 이전하는 것을 우선순위로 하겠습니다.</u> 그러나 이 문제는 관계 부처와 협의하여 결정할 사안이므로 최대한

좋은 결과를 이끌어 보겠습니다.

초록구 대표 네, 좋은 결과 기대합니다. 만약 관계 부처의 반대로 시립 의료 병원의 이전이 불가하다는 결론이 나왔

을 때는 시에서 대학 병원 규모의 의료 시설 설립을 허가하는 조건으로 추모 공원 건립에 동의합니다.

푸른시 관계자 좋습니다. 그렇게 추진하도록 하겠습니다. 그러면 지금까지 논의한 내용을 정리하여 협상 합의안을

작성하겠습니다.

푸른시 추모 공원 건립 합의안

1. 푸른시는 초록구 하늘산 일대에 화장장 시설을 포함한 추모 공원을 건립한다.
2. 화장 시설과 진입로를 지하화하여 외부 노출을 최소화한다. → 혐오 시설로서의 성격을 최소화하기 위한 대안
3. 향류형 화장로 시스템 도입으로 공해 발생을 최소화한다. ⎤
4. 화장로는 15기를 설치하여 1일 각 6회 이하로 운영한다. ⎥ 환경 문제 해결을
5. 주민 대표로 구성된 환경 감시단이 화장장 주변 500m 이내의 환경을 지속해서 평가하고, 환경 ⎥ 위한 대안
   문제 발생 시 화장로 가동 횟수를 감축한다. ⎦
6. 푸른시는 초록구에 시립 의료 병원을 이전하거나, 대학 병원 규모 이상의 의료 시설 설립을 허
   가한다. → 구민 피해 보상 차원의 대안

⊙ **핵심정리**

갈래	협상 담화	성격	문제 해결적, 협력적
제재	추모 공원 건립	주제	초록구 하늘산 일대 추모 공원 건립에 대한 협상
특징	• 협상의 절차에 따라 말하기 과정의 점검과 조정이 이루어짐. • 문제 해결을 위한 협상 참여자의 경쟁적, 협력적 말하기가 잘 나타남. • 협상의 시작, 조정, 해결의 단계별 협상 전략이 드러남.		

확인학습 ···

01 협상 과정과 결과를 평가할 때에는 타당한 (　　　　　　)를 들어 상대방을 설득하였는지 평가해 본다.

02 협상의 해결 단계에서는 타협과 조정을 통해 문제를 해결하되, 어느 한쪽이 가장 많은 이득을 얻을 수 있는 해결책을
   제시한다. ○ ☐ × ☐

객관식 기본문제

[01~04] 다음 글을 읽고 물음에 답하시오.

초록구 대표 : 푸른시에서 추진하는 추모 공원 건립 사업이 시 차원에서 필요한 일인 것은 알겠지만, 이러한 결정이 화장 시설 가동으로 발생하는 환경 오염 문제와 혐오 시설 설치에 따른 집값 하락 등 지역 주민이 입을 피해를 고려하신 것인지 궁금합니다. 구민이 입게 될 피해를 최소화할 현실적인 해결책이 없다면 우리 초록구는 시에서 추진하고 있는 추모 공원 건립을 반대합니다.

푸른시 관계자 : 최근 화장에 대한 국민 호응이 급속히 높아지면서 푸른시의 화장률은 2016년에 이미 80%를 넘어섰고, 앞으로 점점 더 높아질 전망입니다. 그러나 푸른시에는 화장 시설이 하나밖에 없습니다. 현재 시설 규모는 한계 능력을 초과하여 수요자의 약 20% 정도가 삼일장(三日葬)을 원하는데도 사일장(四日葬) 이상을 치르거나 다른 지역 화장 시설을 이용하는 불편을 겪고 있습니다. 이에 시에서 시민과 전문가의 의견을 수렴한 결과 하늘산 일대가 시설 건립의 최적지라고 판단하였습니다. 물론, 초록구에서는 환경오염과 집값 하락의 가능성을 걱정하실 수 있습니다. 이것은 이미 확보된 기술로 해결할 수 있다고 생각합니다.

초록구 대표 : 우리는 다음과 같은 사항에서 심각한 피해를 예상하며, 이를 해결하지 못하면 우리 구에 추모 공원을 건립할 수 없다는 것이 구민의 의견입니다. 저희 조사에 따르면 화장 시설이 있는 다른 지역에서 카드뮴, 염화수소, 미세 먼지, 다이옥신, 수은 등이 배출되어 피해를 보는 사례가 보고되고 있습니다. 또한, 대형차량이 통행하면서 발생할 교통 혼잡과 소음 등이 조용한 삶을 선호하는 주민들에게 피해를 줄 것입니다. 우리 주민은 환경적 조건을 가장 중요하게 생각하여 이 지역에 거주하고 있습니다. 환경오염에 대한 시의 대책은 무엇입니까? 다음으로 이러한 주거 조건 하락으로 입을 경제적 손실도 우려됩니다. 우리는 화장 시설 설치가 주민의 주거권을 침해하고 삶의 질을 떨어뜨릴 것이라고 생각합니다.

[A] {
푸른시 관계자 : 아직 우리나라에서 화장장이나 묘지가 혐오 시설로 여겨지는 것은 사실입니다. 그러나 화장 시설 설치는 지방 자치 단체의 의무 사항으로 우리 시가 해결해야 하는 매우 중요한 문제입니다. 미국이나 유럽은 물론 이웃 국가인 일본이나 중국도 주택가에 화장장이 있습니다. 일본은 도쿄 도심에만 공영 화장장이 20개가 넘는데, 그중에는 주택가 한복판에 위치해 바로 옆에 6층 높이의 아파트가 나란히 서 있는 현대식 화장장도 있습니다. 이번에 건립하는 시설도 장례식장, 화장장, 봉안당을 포함한 추모 공원 형태로 조성할 계획입니다. 시민들이 녹지와 다양한 문화 시설을 휴식 공간으로 사용함으로써 오히려 삶의 질을 높일 수 있을 것입니다.

초록구 대표 : 아니, 장례식장과 봉안당이 있는 곳에 어떤 문화 시설을 조성할 수 있으며, 주민이 어떻게 그곳에서 휴식을 취하고 문화를 즐길 수 있다는 말씀이십니까?

푸른시 관계자 : 초록구 주민들께서는 새로 조성되는 추모 공원이 문화 시설로서 가능할 수 없을 것을 우려하시는 것 같습니다. 그러면 봉안당과 장례식장을 제외하고 최소 필요 시설인 화장장만 설치하는 것으로 원안을 수정하여, 문화 시설의 성격이 강화된 추모 공원을 조성하는 안에 대해서는 어떻게 생각하십니까?

초록구 대표 : 저희의 처지를 이해하고 봉안당과 장례식장을 제외하는 안으로 수정해 주셔서 고맙습니다. 그러나 화장장이 있다는 것이 최대한 외부에 드러나지 않았으면 합니다. 장례 차량의 출입이 하늘산 등산객과 인근 주민의 눈에 덜 띄도록 화장 시설을 지하화하고 진입로도 외부로 잘 드러나지 않게 해 주십시오.

푸른시 관계자 : 저희도 주민의 처지에서 화장장이 외부에 노출되는 것을 원하지 않을 것으로 생각하였습니다. 그래서 이를 반영한 설계안을 마련했습니다. 여기, 준비한 설계안을 보시겠습니까? 지상에는 나무숲 공원을 조성하고 방문객이 출입하는 곳은 이 나무숲에 가려지게 설계하여 땅에 묻힌 듯 드러나지 않는 건물을 지으려고 합니다. 그리고 외부에서는 주변 경관에 어울리는 지붕만 보이도록 하겠습니다.

초록구 대표 : 말씀 잘 들었습니다. 건축 설계적 차원에서 기존 화장장의 단점을 보완하려 고심하신 적이 느껴졌습니다. 그러나 저희가 더 우려하는 것은 ㉠환경 문제입니다. 화장장에서 발생하는 소음이나 매연, 분진 및 다이옥신과 수은 등으로 주거 환경이 오염되어 주민의 건강한 삶이 위협받을 수 있다는 점에 대해서는 어떻게 생각하십니까?

푸른시 관계자 : 네, 환경 문제를 우려하는 주민의 마음은 충분히 이해합니다. 그래서 저희는 화장 문화가 발달한 나라의 선진 기술을 도입하여 유해 물질을 제거하는 연소 설비와 가스 냉각 설비를 최고 수준으로 갖출 예정입니다. 특히, 화장로 시스템을 획기적으로 개선하여 공해 발생을 최소화하는 '향류형 화장로'를 설치할 것입니다. 이 시설은 배출되는 다이옥신과 수은을 90% 이상 제거할 수 있습니다.

초록구 대표 : 향류형 화장로가 기존 방식과 무엇이 다르다는 말씀이십니까? 또, 제거를 확신하시지만, 다이옥신과 수은이 배출되는 것은 사실 아닙니까?

푸른시 관계자 : 네, 향류형 화장로라는 말이 좀 생소하시죠? 조금 더 설명해 드리겠습니다. 향류형 화장로는 연소 물질을 화장로 내부에서 4회 연소하는 방식입니다. 매연가스가 밖으로 바로 배출되지 않아서 주민들이 염려하시는 배출 가스와 냄새 문제를 해결한 최첨단 친환경 화장로입니다. 또한, 걱정하시는 다이옥신과 수은의 배출량은 매우 미미합니다. 다이옥신 배출은 소각 시설 허용 기준의 10분의 1 이하이며 수은 배출은 기준치의 1,000분의 1 수준입니다. 저희가 설치할 화장로는 이 또한 분사 냉각 장치와 여과 집진 시설로써 90% 이상 제거할 수 있습니다.

초록구 대표 : 아무리 화장로 시스템이 개선되었다 해도 화장로 15기로 하루 6회씩이나 화장을 하는 것은 지나칩니다. 화장장 및 화장로의 규모를 반으로 축소해 주십시오.

푸른시 관계자 : 현재 우리 시의 상황을 고려할 때 화장로 규모는 양보하기 어렵습니다. 부족한 화장 시설을 확보하려면 15기는 꼭 필요합니다. 우리 시민들이 인근 시의 화장 시설에 의존하지 않고, 원하는 때에 쾌적하고 경건한 분위기 속에서 장례를 치를 수 있는 환경을 조성하는 것은 초록구 주민 여러분을 위한 일이기도 합니다. 15기 미만을 운용하면 새 화장장을 건립하는 의미가 없습니다. 원래 계획은 20기를 설치해 하루 8회씩 운용하는 것이었으나, 환경 및 주민 건강에 대한 우려를 반영하여 최소 규모로 추진하려는 것입니다.

초록구 대표 : 알겠습니다. 15기 운용이 현실적인 최소 필요량이라는 것은 인정합니다. 그러나 환경적으로 안전하도록 관리를 철저하게 하여 시설을 운용해 주셔야 합니다. 주민 대표로 구성된 감시단이 지속해서 감시하고, 환경 문제가 발생하면 그 즉시 운용 축소를 요구하겠습니다.

푸른시 관계자 : 저희도 환경 감시 제도를 운용하여 시설 관리를 강화할 계획이었습니다. 주변 500m 이내의 대기, 수질, 토양, 생활 환경을 지속해서 평가하는 환경 감시단 활동에 지역 주민 대표가 참여하는 것에 동의합니다. 또한, 환경 오염 없이 시설이 운영되도록 철저히 관리하겠으며, 만약 주민이 우려하는 환경 문제가 발생하면 화장로 가동 횟수를 감축하겠습니다.

초록구 대표 : 네, 저희도 적극적으로 참여하여 깨끗한 환경이 유지되도록 협조하겠습니다. 그런데 푸른시의 필요 시설 확충으로 저희 구민이 입게 되는 유·무형의 피해를 보상할 현실적 방안은 무엇입니까? 저희는 시에서 생활 편의 시설도 함께 유치해 주시기를 바랍니다. 특히, 초록구는 의료 시설이 부족해 가까운 다른 시나 도심의 의료 시설을 이용하고 있으며 문화 체육 시설도 부족합니다. 시립 의료 시설과 종합 체육관을 함께 유치해 주십시오.

푸른시 관계자 : 푸른시의 평균적 사회·문화 시설 현황에 비추어 볼 때 초록구의 기반 시설이 부족하다는 문제는 시에서도 이미 파악하고 있습니다. 그러나 현실적으로 종합 체육관 건설은 그 비용과 용도 면에서 부정적입니다. 가까운 사랑구의 종합 체육관도 만성 적자로 운영이 어렵습니다. 또한, 초록구민도 사랑구의 종합 체육관을 충분히 이용하고 있는 것으로 알고 있습니다. 다만, 시립 의료 병원은 현재 시설이 낙후하여 이전 검토 중인 것으로 알고 있습니다. 시에서도 초록구에 의료 시설을 이전하는 것을 우선순위로 하겠습니다. 그러나 이 문제는 관계 부처와 협의하여 결정할 사안이므로 최대한 좋은 결과를 이끌어 보겠습니다.

초록구 대표 : 네, 좋은 결과 기대합니다. 만약 관계 부처의 반대로 시립 의료 병원의 이전이 불가하다는 결론이 나왔을 때는 시에서 대학 병원 규모의 의료 시설 설립을 허가하는 조건으로 추모 공원 건립에 동의합니다.

푸른시 관계자 : 좋습니다. 그렇게 추진하도록 하겠습니다.

---

01 윗글에 나타난 의사소통방식으로 적절하지 <u>않은</u> 것은?

① 상황과 맥락을 고려하여 재진술을 하는 방식으로 상대측 의도를 잘 파악하고 있음을 표현한다.

② 상대방의 이해를 도울 수 있도록 자기 측 주장에 대한 객관적 정보와 설명을 추가 제공한다.

③ 상대방 주장의 오류와 논리의 취약성을 구체적인 자료와 수치를 통해 반박한다.

④ 양측에서 상대방의 입장이나 주장의 배경을 이해하고 협력적으로 풀어가려는 태도를 표현한다.

⑤ 문제의 해결과 조정을 위한 과제를 미리 고려해 보고 구체적인 대안을 제시하여 설득한다.

02 다음 중 '푸른시 관계자'가 협상에 임하기 전에 생각했던 내용 중, 협상에 반영되지 <u>않은</u> 것은?

> 화장 시설의 부족하여 주민들이 불편을 겪고 있음을 강조하기 위해서 ①통계 수치를 언급하며 추모 공원 설립의 필요성을 강조해야겠어. 또한 상대측에서 화장 시설 가동으로 인한 환경 문제를 제기할 것을 대비하여 이와 관련된 ②전문가의 견해를 인용하면서 화장 시설 가동으로 인한 환경 문제는 이미 확보된 기술로 해결할 수 있다는 점을 언급해야겠어. 협상 진행 중에 ③상대방의 입장을 고려해 설계안을 준비하여 제시해야겠어. 한편 협상 과정에서 ④상대방의 말을 재진술하는 방법을 통해 문제를 명확히 하고. 상대의 입장을 이해했다는 것을 전달해야겠어. 마지막으로 ⑤상대방의 요구가 비용과 용도 면에서 부정적인 경우에는 이를 수용하기 어렵다는 점을 분명히 해야겠어.

03 윗글의 ㉠에 대해 협상 주체들이 합의한 내용이 <u>아닌</u> 것은?

① 화장로는 15기를 설치하여 1일 각 6회 이하로 운영한다.
② 향류형 화장로 시스템 도입으로 공해 발생을 최소화한다.
③ 초록구에 시립 의료 시설과 종합체육관을 함께 유치한다.
④ 화장장으로 인한 환경 문제가 발생하면 가동 횟수를 감축한다.
⑤ 주민대표가 참여한 환경 감시단을 운영하여 화장장 주변의 환경을 지속 평가한다.

04 〈보기〉의 내용을 참고하여 [A]를 분석한 내용으로 적절하지 <u>않은</u> 것은?

┤ 보기 ├

> 협상의 조정 단계에서 협상 주체들은 상대의 관점을 이해하고 대안을 검토하며 입장 차를 좁혀 나가게 되는데 참여자들은 이 과정에서 다양한 협상 전략을 사용하게 된다.

① '푸른시 관계자'는 화장장이 혐오 시설로 여겨지는 것이 사실인 점을 언급하며 상대방의 입장을 이해하고 있음을 드러내고 있다.
② '푸른시 관계자'는 도심 속에 추모 공원을 건립하는 것의 타당성을 강조하기 위해서 다른 나라의 사례를 제시하는 전략을 활용하고 있다.
③ '초록구 대표'는 장례식장과 봉안당이 속한 시설은 주민들의 문화 시설로 활용하기에 적절하지 않음을 언급하며 상대방과의 입장에 차이가 있음을 드러내고 있다.
④ '푸른시 관계자'는 상대방의 요구를 수용하면서 화장장만을 설치하는 것으로 원안을 수정하는 방향을 제시하고 있다.
⑤ '초록구 대표'는 화장장만 설치하는 수정안에 동의할 수 없다는 뜻을 밝히며, 상대방에게 추가적인 요구 사항을 제시하고 있다.

초록구 대표 : 우리는 다음과 같은 사항에서 심각한 피해를 예상하며, 이를 해결하지 못하면 우리 구에 추모 공원을 건립할 수 없다는 것이 구민의 의견입니다. 저희 조사에 따르면 화장 시설이 있는 다른 지역에서 카드뮴, 염화 수소, 미세먼지, 다이옥신, 수은 등이 배출되어 피해를 보는 사례가 보고되고 있습니다. 또한, 대형 차량이 통행하면서 발생할 교통 혼잡과 소음 등이 조용한 삶을 선호하는 주민들에게 피해를 줄 것입니다. 우리 주민은 환경적 조건을 가장 중요하게 생각하여 이 지역에 거주하고 있습니다. 환경 오염에 대한 시의 대책은 무엇입니까? 다음으로 이러한 주거 조건 하락으로 입을 경제적 손실도 우려됩니다. 우리는 화장 시설 설치가 주민의 주거권을 침해하고 삶의 질을 떨어뜨릴 것이라고 생각합니다.

[A]
푸른시 관계자 : 아직 우리나라에서 화장장이나 묘지가 혐오 시설로 여겨지는 것은 사실입니다. 그러나 화장 시설 설치는 지방 자치 단체의 의무 사항으로 우리 시가 해결해야 하는 매우 중요한 문제입니다. 미국이나 유럽은 물론 이웃 국가인 일본이나 중국도 주택가에 화장장이 있습니다. 일본은 도쿄 도심에만 공영 화장장이 20개가 넘는데, 그중에는 주택가 한복판에 위치해 바로 옆에 6층 높이의 아파트가 나란히 서 있는 현대식 화장장도 있습니다. 이번에 건립하는 시설도 장례식장, 화장장, 봉안당을 포함한 추모 공원 형태로 조성할 계획입니다. 시민들이 녹지와 다양한 문화 시설을 휴식 공간으로 사용함으로써 오히려 삶의 질을 높일 수 있을 것입니다.

초록구 대표 : 아니, ㉠장례식장과 봉안당이 있는 곳에 어떤 문화 시설을 조성할 수 있으며, 주민이 어떻게 그곳에서 휴식을 취하고 문화를 즐길 수 있다는 말씀이십니까?

푸른시 관계자 : 초록구 주민들께서는 새로 조성되는 추모 공원이 문화 시설로서 가능할 수 없을 것을 우려하시는 것 같습니다. 그러면 ㉡봉안당과 장례식장을 제외하고 최소 필요 시설인 화장장만 설치하는 것으로 원안을 수정하여, 문화 시설의 성격이 강화된 추모 공원을 조성하는 안에 대해서는 어떻게 생각하십니까?

초록구 대표 : ㉢저희의 처지를 이해하고 봉안당과 장례식장을 제외하는 안으로 수정해 주셔서 고맙습니다. 그러나 화장장이 있다는 것이 최대한 외부에 드러나지 않았으면 합니다. 장례 차량의 출입이 하늘산 등산객과 인근 주민의 눈에 덜 띄도록 화장 시설을 지하화하고 진입로도 외부로 잘 드러나지 않게 해 주십시오.

푸른시 관계자 : 저희도 주민의 처지에서 화장장이 외부에 노출되는 것을 원하지 않을 것으로 생각하였습니다. 그래서 이를 반영한 설계안을 마련했습니다. 여기, 준비한 설계안을 보시겠습니까? 지상에는 나무숲 공원을 조성하고 방문객이 출입하는 곳은 이 나무숲에 가려지게 설계하여 땅에 묻힌 듯 드러나지 않는 건물을 지으려고 합니다. 그리고 외부에서는 주변 경관에 어울리는 지붕만 보이도록 하겠습니다.

초록구 대표 : 말씀 잘 들었습니다. 건축 설계적 차원에서 기존 화장장의 단점을 보완하려 고심하신 적이 느껴졌습니다. 그러나 저희가 더 우려하는 것은 환경 문제입니다. 화장장에서 발생하는 소음이나 매연, 분진 및 다이옥신과 수은 등으로 주거 환경이 오염되어 주민의 건강한 삶이 위협받을 수 있다는 점에 대해서는 어떻게 생각하십니까?

푸른시 관계자 : 네, 환경 문제를 우려하는 주민의 마음은 충분히 이해합니다. ㉣그래서 저희는 화장 문화가 발달한 나라의 선진 기술을 도입하여 유해 물질을 제거하는 연소 설비와 가스 냉각 설비를 최고 수준으로 갖출 예정입니다. 특히, 화장로 시스템을 획기적으로 개선하여 공해 발생을 최소화하는 '향류형 화장로'를 설치할 것입니다. 이 시설은 배출되는 다이옥신과 수은을 90% 이상 제거할 수 있습니다.

초록구 대표 : 향류형 화장로가 기존 방식과 무엇이 다르다는 말씀이십니까? 또, 제거를 확신하시지만, 다이옥신과 수은이 배출되는 것은 사실 아닙니까?

푸른시 관계자 : 네, ㉤향류형 화장로라는 말이 좀 생소하시죠? 조금 더 설명해 드리겠습니다. 향류형 화장로는 연소 물질을 화장로 내부에서 4회 연소하는 방식입니다. 매연가스가 밖으로 바로 배출되지 않아서 주민들이 염려하시는 배출 가스와 냄새 문제를 해결한 최첨단 친환경 화장로입니다. 또한, 걱정하시는 다이옥신과 수은의 배출량은 매우 미미합니다. 다이옥신 배출은 소각 시설 허용 기준의 10분의 1 이하이며 수은 배출은 기준치의 1,000분의 1 수준입니다. 저희가 설치할 화장로는 이 또한 분사 냉각 장치와 여과 집진 시설로써 90% 이상 제거할 수 있습니다.

초록구 대표 : 아무리 화장로 시스템이 개선되었다 해도 화장로 15기로 하루 6회씩이나 화장을 하는 것은 지나칩니다. 화장장 및 화장로의 규모를 반으로 축소해 주십시오.

05 위 협상에서 각 참가자들의 말하기 방식으로 옳지 <u>않은</u> 것은?

① 초록구 대표는 추모공원 건립에 대한 문제의식을 바탕으로 자신의 기본 입장을 말하고 있다.
② 푸른시 관계자는 객관적 수치를 바탕으로 추모공원 건립의 필요성에 대해 주장하고 있다.
③ 초록구 대표는 추모 공원 설립으로 인해 생길 피해들을 제시하며 자신의 주장을 강화하고 있다.
④ 초록구 대표의 발언 중간에 푸른시 관계자가 자신의 주장을 펼침으로써 토론 절차를 무시하고 있다.
⑤ 푸른시 관계자는 초록구의 요소를 수용한 수정안을 제시하여 서로의 입장 차이를 좁히려고 한다.

06 추모 공원 건립에 대한 '초록구 대표'와 '푸른시 관계자' 각각의 입장으로 적절하지 <u>않은</u> 것은?

① '초록구 대표'는 '푸른시'가 추진하는 추모 공원 건립의 필요성은 인정하고 있다.
② '초록구 대표'는 추모 공원 건립으로 인해 발생하는 지역 주민의 피해를 우선적으로 고려하고 있다.
③ '푸른시 관계자'는 푸른시의 화장률이 높아지는 것에 반해 화장 시설이 부족하다고 생각하고 있다.
④ '푸른시 관계자'는 초록구민들이 제기하는 환경 오염과 집값 하락 문제에 대한 입장을 이해하고 있다.
⑤ '초록구 대표'도 '푸른시 관계자'와 같이 화장 시설에 따른 문제들은 기술력 확보로 충분히 해결 가능하다는 입장이다.

07 [A]에 대한 설명으로 적절하지 <u>않은</u> 것은?

① 상대방의 입장을 고려하여 주장을 시작하고 있다.
② 법적 의무 사항을 근거로 자신의 주장을 펼치고 있다.
③ 다른 나라 사례를 제시하여 자신의 주장을 뒷받침하고 있다.
④ 주민들의 삶의 질이 향상될 것이라고 상대방 주장을 반박하고 있다.
⑤ 추모 공원으로 조성되어 환경 오염의 문제가 없음을 주장하고 있다.

08 ㉠~㉤에 대한 설명으로 적절하지 <u>않은</u> 것은?

① ㉠ : 장례식장과 봉안당의 기능을 통해 상대방의 주장이 가진 모순점을 지적하고 있다.
② ㉡ : 상대방의 주장을 수용한 수정안을 제시하여 입장 차이를 좁히고 있다.
③ ㉢ : 상대방의 배려를 인정하고 협력적인 자세로 대화에 임하고 있다.
④ ㉣ : 상대방이 우려하는 문제에 대한 해결 대안을 제시하여 상대방을 안심시키고 있다.
⑤ ㉤ : 상대방의 주장이 가진 통계적인 문제점을 지적하며 친환경 화장로 도입을 주장하고 있다.

초록구 대표 : 우리 초록구는 하늘산 자락에 자리를 잡아 공기가 맑고 주변 환경이 조용하기로 유명합니다. 초록구가 다른 지역보다 도시 기반 시설이 부족한데도 우리 구민들은 하늘산의 자연조건에 큰 의의를 두며 생활해 왔습니다. 푸른시에서 추진하는 추모 공원 건립 사업이 시 차원에서 필요한 일인 것은 알겠지만, 이러한 결정이 화장 시설 가동으로 발생하는 환경오염 문제와 혐오 시설 설치에 따른 집값 하락 등 지역 주민이 입을 피해를 고려하신 것인지 궁금합니다. 구민이 입게 될 피해를 최소화할 현실적인 해결책이 없다면 우리 초록구는 시에서 추진하고 있는 추모 공원 건립을 반대합니다.

푸른시 관계자 : ㉠최근 화장에 대한 국민 호응이 급속히 높아지면서 푸른시의 화장률은 2016년에 이미 80%를 넘어섰고, 앞으로 점점 더 높아질 전망입니다. 그러나 푸른시에는 화장 시설이 하나밖에 없습니다. 현재 시설 규모는 한계 능력을 초과하여 수요자의 약 20% 정도가 삼일장(三日葬)을 원하는데도 사일장(四日葬) 이상을 치르거나 다른 지역 화장 시설을 이용하는 불편을 겪고 있습니다. 이에 시에서 시민과 전문가의 의견을 수렴한 결과 하늘산 일대가 시설 건립의 최적지라고 판단하였습니다. 물론, 초록구에서는 환경오염과 집값 하락의 가능성을 걱정하실 수 있습니다. 이것은 이미 확보된 기술로 해결할 수 있다고 생각합니다.

초록구 대표 : 우리는 다음과 같은 사항에서 심각한 피해를 예상하며, 이를 해결하지 못하면 우리 구에 추모 공원을 건립할 수 없다는 것이 구민의 의견입니다. 저희 조사에 따르면 화장 시설이 있는 다른 지역에서 카드뮴, 염화수소, 미세 먼지, 다이옥신, 수은 등이 배출되어 피해를 보는 사례가 보고되고 있습니다. 또한, 대형차량이 통행하면서 발생할 교통 혼잡과 소음 등이 조용한 삶을 선호하는 주민들에게 피해를 줄 것입니다. 우리 주민은 환경적 조건을 가장 중요하게 생각하여 이 지역에 거주하고 있습니다. 환경오염에 대한 시의 대책은 무엇입니까? 다음으로 이러한 주거 조건 하락으로 입을 경제적 손실도 우려됩니다. 우리는 화장 시설 설치가 주민의 주거권을 침해하고 삶의 질을 떨어뜨릴 것이라고 생각합니다.

푸른시 관계자 : ㉡아직 우리나라에서 화장장이나 묘지가 혐오 시설로 여겨지는 것은 사실입니다. 그러나 화장 시설 설치는 지방 자치 단체의 의무 사항으로 우리 시가 해결해야 하는 매우 중요한 문제입니다. 미국이나 유럽은 물론 이웃 국가인 일본이나 중국도 주택가에 화장장이 있습니다. 일본은 도쿄 도심에만 공영 화장장이 20개가 넘는데, 그중에는 주택가 한복판에 위치해 바로 옆에 6층 높이의 아파트가 나란히 서 있는 현대식 화장장도 있습니다. 이번에 건립하는 시설도 장례식장, 화장장, 봉안당을 포함한 추모 공원 형태로 조성할 계획입니다. 시민들이 녹지와 다양한 문화 시설을 휴식 공간으로 사용함으로써 오히려 삶의 질을 높일 수 있을 것입니다.

초록구 대표 : 아니, 장례식장과 봉안당이 있는 곳에 어떤 문화 시설을 조성할 수 있으며, 주민이 어떻게 그곳에서 휴식을 취하고 문화를 즐길 수 있다는 말씀이십니까?

푸른시 관계자 : 초록구 주민들께서는 새로 조성되는 추모 공원이 문화 시설로서 가능할 수 없을 것을 우려하시는 것 같습니다. 그러면 봉안당과 장례식장을 제외하고 최소 필요 시설인 화장장만 설치하는 것으로 원안을 수정하여, 문화 시설의 성격이 강화된 추모 공원을 조성하는 안에 대해서는 어떻게 생각하십니까?

초록구 대표 : ㉢저희의 처지를 이해하고 봉안당과 장례식장을 제외하는 안으로 수정해 주셔서 고맙습니다. 그러나 화장장이 있다는 것이 최대한 외부에 드러나지 않았으면 합니다. 장례 차량의 출입이 하늘산 등산객과 인근 주민의 눈에 덜 띄도록 화장 시설을 지하화하고 진입로도 외부로 잘 드러나지 않게 해 주십시오.

푸른시 관계자 : 저희도 주민의 처지에서 화장장이 외부에 노출되는 것을 원하지 않을 것으로 생각하였습니다. 그래서 이를 반영한 설계안을 마련했습니다. 여기, 준비한 설계안을 보시겠습니까? 지상에는 나무숲 공원을 조성하고 방문객이 출입하는 곳은 이 나무숲에 가려지게 설계하여 땅에 묻힌 듯 드러나지 않는 건물을 지으려고 합니다. 그리고 외부에서는 주변 경관에 어울리는 지붕만 보이도록 하겠습니다.

초록구 대표 : 말씀 잘 들었습니다. 건축 설계적 차원에서 기존 화장장의 단점을 보완하려 고심하신 적이 느껴졌습니다. 그러나 저희가 더 우려하는 것은 환경 문제입니다. 화장장에서 발생하는 소음이나 매연, 분진 및 다이옥신과 수은 등으로 주거 환경이 오염되어 주민의 건강한 삶이 위협받을 수 있다는 점에 대해서는 어떻게 생각하십니까?

푸른시 관계자 : 네, 환경 문제를 우려하는 주민의 마음은 충분히 이해합니다. 그래서 저희는 화장 문화가 발달한 나라의 선진 기술을 도입하여 유해 물질을 제거하는 연소 설비와 가스 냉각 설비를 최고 수준으로 갖출 예정입니다. 특히, 화장로 시스템을 획기적으로 개선하여 공해 발생을 최소화하는 '향류형 화장로'를 설치할 것입니다. 이 시설은 배출되는 다이옥신과 수은을 90% 이상 제거할 수 있습니다.

초록구 대표 : 향류형 화장로가 기존 방식과 무엇이 다르다는 말씀이십니까? 또, 제거를 확신하시지만, 다이옥신과 수은이 배출되는 것은 사실 아닙니까?

푸른시 관계자 : 네, 향류형 화장로라는 말이 좀 생소하시죠? 조금 더 설명해 드리겠습니다. ㉣향류형 화장로는 연소 물질을 화장로 내부에서 4회 연소하는 방식입니다. 매연가스가 밖으로 바로 배출되지 않아서 주민들이 염려하시는 배출 가스와 냄새 문제를 해결한 최첨단 친환경 화장로입니다. 또한, 걱정하시는 다이옥신과 수은의 배출량은 매우 미미합니다. 다이옥신 배출은 소각 시설 허용 기준의 10분의 1 이하이며 수은 배출은 기준치의 1,000분의 1 수준입니다. 저희가 설치할 화장로는 이 또한 분사 냉각 장치와 여과 집진 시설로써 90% 이상 제거할 수 있습니다.

초록구 대표 : 아무리 화장로 시스템이 개선되었다 해도 화장로 15기로 하루 6회씩이나 화장을 하는 것은 지나칩니다. 화장장 및 화장로의 규모를 반으로 축소해 주십시오.

푸른시 관계자 : 현재 우리 시의 상황을 고려할 때 화장로 규모는 양보하기 어렵습니다. 부족한 화장 시설을 확보하려면 15기는 꼭 필요합니다. 우리 시민들이 인근 시의 화장 시설에 의존하지 않고, 원하는 때에 쾌적하고 경건한 분위기 속에서 장례를 치를 수 있는 환경을 조성하는 것은 초록구 주민 여러분을 위한 일이기도 합니다. 15기 미만을 운용하면 새 화장장을 건립하는 의미가 없습니다. 원래 계획은 20기를 설치해 하루 8회씩 운용하는 것이었으나, 환경 및 주민 건강에 대한 우려를 반영하여 최소 규모로 추진하려는 것입니다.

초록구 대표 : ㉤알겠습니다. 15기 운용이 현실적인 최소 필요량이라는 것은 인정합니다. 그러나 환경적으로 안전하도록 관리를 철저하게 하여 시설을 운용해 주셔야 합니다. 주민 대표로 구성된 감시단이 지속해서 감시하고, 환경 문제가 발생하면 그 즉시 운용 축소를 요구하겠습니다.

푸른시 관계자 : 저희도 환경 감시 제도를 운용하여 시설 관리를 강화할 계획이었습니다. 주변 500m 이내의 대기, 수질, 토양, 생활환경을 지속해서 평가하는 환경 감시단 활동에 지역 주민 대표가 참여하는 것에 동의합니다. 또한, 환경 오염 없이 시설이 운영되도록 철저히 관리하겠으며, 만약 주민이 우려하는 환경 문제가 발생하면 화장로 가동 횟수를 감축하겠습니다.

초록구 대표 : 네, 저희도 적극적으로 참여하여 깨끗한 환경이 유지되도록 협조하겠습니다. 그런데 푸른시의 필요 시설 확충으로 저희 구민이 입게 되는 유·무형의 피해를 보상할 현실적 방안은 무엇입니까? 저희는 시에서 생활 편의 시설도 함께 유치해 주시기를 바랍니다. 특히, 초록구는 의료 시설이 부족해 가까운 다른 시나 도심의 의료 시설을 이용하고 있으며 문화 체육 시설도 부족합니다. 시립 의료 시설과 종합 체육관을 함께 유치해 주십시오.

푸른시 관계자 : 푸른시의 평균적 사회·문화 시설 현황에 비추어 볼 때 초록구의 기반 시설이 부족하다는 문제는 시에서도 이미 파악하고 있습니다. 그러나 현실적으로 종합 체육관 건설은 그 비용과 용도 면에서 부정적입니다. 가까운 사랑구의 종합 체육관도 만성 적자로 운영이 어렵습니다. 또한, 초록구민도 사랑구의 종합 체육관을 충분히 이용하고 있는 것으로 알고 있습니다.

　　다만, 시립 의료 병원은 현재 시설이 낙후하여 이전 검토 중인 것으로 알고 있습니다. 시에서도 초록구에 의료 시설을 이전하는 것을 우선순위로 하겠습니다. 그러나 이 문제는 관계 부처와 협의하여 결정할 사안이므로 최대한 좋은 결과를 이끌어 보겠습니다.

초록구 대표 : 네, 좋은 결과 기대합니다. 만약 관계 부처의 반대로 시립 의료 병원의 이전이 불가하다는 결론이 나왔을 때는 시에서 대학 병원 규모의 의료 시설 설립을 허가하는 조건으로 추모 공원 건립에 동의합니다.

푸른시 관계자 : 좋습니다. 그렇게 추진하도록 하겠습니다. 그러면 지금까지 논의한 내용을 정리하여 협상 합의안을 작성하겠습니다.

푸른시 추모 공원 건립 합의안

1. 푸른시는 초록구 하늘산 일대에 화장장 시설을 포함한 추모 공원을 건립한다.
2. 화장 시설과 진입로를 지하화하며 외부 노출을 최소화한다.
3. 향류형 화장로 시스템 도입으로 공해 발생을 최소화한다.
4. 화장로는 15기를 설치하여 1일 각 6회 이하로 운영한다.
5. 주민 대표로 구성된 환경 감시단이 화장장 주변 500m 이내에 환경을 지속해서 평가하고, 환경 문제 발생 시 화장로 가동 횟수를 감축한다.
6. 푸른시는 초록구에 시립 의료 병원을 이전하거나, 대학 병원 규모 이상의 의료 시설 설립을 허가한다.

---

09 위 협상과정에 대한 내용으로 적절하지 <u>않은</u> 것은?

① 시작단계에서는 푸른시와 초록구 사이의 갈등의 원인을 정확히 분석하고 문제 해결의 가능성을 확인한다.

② 조정단계에서는 화장시설 설치에 따른 문제를 면밀히 확인하여 성공적인 협상 결과를 위해 개별 입장을 분명히 밝히는 것을 우선시한다.

③ 조정단계에서 환경 오염 문제 또는 구민피해 보상 문제 등 구체적인 제안이나 대안을 상호 검토하고 다양한 협상의 전략을 사용하여 서로 입장 차를 좁혀 나간다.

④ 해결단계에서 푸른시와 초록구가 어떤 점을 양보하고 어떤 점을 끝까지 지키기 위해서 노력하는지 파악하여 최선의 해결책을 제시하고 타협과 조정을 통해 문제를 해결하고 합의한다.

⑤ 전 과정 속에서 상대방의 반응과 태도를 고려하여 의사소통 과정을 점검·조정한다.

10 ㉠~㉤에 대한 설명으로 적절하지 <u>않은</u> 것은?

① ㉠은 화장에 대한 최근의 국민 호응 상황과 앞으로의 전망을 나타내어 추모공원 건립의 필요성을 부각시킨다.

② ㉡은 협상의 목적과 상황을 고려하고, 초록구의 입장, 감정과 태도를 고려하고 있음이 느껴지도록 배려한 표현이다.

③ ㉢은 푸른시의 배려를 인정하고 초록구의 입장에서도 협력적으로 대화할 마음이 있다는 것을 드러내는 표현이다

④ ㉣은 초록구 대표의 배경지식을 고려하여 부가 설명하는 것으로 이때는 최대한 전문적인 용어를 사용하여 관련 분야 전문가로서의 면모를 보여주는 것이 좋다.

⑤ ㉤은 푸른시의 최소 요구 조건을 파악하고, 협상 진행 과정에서 원안을 적절히 수정하여 수용하는 태도를 보임으로써 의사소통을 원활하게 이끌어가려는 표현이다.

11 위 협상의 과정과 결과를 평가하는 항목으로 적절하지 <u>않은</u> 것은?

① 푸른시, 초록구 양측의 요구와 목적을 바르게 파악하였는가?

② 푸른시, 초록구 각자의 요구 사항을 정확하고 논리적으로 전달하였는가?

③ 푸른시는 상대방을 설득할 시 요구를 수용하지 않을 경우 발생할 결과를 직접 언급했는가?

④ 타협과 조정으로 푸른시, 초록구 양측에게 이익이 되는 결과를 이끌어 냈는가?

⑤ 초록구 대표의 의견을 존중하는 자세로 협상에 참여하였는가?

12 협상에서 고려해야 할 의사소통의 방법으로 적절하지 <u>않은</u> 것은?

① 특정 분야에 대한 전문가의 조율이므로 상대방 예상질문에 대한 답을 말할 내용으로 마련한다.

② 상대방의 입장을 인정하고 의견을 존중하고 있음을 보여준다.

③ 상대방의 이해를 도울 수 있는 정보를 추가로 제공한다.

④ 상대방의 반박을 예상하고 적절하게 대응하거나 원안을 수정하여 대안을 제시한다.

⑤ 억양, 어조 등의 준언어적 표현과 표정, 몸짓 등의 비언어적 표현을 적절히 사용한다.

[01~03] 다음 글을 읽고 물음에 답하시오.

(가) 푸른시 관계자 : 아직 우리나라에서 화장장이나 묘지가 혐오 시설로 여겨지는 것은 사실입니다. 그러나 화장 시설 설치는 지방 자치 단체의 의무 사항으로 우리 시가 해결해야 하는 매우 중요한 문제입니다. 미국이나 유럽은 물론 이웃 국가인 일본이나 중국도 주택가에 화장장이 있습니다. 일본은 도쿄 도심에만 공영 화장장이 20개가 넘는데, 그중에는 주택가 한복판에 위치해 바로 옆에 6층 높이의 아파트가 나란히 서 있는 현대식 화장장도 있습니다. 이번에 건립하는 시설도 장례식장, 화장장, 봉안당을 포함한 추모 공원 형태로 조성할 계획입니다. 시민들이 녹지와 다양한 문화 시설을 휴식 공간으로 사용함으로써 오히려 삶의 질을 높일 수 있을 것입니다.

초록구 대표 : 아니, 장례식장과 봉안당이 있는 곳에 어떤 문화 시설을 조성할 수 있으며, 주민이 어떻게 그곳에서 휴식을 취하고 문화를 즐길 수 있다는 말씀이십니까?

푸른시 관계자 : ⒜초록구 주민들께서는 새로 조성되는 추모 공원이 문화 시설로서 가능할 수 없을 것을 우려하시는 것 같습니다. 그러면 봉안당과 장례식장을 제외하고 최소 필요 시설인 화장장만 설치하는 것으로 원안을 수정하여, 문화 시설의 성격이 강화된 추모 공원을 조성하는 안에 대해서는 어떻게 생각하십니까?

초록구 대표 : 저희의 처지를 이해하고 봉안당과 장례식장을 제외하는 안으로 수정해 주셔서 고맙습니다. 그러나 화장장이 있다는 것이 최대한 외부에 드러나지 않았으면 합니다. 장례 차량의 출입이 하늘산 등산객과 인근 주민의 눈에 덜 띄도록 화장 시설을 지하화하고 진입로도 외부로 잘 드러나지 않게 해 주십시오.

푸른시 관계자 : 저희도 주민의 처지에서 화장장이 외부에 노출되는 것을 원하지 않을 것으로 생각하였습니다. 그래서 이를 반영한 설계안을 마련했습니다. 여기, 준비한 설계안을 보시겠습니까? 지상에는 나무숲 공원을 조성하고 방문객이 출입하는 곳은 이 나무숲에 가려지게 설계하여 땅에 묻힌 듯 드러나지 않는 건물을 지으려고 합니다. 그리고 외부에서는 주변 경관에 어울리는 지붕만 보이도록 하겠습니다.

(나) 푸른시 관계자 : 네, 환경 문제를 우려하는 주민의 마음은 충분히 이해합니다. 그래서 저희는 화장 문화가 발달한 나라의 선진 기술을 도입하여 유해 물질을 제거하는 연소 설비와 가스 냉각 설비를 최고 수준으로 갖출 예정입니다. 특히, 화장로 시스템을 획기적으로 개선하여 공해 발생을 최소화하는 '향류형 화장로'를 설치할 것입니다. 이 시설은 배출되는 다이옥신과 수은을 90% 이상 제거할 수 있습니다.

초록구 대표 : 향류형 화장로가 기존 방식과 무엇이 다르다는 말씀이십니까? 또, 제거를 확신하시지만, 다이옥신과 수은이 배출되는 것은 사실 아닙니까?

푸른시 관계자 : 네, 향류형 화장로라는 말이 좀 생소하시죠? 조금 더 설명해 드리겠습니다. ⒝향류형 화장로는 연소 물질을 화장로 내부에서 4회 연소하는 방식입니다. 매연가스가 밖으로 바로 배출되지 않아서 주민들이 염려하시는 배출 가스와 냄새 문제를 해결한 최첨단 친환경 화장로입니다. 또한, 걱정하시는 다이옥신과 수은의 배출량은 매우 미미합니다. 다이옥신 배출은 소각 시설 허용 기준의 10분의 1 이하이며 수은 배출은 기준치의 1,000분의 1 수준입니다. 저희가 설치할 화장로는 이 또한 분사 냉각 장치와 여과 집진 시설로써 90% 이상 제거할 수 있습니다.

〈중략〉

푸른시 관계자 : 푸른시의 평균적 사회·문화 시설 현황에 비추어 볼 때 초록구의 기반 시설이 부족하다는 문제는 시에서도 이미 파악하고 있습니다. 그러나 현실적으로 종합 체육관 건설은 그 비용과 용도 면에서 부정적입니다. 가까운 사랑구의 종합 체육관도 만성 적자로 운영이 어렵습니다. 또한, 초록구민도 사랑구의 종합 체육관을 충분히 이용하고 있는 것으로 알고 있습니다. 다만, 시립 의료 병원은 현재 시설이 낙후하여 이전 검토 중인 것으로 알고 있습니다. 시에서도 초록구에 의료 시설을 이전하는 것을 우선순위로 하겠습니다. 그러나 이 문제는 관계 부처와 협의하여 결정할 사안이므로 최대한 좋은 결과를 이끌어 보겠습니다.

초록구 대표 : 네, 좋은 결과 기대합니다. 만약 관계 부처의 반대로 시립 의료 병원의 이전이 불가하다는 결론이 나왔을 때는 시에서 대학 병원 규모의 의료 시설 설립을 허가하는 조건으로 추모 공원 건립에 동의합니다.

01 윗글에 대한 설명으로 가장 적절한 것은?

① 사회자의 진행에 따라 자신의 주장을 펼치며 상대방을 설득하는 것을 목적으로 한다.

② 자신의 입장을 관철시키기 위하여 근거를 들어 자기의 주장을 논리적으로 펼치는 말하기이다.

③ 공통의 문제에 대해 여러 가지 해결 방안들을 검토한 뒤 최선의 해결 방안을 선택해야 한다.

④ 서로의 의견을 나누고 정보를 공유한 후 다수의 의견으로 결론을 맺는 의사결정 방식을 따른다.

⑤ 이익이나 주장이 달라 갈등이 생길 때, 타협하고 조정하면서 해결방법을 찾아가는 의사소통 방법이다.

02 Ⓐ와 Ⓑ에 나타나는 말하기 방식만을 〈보기〉에서 있는 대로 고른 것은?

┤ 보기 ├

ㄱ. 상대방의 요구를 수용하며 수정안을 제시한다.

ㄴ. 상대방이 존중하는 권위의 힘에 기대어 주장을 펼친다.

ㄷ. 상대방의 말을 재진술함으로써 상대의 입장을 이해했다는 것을 전달한다.

ㄹ. 합의가 불가능할 경우를 대비하여 방안으로 제 삼자의 조정안을 제안한다.

ㅁ. 상대방의 이해를 도울 수 있는 정보를 추가로 제공함으로써 의사소통을 원활하게 이끌어 나간다.

① ㄱ, ㄷ 　　② ㄴ, ㄹ 　　③ ㄱ, ㄷ, ㅁ 　　④ ㄱ, ㄹ, ㅁ 　　⑤ ㄴ, ㄷ, ㄹ

03 (가)에서 초록구 대표와 푸른시 관계자가 서로의 제안을 검토하며 입장 차를 좁혀가는 과정을 정리한 것으로 적절하지 <u>않은</u> 것은?

푸른시 관계자	초록구 대표
㉠ 장례식장, 화장장, 봉안당을 포함한 추모 공원 형태로 조성할 계획을 밝힘	㉡ 장례식장과 봉안당이 있는 곳에서 문화를 즐기고 휴식을 취할 수 없다는 이의를 제기함
㉢ 선진 문화 기술을 도입하여 문제를 해결할 것임을 강조함	㉣ 시설 및 진입로에 대해 수용 가능한 요구를 제시함
㉤ 요구를 반영하여 외부 노출을 최소화한 설계안을 제시함	

① ㉠ 　　② ㉡ 　　③ ㉢ 　　④ ㉣ 　　⑤ ㉤

[04~06] 다음 글을 읽고 물음에 답하시오.

한 식품 가공 회사는 고속도로에 인접한 농업 기반 도시인 ○○시로 공장을 확장하여 이전하기 위해 시청과 협상하려 한다. 회사 측에서는 비용 부담을 최소화하면서 이전 허가를 받으려 하고, 시청 측에서는 공장 이전을 허가하되 그로 인한 피해를 줄이면서 주민 소득을 늘리려 한다.

(가) 회사 측 : 저희 공장 이전과 관련하여 경제적인 측면에 관심이 많으실 테니 그 문제부터 다루었으면 합니다. 저희가 공장을 확장 이전하자면 전체 직원 수의 10%에 해당하는 인원이 추가로 필요한데, 이를 지역 주민만으로 충원하겠습니다. 경제적인 면에서 분명히 지역에 이득이 될 것입니다. 그러니 이전을 허가해 주시기 바랍니다.

시청 측 : 저희가 걱정하는 건 공장 하수로 인해 하천 오염 및 악취 등의 피해가 발생하는 것입니다. 경제적 효과를 논하기 전에 이에 대한 대비책부터 듣고 싶습니다.

(나) 회사 측 : 예, 공장을 이전하면서 최신 하수 처리 시설을 완비할 예정인데, 하수 배출 관련 규정에 제시된 것보다 더 엄격한 기준으로 정화 및 탈취 처리를 하겠습니다.

시청 측 : 좋습니다. 하수 처리가 철저하게 된다면 공장 이전을 긍정적으로 검토할 수 있겠습니다. 그럼 처음에 제안하셨던 내용으로 돌아가 볼까요. 지역 주민 채용에 대해 말씀하셨는데, 일자리가 늘긴 하겠지만 주민 다수가 공장 이전의 효과를 체감하기엔 제시하신 인원이 너무 적습니다. 말씀하신 채용 인원을 세 배 늘려 주십시오.

(다) 회사 측 : 그러려면 공장 이전과 동시에 기존 직원 수를 줄이거나 전체 인원을 더 늘려야 하는데, 곤란합니다. 대신 채용 인원을 점차 늘려 5년 후에는 현재 채용 예정 인원의 두 배가 되게 하면 어떻겠습니까? 그 이상은 불가능하다는 것을 이해해 주시기 바랍니다.

시청 측 : 알겠습니다. 말씀대로 수용하겠습니다. 대신에 가공 식품 원료로 우리 지역의 농산물을 구입해 주십시오. 그러면 공장 이전으로 인한 소득 증대 효과를 주민 다수가 체감할 수 있을 것 같군요.

(라) 회사 측 : 좋습니다. 어차피 다른 지역과 가격 차이가 없으니 그렇게 하지요. 그 대신 지역 주민들도 안정된 판로를 확보하게 되는 셈이니, 저희가 농산물을 보다 저렴한 가격에 구입할 수 있도록 해 주십시오.

시청 측 : 저희 농산물을 구입하신다면 가격 할인 없이도 회사 측에 운송비 절감의 이득이 생기지 않습니까? 그리고, 아시겠지만 농산물 가격 문제는 저희가 결정할 수 있는 것이 아닙니다. 다음에 생산 농가 주민들과 협상할 수 있는 자리를 따로 마련할 수는 있습니다.

회사 측 : 좋습니다. 그렇게 해 주십시오.

04 위 글에 대한 설명으로 적절하지 **않은** 것은?

① (가)에서 회사 측은 세부 쟁점을 경제적 측면에 두고 타협을 위한 대안을 제시하고 있다.

② (가)에서 회사 측이 호혜성의 법칙에 따라 대안을 제시하였는데, 제안하는 측에 손실이 발생하는 대신 상대방에게 이익을 주어 합의를 이끌어 내고자 한다.

③ (나)에서 회사 측과 시청 측이 해당 의제에 대한 입장을 구체적으로 밝힘으로 상대의 처지와 관점을 이해하고 서로 검토하며 입장 차를 좁혀가고 있다.

④ (다)에서 회사 측은 최대 양보선을 제시하고 있고, 시청 측은 요구 사항의 원안을 조정하여 적절한 대안을 제시하고 있다.

⑤ (라)에서 회사 측은 상대의 재절충안을 재검토하여 새로운 요구사항을 제시하고 있고, 시청 측은 회사 측 요구 사항에 대한 결정 주체가 아님을 근거로 삼자 조정의 대안을 제시하고 있다.

05 위 담화 유형에 관한 설명으로 적절하지 **않은** 것은?

① 협상 참가자는 입장이 다른 둘 이상의 주체가 참여해야 한다.

② 협상이 진행되는 과정에서 쟁점이 변경되거나 새롭게 구성되기도 한다.

③ 참여자의 특성은 토론의 경우 상호 경쟁적, 토의는 상호 협조적이라는 기준에서 협상은 경쟁적 협력의 특성을 띤다.

④ 협상의 초점은 쟁점에 대해 논쟁하여 자신의 이익이나 입장을 관철하는 데 목적이 있다.

⑤ 의사소통의 주된 내용은 서로의 입장 조정을 통한 공통의 합의를 통해 문제를 해결하고자 하는 것이다.

06 협상의 절차를 고려하였을 때, (가)~(라) 이후의 단계에서 수행해야 할 내용으로 가장 적절한 것은?

① 합의된 사실을 확인하거나 서로 간에 합의문으로 작성한다.

② 상대방의 목표를 확인하고 문제 해결의 가능성을 탐색한다.

③ 구체적인 협상안이나 대안을 제시하고 서로 검토한다.

④ 의사 결정을 위한 충분한 자료를 확보하고 잠정적으로 의사를 결정한다.

⑤ 참여자가 주어진 문제를 해결하기 위해 내적 협상 단계를 가져본다.

[07~08] 다음은 교복 업체 선정을 주제로 실시한 다자간 모의 협상의 일부이다. 물음에 답하시오.

업체 대표 : 새 교복 디자인에 대한 제안서를 잘 보았습니다. 기존 교복의 단점을 보완하는 굉장히 훌륭한 디자인입니다. 아시다시피 저희 ○○ 업체는 국내 교복 제작 업체 중 가장 뛰어난 기술력을 보유하고 있고 교복 제작 경험도 많습니다. 훌륭한 디자인을 바탕으로 한 좋은 품질의 교복을 입는 것이 저희에게도, 학교와 학생들에게도 가장 좋은 일이 아니겠습니까?

학부모 대표 : 저희는 그동안 실용성과 활동성을 고려하지 않은 교복 디자인 때문에 학생들이 불편을 겪어 온 만큼, 이번에 꼭 교복 디자인이 개선되었으면 하는 입장입니다. 하지만 교복은 학생 모두가 의무적으로 구입해야 하는 옷이니만큼, 교복 가격은 굉장히 예민한 문제입니다. 저희는 교복 단가 인상은 받아들일 수 없습니다.

학교 대표 : 학교에서는 새 디자인이 학생들이 민주적인 절차를 거쳐 결정한 것이니만큼 가급적 교복에 반영되었으면 좋겠다는 입장입니다. 그리고 저희 역시 교복 가격 인상이 학생들에게 큰 부담을 지우게 되는 만큼, 예년의 인상폭 이상의 가격 인상은 반대하는 입장입니다.

업체 대표 : 음, 저희가 보내 드렸던 자료를 보시면 아시겠지만, 실제로 원단의 공급 원가가 작년 대비 평균 9%나 올랐습니다. 따라서 최소 9% 이상의 가격 인상은 불가피한데다 학생들이 제시한 새 디자인을 반영하려면 적어도 15% 정도 단가가 인상되어야 합니다.

학부모 대표 : 15%라니 말도 안 됩니다. 그렇다면 저희 쪽에서는 다른 교복 업체를 찾아보도록 하겠습니다.

업체 대표 : 자, 어떻게든 문제를 해결하기 위해 노력해야 하지 않겠습니까? 저희도 눈 가리고 아웅 하는 식으로 디자인만 그럴듯하게 교복을 제작하고, 정작 가장 중요한 원단의 품질을 떨어뜨리는 방법으로 단가를 유지할 수도 있습니다. 그렇지만 학생들이 온종일 입고 생활 할 옷인데 그래서야 되겠습니까? 저희가 양보할 부분이 있다면, 적극적으로 학부모 측과 학교 측의 의견을 반영하여 수용하도록 하겠습니다.

학교 대표 : 내부적으로 여러 업체를 비교한 결과, ○○ 업체가 가장 합리적인 조건을 제시했기 때문에 오늘 이렇게 자리를 함께하게 된 것입니다. 학부모 측에서도 좋은 품질의 교복을 위해서라면 예년 수준의 가격 인상에 대해서는 협상의 여지가 남아 있지 않을까요?

[A]
> **학부모 대표** : 저희는 원래 교복 단가를 현상 유지하는 것을 목표로 했었는데 ……. 알겠습니다. 정 그렇다면, 5%의 가격 인상은 받아들이도록 하겠습니다. 대신, 업체 측에서 학생들의 편의를 위한 방안을 마련해 주는 것은 어떨까요? 교복을 구매할 때 여러 사은품이 따라오지만, 막상 유용한 것들은 별로 없습니다. 그런 사은품 대신 교복의 기본 구성에 상의 셔츠 1벌을 더 추가해 주시고, 교복에 달 명찰을 무료로 제작해 주세요.
>
> **업체 대표** : 명찰 무료 서비스는 가능합니다. 다만, 상의 셔츠 추가는 비용이 많이 드는 일이라서 ……. 이렇게 하지요. 교복의 기본 구성에 셔츠 1벌을 추가하는 방안을 적극 검토할 테니, 10%의 단가 인상은 학부모 측과 학교 측에서도 받아들여 주셨으면 합니다. 교복 구성에 추가되는 셔츠 1벌의 가격을 감안하면, 학생들이 체감하는 실제 인상 폭은 5% 정도일 것이라고 보입니다.
>
> **학교 대표** : 고려해 보겠습니다. 대신 이 협상이 성사되면 ○○ 업체가 우리 학교의 교복을 3년간 전담하게 되는 것인데, 계약 기간인 3년 동안 더 이상의 교복 가격 인상은 없었으면 합니다.
>
> **업체 대표** : 알겠습니다. 3년간 교복 단가를 인상하지 않겠습니다. 그래서 말인데 , 좋은 품질의 교복을 안정적으로 공급하기 위해 전속 계약 기간을 5년으로 연장해 주셨으면 좋겠습니다.

학교 대표 : 학교 측에서도 ○○업체를 신뢰하는 마음에서, 새 교복 업체 결정이 원만하게 이루어졌으면 한다는 점을 잘 아시지 않습니까? 그 문제는 성급하게 결정하기보다는 천천히 검토하는 것이 좋을 것 같습니다.

업체 대표 : 그렇다면 그 문제는 학교 측과 별도로 만나 추후 다시 협상을 하는 것으로 하겠습니다.

---

07 협상의 절차에 따라 '업체 대표'가 사용한 협상 방식에 대한 설명으로 적절하지 <u>않은</u> 것은?

시작	상대방을 칭찬하면서 협상의 원만한 분위기 조성에 앞장서고 있다.	
	자신들의 역량과 경험을 강조하면서 공동의 이익을 환기하고 있다. ·················· ①	
조정	자료를 근거로 들어서 인상률을 협상할 때의 기준을 마련하고 있다. ·················· ②	
	협상이 결렬되었을 때 자신들이 입을 손해를 들어 감정에 호소하고 있다. ·················· ③	
	상대방의 제안 중 일부는 수용하고 일부는 상대방의 양보를 유도하고 있다. ·················· ④	
해결	자신들에게 유리한 조건을 추가하면서 협상을 마무리하려고 시도하고 있다. ·················· ⑤	

08 〈보기〉는 위 협상의 협상 과정을 그림으로 나타낸 것이다. ⓐ~ⓔ에 대한 설명으로 적절하지 <u>않은</u> 것은?

┤ 보기 ├

협상은 서로 다른 목표점을 지닌 당사자들이 상호 교섭하는 행위이다. 협상 당사자들은 서로의 최종 양보점 사이에서 실현 가능한 타협점을 찾아야 하는데, [A]에 나타나는 '학교 대표–업체 대표'간의 타협점 탐색은 ⓑ로, '학부모 대표–업체 대표' 간의 타협점 탐색은 ⓓ로 표현할 수 있다.

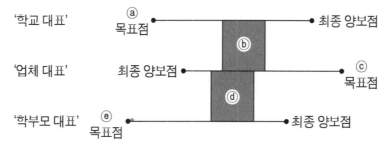

① ⓐ : 교복 단가의 인상 폭을 예년 수준으로 유지하면서, 전속 계약 기간을 연장하는 것이다.

② ⓑ : 학교 측에서 10%의 가격 인상을 수용하는 조건으로, 업체 측에서 추후 3년간 교복 가격을 동결하는 것이다.

③ ⓒ : 새 교복을 전담할 업체로 선정되면서, 계획대로 교복 단가를 15% 인상하는 것이다.

④ ⓓ : 학부모 측에서 가격 인상을 수용하는 조건으로, 업체 측에서 학생들의 편의를 위한 대안을 마련하는 것이다.

⑤ ⓔ : 새 교복 디자인을 반영하면서, 교복 단가를 인상하지 않는 것이다.

[09~11] 다음 글을 읽고 물음에 답하시오.

(가) 초록구 대표 : 아니, 장례식장과 봉안당이 있는 곳에 어떤 문화 시설을 조성할 수 있으며, 주민이 어떻게 그곳에서 휴식을 취하고 문화를 즐길 수 있다는 말씀이십니까?

푸른시 관계자 : 초록구 주민들께서는 새로 조성되는 추모 공원이 문화 시설로서 가능할 수 없을 것을 우려하시는 것 같습니다. 그러면 봉안당과 장례식장을 제외하고 최소 필요 시설인 화장장만 설치하는 것으로 원안을 수정하여, 문화 시설의 성격이 강화된 추모 공원을 조성하는 안에 대해서는 어떻게 생각하십니까?

초록구 대표 : 저희의 처지를 이해하고 봉안당과 장례식장을 제외하는 안으로 수정해 주셔서 고맙습니다. 그러나 화장장이 최대한 외부에 드러나지 않았으면 합니다. 화장 시설을 지하화하고 진입로도 외부로 잘 드러나지 않게 해 주십시오.

〈중략〉

초록구 대표 : 저희가 더 우려하는 것은 환경 문제입니다. 화장장에서 발생하는 소음이나 매연, 분진 및 다이옥신과 수은 등으로 주거 환경이 오염되어 주민의 건강한 삶이 위협받을 수 있다는 점에 대해서는 어떻게 생각하십니까?

푸른시 관계자 : 네, 환경 문제를 우려하는 주민의 마음은 충분히 이해합니다. 그래서 저희는 화장로 시스템을 획기적으로 개선하여 공해 발생을 최소화하는 '향류형 화장로'를 설치할 것입니다.

초록구 대표 : 향류형 화장로가 기존 방식과 무엇이 다르다는 말씀이십니까? 또, 제거를 확신하시지만, 다이옥신과 수은이 배출되는 것은 사실 아닙니까?

푸른시 관계자 : 네, 향류형 화장로라는 말이 좀 생소하시죠? 조금 더 설명해 드리겠습니다. 향류형 화장로는 연소 물질을 화장로 내부에서 4회 연소하는 주민들이 염려하시는 배출 가스와 냄새 문제를 해결한 최첨단 친환경 화장로입니다. 또한 걱정하시는 다이옥신과 수은의 배출량은 매우 미미합니다. 다이옥신 배출은 소각 시설 허용 기준의 10분의 1 이하이며 수은 배출은 기준치의 1,000분의 1 수준입니다. 저희가 설치할 화장로는 이 또한 분사 냉각 장치와 여과 집진 시설로써 90% 이상 제거할 수 있습니다.

초록구 대표 : 아무리 화장로 시스템이 개선되었다 해도 화장로 15기로 하루 6회씩이나 화장을 하는 것은 지나칩니다. 화장장 및 화장로의 규모를 반으로 축소해 주십시오.

푸른시 관계자 : 현재 우리 시의 상황을 고려할 때 화장로 규모는 양보하기 어렵습니다. 부족한 화장 시설을 확보하려면 15기는 꼭 필요합니다. 15기 미만을 운용하면 새 화장장을 건립하는 의미가 없습니다. 원래 계획은 20기를 설치해 하루 8회씩 운용하는 것이었으나, 환경 및 주민 건강에 대한 우려를 반영하여 최소 규모로 추진하려는 것입니다.

초록구 대표 : 알겠습니다. 15기 운용이 현실적인 최소 필요량이라는 것은 인정합니다. 그러나 환경적으로 안전하도록 관리를 철저하게 하여 시설을 운용해 주셔야 합니다. 주민 대표로 구성된 감시단이 지속해서 감시하고, 환경 문제가 발생하면 그 즉시 운용 축소를 요구하겠습니다.

(나) 행복시 관계자 : 문화시가 들꽃 축제와 비슷한 축제를 개최해서 우리 시 축제의 고유성이 훼손되었다. 문화시는 풀꽃 축제를 중단해야 한다.

문화시 관계자 : 들꽃이나 풀꽃을 소재로 한 축제는 행복시의 전유물이라고 주장하시니 저희로서는 이해가 되지 않네요. 소재만 비슷하기 때문에 중단할 이유가 전혀 없습니다.

행복시 관계자 : 들꽃이나 풀꽃을 소재로 한 축제는 우리 시에서 2010년 처음 실시한 것입니다. 또한 화면에 제시한 문화시와 우리 시의 축제 내용이 담긴 소책자를 보시면, 문화시의 축제 내용과 우리 시의 축제 내용에 큰 차이가 없습니다. 문화시의 축제 개최 이후 우리 시의 관광객이 감소하여 우리 시의 경제적 손실이 매우 큽니다. 당장 축제를 당장 중단해주십시오.

문화시 관계자 : 우리 시에 관광객이 몰리는 이유는 저희 축제가 행복시 축제보다 훨씬 알차기 때문입니다. 이는 저희의 잘못이 아니므로 중단할 수 없습니다.

행복시 관계자 : 문화시가 풀꽃 축제의 내용을 우리 축제의 내용과 더욱 다르게 하고, 관광객이 감소해 발생한 우리 시의 경제적 손실을 보전해 준다면, 문화시의 풀꽃 축제 운영을 반대하지 않겠습니다.

문화시 관계자 : 풀꽃 축제의 내용을 바꾸는 것과 행복시의 경제적 손실에 대한 보전 모두 어려울 것 같습니다.

행복시 관계자 : 그렇다면 경제적 손실만이라도 일부만 보전해 주십시오. 그 대신 유동 인구가 많은 문화시에서 우리 시의 들꽃 축제를 홍보하여 다시 관광객이 늘 수 있도록 도와주십시오.

09 (가)와 (나)는 협상의 한 장면이다. 협상에서의 바른 의사소통 방법으로 옳은 것을 모두 고른 것은?

> ⊙ 이익 또는 주장이 달라 갈등이 생길 때 타협과 조정을 통해 해결 방법을 찾는 의사소통 방법이다.
> ⓛ 상대의 요구와 반박을 예상하여 이를 위한 대안을 충분히 마련해야 한다.
> ⓒ 조정하기 단계에서 협상 주체들은 상대가 제시한 대안을 검토하며 입장 차를 강조해야 한다.
> ⓔ 상대의 상황, 처지를 고려하기보다는 자신에게 유리한 방향으로 발언하여 원하는 결과를 얻어야 한다.
> ⓜ 상대가 이해하지 못한 내용에 대해서는 정보를 추가적으로 제공하여 의사소통이 원활히 이루어지도록 해야 한다.

① ㄱ, ㄴ, ㄷ   ② ㄱ, ㄴ, ㄹ   ③ ㄱ, ㄴ, ㅁ   ④ ㄱ, ㄷ, ㅁ   ⑤ ㄴ, ㄷ, ㅁ

10 (가)에 대한 설명으로 적절하지 <u>않은</u> 것은?

① 푸른시 관계자는 상대의 말을 다시 언급해 상대의 발언에 대한 의문을 드러내고 있다.
② 초록구 대표는 자신의 제안을 받아들여 수정안을 제시한 푸른시 측에 감사를 표하며 협력적으로 의사소통을 하고자 한다.
③ 푸른시 관계자는 초록구 대표의 요구 사항에 대한 대안을 제시하여 타협과 조정을 통해 갈등 상황을 원활히 해결하고자 한다.
④ 푸른시 관계자는 자신의 의견을 양보하기도 하지만, 양보할 수 없는 조건을 명확히 제시하여 의사소통의 목적을 달성하고자 한다.
⑤ 초록구 대표는 푸른시의 최소 요구 조건을 알고 자신들의 의견을 양보하여 원안을 수용하는 대신 다른 조건을 더해서 제시하고 있다.

11 (나)의 '문화시 관계자'의 발언에 대한 설명으로 가장 적절한 것은?

① 자신의 이익은 고려하지 않고 상대의 입장만 배려하는 모습을 보인다.
② '행복시 관계자'와 달리 상대의 입장을 고려하기 보다 자신의 입장을 유지하려고 한다.
③ 상대측의 제안에 대해 자신의 최소 요구 사항을 제시하며 갈등을 해결하기 위한 노력을 기울이고 있다.
④ 자신의 요구에 대한 '문화시 관계자'의 대안을 적극적으로 수용하는 모습을 보이며 문제 해결의 의지를 보인다.
⑤ 협상이 결렬되지 않도록 자신의 의견과 상대측의 의견을 적절히 타협하고 조정하면서 의사소통을 진행하고 있다.

[12~15] 다음 글을 읽고 물음에 답하시오.

초록구 대표 : 우리 초록구는 하늘산 자락에 자리를 잡아 공기가 맑고 주변 환경이 조용하기로 유명합니다. 초록구가 다른 지역보다 도시 기반 시설이 부족한데도 우리 구민들은 하늘산의 자연조건에 큰 의의를 두며 생활해 왔습니다. 푸른 시에서 추진하는 추모 공원 건립 사업이 시 차원에서 필요한 일인 것은 알겠지만, 이러한 결정이 화장 시설 가동으로 발생하는 환경오염 문제와 혐오 시설 설치에 따른 집값 하락 등 지역 주민이 입을 피해를 고려하신 것인지 궁금합니다. 구민이 입게 될 피해를 최소화할 현실적인 해결책이 없다면 우리 초록구는 시에서 추진하고 있는 추모 공원 건립을 반대합니다. 〈중략〉

초록구 대표 : 우리는 다음과 같은 사항에서 심각한 피해를 예상하며, 이를 해결하지 못하면 우리 구에 추모 공원을 건립할 수 없다는 것이 구민의 의견입니다. 저희 조사에 따르면 화장 시설이 있는 다른 지역에서 카드뮴, 염화수소, 미세 먼지, 다이옥신, 수은 등이 배출되어 피해를 보는 사례가 보고되고 있습니다. 또한, 대형차량이 통행하면서 발생할 교통 혼잡과 소음 등이 조용한 삶을 선호하는 주민들에게 피해를 줄 것입니다. 우리 주민은 환경적 조건을 가장 중요하게 생각하여 이 지역에 거주하고 있습니다. 환경오염에 대한 시의 대책은 무엇입니까? 다음으로 이러한 주거 조건 하락으로 입을 경제적 손실도 우려됩니다. 우리는 화장 시설 설치가 주민의 주거권을 침해하고 삶의 질을 떨어뜨릴 것이라고 생각합니다.

푸른시 관계자 : 아직 우리나라에서 화장장이나 묘지가 혐오 시설로 여겨지는 것은 사실입니다. 그러나 화장 시설 설치는 지방 자치 단체의 의무 사항으로 우리 시가 해결해야 하는 매우 중요한 문제입니다. 미국이나 유럽은 물론 이웃 국가인 일본이나 중국도 주택가에 화장장이 있습니다. 일본은 도쿄 도심에만 공영 화장장이 20개가 넘는데, 그중에는 주택가 한복판에 위치해 바로 옆에 6층 높이의 아파트가 나란히 서 있는 현대식 화장장도 있습니다. 이번에 건립하는 시설도 장례식장, 화장장, 봉안당을 포함한 추모 공원 형태로 조성할 계획입니다. 시민들이 녹지와 다양한 문화 시설을 휴식 공간으로 사용함으로써 오히려 삶의 질을 높일 수 있을 것입니다.

초록구 대표 : 아니, 장례식장과 봉안당이 있는 곳에 어떤 문화 시설을 조성할 수 있으며, 주민이 어떻게 그곳에서 휴식을 취하고 문화를 즐길 수 있다는 말씀이십니까?

푸른시 관계자 : 초록구 주민들께서는 새로 조성되는 추모 공원이 문화 시설로서 기능할 수 없을 것을 우려하시는 것 같습니다. 그러면 봉안당과 장례식장을 제외하고 최소 필요 시설인 화장장만 설치하는 것으로 원안을 수정하여, 문화 시설의 성격이 강화된 추모 공원을 조성하는 안에 대해서는 어떻게 생각하십니까?

초록구 대표 : 저희의 처지를 이해하고 봉안당과 장례식장을 제외하는 안으로 수정해 주셔서 고맙습니다. 그러나 화장장이 있다는 것이 최대한 외부에 드러나지 않았으면 합니다. 장례 차량의 출입이 하늘산 등산객과 인근 주민의 눈에 덜 띄도록 화장 시설을 지하화하고 진입로도 외부로 잘 드러나지 않게 해 주십시오.

푸른시 관계자 : 저희도 주민의 처지에서 화장장이 외부에 노출되는 것을 원하지 않을 것으로 생각하였습니다. 그래서 이를 반영한 설계안을 마련했습니다. 여기, 준비한 설계안을 보시겠습니까? 지상에는 나무숲 공원을 조성하고 방문객이 출입하는 곳은 이 나무숲에 가려지게 설계하여 땅에 묻힌 듯 드러나지 않는 건물을 지으려고 합니다. 그리고 외부에서는 주변 경관에 어울리는 지붕만 보이도록 하겠습니다.

초록구 대표 : 말씀 잘 들었습니다. 건축 설계적 차원에서 기존 화장장의 단점을 보완하려 고심하신 적이 느껴졌습니다. 그러나 저희가 더 우려하는 것은 환경 문제입니다. 화장장에서 발생하는 소음이나 매연, 분진 및 다이옥신과 수은 등으로 주거 환경이 오염되어 주민의 건강한 삶이 위협받을 수 있다는 점에 대해서는 어떻게 생각하십니까?

푸른시 관계자 : 네, 환경 문제를 우려하는 주민의 마음은 충분히 이해합니다. 그래서 저희는 화장 문화가 발달한 나라의 선진 기술을 도입하여 유해 물질을 제거하는 연소 설비와 가스 냉각 설비를 최고 수준으로 갖출 예정입니다. 특히, 화장로 시스템을 획기적으로 개선하여 공해 발생을 최소화하는 '향류형 화장로'를 설치할 것입니다. 이 시설은 배출되는 다이옥신과 수은을 90% 이상 제거할 수 있습니다.

초록구 대표 : 향류형 화장로가 기존 방식과 무엇이 다르다는 말씀이십니까? 또, 제거를 확신하시지만, 다이옥신과 수은이 배출되는 것은 사실 아닙니까?

푸른시 관계자 : 네, 향류형 화장로라는 말이 좀 생소하시죠? 조금 더 설명해 드리겠습니다. 향류형 화장로는 연소 물질을 화장로 내부에서 4회 연소하는 방식입니다. 매연가스가 밖으로 바로 배출되지 않아서 주민들이 염려하시는 배출 가스와 냄새 문제를 해결한 최첨단 친환경 화장로입니다. 또한, 걱정하시는 다이옥신과 수은의 배출량은 매우 미미합니다. 〈중략〉

초록구 대표 : 아무리 화장로 시스템이 개선되었다 해도 화장로 15기로 하루 6회씩이나 화장을 하는 것은 지나칩니다. 화장장 및 화장로의 규모를 반으로 축소해 주십시오.

푸른시 관계자 : 현재 우리 시의 상황을 고려할 때 화장로 규모는 양보하기 어렵습니다. 부족한 화장 시설을 확보하려면 15기는 꼭 필요합니다. 우리 시민들이 인근 시의 화장 시설에 의존하지 않고, 원하는 때에 쾌적하고 경건한 분위기 속에서 장례를 치를 수 있는 환경을 조성하는 것은 초록구 주민 여러분을 위한 일이기도 합니다. 15기 미만을 운용하면 새 화장장을 건립하는 의미가 없습니다. 원래 계획은 20기를 설치해 하루 8회씩 운용하는 것이었으나, 환경 및 주민 건강에 대한 우려를 반영하여 최소 규모로 추진하려는 것입니다.

초록구 대표 : 알겠습니다. 15기 운용이 현실적인 최소 필요량이라는 것은 인정합니다. 그러나 환경적으로 안전하도록 관리를 철저하게 하여 시설을 운용해 주셔야 합니다. 주민 대표로 구성된 감시단이 지속해서 감시하고, 환경 문제가 발생하면 그 즉시 운용 축소를 요구하겠습니다.

푸른시 관계자 : 저희도 환경 감시 제도를 운용하여 시설 관리를 강화할 계획이었습니다. 주변 500m 이내의 대기, 수질, 토양, 생활환경을 지속해서 평가하는 환경 감시단 활동에 지역 주민 대표가 참여하는 것에 동의합니다. 또한, 환경 오염 없이 시설이 운영되도록 철저히 관리하겠으며, 만약 주민이 우려하는 환경 문제가 발생하면 화장로 가동 횟수를 감축하겠습니다.

초록구 대표 : 네, 저희도 적극적으로 참여하여 깨끗한 환경이 유지되도록 협조하겠습니다. 그런데 푸른시의 필요 시설 확충으로 저희 구민이 입게 되는 유·무형의 피해를 보상할 현실적 방안은 무엇입니까? 저희는 시에서 생활 편의 시설도 함께 유치해 주시기를 바랍니다. 특히, 초록구는 의료 시설이 부족해 가까운 다른 시나 도심의 의료 시설을 이용하고 있으며 문화 체육 시설도 부족합니다. 시립 의료 시설과 종합 체육관을 함께 유치해 주십시오.

푸른시 관계자 : 푸른시의 평균적 사회·문화 시설 현황에 비추어 볼 때 초록구의 기반 시설이 부족하다는 문제는 시에서도 이미 파악하고 있습니다. 그러나 현실적으로 종합 체육관 건설은 그 비용과 용도 면에서 부정적입니다. 가까운 사랑구의 종합 체육관도 만성 적자로 운영이 어렵습니다. 또한, 초록구민도 사랑구의 종합 체육관을 충분히 이용하고 있는 것으로 알고 있습니다.

다만, 시립 의료 병원은 현재 시설이 낙후하여 이전 검토 중인 것으로 알고 있습니다. 시에서도 초록구에 의료 시설을 이전하는 것을 우선순위로 하겠습니다. 그러나 이 문제는 관계 부처와 협의하여 결정할 사안이므로 최대한 좋은 결과를 이끌어 보겠습니다.

초록구 대표 : 네, 좋은 결과 기대합니다. 만약 관계 부처의 반대로 시립 의료 병원의 이전이 불가하다는 결론이 나왔을 때는 시에서 대학 병원 규모의 의료 시설 설립을 허가하는 조건으로 추모 공원 건립에 동의합니다.

12 윗글을 읽고 초록구 대표의 의견에 대한 설명으로 적절하지 <u>않은</u> 것은?

① 주거 조건 하락으로 입을 경제적 손실을 우려하고 있다.
② 구민의 피해를 최소화할 수 있는 대책을 요구하고 있다.
③ 장례식장을 포함한 추모 공원을 조성하는 데 동의하고 있다.
④ 협상 과정에서 푸른시 관계자의 최소 요구 사항에 대해 양보하고 합의하고 있다.
⑤ 추모 공원 설립으로 인해 생길 환경 오염문제에 대한 시의 대책을 요구하고 있다.

13 다음 중 푸른시 관계자의 말하기 방식으로 적절하지 <u>않은</u> 것은?

① 상대방의 요구를 반영한 자료를 제시하고 있다.

② 다른 나라의 사례를 제시하여 근거를 마련하고 있다.

③ 상대방의 말을 재진술함으로써 문제를 명확히 하고 있다.

④ 의사소통을 원활하게 하기 위하여 부가적인 설명을 자제하고 있다.

⑤ 초록구 대표의 입장과 감정을 고려하고 있음이 상대에게 느껴지도록 말하고 있다.

14 다음 합의안을 읽고 윗글의 내용과 비추어 볼 때 적절한 것을 고른 것은?

> ### 푸른시 추모 공원 건립 합의안
> ㉠ 푸른시는 초록구 하늘산 일대에 화장장 시설을 포함한 추모 공원을 건립한다.
> ㉡ 화장 시설을 지하화 하고 진입로도 외부로 드러나지 않도록 한다.
> ㉢ 향류형 화장로 시스템 도입으로 공해 발생을 최소화한다.
> ㉣ 화장로는 15기를 설치하여 1일 각 8회 이하로 운영한다.
> ㉤ 시 관계자만으로 구성된 환경 감시단이 화장장 주변 500m 이내의 환경을 지속해서 평가하고, 환경 문제 발생 시 화장로 가동 횟수를 감축한다.
> ㉥ 푸른시는 초록구에 시립 의료 병원을 이전하거나, 종합 체육관 유치를 허가한다.

① ㉠, ㉡, ㉢   ② ㉠, ㉢, ㉥   ③ ㉡, ㉢, ㉥   ④ ㉡, ㉣, ㉤   ⑤ ㉢, ㉤, ㉥

15 협상에 대한 설명으로 적절하지 <u>않은</u> 것은?

① 상대의 입장을 인정하고 의견을 존중해야 한다.

② 협상의 목적을 고려하여 말할 내용을 마련한다.

③ 상대방의 반박을 예상하고 이에 적절하게 대응한다.

④ 준언어적 표현과 비언어적 표현을 적절하게 사용한다.

⑤ 협상의 진행에 따라 순서대로 진행하고 원안을 수정하지 않도록 한다.

(가) 초록구 대표 : 우리 초록구는 하늘산 자락에 자리를 잡아 공기가 맑고 주변 환경이 조용하기로 유명합니다. 초록구가 다른 지역보다 도시 기반 시설이 부족한데도 우리 구민들은 하늘산의 자연조건에 큰 의의를 두며 생활해 왔습니다. 푸른시에서 추진하는 추모 공원 건립 사업이 시 차원에서 필요한 일인 것은 알겠지만, 이러한 결정이 화장 시설 가동으로 발생하는 환경오염 문제와 혐오 시설 설치에 따른 집값 하락 등 지역 주민이 입을 피해를 고려하신 것인지 궁금합니다. 구민이 입게 될 피해를 최소화할 현실적인 해결책이 없다면 우리 초록구는 시에서 추진하고 있는 추모 공원 건립을 반대합니다.

푸른시 관계자 : 최근 화장에 대한 국민 호응이 급속히 높아지면서 푸른시의 화장률은 2016년에 이미 80%를 넘어섰고, 앞으로 점점 더 높아질 전망입니다. 그러나 푸른시에는 화장 시설이 하나밖에 없습니다. 현재 시설 규모는 한계 능력을 초과하여 수요자의 약 20% 정도가 삼일장(三日葬)을 원하는데도 사일장(四日葬) 이상을 치르거나 다른 지역 화장 시설을 이용하는 불편을 겪고 있습니다.

　이에 시에서 시민과 전문가의 의견을 수렴한 결과 하늘산 일대가 시설 건립의 최적지라고 판단하였습니다. 물론, 초록구에서는 환경오염과 집값 하락의 가능성을 걱정하실 수 있습니다. 이것은 이미 확보된 기술로 해결할 수 있다고 생각합니다.

(나) 초록구 대표 : 우리는 다음과 같은 사항에서 심각한 피해를 예상하며, 이를 해결하지 못하면 우리 구에 추모 공원을 건립할 수 없다는 것이 구민의 의견입니다. 저희 조사에 따르면 화장 시설이 있는 다른 지역에서 카드뮴, 염화수소, 미세 먼지, 다이옥신, 수은 등이 배출되어 피해를 보는 사례가 보고되고 있습니다. 또한, 대형차량이 통행하면서 발생할 교통 혼잡과 소음 등이 조용한 삶을 선호하는 주민들에게 피해를 줄 것입니다. 우리 주민은 환경적 조건을 가장 중요하게 생각하여 이 지역에 거주하고 있습니다. 환경오염에 대한 시의 대책은 무엇입니까? 다음으로 이러한 주거 조건 하락으로 입을 경제적 손실도 우려됩니다. 우리는 화장 시설 설치가 주민의 주거권을 침해하고 삶의 질을 떨어뜨릴 것이라고 생각합니다.

푸른시 관계자 : ㉠아직 우리나라에서 화장장이나 묘지가 혐오 시설로 여겨지는 것은 사실입니다. 그러나 화장 시설 설치는 지방 자치 단체의 의무 사항으로 우리 시가 해결해야 하는 매우 중요한 문제입니다. 미국이나 유럽은 물론 이웃 국가인 일본이나 중국도 주택가에 화장장이 있습니다. 일본은 도쿄 도심에만 공영 화장장이 20개가 넘는데, 그중에는 주택가 한복판에 위치해 바로 옆에 6층 높이의 아파트가 나란히 서 있는 현대식 화장장도 있습니다. 이번에 건립하는 시설도 장례식장, 화장장, 봉안당을 포함한 추모 공원 형태로 조성할 계획입니다. 시민들이 녹지와 다양한 문화 시설을 휴식 공간으로 사용함으로써 오히려 삶의 질을 높일 수 있을 것입니다.

초록구 대표 : 아니, 장례식장과 봉안당이 있는 곳에 어떤 문화 시설을 조성할 수 있으며, 주민이 어떻게 그곳에서 휴식을 취하고 문화를 즐길 수 있다는 말씀이십니까?

푸른시 관계자 : ㉡초록구 주민들께서는 새로 조성되는 추모 공원이 문화 시설로서 가능할 수 없을 것을 우려하시는 것 같습니다. 그러면 봉안당과 장례식장을 제외하고 ㉢최소 필요 시설인 화장장만 설치하는 것으로 원안을 수정하여, 문화 시설의 성격이 강화된 추모 공원을 조성하는 안에 대해서는 어떻게 생각하십니까?

초록구 대표 : 저희의 처지를 이해하고 봉안당과 장례식장을 제외하는 안으로 수정해 주셔서 고맙습니다. 그러나 화장장이 있다는 것이 최대한 외부에 드러나지 않았으면 합니다. 장례 차량의 출입이 하늘산 등산객과 인근 주민의 눈에 덜 띄도록 화장 시설을 지하화하고 진입로도 외부로 잘 드러나지 않게 해 주십시오. 〈중략〉

(다) 푸른시 관계자 : 네, ㉣환경 문제를 우려하는 주민의 마음은 충분히 이해합니다. 그래서 저희는 화장 문화가 발달한 나라의 선진 기술을 도입하여 유해 물질을 제거하는 연소 설비와 가스 냉각 설비를 최고 수준으로 갖출 예정입니다. 특히, 화장로 시스템을 획기적으로 개선하여 공해 발생을 최소화하는 '향류형 화장로'를 설치할 것입니다. 이 시설은 배출되는 다이옥신과 수은을 90% 이상 제거할 수 있습니다.

초록구 대표 : 향류형 화장로가 기존 방식과 무엇이 다르다는 말씀이십니까? 또, 제거를 확신하시지만, 다이옥신과 수은
이 배출되는 것은 사실 아닙니까?

푸른시 관계자 : 네, ⓜ향류형 화장로라는 말이 좀 생소하시죠? 조금 더 설명해 드리겠습니다. 향류형 화장로는 연소 물
질을 화장로 내부에서 4회 연소하는 방식입니다. 매연가스가 밖으로 바로 배출되지 않아서 주민들이 염려하시는 배출
가스와 냄새 문제를 해결한 최첨단 친환경 화장로입니다. 또한, 걱정하시는 다이옥신과 수은의 배출량은 매우 미미합
니다. 다이옥신 배출은 소각 시설 허용 기준의 10분의 1 이하이며 수은 배출은 기준치의 1,000분의 1 수준입니다. 저희
가 설치할 화장로는 이 또한 분사 냉각 장치와 여과 집진 시설로써 90% 이상 제거할 수 있습니다.

16 윗글에 대한 설명으로 적절하지 <u>않은</u> 것은?

① 추모 공원 건립에 대한 협상 담화이다.

② 문제 해결을 위한 협상 참여자의 협력적 말하기가 잘 드러난다.

③ 협상의 (가)단계에서는 갈등의 원인을 분석하고 문제 해결의 가능성을 확인해야한다.

④ 협상의 (나)단계에서는 양측의 협상 주체들이 상대방의 처지와 관점을 이해해야한다.

⑤ 협상의 (다)단계에서는 타협과 조정을 통해 서로가 만족 할 수 있는 합의안을 작성한다.

17 (가)에서 협상 양측의 말로 알 수 있는 내용을 정리한 것 중 적절하지 <u>않은</u> 것은?

① 초록구 대표 : 푸른시에서 추진하려는 사업

② 초록구 대표 : 추모 공원 건립에 대한 초록구의 문제의식

③ 초록구 대표 : 초록구의 주변 환경과 다른 지역을 비교해 초록구에 부족한 것

④ 푸른시 관계자 : 푸른시의 화장률 변동 전망과 화장 시설 부족으로 장례 일정의 축소 현황

⑤ 푸른시 관계자 : 초록구에서 제기하는 화장 시설 유치로 생기는 문제점에 대한 문제 해결 방법

18 푸른시 관계자의 발화 의도를 고려할 때, ㉠~㉤에 대한 설명으로 가장 적절한 것은?

① ㉠은 상대방의 입장을 고려하고 있음이 상대에게 느껴지도록 말하고 있다.

② ㉡은 상대방 발언을 재진술하여 문제를 명확히 하고, 다시 거론되는 일이 없도록 하려는 것이다.

③ ㉢은 상대방의 인식을 우회적으로 비판하여 수정안을 제시하고 있다.

④ ㉣은 상대방의 배려를 인정하고 협력적으로 대화할 마음이 있음을 드러내고 있다.

⑤ ㉤은 상대방에게 추가로 질문을 하여 상대방 감정을 탐색하려는데 주목적이 있다.

(가) 초록구 대표 : 우리 초록구는 하늘산 자락에 자리를 잡아 공기가 맑고 주변 환경이 조용하기로 유명합니다. 초록구가 다른 지역보다 도시 기반 시설이 부족한데도 우리 구민들은 하늘산의 자연조건에 큰 의의를 두며 생활해 왔습니다. 푸른시에서 추진하는 추모 공원 건립 사업이 시 차원에서 필요한 일인 것은 알겠지만, 이러한 결정이 화장 시설 가동으로 발생하는 환경오염 문제와 혐오 시설 설치에 따른 집값 하락 등 지역 주민이 입을 피해를 고려하신 것인지 궁금합니다. 구민이 입게 될 피해를 최소화할 현실적인 해결책이 없다면 우리 초록구는 시에서 추진하고 있는 추모 공원 건립을 반대합니다.

푸른시 관계자 : 최근 화장에 대한 국민 호응이 급속히 높아지면서 푸른시의 화장률은 2016년에 이미 80%를 넘어섰고, 앞으로 점점 더 높아질 전망입니다. 그러나 푸른시에는 화장 시설이 하나밖에 없습니다. 현재 시설 규모는 한계 능력을 초과하여 수요자의 약 20% 정도가 삼일장(三日葬)을 원하는데도 사일장(四日葬) 이상을 치르거나 다른 지역 화장 시설을 이용하는 불편을 겪고 있습니다.

  이에 시에서 시민과 전문가의 의견을 수렴한 결과 하늘산 일대가 시설 건립의 최적지라고 판단하였습니다. 물론, 초록구에서는 환경오염과 집값 하락의 가능성을 걱정하실 수 있습니다. 이것은 이미 확보된 기술로 해결할 수 있다고 생각합니다.

(나) 초록구 대표 : 아니, 장례식장과 봉안당이 있는 곳에 어떤 문화 시설을 조성할 수 있으며, 주민이 어떻게 그곳에서 휴식을 취하고 문화를 즐길 수 있다는 말씀이십니까?

푸른시 관계자 : 초록구 주민들께서는 새로 조성되는 추모 공원이 문화 시설로서 가능할 수 없을 것을 우려하시는 것 같습니다. 그러면 봉안당과 장례식장을 제외하고 최소 필요 시설인 ㉠화장장만 설치하는 것으로 원안을 수정하여, 문화 시설의 성격이 강화된 추모 공원을 조성하는 안에 대해서는 어떻게 생각하십니까?

초록구 대표 : 저희의 처지를 이해하고 봉안당과 장례식장을 제외하는 안으로 수정해 주셔서 고맙습니다. 그러나 화장장이 있다는 것이 최대한 외부에 드러나지 않았으면 합니다. 장례 차량의 출입이 하늘산 등산객과 인근 주민의 눈에 덜 띄도록 화장 시설을 지하화하고 진입로도 외부로 잘 드러나지 않게 해 주십시오.

푸른시 관계자 : ㉡저희도 주민의 처지에서 화장장이 외부에 노출되는 것을 원하지 않을 것으로 생각하였습니다. 그래서 이를 반영한 설계안을 마련했습니다. 여기, 준비한 설계안을 보시겠습니까? 지상에는 나무숲 공원을 조성하고 방문객이 출입하는 곳은 이 나무숲에 가려지게 설계하여 땅에 묻힌 듯 드러나지 않는 건물을 지으려고 합니다. 그리고 외부에서는 주변 경관에 어울리는 지붕만 보이도록 하겠습니다.

초록구 대표 : 말씀 잘 들었습니다. 건축 설계적 차원에서 기존 화장장의 단점을 보완하려 고심하신 적이 느껴졌습니다. 그러나 저희가 더 우려하는 것은 환경 문제입니다. 화장장에서 발생하는 소음이나 매연, 분진 및 다이옥신과 수은 등으로 주거 환경이 오염되어 주민의 건강한 삶이 위협받을 수 있다는 점에 대해서는 어떻게 생각하십니까?

푸른시 관계자 : 네, 환경 문제를 우려하는 주민의 마음은 충분히 이해합니다. 그래서 저희는 화장 문화가 발달한 나라의 선진 기술을 도입하여 유해 물질을 제거하는 연소 설비와 가스 냉각 설비를 최고 수준으로 갖출 예정입니다. 특히, 화장로 시스템을 획기적으로 개선하여 공해 발생을 최소화하는 '향류형 화장로'를 설치할 것입니다. 이 시설은 배출되는 다이옥신과 수은을 90% 이상 제거할 수 있습니다.

초록구 대표 : 향류형 화장로가 기존 방식과 무엇이 다르다는 말씀이십니까? 또, 제거를 확신하시지만, 다이옥신과 수은이 배출되는 것은 사실 아닙니까?

푸른시 관계자 : 네, 향류형 화장로라는 말이 좀 생소하시죠? ㉢조금 더 설명해 드리겠습니다. 향류형 화장로는 연소 물질을 화장로 내부에서 4회 연소하는 방식입니다. 매연가스가 밖으로 바로 배출되지 않아서 주민들이 염려하시는 배출가스와 냄새 문제를 해결한 최첨단 친환경 화장로입니다. 또한, 걱정하시는 다이옥신과 수은의 배출량은 매우 미미합니다. 다이옥신 배출은 소각 시설 허용 기준의 10분의 1 이하이며 수은 배출은 기준치의 1,000분의 1 수준입니다. 저희가 설치할 화장로는 이 또한 분사 냉각 장치와 여과 집진 시설로써 90% 이상 제거할 수 있습니다.

초록구 대표 : 아무리 화장로 시스템이 개선되었다 해도 화장로 15기로 하루 6회씩이나 화장을 하는 것은 지나칩니다. 화장장 및 화장로의 규모를 반으로 축소해 주십시오.

푸른시 관계자 : ㉣현재 우리 시의 상황을 고려할 때 화장로 규모는 양보하기 어렵습니다. 부족한 화장 시설을 확보하려면 15기는 꼭 필요합니다. 우리 시민들이 인근 시의 화장 시설에 의존하지 않고, 원하는 때에 쾌적하고 경건한 분위기 속에서 장례를 치를 수 있는 환경을 조성하는 것은 초록구 주민 여러분을 위한 일이기도 합니다. 15기 미만을 운용하면 새 화장장을 건립하는 의미가 없습니다. 원래 계획은 20기를 설치해 하루 8회씩 운용하는 것이었으나, 환경 및 주민 건강에 대한 우려를 반영하여 최소 규모로 추진하려는 것입니다.

[A]

초록구 대표 : 알겠습니다. 15기 운용이 현실적인 최소 필요량이라는 것은 인정합니다. 그러나 환경적으로 안전하도록 관리를 철저하게 하여 시설을 운용해 주셔야 합니다. 주민 대표로 구성된 감시단이 지속해서 감시하고, 환경 문제가 발생하면 그 즉시 운용 축소를 요구하겠습니다.

푸른시 관계자 : 저희도 환경 감시 제도를 운용하여 시설 관리를 강화할 계획이었습니다. 주변 500m 이내의 대기, 수질, 토양, 생활환경을 지속해서 평가하는 환경 감시단 활동에 지역 주민 대표가 참여하는 것에 동의합니다. 또한, 환경 오염 없이 시설이 운영되도록 철저히 관리하겠으며, 만약 주민이 우려하는 환경 문제가 발생하면 화장로 가동 횟수를 감축하겠습니다.

초록구 대표 : ㉤네, 저희도 적극적으로 참여하여 깨끗한 환경이 유지되도록 협조하겠습니다. 그런데 푸른시의 필요 시설 확충으로 저희 구민이 입게 되는 유·무형의 피해를 보상할 현실적 방안은 무엇입니까? 저희는 시에서 생활 편의 시설도 함께 유치해 주시기를 바랍니다. 특히, 초록구는 의료 시설이 부족해 가까운 다른 시나 도심의 의료 시설을 이용하고 있으며 문화 체육 시설도 부족합니다. 시립 의료 시설과 종합 체육관을 함께 유치해 주십시오.

(다) 푸른시 관계자 : 푸른시의 평균적 사회·문화 시설 현황에 비추어 볼 때 초록구의 기반 시설이 부족하다는 문제는 시에서도 이미 파악하고 있습니다. 그러나 현실적으로 종합 체육관 건설은 그 비용과 용도 면에서 부정적입니다. 가까운 사랑구의 종합 체육관도 만성 적자로 운영이 어렵습니다. 또한, 초록구민도 사랑구의 종합 체육관을 충분히 이용하고 있는 것으로 알고 있습니다.

다만, 시립 의료 병원은 현재 시설이 낙후하여 이전 검토 중인 것으로 알고 있습니다. 시에서도 초록구에 의료 시설을 이전하는 것을 우선순위로 하겠습니다. 그러나 이 문제는 관계 부처와 협의하여 결정할 사안이므로 최대한 좋은 결과를 이끌어 보겠습니다.

초록구 대표 : 네, 좋은 결과 기대합니다. 만약 관계 부처의 반대로 시립 의료 병원의 이전이 불가하다는 결론이 나왔을 때는 시에서 대학 병원 규모의 의료 시설 설립을 허가하는 조건으로 추모 공원 건립에 동의합니다.

---

19 〈보기〉에서 (가)에 드러난 협상 참여자들의 관점을 구분한 것으로 적절하지 <u>않은</u> 것은?

┌─┤ 보기 ├─
〈초록구 대표〉
• 입장 : 추모 공원 건립을 반대한다.
• ①문제 의식 : 화장 시설 가동으로 인한 환경 오염 문제, 혐오 시설 설치에 따른 집값 하락 등 지역 주민의 피해가 예상된다.
• ②문제 해결의 가능성 : 구민이 입게 될 피해를 최소화할 현실적 해결책을 제시하면 추모 공원 건립이 가능하다.
〈푸른시 관계자〉
• ③입장 : 최근 화장을 하는 사람들이 많아졌다.
• ④문제의식 : 화장 시설이 부족하여 시민들이 불편을 겪고 있다.
• ⑤문제 해결의 가능성 : 환경 오염이나 집값 하락의 가능성은 기술력 확보로 문제를 해결할 수 있다.

20 〈보기〉를 바탕으로 ㉠~㉤을 이해한 것으로 적절하지 <u>않은</u> 것은?

┤ 보기 ├

　　협상은 어떤 목적에 부합되는 결정을 하기 위하여 여럿이 서로 입론하는 것으로 타결 의사를 가진 둘 또는 그 이상의 당사자 사이에 양방향 의사소통을 통하여 상호 만족할 만한 수준으로 합의에 이르는 과정을 말한다.

① ㉠ : 협상 방법 중에는 상대의 요구를 수용하는 데 필요한 조건을 제시하여 절충하는 방법이 있다.
② ㉡ : 협상에서 상대측의 반박을 예상하고 적절하게 대응할 수 있어야 한다.
③ ㉢ : 협상에서는 상대방의 이해를 도울 수 있는 추가 정보를 제공하여 상대방의 요구에 협력적으로 반응한다.
④ ㉣ : 협상 참여자는 양보할 수 없는 최소 요구 사항을 가지고 있다.
⑤ ㉤ : 협상 참여자는 상대방의 입장을 배려하고, 이익을 양보할 수 있다.

21 [A]의 협상 과정을 정리한 내용으로 적절하지 <u>않은</u> 것은?

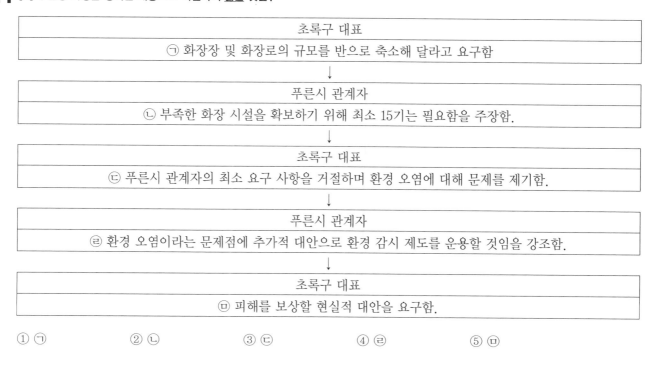

초록구 대표
㉠ 화장장 및 화장로의 규모를 반으로 축소해 달라고 요구함

↓

푸른시 관계자
㉡ 부족한 화장 시설을 확보하기 위해 최소 15기는 필요함을 주장함.

↓

초록구 대표
㉢ 푸른시 관계자의 최소 요구 사항을 거절하며 환경 오염에 대해 문제를 제기함.

↓

푸른시 관계자
㉣ 환경 오염이라는 문제점에 추가적 대안으로 환경 감시 제도를 운용할 것임을 강조함.

↓

초록구 대표
㉤ 피해를 보상할 현실적 대안을 요구함.

① ㉠　　　　② ㉡　　　　③ ㉢　　　　④ ㉣　　　　⑤ ㉤

22 초록구 대표와 푸른시 관계자의 말하기 방식에 대한 학생들의 반응으로 가장 적절한 것은?

┤ 보기 ├

ㄱ. 상대방의 노력과 배려를 인정하고 고마움을 표하고 있군.
ㄴ. 상대방의 입장을 고려하며 협력적으로 반응하며 상대방의 의견을 존중하고 있군.
ㄷ. 상대방의 주장에 대한 오류나 논리적 취약성을 비판적으로 지적하며 상대방을 설득하고 있군.
ㄹ. 상대방의 말을 재진술하여 문제를 명확히 하고, 상대방의 입장을 이해했다는 것을 전달하고 있군.
ㅁ. 상대방의 근거에 동의하며 상대방과의 정보 공유에 초점을 목적으로 하면서 원만한 의사소통을 하고 있군.

① ㄱ, ㄴ, ㄷ　　② ㄱ, ㄴ, ㄹ　　③ ㄴ, ㄷ, ㄹ　　④ ㄴ, ㄹ, ㅁ　　⑤ ㄷ, ㄹ, ㅁ

서술형 심화문제

[01~04] 다음 글을 읽고 물음에 답하시오.

(가) 초록구 대표 : 우리는 다음과 같은 사항에서 심각한 피해를 예상하며, 이를 해결하지 못하면 우리 구에 추모 공원을 건립할 수 없다는 것이 구민의 의견입니다. 저희 조사에 따르면 화장 시설이 있는 다른 지역에서 카드뮴, 염화 수소, 미세 먼지, 다이옥신, 수은 등이 배출되어 피해를 보는 사례가 보고되고 있습니다. 또한, 대형 차량이 통행하면서 발생할 교통 혼잡과 소음 등이 조용한 삶을 선호하는 주민들에게 피해를 줄 것입니다. 우리 주민은 환경적 조건을 가장 중요하게 생각하여 이 지역에 거주하고 있습니다. 환경 오염에 대한 시의 대책은 무엇입니까? 다음으로 이러한 주거 조건 하락으로 입을 경제적 손실도 우려됩니다. 우리는 화장 시설 설치가 주민의 주거권을 침해하고 삶의 질을 떨어뜨릴 것이라고 생각합니다.

푸른시 관계자 : 아직 우리나라에서 화장장이나 묘지가 혐오 시설로 여겨지는 것은 사실입니다. 그러나 화장 시설 설치는 지방 자치 단체의 의무 사항으로 우리 시가 해결해야 하는 매우 중요한 문제입니다. 미국이나 유럽은 물론 이웃 국가인 일본이나 중국도 주택가에 화장장이 있습니다. 일본은 도쿄 도심에만 공영 화장장이 20개가 넘는데, 그중에는 주택가 한복판에 위치해 바로 옆에 6층 높이의 아파트가 나란히 서 있는 현대식 화장장도 있습니다. 이번에 건립하는 시설도 장례식장, 화장장, 봉안당을 포함한 추모 공원 형태로 조성할 계획입니다. 시민들이 녹지와 다양한 문화 시설을 휴식 공간으로 사용함으로써 오히려 삶의 질을 높일 수 있을 것입니다.

초록구 대표 : 아니, 장례식장과 봉안당이 있는 곳에 어떤 문화 시설을 조성할 수 있으며, 주민이 어떻게 그곳에서 휴식을 취하고 문화를 즐길 수 있다는 말씀이십니까?

푸른시 관계자 : 초록구 주민들께서는 새로 조성되는 추모 공원이 문화 시설로서 가능할 수 없을 것을 우려하시는 것 같습니다. 그러면 봉안당과 장례식장을 제외하고 최소 필요 시설인 화장장만 설치하는 것으로 원안을 수정하여, 문화 시설의 성격이 강화된 추모 공원을 조성하는 안에 대해서는 어떻게 생각하십니까?

초록구 대표 : 저희의 처지를 이해하고 봉안당과 장례식장을 제외하는 안으로 수정해 주셔서 고맙습니다. 그러나 화장장이 있다는 것이 최대한 외부에 드러나지 않았으면 합니다. 장례 차량의 출입이 하늘산 등산객과 인근 주민의 눈에 덜 띄도록 화장 시설을 지하화하고 진입로도 외부로 잘 드러나지 않게 해 주십시오.

푸른시 관계자 : 저희도 주민의 처지에서 화장장이 외부에 노출되는 것을 원하지 않을 것으로 생각하였습니다. 그래서 이를 반영한 설계안을 마련했습니다. 여기, 준비한 설계안을 보시겠습니까? 지상에는 나무숲 공원을 조성하고 방문객이 출입하는 곳은 이 나무숲에 가려지게 설계하여 땅에 묻힌 듯 드러나지 않는 건물을 지으려고 합니다. 그리고 외부에서는 주변 경관에 어울리는 지붕만 보이도록 하겠습니다.

(나) 초록구 대표 : 말씀 잘 들었습니다. 건축 설계적 차원에서 기존 화장장의 단점을 보완하려 고심하신 적이 느껴졌습니다. 그러나 저희가 더 우려하는 것은 환경 문제입니다. 화장장에서 발생하는 소음이나 매연, 분진 및 다이옥신과 수은 등으로 주거 환경이 오염되어 주민의 건강한 삶이 위협받을 수 있다는 점에 대해서는 어떻게 생각하십니까?

푸른시 관계자 : 네, 환경 문제를 우려하는 주민의 마음은 충분히 이해합니다. 그래서 저희는 화장 문화가 발달한 나라의 선진 기술을 도입하여 유해 물질을 제거하는 연소 설비와 가스 냉각 설비를 최고 수준으로 갖출 예정입니다. 특히, 화장로 시스템을 획기적으로 개선하여 공해 발생을 최소화하는 '향류형 화장로'를 설치할 것입니다. 이 시설은 배출되는 다이옥신과 수은을 90% 이상 제거할 수 있습니다.

초록구 대표 : 향류형 화장로가 기존 방식과 무엇이 다르다는 말씀이십니까? 또, 제거를 확신하시지만, 다이옥신과 수은이 배출되는 것은 사실 아닙니까?

푸른시 관계자 : 네, 향류형 화장로라는 말이 좀 생소하시죠? 조금 더 설명해 드리겠습니다. 향류형 화장로는 연소 물질을 화장로 내부에서 4회 연소하는 방식입니다. 매연가스가 밖으로 바로 배출되지 않아서 주민들이 염려하시는 배출 가스와 냄새 문제를 해결한 최첨단 친환경 화장로입니다. 또한, 걱정하시는 다이옥신과 수은의 배출량은 매우 미미합니다. 다이옥신 배출은 소각 시설 허용 기준의 10분의 1 이하이며 수은 배출은 기준치의 1,000분의 1 수준입니다. 저희가 설치할 화장로는 이 또한 분사 냉각 장치와 여과 집진 시설로써 90% 이상 제거할 수 있습니다.

초록구 대표 : 아무리 화장로 시스템이 개선되었다 해도 화장로 15기로 하루 6회씩이나 화장을 하는 것은 지나칩니다. 화장장 및 화장로의 규모를 반으로 축소해 주십시오.

푸른시 관계자 : 현재 우리 시의 상황을 고려할 때 화장로 규모는 양보하기 어렵습니다. 부족한 화장 시설을 확보하려면 15기는 꼭 필요합니다. 우리 시민들이 인근 시의 화장 시설에 의존하지 않고, 원하는 때에 쾌적하고 경건한 분위기 속에서 장례를 치를 수 있는 환경을 조성하는 것은 초록구 주민 여러분을 위한 일이기도 합니다. 15기 미만을 운용하면 새 화장장을 건립하는 의미가 없습니다. 원래 계획은 20기를 설치해 하루 8회씩 운용하는 것이었으나, 환경 및 주민 건강에 대한 우려를 반영하여 최소 규모로 추진하려는 것입니다.

초록구 대표 : 알겠습니다. 15기 운용이 현실적인 최소 필요량이라는 것은 인정합니다. 그러나 환경적으로 안전하도록 관리를 철저하게 하여 시설을 운용해 주셔야 합니다. 주민 대표로 구성된 감시단이 지속해서 감시하고, 환경 문제가 발생하면 그 즉시 운용 축소를 요구하겠습니다.

푸른시 관계자 : 저희도 환경 감시 제도를 운용하여 시설 관리를 강화할 계획이었습니다. 주변 500m 이내의 대기, 수질, 토양, 생활 환경을 지속해서 평가하는 환경 감시단 활동에 지역 주민 대표가 참여하는 것에 동의합니다. 또한, 환경 오염 없이 시설이 운영되도록 철저히 관리하겠으며, 만약 주민이 우려하는 환경 문제가 발생하면 화장로 가동 횟수를 감축하겠습니다.

초록구 대표 : 네, 저희도 적극적으로 참여하여 깨끗한 환경이 유지되도록 협조하겠습니다. 그런데 푸른시의 필요 시설 확충으로 저희 구민이 입게 되는 유·무형의 피해를 보상할 현실적 방안은 무엇입니까? 저희는 시에서 생활 편의 시설도 함께 유치해 주시기를 바랍니다. 특히, 초록구는 의료 시설이 부족해 가까운 다른 시나 도심의 의료 시설을 이용하고 있으며 문화 체육 시설도 부족합니다. 시립 의료 시설과 종합 체육관을 함께 유치해 주십시오.

푸른시 추모 공원 건립 합의안

1. 푸른시는 초록구 하늘산 일대에 화장장 시설을 포함한 추모 공원을 건립한다.
2. 화장 시설과 진입로를 지하화하며 외부 노출을 최소화한다.
3. 향류형 화장로 시스템 도입으로 공해 발생을 최소화한다.
4. (   )
5. 주민 대표로 구성된 환경 감시단이 화장장 주변 500m 이내에 환경을 지속해서 평가하고, 환경 문제 발생 시 화장로 가동 횟수를 감축한다.
6. 푸른시는 초록구에 시립 의료 병원을 이전하거나, 대학 병원 규모 이상의 의료 시설 설립을 허가한다.

---

01 양측이 상대방의 제안을 검토하며 입장 차를 좁혀 가는 과정을 정리하여 ㉠, ㉡ 순서대로 알맞게 구체적으로 서술하시오.

푸른시 관계자
(㉠   )

⇒

초록구 대표
수정안 제시에 감사를 표함

⇓

요구를 반영하여 외부 노출을 최소화한 설계안을 제시함

⇐

(㉡   )

02 (가)의 협상과정을 〈보기〉처럼 정리한다면 (A)에 들어갈 적절한 어구를 쓰시오. (20자 내외로 쓰시오.)

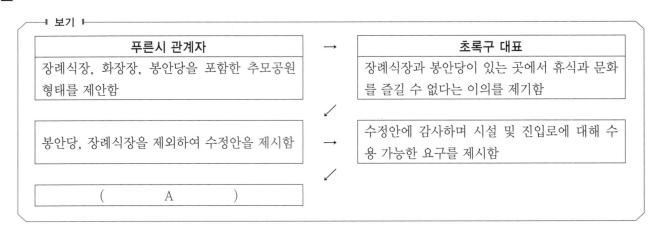

┤ 보기 ├

푸른시 관계자	→	초록구 대표
장례식장, 화장장, 봉안당을 포함한 추모공원 형태를 제안함		장례식장과 봉안당이 있는 곳에서 휴식과 문화를 즐길 수 없다는 이의를 제기함
봉안당, 장례식장을 제외하여 수정안을 제시함	→	수정안에 감사하며 시설 및 진입로에 대해 수용 가능한 요구를 제시함
(A)		

03 환경 문제 해결을 위해 합의한 4항에 들어갈 적절한 내용을 윗글을 참고로 하여 20자 내외로 쓰시오.

04 〈보기〉는 협상의 절차와 과정을 구조화한 것이다. 〈보기〉의 빈 칸 ⓐ, ⓑ에 들어갈 어휘를 2음절로 적으시오.

┤ 보기 ├

시작 단계	갈등의 원인을 분석하고 문제 해결의 가능성을 확인한다.
(ⓐ) 단계	• 문제를 확인하여 상대의 처지와 관점을 이해한다. • 구체적인 제안이나 대안을 상호 검토하여 서로 입장 차이를 좁혀 나간다.
해결 단계	최선의 해결책을 제시하여 (ⓑ)과 조정을 통해 문제를 해결하고 합의한다.

초록구 대표 : 우리 초록구는 하늘산 자락에 자리를 잡아 공기가 맑고 주변 환경이 조용하기로 유명합니다. 초록구가 다른 지역보다 도시 기반 시설이 부족한데도 우리 구민들은 하늘산의 자연조건에 큰 의의를 두며 생활해 왔습니다. 푸른 시에서 추진하는 추모 공원 건립 사업이 시 차원에서 필요한 일인 것은 알겠지만, 이러한 결정이 화장 시설 가동으로 발생하는 환경오염 문제와 ㉠혐오 시설 설치에 따른 집값 하락 등 지역 주민이 입을 피해를 고려하신 것인지 궁금합니다. ㉡구민이 입게 될 피해를 최소화할 현실적인 해결책이 없다면 우리 초록구는 시에서 추진하고 있는 추모 공원 건립을 반대합니다.

푸른시 관계자 : 최근 화장에 대한 국민 호응이 급속히 높아지면서 푸른시의 화장률은 2016년에 이미 80%를 넘어섰고, 앞으로 점점 더 높아질 전망입니다. 그러나 푸른시에는 화장 시설이 하나밖에 없습니다. 현재 시설 규모는 한계 능력을 초과하여 수요자의 약 20% 정도가 삼일장(三日葬)을 원하는데도 사일장(四日葬) 이상을 치르거나 다른 지역 화장 시설을 이용하는 불편을 겪고 있습니다. 이에 시에서 시민과 전문가의 의견을 수렴한 결과 하늘산 일대가 시설 건립의 최적지라고 판단하였습니다. 물론, 초록구에서는 환경오염과 집값 하락의 가능성을 걱정하실 수 있습니다. 이것은 이미 확보된 기술로 해결할 수 있다고 생각합니다.

05 윗글의 절차에 따라 아래 〈합의안〉을 작성했다. <u>〈합의안〉을 근거로 하여 〈조건〉에 맞게 서술하시오.</u>

〈푸른시 추모 공원 건립 합의안〉

1. 푸른시는 초록구 하늘산 일대에 화장장 시설을 포함한 추모 공원을 건립한다.
2. 화장 시설과 진입로를 지하화하여 외부 노출을 최소화한다.
3. 향류형 화장로 시스템 도입으로 공해 발생을 최소화한다.
4. 화장로는 15기를 설치하여 1일 각 6회 이하로 운영한다.
5. 주민 대표로 구성된 환경 감시단이 화장장 주변 500m 이내의 환경을 지속해서 평가하고, 환경 문제 발생 시 화장로 가동 횟수를 감축한다.
6. 푸른시는 초록구에 시립 의료 병원을 이전하거나, 대학 병원 규모 이상의 의료 시설 설립을 허가한다.

┤ 조건 ├

(1) ㉠을 고려하여 <u>초록구 관계자가 요구했을 대안을 예측</u>하여 <u>하십시오체의 문장</u>으로 서술할 것.
(2) ㉡을 위해 <u>초록구 관계자가 요구했을 대안을 예측</u>하여 <u>하십시오체의 문장</u>으로 서술할 것.

단원 종합평가

[01~04] 다음 글을 읽고 물음에 답하시오.

인공지능은 컴퓨터 프로그램을 활용해 인간과 비슷한 인지적 능력을 구현한 기술을 말한다. 인공지능은 기본적으로 보고 듣고 읽고 말하는 능력을 갖춤으로써 인간과 대화할 수 있을 뿐만 아니라 지적 판단이 필요한 상황에서 합리적 결정을 내릴 수 있다.

인공지능이 인간의 말을 알아듣고 명령을 실행하는 똑똑한 기계가 되는 것은 반길 일인가, 아니면 주인과 노예의 관계를 역전시키는 재앙이라고 경계해야 할 일인가? 인간의 지적 능력을 뛰어넘는 인공지능 개발에 관한 보도가 잇따르는 가운데, 세계적 석학들이 인공지능 개발이 결국엔 인류의 종말로 이어질 것이라는 경고를 내놓기 시작했다. 세계적 물리학자 스티븐 호킹(Stephen Hawking)은 "인공지능은 결국 의식을 갖게 되어 인간의 자리를 대체할 것"이라며, "생물학적 진화 속도보다 과학 기술의 진보가 더 빠르기 때문"이라고 말했다.

'생각하는 기계'가 축복이 될지 재앙이 될지는 미지의 영역이며 미래 사회가 어디로 향할 것인지는 격렬한 공방을 가져올 주제이다. 하지만 분명한 것은 인류가 이제껏 고민해 본 적이 없는 문제와 마주했다는 점이다. 거대한 영향력을 지닌 신기술의 도입으로 예상치 못한 심각한 부작용이 생기면, 기술과 인간의 관계는 밑바닥에서부터 재검토되어야 한다.

인공지능 발달이 우리에게 던지는 새로운 과제는 두 갈래다. 바로 ㉠로봇을 향한 길과 ㉡인간을 향한 길이다.

첫째는, 인류를 위협할지도 모를 강력한 인공지능을 우리가 어떻게 통제할 것인가의 문제이다. 로봇에 대응하는 차원에서 로봇이 지켜야 할 도덕적 기준을 만들어 준수하게 하는 방법이나, 살인 로봇을 막는 국제 규약을 제정하는 것이 접근 방법이 될 수 있다. 또한, 다양한 상황에 관한 사회적 합의를 담은 알고리즘을 만들어 사회적 규약을 벗어나지 않는 범위에서 로봇이 작동하게 하는 방법도 모색할 수 있다. 설계자의 의도를 배반하지 못하도록 로봇이 스스로 무력화(無力化)할 수 없는 원격 자폭 스위치를 넣는 것도 가능하다. 인공지능 로봇이 인간의 통제를 벗어나지 못하게 과학자들은 다양한 기술적 방법을 만들어 내고, 입법자들은 강력한 법률과 사회적 합의를 적용할 것이다.

둘째는, 생각하는 기계가 모방할 수 없는 인간의 특징을 찾아 인간의 가치를 높이는 것이다. 즉, 로봇이 아니라 인간을 깊이 생각하고 인간 고유의 특징을 활용하는 것이다. 인공지능이 마침내 인간의 의식 현상을 구현해 낸다고 하더라도 인간과 인공지능은 여전히 구분될 것이다. 인간에게는 감정과 의지가 있기 때문이다.

감정은 비이성적이고 비효율적이지만 인간됨을 규정하는 본능으로, 감정에 따라 판단하고 의지적으로 행동하는 인간에게 감정은 강점이면서 동시에 결함이 된다. 논리적으로 설명할 수 없는 인간의 행동은 대부분 감정과 의지에서 비롯한 것이다. 인류는 진화의 세월을 거쳐 공감과 두려움, 만족 등 다양한 감정을 발달시켜 왔다. 인간의 감정과 의지는 수백만 년의 진화 과정에서 인류가 살아남으려고 선택한 전략의 결과이다.

인공지능을 통제하는 것이 과학자들과 입법자들의 과제라면, '인간이란 무엇일까?', '인공지능이 대체할 수 없는 나만의 특징과 존재 이유는 무엇일까?'라는 철학적인 질문은 각 개인에게 던져진 과제이다.

인공지능 시대는 필연적으로 인간의 본질과 삶의 의미에 대해 근원적 질문을 던진다. 인공지능과 자동화는 우리에게 기계가 인간을 능가할 수 없는, 기계가 도저히 흉내 낼 수 없는 인간의 능력이 무엇이냐고 묻는다. 이것은 단지 기계와의 경주에서 살아남기 위해 경쟁력 있는 직업을 유지할 수 있는 인간만의 고유한 기능이 무엇인지를 묻는 게 아니다. 인공지능이 점점 더 똑똑해지고, 인간이 해오던 많은 일을 기계가 대신하게 되는 상황에서 인간이 인간다워지는 것의 의미를 묻는 것이다.

인공지능 시대에 인간을 인간답게 만드는 것은 무엇보다 결핍과 그에 따른 고통이다. 인류의 역사와 문명은 이러한 결핍과 고통에서 느낀 감정을 동력으로 발달해 온 고유의 생존 시스템이다. 처음 마주하는 위험과 결핍은 두렵고 고통스러웠지만, 인류는 놀라운 유연성과 창의성으로 대응해 왔다. 결핍과 고통을 벗어나는 과정에서 인류가 체득한 생존의 방법이 유연성과 창의성이 있다. 이것은 기계에 가르칠 수 없는 속성이다. 그래서 인간의 약점은 인간과 기계를 구별하는 최후의 요소라고 할 수 있다. 우리는 기계를 설계할 때 부정확한 인식과 판단, 감정에서 비롯한 변덕스럽고 비합리적인 행동, 망각과 고통 같은 인간의 약점을 기계에 부여하지 않는다. 인간은 우리가 기계에 부합하지 않을, 이러한 부족함과 결핍을 지닌 존재이다. 하지만 거기에 인공지능 시대 우리가 가야 할 사람의 길이 있다.

결국, 앞에서 이야기한 두 가지 과제의 궁극적인 방향은 기계와의 경쟁이 아닌 공존과 공생이다. 인간 고유의 속성인 유연성과 창의성은 인공지능 시대라는 새로운 변화에서도 인간이 생존할 방법을 찾아낼 것이다.

01 윗글에 대한 설명으로 가장 적절한 것은?

┤ 보기 ├

ㄱ. 용어의 개념을 설명하여 독자의 이해를 돕고 있다.

ㄴ. 전문가의 견해를 인용하여 제시된 화제에 타당성을 더하고 있다.

ㄷ. 글쓴이의 입장을 다른 관점과 비교하여 다양한 해결책을 모색하고 있다.

ㄹ. 현실에서 우려되는 문제에 대한 글쓴이의 관점을 제시하고, 그 해결방안을 제시하고 있다.

ㅁ. 미래 사회에 대한 부정적 예측을 근거로 오늘날의 사회 현상에 대한 독자들의 반성을 촉구하고 있다.

① ㄱ, ㄹ   ② ㄴ, ㄷ   ③ ㄱ, ㄴ, ㄹ   ④ ㄴ, ㄹ, ㅁ   ⑤ ㄷ, ㄹ, ㅁ

02 글쓴이의 관점에 대해 학생들이 보인 반응으로 적절하지 <u>않은</u> 것은?

① A : 나는 글쓴이의 의견에 동의해. 인공지능이 인간을 뛰어넘을 정도의 지적 능력을 갖는다는 것은 우려할 만한 점이 있어.

② B : 나는 글쓴이의 의견에 동의해. 아무리 기술이 발달하더라도 감정과 의지만큼은 기계가 배울 수 없을 것이라고 생각해.

③ C : 나는 글쓴이의 의견에 동의해. 인공지능 로봇들도 결국엔 데이터의 수집과 조합을 반복하면서 창의적으로 문제를 해결할 수 있을 거야.

④ D : 나는 글쓴이의 의견에 동의하지 않아. 결핍과 고통으로 인해 오히려 인간의 문명과 역사가 퇴보할 수도 있을 것이라고 생각해.

⑤ E : 나는 글쓴이의 의견에 동의하지 않아. 인공지능 로봇들은 빅데이터의 활용과 더 복잡한 조합의 적용을 통해 인간의 한계를 뛰어넘을 수 있을 것이라고 생각해.

03 ㉠과 ㉡에 대한 설명으로 적절하지 <u>않은</u> 것은?

① ㉠과 ㉡은 인공지능이 축복이 될 수 있도록 하기 위해 제시한 방법들이다.

② ㉠은 인공지능을 통제하는 것과 관련된 입법적, 기술적 차원의 문제이다.

③ ㉠은 인공지능이 주인과 노예의 관계를 역전시킬 수 없도록 하기 위한 방법과 관련된다.

④ ㉡은 인공지능이 인간 고유의 특성을 학습하여 인간과 공존할 수 있도록 하는 방안이다.

⑤ ㉡은 인공지능이 대체할 수 없는 인간만이 특징과 존재 이유는 무엇인가와 관련된 문제이다.

04 윗글의 내용과 일치하지 <u>않는</u> 것은?

① 인공 지능에 대한 긍정적 전망과 부정적 전망 중 어느 것이 맞을지는 아직 알 수 없는 영역이다.

② 로봇에 대응하는 차원에서 로봇이 지켜야 할 도덕적 기준을 만들어 준수하게 하는 방법은 입법자에게 던져진 과제이다.

③ '인공지능이 대체할 수 없는 나만의 특징과 존재 이유는 무엇일까?'라는 철학적 질문은 기계와의 경쟁에서 이기기 위해 경쟁력 있는 직업을 유지할 수 있는 인간 고유의 기능을 묻는 것이다.

④ 인간의 본질과 삶의 의미에 대해 던지는 질문은 각 개인에게 주어진 과제이다.

⑤ 인간의 감정과 의지는 인류가 살아남으려고 선택한 전략의 결과로, 인류의 역사와 문명을 발달시켰다.

[05~08] 다음 글을 읽고 물음에 답하시오.

(가) 초록구 대표 : 우리는 다음과 같은 사항에서 심각한 피해를 예상하며, 이를 해결하지 못하면 우리 구에 추모 공원을 건립할 수 없다는 것이 구민의 의견입니다. 저희 조사에 따르면 화장 시설이 있는 다른 지역에서 카드뮴, 염화수소, 미세 먼지, 다이옥신, 수은 등이 배출되어 피해를 보는 사례가 보고되고 있습니다. 또한, 대형차량이 통행하면서 발생할 교통 혼잡과 소음 등이 조용한 삶을 선호하는 주민들에게 피해를 줄 것입니다. 우리 주민은 환경적 조건을 가장 중요하게 생각하여 이 지역에 거주하고 있습니다. 환경오염에 대한 시의 대책은 무엇입니까? 다음으로 이러한 주거 조건 하락으로 입을 경제적 손실도 우려됩니다. 우리는 화장 시설 설치가 주민의 주거권을 침해하고 삶의 질을 떨어뜨릴 것이라고 생각합니다.

푸른시 관계자 : 아직 우리나라에서 화장장이나 묘지가 혐오 시설로 여겨지는 것은 사실입니다. 그러나 화장 시설 설치는 지방 자치 단체의 의무 사항으로 우리 시가 해결해야 하는 매우 중요한 문제입니다. 미국이나 유럽은 물론 이웃 국가인 일본이나 중국도 주택가에 화장장이 있습니다. 일본은 도쿄 도심에만 공영 화장장이 20개가 넘는데, 그중에는 주택가 한복판에 위치해 바로 옆에 6층 높이의 아파트가 나란히 서 있는 현대식 화장장도 있습니다. 이번에 건립하는 시설도 장례식장, 화장장, 봉안당을 포함한 추모 공원 형태로 조성할 계획입니다. 시민들이 녹지와 다양한 문화 시설을 휴식 공간으로 사용함으로써 오히려 삶의 질을 높일 수 있을 것입니다.

초록구 대표 : 아니, 장례식장과 봉안당이 있는 곳에 어떤 문화 시설을 조성할 수 있으며, 주민이 어떻게 그곳에서 휴식을 취하고 문화를 즐길 수 있다는 말씀이십니까?

푸른시 관계자 : 초록구 주민들께서는 새로 조성되는 추모 공원이 문화 시설로서 가능할 수 없을 것을 우려하시는 것 같습니다. 그러면 봉안당과 장례식장을 제외하고 최소 필요 시설인 화장장만 설치하는 것으로 원안을 수정하여, 문화 시설의 성격이 강화된 추모 공원을 조성하는 안에 대해서는 어떻게 생각하십니까?

초록구 대표 : 저희의 처지를 이해하고 봉안당과 장례식장을 제외하는 안으로 수정해 주셔서 고맙습니다. 그러나 화장장이 있다는 것이 최대한 외부에 드러나지 않았으면 합니다. 장례 차량의 출입이 하늘산 등산객과 인근 주민의 눈에 덜 띄도록 화장 시설을 지하화하고 진입로도 외부로 잘 드러나지 않게 해 주십시오.

푸른시 관계자 : 저희도 주민의 처지에서 화장장이 외부에 노출되는 것을 원하지 않을 것으로 생각하였습니다. 그래서 이를 반영한 설계안을 마련했습니다. 여기, 준비한 설계안을 보시겠습니까? 지상에는 나무숲 공원을 조성하고 방문객이 출입하는 곳은 이 나무숲에 가려지게 설계하여 땅에 묻힌 듯 드러나지 않는 건물을 지으려고 합니다. 그리고 외부에서는 주변 경관에 어울리는 지붕만 보이도록 하겠습니다.

(나) 초록구 대표 : 잘 들었습니다. 건축 설계적 차원에서 기존 화장장의 단점을 보완하려 고심하신 적이 느껴졌습니다. 그러나 저희가 더 우려하는 것은 환경 문제입니다. 화장장에서 발생하는 소음이나 매연, 분진 및 다이옥신과 수은 등으로 주거 환경이 오염되어 주민의 건강한 삶이 위협받을 수 있다는 점에 대해서는 어떻게 생각하십니까?

푸른시 관계자 : 네, 환경 문제를 우려하는 주민의 마음은 충분히 이해합니다. 그래서 저희는 화장 문화가 발달한 나라의 선진 기술을 도입하여 유해 물질을 제거하는 연소 설비와 가스 냉각 설비를 최고 수준으로 갖출 예정입니다. 특히, 화장로 시스템을 획기적으로 개선하여 공해 발생을 최소화하는 '향류형 화장로'를 설치할 것입니다. 이 시설은 배출되는 다이옥신과 수은을 90% 이상 제거할 수 있습니다.

초록구 대표 : 향류형 화장로가 기존 방식과 무엇이 다르다는 말씀이십니까? 또, 제거를 확신하시지만, 다이옥신과 수은이 배출되는 것은 사실 아닙니까?

푸른시 관계자 : 네, 향류형 화장로라는 말이 좀 생소하시죠? 조금 더 설명해 드리겠습니다. 향류형 화장로는 연소 물질을 화장로 내부에서 4회 연소하는 방식입니다. 매연가스가 밖으로 바로 배출되지 않아서 주민들이 염려하시는 배출 가스와 냄새 문제를 해결한 최첨단 친환경 화장로입니다. 또한, 걱정하시는 다이옥신과 수은의 배출량은 매우 미미합니다. 다이옥신 배출은 소각 시설 허용 기준의 10분의 1 이하이며 수은 배출은 기준치의 1,000분의 1 수준입니다. 저희가 설치할 화장로는 이 또한 분사 냉각 장치와 여과 집진 시설로써 90% 이상 제거할 수 있습니다.

초록구 대표 : 아무리 화장로 시스템이 개선되었다 해도 화장로 15기로 하루 6회씩이나 화장을 하는 것은 지나칩니다. 화장장 및 화장로의 규모를 반으로 축소해 주십시오.

푸른시 관계자 : 현재 우리 시의 상황을 고려할 때 화장로 규모는 양보하기 어렵습니다. 부족한 화장 시설을 확보하려면 15기는 꼭 필요합니다. 우리 시민들이 인근 시의 화장 시설에 의존하지 않고, 원하는 때에 쾌적하고 경건한 분위기 속에서 장례를 치를 수 있는 환경을 조성하는 것은 초록구 주민 여러분을 위한 일이기도 합니다. 15기 미만을 운용하면 새 화장장을 건립하는 의미가 없습니다. 원래 계획은 20기를 설치해 하루 8회씩 운용하는 것이었으나, 환경 및 주민 건강에 대한 우려를 반영하여 최소 규모로 추진하려는 것입니다.

초록구 대표 : 알겠습니다. 15기 운용이 현실적인 최소 필요량이라는 것은 인정합니다. 그러나 환경적으로 안전하도록 관리를 철저하게 하여 시설을 운용해 주셔야 합니다. 주민 대표로 구성된 감시단이 지속해서 감시하고, 환경 문제가 발생하면 그 즉시 운용 축소를 요구하겠습니다.

푸른시 관계자 : 저희도 환경 감시 제도를 운용하여 시설 관리를 강화할 계획이었습니다. 주변 500m 이내의 대기, 수질, 토양, 생활 환경을 지속해서 평가하는 환경 감시단 활동에 지역 주민 대표가 참여하는 것에 동의합니다. 또한, 환경 오염 없이 시설이 운영되도록 철저히 관리하겠으며, 만약 주민이 우려하는 환경 문제가 발생하면 화장로 가동 횟수를 감축하겠습니다.

초록구 대표 : 네, 저희도 적극적으로 참여하여 깨끗한 환경이 유지되도록 협조하겠습니다. 그런데 푸른시의 필요 시설 확충으로 저희 구민이 입게 되는 유·무형의 피해를 보상할 현실적 방안은 무엇입니까? 저희는 시에서 생활 편의 시설도 함께 유치해 주시기를 바랍니다. 특히, 초록구는 의료 시설이 부족해 가까운 다른 시나 도심의 의료 시설을 이용하고 있으며 문화 체육 시설도 부족합니다. 시립 의료 시설과 종합 체육관을 함께 유치해 주십시오.+

푸른시 추모 공원 건립 합의안

1. 푸른시는 초록구 하늘산 일대에 화장장 시설을 포함한 추모 공원을 건립한다.
2. 화장 시설과 진입로를 지하화하며 외부 노출을 최소화한다.
3. 향류형 화장로 시스템 도입으로 공해 발생을 최소화한다.
4. (   )
5. 주민 대표로 구성된 환경 감시단이 화장장 주변 500m 이내에 환경을 지속해서 평가하고, 환경 문제 발생 시 화장로 가동 횟수를 감축한다.
6. 푸른시는 초록구에 시립 의료 병원을 이전하거나, 대학 병원 규모 이상의 의료 시설 설립을 허가한다.

---

05 윗글에 대한 설명으로 가장 적절한 것은?

① 다양한 문제에 대해 여러 사람의 직관과 대화를 통해 이치를 깨달은 말하기이다.
② 공통의 문제 의식을 지닌 사람들이 가장 합리적인 해결 방안을 모색하는 말하기이다.
③ 대상에 대한 전문적인 지식을 바탕으로 대중에게 알기 쉽게 풀어서 전달하는 말하기이다.
④ 하나의 논제에 대하여 찬성과 반대로 나뉘어 각각의 주장에 대한 근거를 제시하며 시비를 가리는 말하기이다.
⑤ 개인이나 집단 사이에 이해가 서로 상충하는 상황에서 문제를 해결하기 위해 타협하고 조정하여 해결방법을 찾는 말하기이다.

06 윗글에서 사용된 협상의 의사소통 방식이 <u>아닌</u> 것은?

① 상대방의 반박을 예상하고 이에 적절하게 대응한다.

② 상대방의 이해를 도울 수 있는 정보를 추가로 제공한다.

③ 전문가의 의견을 인용하여 제시된 의견의 신뢰성을 높인다.

④ 상대의 입장을 인정하고 의견을 존중하고 있음을 보여 준다.

⑤ 협상의 목적, 협상이 이루어지는 상황을 고려하여 말할 내용을 준비한다.

07 초록구 대표의 주장으로 알맞지 <u>않은</u> 것은?

① 화장장 설치로 인해 문화 시설이 부족해진다.

② 화장 시설 설치는 구민들의 삶의 질을 떨어뜨린다.

③ '향류형 화장로'도 유해 물질을 완전히 제거할 수는 없다.

④ 화장장 건립으로 공해 물질의 배출에 따른 환경오염이 우려된다.

⑤ 화장장 설치에 따른 주민들의 피해에 대해 현실적인 보상이 필요하다.

08 〈보기〉의 내용 중 푸른시 관계자가 사용한 말하기 방식으로 바르게 묶인 것은?

┤ 보기 ├

ㄱ. 반어적 표현을 사용하여 자신의 주장을 강조한다.

ㄴ. 상대방의 노력과 배려를 인정하고 고마움을 표시한다.

ㄷ. 상대의 입장에서 생각하고 거기에 따른 방안을 제시한다.

ㄹ. 상대방의 말을 재진술하여 문제를 명확히 하고 상대의 입장을 이해했다는 것을 전달한다.

ㅁ. 과거의 사례를 근거로 들어 상대방이 약속을 지키지 않았을 경우 취할 행동을 제시한다.

① ㄱ, ㄴ   ② ㄴ, ㄷ   ③ ㄷ, ㄹ   ④ ㄴ, ㄷ, ㅁ   ⑤ ㄷ, ㄹ, ㅁ

MEMO

실전기출 문제은행

정답 및 해설

2A
2학기중간

미래엔 | 신유식

(1) 옛 노래 세 편 감상하기

확인학습   P.07

01 ○   02 ×   03 ×   04 ○   05 ○   06 ×   07 ×   08 ○
09 ○   10 ○

02 인간과 자연을 대비하고 있지 않다.

03 누이의 죽음에서 오는 슬픔과 재회를 소망하므로 안빈낙도의 삶을 살고자 하는 것은 적절하지 않다.

05 종교적인 색채가 두드러지는 작품이다.

07 '한 가지'는 화자와 누이가 같은 부모에서 태어났음을 알 수 있다. 홀어머니 슬하에서 자랐는지는 알 수 없다.

09 누이가 요절했음을 나타낸다.

확인학습   P.09

01 ×   02 ○   03 ×   04 ○   05 낙락장송, 백설   06 ×   07 ○
08 ○   09 ×   10 한 허리를 버혀 내어

03 '봉래산'은 세속에 물들지 않은 순수한 공간을 의미한다.

06 해학적으로 드러내고 있지 않다.

07 추상적 대상인 시간을 주관적으로 변용하고 있다.

08 '동짓달', '춘풍(春風)' 등 계절적 특징을 드러내는 시어를 사용하고 있다.

09 누이가 요절했음을 나타낸다.

객관식 기본문제   P.10~21

01 ④   02 ③   03 ④   04 ③
05 ④   06 ①   07 ⑤   08 ④
09 ②   10 ④   11 ④   12 ①
13 ②   14 ③   15 ①   16 ⑤
17 ①   18 ⑤   19 ④   20 ①
21 ④   22 ③   23 ①

01 (가), (라)는 화자가 사랑하는 대상과 헤어졌지만 임과의 재회를 바라고 있고, (나)는 시류에 휩쓸리지 않고 지조를 지키겠다는 바를 제시하고 있다.

02 불교사상을 바탕으로 향유된 것은 맞지만, 평민층에서 향유된 것은 아니다. 주로 승려가 창작을 하였다.

03 (다)에서는 사회 비판적 대상이 나오지 않고, 임을 그리워 하는 마음을 해학적으로 노래하였다.

04 동일한 문장을 반복한 부분이 화자의 의지를 강조하는 부분은 아니다.

05 (다)가 임에 대한 그리움을 표현한 것은 맞지만, 역설적 발상은 나오지 않는다.

06 '백절불굴'은 백 번 꺾여도 굴하지 않는다는 뜻으로, 어떤 어려움에도 굽히지 않음을 의미한다.

07 '봉래산 제일봉'은 세속에 물들지 않은 순수한 공간을 의미한다. 화자를 억압하는 세력을 의미하는 것은 '백설'이다.

08 ㉠은 부정적 세력을 의미한다. ㄴ에서 대나무가 눈을 맞아서 휘어진 부분에서 눈은 부정적 의미로 사용되었고, ㄷ에서 눈 속에서 절개가 높은 빙자옥질을 발견하겠기에 여기서 눈도 부정적 의미로 사용되었다.

09 '서리서리', '굽이굽이'라는 음성 상징어를 사용하여서 우리말의 묘미를 살리고 있다.

10 (다)는 사설시조로 중장의 길이가 길어졌다. 정형성을 띠며 형식적 완성도가 높은 것은 (가)이다.

11 (가)는 향가로 신라 시대부터 고려 시대 초기까지 창작되었고, 시상을 세 부분으로 나눌 수 있다. (나), (다)는 시조로 고려 말기부터 발달해온 우리나라 고유의 정형시로 3장으로 나눌 수 있다. 작품 창작에 형식적으로 영향을 주었다.

12 (나)에서는 종교적 신념이 나오지 않는다.

13 ㄱ은 외래문화에 의존한 것이 아니라 주체적으로 수용해서 우리 민족의 정신과 정서를 드러내고 있기에 적절하지 않고, ㄹ은 (가)가 (다)의 형식에 영향을 미친것이기 때문에 적절하지 않다.

14 ㉢은 시련, 고난, 왕위를 찬탈한 수양 대군 일파를 상징한다.

15 향가는 한자의 음과 뜻을 빌려와 표기하는 '향찰'을 사용해 지은 신라의 노래이다.

16 초혼(招魂)은 이미 죽음으로 인하여 떠난 혼을 다시 불러들여 죽은 사람을 살려내려는 인간들의 간절한 소망을 의식화한 것으로 사별에서 오는 슬픔과 안타까움의 정서가 유사하다.

17 누이의 죽음을 슬퍼한 후에, 혈육의 죽음에서 느끼는 인생의 무상감을 보인다. 그 후에 미타찰이라는 곳에서 재회할 수 있을 거라는 종교적 믿음으로 슬픔을 극복한다.

18 (나)에서도 비유와 순 우리말 음성 상징어의 사용으로 주제를 효과적으로 표현하였기에 ㅁ은 적절하지 않다.

19 ㉢은 수양대군의 득세를 의미한다.

20 '님 향한 일편단심(一片丹心)이야 고칠 줄이 이시랴'라는 설의법을 사용해서 님을 향한 영원한 지조와 절개를 의미하는 (가)와 유사한 주제 의식을 담고 있다.

21 자신의 행동을 후회하는 부분은 나오지 않기에 ㄱ은 적절하지 않고, 사물에 인격을 부여하는 의인화 또한 사용되지 않았기에 ㄹ도 적절하지 않다.

22 '늙음'이라는 추상적인 관념을 선명하게 드러내고 있다.

23 약자인 '파리'를 강자인 '두터비'가 무는 모습과 본인보다 강한 '백송골'을 보고 자빠진 모습을 표현하여서 해학적으로 나타내고 있다. 그러므로 가장 유사한 것은 ⓐ이다.

01 ②	02 ③	03 ③	04 ⑤
05 ②	06 ③	07 ②	08 ②
09 ③	10 ⑤	11 ④	12 ③
13 ②	14 ③	15 ①	16 ③
17 ②	18 ④	19 ②	20 ②
21 ①	22 ①	23 ③	24 ①
25 ②	26 ③	27 ⑤	28 ①
29 ⑤	30 ②	31 ④	32 ③
33 ③	34 ③	35 ⑤	36 ③
37 ④	38 ③	39 ④	40 ④
41 ⑤	42 ⑤	43 ①	44 ④
45 ⑤	46 ③	47 ②	48 ④

01 (가)가 (나)~(라)와 달리 향찰 표기로 되어 있는 것은 맞지만, 한문학 작품은 아니다.

02 (나) 작품은 수양의 횡포에도 불구하고 '낙랑장송'처럼 끝까지 절개를 지키겠다는 다짐을 나타내고 있으므로 긍정적인 현실이 아니다.

03 (다)에서 '~리라'라는 종결어미를 사용해 화자가 임과 함께하고 싶은 소망과 의지를 드러내고 있기 때문에 (라)보다 (다)에서 더 적극적인 의지가 드러난다.

04 〈보기〉에서의 '백구'와 화자는 동일하게 자연 친화적인 태도를 가지고 있다. 상반된 태도를 가지고 있다는 부분은 적절하지 않다.

05 '한 가지'를 통해서 화자와 대상이 같은 부모 밑에서 태어난 가족이라는 점을 알 수 있다.

06 ⓒ을 통해 혈육의 죽음을 부정하는 것이 아니라. 죽음에서 인생 무상감을 느끼는 화자의 심리를 읽을 수 있다.

07 ⓐ는 죽은 누이의 의미를 함축하고 있으므로 가장 유사한 것은 누이의 '눈썹 두어 날'이다.

08 화자의 한과 분노를 표현한 부분은 없기 때문에 ㄴ은 적절하지 않고, ㄹ은 누이의 죽음을 기리고 있는 부분으로 누이의 한이 죽음을 통해 극복되고 있다는 부분도 적절하지 않다.

09 (가)에서 미타찰에서 만날 것을 희망하고, (나)에서도 다시 만날 것을 소망하고 있기에 윤회 사상을 바탕으로 인연을 연장하고 있다고 할 수 있다.

10 (가)와 〈보기〉 모두 기승전결의 구성 방식이 아니다.

11 ⓔ은 임이 없는 부정적인 시간을 의미한다.

12 (가)의 5행부터 8행엔 인생 무상감이 드러난다. 오백년 도읍지인 고려가 멸망해 남아있지 않음에 무상감을 느끼고 있다.

13 미타찰이라는 새로운 공간과 같은 의미를 가진 것은 일제 시기에 더 이상 이 땅에서 고향을 찾지 못하는 상황에서 시인이 설정한 새로운 고향을 의미하는 ②가 적절하다.

14 (라)는 '~얄미우랴, ~있으랴'와 같은 설의적 표현으로 임을 그리워하고 기다리는 화자의 정서를 강화하고 있다.

15 (나)에 비해 (라)는 종장의 길이가 아니라 중장의 길이가 길다.

16 (다)는 계유정난이 일어난 시기에 창작되었으며, '충'이라는 유교적 이념을 바탕으로 하고 있다.

17 신라 시대에 향찰로 기록되어 전해진 작품이다.

18 '미타찰'이라는 극락세계에서 재회할 것이라는 믿음으로 슬픔을 승화시키고 있다.

19 공통적으로 쓰인 표현법은 역설법이다. ②번 '괴로웠던 사나이, 행복한 예수 그리스도에게'에서 역설법이 사용되었다.

20 ㉠은 수양 대군의 일파를 의미한다. ②번에서 까마귀 싸우는 골에 백로보고 가지마라고 하는 것을 보면 까마귀는 부정의 세력임을 알 수 있다.

21 '서리서리, 굽이굽이'와 같은 음성 상징어를 사용하였고, '동짓달 기나긴 밤과 어론님 오신날 밤'을 대조하여 주제를 효과적으로 드러내고 있다.

22 '연모의 정'과 같은 일상적 소재를 해학적으로 표현하고 있다.

23 절개를 지키겠다는 (가)의 정서와 유사한 작품은 수양산에서 굶어 죽을지언정 그 땅에서 난 고사리를 캐 먹지 않겠다는 ③에서 나타난다.

24 '봉래산 제일봉'은 왕위를 빼앗긴 단종이 아니라, 세속에 물들지 않은 순수한 공간을 의미한다.

25 (다)의 화자는 대상에 대한 자신의 감정을 솔직하게 표현하고 있다.

26 (다)는 조선 중기의 유명한 기녀가 창작한 작품으로 사랑하는 임에 대한 감정을 노래하고 있다.

27 화자는 마지막 부분에 종교적으로 슬픔을 승화시키고 있다.

28 '도화'는 복숭아 꽃으로 무릉도원과 같은 이상의 공간과 가까움을 나타내고 있다. 굳은 절개와 지조를 나타내는 ㉠의 상징적 의미와는 거리가 멀다.

29 (가)는 불교적 가치관이 드러나고 있고, (나)에는 종교적 가치관이 표현되어 있지 않다.

30 (다)에서의 사랑하는 사람에 대한 그리움의 정서와 거리가 가장 먼 것은 자연 친화적인 정서를 말하고 있는 ②이다.

31 '연모의 정'과 '잠'과 같은 일상적으로 접하는 소재로 시상을 전개하고 있다.

32 (다)에서 화자는 '잠'을 쫓고자 하는 마음이므로 재회하고픈 간절한 소망을 담고 있다는 선지는 적절하지 않다.

33 (가)는 '시간'이라는 추상적인 관념을 구체화하고 있고 〈보기〉에는 그런 부분이 나타나지 않는다.

34 (나)에서는 개의 행위에 대한 묘사를 〈보기〉에서는 일하는 농민의 모습을 묘사하고 있고, (나)에서 '~얄미우랴, ~있으랴'와 같은 설의적 표현, 〈보기〉에서 '긴소리 ~갈꼬 하더라'에서 인용 표현을 사용하고 있기에 '을'과 '병'이 적절하다.

35 (가)는 혈육의 사별, (나)는 수양 대군 일파의 횡포, (다)는 사랑하는 사람에 대한 그리움과 같은 부정적 상황 속에서 재회, 굳은 절개, 만남과 같은 화자가 바라는 바를 제시하고 있다.

36 ㉢은 누이의 요절을 의미한다. 화자의 시련과 고난이 아니다.

37 ⑭은 '저승'과 같은 공간을 의미하는데 ④의 '여기'는 '이승'의 공간을 의미한다.

38 (가)는 미타찰에서의 재회라는 불교적 윤회사상의 믿음을 통해 슬픔을 극복하고자 한다.

39 '낙락장송'은 수양대군에게 저항하는 높은 절개와 지조를 의미한다.

40 〈보기〉는 사설시조로 일상적 소재를 사용하며 사실적인 표현이 드러난다.

41 (다)에서 '시간'이라는 추상적 개념을 시각화하였는데, ⑤에서도 '시간'이 '배암의 또아리를 틀고 있다'라며 시각화하고 있다.

42 (라)에서 '님은 갔지마는 나는 님을 보내지 아니하였습니다.'라고 재회에 대한 믿음을 역설적으로 표현하고 있다.

43 '이른 바람'이라는 것을 통해 대상이 요절했음을 알 수 있다.

44 '결국 도련님 곁'이라는 부분을 통해서 공통적으로 임과의 재회를 소망하고 있는 태도를 볼 수 있다.

45 (가)도 세 부분으로 나눌 수 있고, (나)도 3장으로 이루어져 있다. 또한 (가)의 낙구엔 감탄사로 시작, (나)의 종장은 3음절로 시작하는 형식적인 제약이 있다.

46 (나)에서 '~될꼬 하니 ~ 되어 있어'라는 자문자답의 형식을 통해 화자의 굳은 절개의 의지를 보여주고 있다.

47 '눈'은 시련과 고난의 의미가 함축되어있다. ②에서 '눈'은 '서리'와 대응되며 '늙음'을 의미하므로 가장 의미가 다르다.

48 (다)는 한자어가 아닌 순우리말을 사용하여 우리말의 묘미를 살리고 있다.

서술형 심화문제   P.47~51

01 A: 한 가지 B: 이른 바람
02 (1) '가는'의 주체가 죽은 누이이고, 죽은 사람이 갈 곳은 저승이기 때문에 누이가 죽어서 갈 저승을 뜻한다.
　　(2) 예
03 ㉠ 이른 바람 ㉡ 떨어질 잎 ㉢ 한 가지 ㉣ 누이의 요절 ㉤ 죽은 누이 ㉥ 같은 부모
04 헤어진 대상과 다시 만나게 될 것이라고 믿고 있다.
05 진눈깨비
06 낙락장송은 지조와 절개를 상징하며, 백설은 수양대군과 같은 부정한 세력을 뜻한다. 종장의 의미는 부정한 세력 때문에 어지러운 현실 속에서 지조와 절개를 지키겠다는 뜻이다.
07 ㉮ 백설 ㉯ 까마귀 ㉰ 낙락장송 ㉱ 야광명월
08 (1) (가)아아, (라)그러나 (2) 재회에 대한 믿음을 보이고 있다.
09 (1) 중장의 길이가 다소 길다.
　　(2) (나)는 조선 전기에 양반 계층이, (라)는 조선 후기에 평민 계층이 향유하였다.
10 ㉠ 개 ㉡ 임과의 만남을 방해
　　㉢ 잠을 방해하지만 임을 그리워하는 자신의 심정과 같은 것이라고 생각함
11 ㉠ 베고 ㉡ 넣고 ㉢ 펼 ㉣ 임을 그리워 하는
12 10구체 향가인 〈제망매가〉는 1~4행(기), 5~8행(서), 9~10해여(결)의 3단 구성으로 되어있고, 시조인 〈동짓달 기나긴 밤〉은 초장–중장–종장으로 구성되어 있어 둘 다 3단 구성이라는 측면에서 공통점을 지니고 있다.
13 '밤을 한 허리를 베어내어'와 같이 추상적인 관념을 구체화하고 있다. '서리서리' 등과 같이 음성상징어를 활용하고 있다.

---

(2) 고전 소설 감상하기

확인학습   P.54

01 ○　02 ○　03 ○　04 ×　05 ○　06 ×

01 청이 제물로 팔려가는 상황을 통해 그 당시 인신공양 풍습이 있었음을 알 수 있다.

02 '그날 밤에 꿈을 꾸었는데 ~ 보여 주는 바가 있었다.'에서 확인할 수 있다.

04 심 봉사가 딸에게 닥칠 운명을 꿈을 통해 미리 본 것이다.

06 심 봉사는 탕왕의 고사를 인용하여 뱃사람들의 잘못을 지적하고 있다. 이는 상황에 맞는 적절한 고사를 인용한 것이며, 심 봉사의 애타는 마음과 비극적인 심정을 드러내고 있다.

확인학습   P.57

01 ×　02 ×　03 ○　04 ×　05 ○

03 심청의 희생은 아버지의 눈을 뜨게 하고 싶은 마음에서 비롯된 것이지 남들에게 '효'의 모범이 되려는 열망에서 비롯된 것은 아니다.

05 자신의 죽음을 받아들이고 현실을 인식한 심청의 체념적인 정서가 드러난다.

확인학습   P.59

01 ○　02 ○　03 ×　04 ○

02 청산, 강물, 꽃, 버들가지 등에 심청의 슬픈 감정이 이입되어 있다.

03 심청의 다음 생에 대한 소망이 드러나지 않는다.

04 자신의 모습을 한 무제 때 수양 공주에 빗대고 있다.

객관식 기본문제   P.60~80

01 ③	02 ④	03 ①	04 ②
05 ⑤	06 ⑤	07 ①	08 ⑤
09 ④	10 ③	11 ④	12 ③
13 ③	14 ①	15 ④	16 ④
17 ④	18 ③	19 ⑤	20 ③
21 ⑤	22 ①	23 ④	24 ⑤
25 ⑤	26 ①	27 ④	

01 사건을 요약적으로 나타낸 부분이 없고, 대화가 많이 나오므로 사건 전개가 느리다고 할 수 있다.

02 장 승상 댁 부인은 인제라도 쌀을 지원해줄테니 죽지 말라며 그

것은 진정한 효라고 생각하고 있지 않다.

03 본인의 마음을 솔직하게 말하고 있다. 반어적 표현은 나타나지 않는다.

04 맥수지탄은 '고국의 멸망을 한탄함'을 의미한다.

05 나머지는 다 감정 이입이 된 자연물들이고 '바람'은 단순한 자연물을 의미하므로 적절하지 않다.

06 심청이는 처음부터 끝까지 효를 중시하는 인물로 입체적이고 개성적인 인물이 아니다.

07 편집자적 논평이 쓰인 부분이다.

08 '꿈'은 앞으로 전개될 사건의 복선의 역할이다. '전체 줄거리'를 고려하면 심청이가 황후가 되므로 '꿈'은 긍정적 의미도 될 수 있다.

09 지배층의 횡포를 풍자하는 것이 아니라 뱃사람들에 대한 심봉사의 적대감과 분노가 나타나는 부분이다.

10 ⓐ: 매달 초하룻날부터 헤아려 일곱째 되는 날 / ⓑ: 사궁의 첫째. 늙은 홀아비 / ⓓ: 칠 년 동안이나 내리 계속되는 큰 가뭄 / ⓔ: 조심스럽게 다루어 깨끗하고 온전하게.

11 '뱃사람들은 딱한 형편을 보고 모여 앉아 공론하기를,~'을 통해서 이해타산적이지 않다는 것을 알 수 있다.

12 〈보기〉는 사설시조로 평민계층이 창작한 것이다. 두 작품 모두 일상적인 체험과 바람을 투영하고 있다.

13 판소리계 소설은 어느 특정 작가가 창작한 것이 아니라 판소리와 소설을 향유하던 당시 민중들이 공동으로 창작한 것이라 볼 수 있다. 즉 설화적 이야기가 전해 내려오고 정착되는 과정에서 민중의 참여에 의해 끊임없이 개작되고, 그들의 체험이 투영되어 온 것이다.

14 '~가마 태워 갈란가 보다'에서 암시하고 있다고 볼 수 있다.

15 서술자가 개입한 부분이 아니며, 다양한 대상에 등장인물의 감정을 이입한 부분이 없고, 불교적 인과응보와 도교의 신선 사상도 드러나지 않는다. 심봉사의 하늘이 무너질 것 같은 감정을 잘 표현한 부분이다.

16 장 승상 댁 부인은 인간의 정을 중시하기 때문에 경제적으로 심청이를 도우려고 하는 것이다.

17 인물 갈등 상황을 암시하고 있는 부분은 없다.

18 심봉사가 자신의 상황과 어울리는 칠년대한과 관련된 고사를 근거로 들고 있다.

19 공양미 삼백 석을 시주하면 눈을 뜨게 될 것이라는 얘기를 뱃사람들이 한 것이 아니다. 그러므로 ⑤번은 적절하지 않다.

20 일정한 율격이 판소리의 '창'과 비슷하다고 할 수 있다.

21 심봉사는 슬픔과 뱃사람들에게 분노를 표출하고 있다. 체념적인 태도로 자신의 상황을 받아들이고 있지 않다.

22 경판본에선 유교적 가치관을 중시하였고, 완판본을 보면 장승상 댁 부인을 통해서 비판적 시각이 같이 공존하고 있음을 알 수 있다.

23 심청이는 운명을 적극적으로 저항하지 않고 순응하는 태도를 보

24 당대 유교적인 이념인 효를 중시했기 때문에 극단적 선택을 했음에도 불구하고 행복한 결말을 맞이하였다.

25 [A] 부분에서 기쁨의 감정은 드러나지 않는다.

26 ② 〈보기〉의 사실을 통해 지역에 따른 소설의 내용 차이는 존재한다는 것을 알 수 있다. ③ 현대에 다른 형태로 재창작될 가능성에 대해선 언급되어있지 않다. ④ 전체 줄거리는 유사하지만 더 많은 등장인물과 사건을 담고 있기 때문에 의미있는 행위이다. ⑤ 경판본에서의 '심봉사'와 '장 승상 댁 부인'은 유교적 이념을 비판하고 있지 않다.

27 심청이가 떠나가는 것을 마을 사람들 모두 슬퍼하고 있으므로 마을에서 인정받는 효녀임을 알 수 있다.

객관식 심화문제
P.81~119

01 ⑤	02 ③	03 ②	04 ③
05 ④	06 ②	07 ④	08 ④
09 ②	10 ④	11 ①	12 ④
13 ⑤	14 ④	15 ④	16 ⑤
17 ②	18 ①	19 ⑤	20 ③
21 ③	22 ④	23 ⑤	24 ②
25 ⑤	26 ⑤	27 ②	28 ④
29 ③	30 ②	31 ③	32 ④
33 ⑤	34 ②	35 ⑤	36 ⑥
37 ④	38 ②	39 ③	40 ⑤
41 ⑤	42 ③	43 ③	44 ⑤
45 ⑤	46 ④	47 ②	48 ⑤
49 ②	50 ③		

01 효를 위해 본인의 몸을 제물로 바치는 모습에서 인신공양의 풍습을 볼 수 있다.

02 ③은 부모에 대한 효를 다 갚을 수 없다는 내용으로 가장 유사하다.

03 서술자가 사건에 대한 자신의 견해를 밝히는 부분으로 ②이 적절하다.

04 (가)에선 효를 위해 목숨을 바쳤기에 〈보가〉보다 (가)에서 효심이 더욱 강하게 드러난다.

05 고립무원은 '고립되어 구원을 받을 데가 없음'을 의미하므로 아무도 남지 않는 상황과 어울린다.

06 장 승상 댁 부인에게 저승에 돌아가서 은혜를 꼭 갚겠다고 했기에 ㄱ은 적절하지 않고, 어려운 처지에 있는 사람을 도와주려고 거절한 것이 아니기에 ㄹ도 적절하지 않다.

07 장 승상 댁 부인은 효심을 인정하면서도 그 상황이 안타까워 본인이 도와주고 싶어 한다.

08 〈보기〉에서 신체부위인 '볼기'를 소재로 하였지만 윗글에선 그런 부분이 나타나지 않는다.

09 영웅적 면모를 가진 인물이 아니다.

10 윗글의 '꿈'은 사건 전개를 암시하는 복선의 기능을 하고 〈보기〉의 꿈은 꿈속에서 이상이 실현되는 역할을 한다.

11 죽음에 대한 두려움과 아버지와 이별에 대한 슬픔을 나타내고 있는 부분이다. 자신의 선택을 후회하는 슬픔이 아니다.

12 뱃사람들이 심 봉사의 처지를 딱하게 여긴 것은 맞지만 사람의 목숨을 돈으로 계산하는 것을 반성하는 부분은 아니다.

13 제안을 거절하는 이유를 통해 세속적인 성격이 아니라 심청이의 염치 있고 책임감 있는 모습을 볼 수 있다.

14 ④에서 화자의 슬픔 감정을 산꿩이 설게 울고 있다는 부분에서 감정 이입이 드러났다.

15 인물의 갈등이 해소되는 과정을 보여 주고 있지 않다.

16 자신이 죽고 난 후에 재회할 수 없을 것이라는 현실을 부른 것은 ③이 적절하다.

17 심청이는 자신에게 주어진 운명에 순응하고 있다.

18 혈육처럼 생각하긴 하지만 혈육은 아니다.

19 불우한 이웃에 실질적으로 도움을 주었다.

20 ⓒ만 눈물을 꽃으로 비유를 하였다

21 반복과 대구가 많이 일어나므로 산문이지만 운율과 음악성이 느껴진다.

22 '아름다운 꽃'은 심청이를 의미하고 '풀 돋는 강남'은 아니다.

23 평소 장승상 댁에서 심청이를 예뻐했기에 앞으로 좋은 일이 있으리라고 생각한 것이 이기적이라고 하기에는 적절하지 않다.

24 판소리계 소설은 특정 계층이 아닌 당대 민중들이 끊임없이 개작한 문학작품이다.

25 ㉠은 조상들께 마지막 인사를 하는 부분으로 '여손'이 적절하고, 혼자 남는 아비의 처지를 비유하는 '사궁지수'가 적절하다. 또 어떤 일로 인하여 생기는 재난이나 재앙을 의미하는 '앙화'와 죽은 뒤라도 은혜를 잊지 않고 갚음을 의미하는 '결초보은'이 올바르다.

26 서술자가 개입하여 본인의 견해를 드러내지 않는 것은 ⑤이다.

27 반복, 대구, 설의적 표현이 다 나온 것은 ②이다. 초장에서 대구가 일어나고 '～하료'를 계속 반복하며 설의적으로 표현하고 있다.

28 심청이는 죽음 앞에서 두려움에 기절을 하였기에 ㄱ은 적절하지 않고, 심청이는 아버지의 꿈 이야기를 본인이 죽는 미래로 받아들였기 때문에 희망을 가진다는 ㅁ도 적절하지 않다.

29 자신과 비슷한 처지의 고사를 인용하여 정서를 표현하였다. 고사를 통해 상대방의 행위를 비판한다는 ㄴ은 적절하지 않고, 배경 묘사를 통해 인물의 정서를 드러낸 부분도 나오지 않았기 때문에 ㄷ도 적절하지 않다.

30 마을 사람들은 본인들의 박탈감과 무력감을 심청이의 죽음을 통해 보상받으려 하지 않았다. 심청이의 죽음을 함께 슬퍼해줬다.

31 사건의 요약적 서술과 대화 장면이 모두 나와 있다.

32 [A]에서는 자신의 심정을 토로하고 있고 [B]에서는 뱃사람들에 대한 분노와 적대감이 드러난다.

33 심청이가 황후가 되는 것은 착한 주인공이 어려움을 극복하고

복을 받는 내용이므로 선악의 대립구조와 권선징악의 주제의식과는 맞지 않다.

34 ⓐ에서 운명에 순응하는 태도를 볼 수 있으며 가장 유사한 작품은 ②이다.

35 뺑덕 어미는 심봉사를 두고 달아난 인물이다. 심청과 심봉사의 재회에 필연성을 부여해주는 인물이 아니다.

36 심청이가 아버지에 대한 갈등을 가지고 있지 않다.

37 '심청' 또한 효를 실천하는데 소극적 자세가 아니라 적극적 자세를 취하고 있다.

38 산 사람을 제물로 바치는 것은 당시 인신공양의 풍습 때문이다. 이 행동은 전기성을 띠고 있다고 볼 수 없다.

39 심청이를 자식과 같이 아끼고 사랑하는 장 승상 댁 부인의 마음을 알 수 있다.

40 작품 밖의 서술자가 개입하여 사건에 대한 자긴의 견해를 밝히고 있으므로 ㄴ은 적절하지 않다.

41 액운은 '액을 당할 운수'를 의미한다.

42 인물의 말을 통해 심리를 드러내고 있기 때문에 사건 전개가 느리다.

43 심청이는 당시 지배적인 가치관인 효에 충실한 인물이다.

44 심청이의 떨어진 눈물을 꽃으로 비유하고 있다.

45 [A]에서 설의적 표현이 사용되지 않았다. 〈보기〉에서는 '～구나'에서 영탄적 표현이 쓰였다.

46 판소리계 소설의 특징인 운율감이 잘 드러나는 부분이다. 서술자의 개입은 없다.

47 ㉡에서는 심청이의 염치있고 책임감 강한 성격이 드러난다. 현학적인 모습은 드러나지 않는다.

48 '유교적 효를 지켜야 할 규범으로 ～ 비판적으로 바라본다고 할 수 있다'에서 확인 할 수 있다.

49 ⓑ는 사람의 몸을 바치는 당시의 시대적 풍습이 드러나는 부분이다. 신화적 요소는 아니다.

50 심청이는 아버지와 이별 때문에 속상해 하고 있다. ③번에서 '촉불 누구와 이별하였길래 속 타는 줄 모르느냐'에서 심청이의 정서와 가장 가까운 것을 확인 할 수 있다.

서술형 심화문제   P.120~127

01 그날

02 난데 없는 비바람

03 편집자적 논평. 그날 밤에 꿈을 꾸었는데, 부자간은 천륜지간이라 꿈에 미리 보여주는 바가 있었다.

04 (1) 심봉사: 장승상 댁에서 심청이를 가마에 태워 간다고 생각한다.(좋은 일이 생길 것이라고 생각한다.)
   (2) 심청: 자신의 죽음을 암시한다.

05 심봉사가 눈을 뜨고 심청과 다시 재회하는 내용에서 고전소설의 특징인 선한 주인공이 행복에 이르는 권선징악을 확인할 수 있다.

06 약속을 정한 뒤에 다시 약속을 어길 수 없다는 이유로 거절한 것을 통해 심청은 책임감이 강한 성격임을 알 수 있다.

07 (1) 아름다운 꽃 (2) 심청이 인당수의 제물이 되어 죽게 된 것을 뜻한다.

08 감정 이입

09 효라는 가치관을 현대적으로 해석하고 있다.

10 진지

11 (예시) 심봉사는 사람을 제물로 바치는 뱃사람들을 비난하는 행위를 통해 그 무엇보다 인간이 중요함을 강조하고 있다.

12 (1) '부모를 위해 공을 드릴 양이면 어찌 남의 명분 없는 재물을 바라며'로 보아 염치가 있고 책임감이 강한 성격이다.

(2) '쌀 삼백 석을 도로 내어주면 뱃사람들 일이 낭패이니'로 보아 상대방의 처지를 이해하는 성격이다.

(3) '남에게 몸을 허락하여 약속을 정한 뒤에 다시 약속을 어기면 못난 사람들 하는 짓이니'로 보아 약속을 중요하게 여기는 성격이다.

13 ㉮감정 ㉯이입 ㉰청산, 강물, 꽃, 버들가지, 복사꽃, 꾀꼬리, 두견이

(3) 현대시 감상하기

확인학습
P.130

01 × 02 × 03 ○ 04 ○ 05 × 06 × 07 ○ 08 ○
09 × 10 × 11 ×

03 이 시는 무기력한 자아에 대한 자기반성과 내면의 혼란, 운명에 대한 인식 후의 내면의 안정을 이야기하는 작품이다.

05 역설적 표현은 나오지 않는다.

06 '갈매나무'는 시련 속에서도 의연하게 삶을 살아가겠다는 화자의 의지를 드러내는 소재이다.

09 '드물다', '굳고 정한'은 화자의 지난 삶과는 관련이 없다. 또한 화자는 자신의 과거에 대해 긍정적으로 생각하지 않는다.

10 화자는 목수(木手)인 박시봉의 집에서 세 들어 살고 있다.

11 불의에 저항하는 적극적인 태도는 드러나지 않는다.

객관식 기본문제
P.131~138

01 ④ 02 ⑤ 03 ④ 04 ①
05 ④ 06 ④ 07 ① 08 ⑤
09 ③ 10 ⑤ 11 ① 12 ②
13 ①

01 '하강-상승'의 구조로 시상이 전환되고 있다. '하강-상승-하강'의 구조는 적절하지 않다.

02 ⒜는 부정의 상황에도 불구하고 피어나는 긍정적인 존재로 눈을 맞아도 굳고 정한 갈매나무와 비슷하다.

03 불가항력인 운명에 대한 인식을 하는 부분이다. 체념하는 삶의 자세는 드러나지 않는다.

04 낭만적이며 은은한 분위기가 아니라 외롭고 무기력한 상황에서 의지를 갖는 분위기로 설정을 해야 하며, 온기 가득한 방도 적

절하지 않다.

05 수미상관의 기법이 사용되지 않았다.

06 운명에 대한 깨달음을 통해 감정이 정화되고 고난을 이겨내겠다는 의지를 갖는 부분이다. 타인에 대한 책임감을 느낀다는 선지는 적절하지 않다.

07 삿은 '삿자리. 갈대를 엮어서 만든 자리'를 의미하므로 삿자리를 바닥에 깐 것이다.

08 눈을 맞아도 굳고 정한 갈매나무처럼 두 쪽으로 깨뜨려져도 소리하지 않는 바위가 유사한 기능을 하고 있다.

09 전반부와 후반부 사이에 시상의 전환이 일어나면서 절망에서 희망으로 정서가 바뀐다.

10 눈은 화자에게 닥친 시련이지만 그것을 맞고도 굳고 정하겠다는 표현으로 고난을 극복해내겠다는 의지를 돋보이게 해준다.

11 토속적인 시어를 사용하여 정감을 자아내는 것은 맞지만 그것이 운율을 형성하지는 않는다.

12 시련과 고난 속에서도 굳은 절개를 지키겠다는 화자의 감정을 '낙락장송'을 통해서 나타내고 있다.

13 현실을 수용하려는 것이 아니라 극복해 나가겠다는 의도가 담겨 있다.

객관식 심화문제
P.139~161

01 ⑤ 02 ④ 03 ① 04 ①
05 ⑤ 06 ④ 07 ① 08 ②
09 ① 10 ④ 11 ⑤ 12 ④
13 ③ 14 ② 15 ② 16 ④
17 ① 18 ① 19 ③ 20 ③
21 ⑤ 22 ④ 23 ① 24 ①
25 ④ 26 ④ 27 ③ 28 ⑤
29 ③ 30 ④ 31 ①

01 고백적이고 반성적인 어조를 사용하고 있다. 강렬한 상징어와 남성적 어조를 사용하고 있지 않다.

02 [D]에는 화자가 운명론적 세계관을 인식하는 부분이다.

03 고난을 이겨내는 의지적인 삶을 살겠다는 화자의 현실 대응 방식과 유사한 것은 ①번의 '눈 내리는 파도를 탄다'라는 부분에서 찾을 수 있다.

04 일제 강점기의 우리 민족의 비극적 삶을 그려내고 있다.

05 ㉴은 무기력한 자신에 대해 인식하는 부분이다. 공동체의 노력이 중요함을 강조하고 있는 부분이 아니다.

06 화자는 아내와 부모, 동생들과 헤어져 쓸쓸하게 거리를 헤매다가 무기력한 자신의 모습에 대해 성찰하고 고난을 극복해 나가겠다는 새로운 다짐을 하고 있다.

07 (나)는 절망에서 희망으로 정서와 태도 변화가 일어나고, (다)는 현실 극복에 대한 강한 의지를 드러내고 있다.

08 (가)는 쉼표를 통해 내재율을 형성하고 있고(ㄴ), 집이 없이 세

들어 사는 화자는 일제 강점기의 시기에 유랑 생활을 하는 우리 민족을(ㄹ) 의미한다고 할 수 있다.

09 일제 강점기를 직접적으로 드러내는 시어는 사용하지 않았다.

10 (가)와 (다) 모두가 아니라 (다)만 시간의 흐름으로 시상을 전개하고 있기 때문에 ㄱ은 적절하지 않고, (가)에서 절망의 감정에서 희망의 감정으로 전환되기 때문에 눈물과 슬픔이 전반적인 분위기를 형성한다는 ㄷ도 적절하지 않다.

11 (나)에는 향토적 시어가 사용되지 않았다.

12 ⓒ은 집을 짓고 눈여겨보겠다고 했으니 기대감이 반영된 공간이 맞다. ⓒ은 집이 없어진 비극적 상황을 나타낸다.

13 (가)와 〈보기〉 모두 화자의 정서가 직접적으로 드러난다.

14 (나)에선 그대, (다)에선 고향에 대한 그리움이 드러나 있다.

15 화자의 깨달음을 드러내고 있지 않다.

16 현실에 매몰되지 않고 굳은 절개나 극복 의지를 나타내고 있다.

17 (가)는 화자가 지향하는 모습을 '낙랑장송'으로 직접적으로 제시하고 있다. '갈매나무'는 화자의 의지를 대상에 투영하여 간접적으로 드러낸 경우이다.

18 '나 혼자도 너무 많은 것 같다'는 부분에서 자기 자신만도 감당하기 힘들어하는 모습을 볼 수 있다.

19 시인의 가난했던 일상에 대한 기억은 ⓒ가 아니라 ⓑ의 관점이다.

20 (나)에서 '파아란'이라고 의도적으로 변형한 시어를 사용하였지만 (가)는 나오지 않는다.

21 시간의 흐름을 통해 시적 상황을 구체화하고 있지 않다.

22 절망적 삶에서 운명론에 대한 깨달음을 얻고 새로운 삶에 대한 의지를 가지는 인식의 반전이 나타나 있다.

23 ⓒ은 반성과 성찰의 자세이다. ①번에서도 자아성찰을 통해 부끄러움을 느끼고 있다.

24 위 시에선 '~적이며' 와 같은 어미를, 〈보기〉에선 '~겠다'의 어미 반복으로 운율을 형성한다.

25 통사 구조가 반복된 부분에서 화자의 의지를 강조하고 있지 않다.

26 화자는 자신을 이끌어 가는 크고 높은 것이 있음을 생각하고 슬픔과 괴로움의 감정이 가라앉는다.

27 화자의 사랑을 '진달래꽃'으로 간접적으로 표현하였다.

28 위 시는 '갈매나무'로 〈보기〉는 '낙락장송'으로 지향하는 삶의 자세를 드러내고 있다.

29 (가)에는 역동적 이미지가 나오지 않는다. (나)에선 '모든 산맥들이~휘달릴 때도'에서 확인 할 수 있다.

30 [D]에서 정서는 차츰 가라앉는다. 폭포처럼 강하게 떨어지는 정서와는 일치하지 않는다.

31 ㉠에서 쎈을 세인으로, ㉢에서 하얀을 허연으로, ㉲에서는 '내'라는 1인칭과 어울리지 않는 명령형 어미를 사용하였다.

서술형 심화문제   P.162~165

01 고향을 떠나 외롭고 무기력하게 살아가는 처지를 편지 형식을 통해 전달함으로써 시적 화자의 내면 의식과 정서를 효과적으로 전달한다.

02 (1) 갈매나무
(2) 산 뒷옆 바우 섶에 따로이 외로이 서서 굳고 정하게 눈을 맞고 있다.
(3) '갈매나무'는 고난을 이겨내는 의지적 삶의 표상으로 시련 속에서도 의연하게 살아가겠다는 화자의 의지를 드러낸다.

03 (1) 샷, 딜옹배기, 북덕불, 나줏손, 바우 섶
(2) 토속적인 정감을 준다, 모국어에 대한 애착을 드러내기 위해 쓰였다.

04 ㉠〈보기1〉: 객관적 상관물, 〈보기2〉: 감정이입
ⓒ (가)의 '갈매나무'는 갈매나무에 화자의 의지를 투영하여 드러낸 것으로 보아 객관적 상관물이라 할 수 있다.

05 (1) 그러나
(2) 절망에서 벗어나 마음의 안정을 얻고 새로운 삶에 대한 의지를 드러내고 있다.

06 일제 강점기에 고향을 떠나 유랑하는 화자의 처지를 편지 형식을 통해 전달하여 화자의 내면 의식과 정서를 효과적으로 전달하고 있다.

07 운명에 대한 인식

08 (1) 객관적 상관물 (2)갈매나무
(3) 객관적 상관물은 감정이입과 달리 감정을 직접적으로 서술하지 않는다.

09 (1)일제 강점기에 고향을 잃은 유랑민의 방황과 아픔을 상징적으로 보여주기 위해서이다.
(2)토속적인 정감을 주며 모국어에 대한 애착을 드러내고 있다.

10 (1) 나는 나 혼자도 너무 많은 것같이 생각하며
(2) 외로운 생각이 드는 때쯤 해서는

11 (1) 그러나 잠시 뒤에 나는 고개를 들어 (2) 절망과 체념
(3) 자신의 과거를 생각하며 슬픔과 회한을 느끼기 때문이다.

(4) 현대 소설 감상하기

확인학습   P.168

01 ○   02 ×   03 ×   04 ○   05 ○

01 어두워지기 시작할 때부터 길을 떠난 인물들이 저녁 7시쯤 기차역에 도착하고, 백화가 떠나 보내기까지의 시간의 흐름에 따라 사건이 전개되고 있다.

03 거부감을 드러낸 부분은 없다.

확인학습   P.171

01 ○   02 ×   03 ×   04 ○   05 ○   06 ×

01 인간적 정을 느끼고 자신의 참모습을 보여주는 백화이다.

02 영달이 백화에게 차표와 간식을 사준 것은 서먹함을 없애기 위한 것이 아니고, 기차를 탈 여비조차 없는 백화의 딱한 처지를 측은하게 여기는 마음이다.

03 정 씨는 백화가 시골 생활에 쉽게 적응하지 못할 것이라는 영달

의 말에 동의하고 있다.

04 "바다 위로 신작로가 났는데 ~ 하늘을 잊는 법이거든."이라는 노인의 말에서 노인이 삼포가 개발되는 것을 부정적으로 생각하고 있음을 유추할 수 있다.

05 마음의 고향인 삼포가 더 이상 과거의 삼포가 아니다.

06 '눈발'은 이들이 앞으로 겪을 시련과 고난을 의미한다.

객관식 기본문제 P.172~181

01 ⑤	02 ③	03 ⑤	04 ①
05 ①	06 ②	07 ②	08 ②
09 ①	10 ④	11 ④	12 ⑤
13 ①	14 ⑤		

---

01 이 글은 삼포로 가는 길에서 만나 정을 나누는 관계로 발전하는 인물들을 그리고 있다.

02 변해버린 삼포로 인해 정씨는 마음의 안식처를 잃어버렸다고 생각한다.

03 농어촌 공동체의 활성화를 고발하고 있는 것이 아니라 농촌의 해체에 대해 고발하고 있다.

04 윗글의 등장인물들은 모두 떠도는 자들이다. 정착한 자와 떠도는 자의 갈등은 나오지 않는다.

05 과거의 삼포는 고기잡이하고 감자 매는 고향 본원적 가치가 훼손되지 않은 공간을 말한다.

06 백화에 대한 영달의 호감이 드러나는 부분이지만 재회에 대한 기대감은 나타나지 않는다.

07 ②번에서 고단한 노동자의 삶이 드러나므로 세 인물들의 상황과 가장 유사하다고 할 수 있다.

08 삼포로 가는 길에서 이야기가 전개되는 여로형 소설이다.

09 ㉠은 정 씨의 삶을 통해 산업화 과정에서 하층민으로 전락한 사람들의 힘들고 고단한 삶이 드러난다.

10 노인의 말을 듣고 절망한 사람은 정씨이므로 ㄱ은 적절하지 않고, 삼포는 정씨의 마음의 안식처로 ㄴ도 적절하지 않다.

11 눈발이 날리는 것과 같은 배경 묘사를 통해서 등장인물들이 처한 현실이 순탄하지 않음을 상징적으로 보여주고 있다.

12 목적지가 없던 영달은 정씨의 권유로 정씨의 고향인 삼포로 가기로 결심한다.

13 안식처가 없는 하층민들과 대비되는 소재이다.

14 정씨가 고향을 잃음으로써 영달이와 유대감이 강화되는 것은 아니다.

객관식 심화문제 P.182~201

01 ④	02 ⑤	03 ⑤	04 ②
05 ③	06 ⑤	07 ①	08 ②
09 ③	10 ②	11 ③	12 ②
13 ③	14 ①	15 ③	16 ②
17 ②	18 ③	19 ④	20 ①
21 ③	22 ①	23 ①	24 ⑤
25 ⑤	26 ②		

---

01 ㉣은 자연에 대한 외경심을 잃은 인간의 오만함을 비판하는 부분이다.

02 〈보기〉의 '쫓기는 새'는 산업화로 인해 안식처를 잃어버린 대상을 의미한다.

03 윗글의 노인은 인물들을 감싸고 희생하는 역할이 아니라 새로운 정보를 전달해주고 작가를 대변하는 인물이다.

04 윗글은 길을 모티브로 삼고 있는 여로 소설의 구조이다.

05 '삼포'는 정씨에게 마음의 안식처였지만 산업화로 인해 변해버려서 그의 귀향을 완성시키지 못한다.

06 ㉠은 영달이 백화에서 측은한 감정을 느끼는 부분이다. ⑤번에서 화자는 여승에게 연민의 감정을 느끼고 있다.

07 ⓐ만 과거의 삼포 모습을 나타내고 있다.

08 산업화로 자연을 해치는 모습에 비판적인 시각이 ㉡에서 산업화로 인해 비둘기의 정처가 없어진 상황을 비판하고 있는 모습과 유사하다.

09 감각적인 표현을 통해서 작품의 서정성을 살리고 있지 않고, 빈번한 장면 전환도 일어나지 않고 있다.

10 백화에 대한 자존심이 상한 부분이 아니라 백화의 제안에 고민하는 영달의 모습이다.

11 특정 공간인 '삼포'에 대한 정보를 제공한다.

12 고향을 잃고 떠도는 나그네의 애달픈 처지를 표현한 ㉣이 ⓐ에서 변해버린 삼포로 안식처를 잃은 정씨의 심리를 잘 형상화하였다.

13 산업화로 인해 과거의 안락함을 잃은 공간이다.

14 영달이가 흙 묻은 신발을 내려다 보는 것과 백화의 눈이 충혈되어 있는 모습을 통해 심리를 드러내고 있다.

15 '읍내'는 세 사람이 서로에 대한 유대감과 온정을 느끼는 공간이다. '읍내'가 소외된 자들을 포용하는 공간은 아니다.

16 ㉡은 영달이 갈 곳 없는 뜨내기 신세라는 것을 보여주는 부분이다.

17 정씨의 가족들이 다 나오는 내용은 없기 때문에 ㅁ은 적절하지 않다.

18 현실로 인해서 갈등하는 마음은 드러날 필요가 없다.

19 노인은 인물들에게 변해버린 삼포의 소식을 전달해주는 역할을 하고 있다.

20 감옥살이를 한 경험이 있는 인물은 영달이 아닌 정씨이다.

21 ③번은 함박눈이 아닌 산성눈이 내리고 있는 절망적 상황에서 하마터면 아름답다고 말할 뻔 했다고 냉소적 태도가 드러난다. 자연에 대한 외경심을 잃은 인간의 오만함을 비판하는 ㉠과 유사한 주제의식이라고 할 수 있다.

22 이 글은 주로 대화로 이루어져 있다.

23 노인은 정 씨와 영달에게 과거와 달리 변해 버린 삼포의 모습을 전달하고, 산업화에 대한 비판적 인식을 드러내 작가의 의식을 대변하는 인물이다.

24 상대가 정착해서 떠돌이 신세를 면하길 바라고 있는 부분이다. 상대의 행운을 질투하는 화자의 태도라는 선지는 적절하지 않다.

25 영달이 백화에게 호감이 있어 차표과 간식을 사준 것은 맞지만 같이 가고 싶은 마음을 표현한 것은 아니다. 그것들을 주면서 두 사람은 헤어진다.

26 마지막 '기차가 눈발이~달려갔다'에서 농민들의 애환이 지속될 것임을 나타내고 있다.

서술형 심화문제   P.202~207

01 사람이 많아지면 하늘을 잊는 법이거든

02 기차

03 1970년대 산업화에 따라 고향을 잃은 민중의 고달픈 운명을 여운을 남기며 암시하고 있다.

04 ㉠ 급격한 산업화로 농촌이 붕괴하면서 고향을 잃고 이곳저곳 떠도는 하층민이다.
   ㉡ 사람이 많아지면 하늘을 잊는 법이거든

05 세 인물이 함께 하며 교감하는

06 정 씨와 영달에게 과거와 달리 변해 버린 삼포의 모습을 전달하고, 산업화에 대한 비판적 인식을 드러내 작가의 의식을 대변한다.

07 정 씨와 영달이 맞이하게 될 어두운 미래를 결말을 통해 암시한다. 작가는 정 씨와 영달의 삶에 대해 정확한 결말을 짓지 않고 있는데, 이는 산업화 과정에서 고향을 상실하고 소외된 민중들의 고달픈 운명이 끝나지 않고 계속될 것임을 암시한다.

08 백화는 영달의 행동을 보며 (고마움)과 (아쉬움)을 느꼈을 것이다.

09 대합실

10 기차가 눈발이 날리는 어두운 들판을 향해서 달려갔다.

11 (1) 마음의 안식처인 고향을 잃은 상실감
   (2) 본래 살던 성북동 비둘기만이 번지가 없어졌다.

12 (1) 과거: 고기잡이, 현재: 방둑
   (2) 삼포가 개발됨에 따라 정 씨는 마음의 고향을 잃었고 고향이 없는 영달과 같은 처지가 되어 버렸다.

13 변해버린 삼포는 산업화로 인해 농어촌이 본연의 모습을 상실했음을 말해준다. 작가는 변화된 삼포를 통해 산업화에 대한 비판적 인식을 드러내고자 하였다.

단원 종합평가   P.208~218

01 ⑤   02 ②   03 ⑤   04 ④
05 ③   06 ④   07 ①   08 ④
09 ③   10 ⑤   11 ③   12 ④
13 ①   14 ④   15 ⑤

01 먼저 경치를 보여주고 후에 정서를 나타내는 선경후정의 방식은 사용되지 않았다.

02 ⓐ도 시련을 상징하기에 'ⓐ와 달리'는 적절하지 않다.

03 '~리라'라는 다짐하는 뜻의 종결어미를 사용해 의지를 드러내고 있다.

04 (다) 작품에는 해학성이 드러나지 않는다. 해학성이 두드러지는 작품은 (라)이다.

05 사랑하는 사람에 대한 그리움과 기다림을 얘기하는 작품으로 관료들에 대한 비판의식은 깔려있지 않다.

06 꿈은 앞날을 암시하는 기능을 하는데 심청이가 인당수 제물이 되는 장면을 암시하는 것이라 긍정적인 의미로 받아들이는 것은 적절하지 않다.

07 사궁지수는 ' 네 가지 딱한 부류의 사람들 중에 가장 첫 번째 오는 처지'인 홀아비를 의미한다.

08 글에서 쓰는 문어체가 아니라 구어적 표현과 운문체를 사용하고 있다.

09 뱃사람들이 제물로 바치는 일이 잘못될까 염려되어서가 아니라 딱한 사정 때문에 인정을 베푸는 것이다.

10 (마)에서 '갈매나무'와 같은 고난을 이겨 내는 삶에 대한 의지를 드러내고 있다.

11 고난과 시련의 극복 의지가 드러나는 작품은 ③번이다. '지금 눈 나리고~ 씨를 뿌려라'에서 확인 할 수 있다.

12 윗글에 역설적 표현은 사용되지 않았다.

13 ㉠은 백화에 대한 영달의 호감이고, ㉡은 영달에 대한 백화의 고마움을 표현한 매개체이다.

14 시적 화자는 고향에 돌아와도 그리던 고향이 아니라 느끼기에 그대로인 고향의 모습에 안락함을 느낀다는 부분은 적절하지 않다.

15 눈발이 날리는 들판을 향해 달리는 기차의 모습은 주인공들의 미래가 순탄하지 않을 것임을 암시해주는 부분이다.

(1) 문제 해결의 길잡이

02 이 글은 오늘날 현실로 다가온 '인공지능의 발달'이라는 상황이 동반하는 문제 상황에 대한 글쓴이의 주관적 해결 방안을 논리적인 근거를 제시하며 주장하는 글이다.

03 인공지능의 사전적 정의를 제시하고 있다.

04 세계적 물리학자 스티븐 호킹(Stephen Hawking)의 말을 인용하고 있다.

05 인류가 지금껏 고민해 본 적 없는 문제와 마주한 상황이기는 하지만, 문제 상황의 심각성을 깨닫지 못하고 있는 현대인들을 비판하고 있지는 않다.

07 세계적 석학들이 인공지능의 개발에 대해 경고의 목소리를 내고 있지만, 더 이상의 발전을 반대하는 것은 아니다.

08 현재 우리 사회에 인공지능의 발달로 인한 실질적인 부작용이 일어났다고 볼 수는 없다.

09 인공지능 시대에 인간을 인간답게 만드는 것에 대해 답하며 문제 해결의 실마리를 제시하고 있다

10 글쓴이는 인공지능에 의존하는 것이 아니라 인간만의 특성을 통해 공존, 공생해 나가는 길을 찾고 있다.

객관식 기본문제
P.223~233

01 ④	02 ④	03 ⑤	04 ④
05 ①	06 ③	07 ③	08 ②
09 ④	10 ③	11 ③	12 ④
13 ⑤	14 ②	15 ④	16 ②
17 ②	18 ②	19 ③	20 ③

01 인공지능이 대체할 수 없는 인간 고유의 능력인 유연성과 창의성으로 기계와 경쟁이 아닌 공생과 공존을 해야한다.

02 인공지능의 개념과 문제 상황을 설명하고, 두 가지 접근 과제를 제시하며 인간의 생존에 대한 해결 방안을 모색하고 있다.

03 인공지능을 우리가 어떻게 통제할 것인지에 대한 입법적 차원과 기술적 차원에서의 해결 방안이 필요하다.

04 인간과 기계를 구별하는 요소는 감정이다. 기계에는 부정확한 판단과 비합리적인 행동, 망각과 같은 고통을 부여하지 않기 때문에 진단 결과가 배치되는 것에 고민하는 것은 인간만의 특징이라 할 수 있다.

05 인공지능이 똑똑한 기계가 되는 것에 대해 반길 일인지, 경계할 일인지에 대한 질문을 던지고(ㄱ), 물리학자 스티븐 호킹의 말을 인용하고 있다(ㄴ). 시청각 자료와 사회적으로 문제 되었던 구체적인 상황은 드러나지 않는다.

06 인공지능을 통제하는 방안은 입법척 차원과 기술적 차원에서 찾아야한다. 인간만의 특징과 가치에서 찾는 것이 아니다.

07 인공지능으로 인해 인간이 겪은 피해에 대해서 나오지 않았다.

08 글쓴이는 인간이 기계과 경쟁하는 것이 아니라 공존과 공생하면서 나아가야 한다고 생각한다.

09 인간의 개인적 노력이 필요한 부분은 인공지능과 다른 나만의 특징과 존재는 무엇인지에 대해 생각하는 것이다. 로봇의 통제를 위한 것은 아니다.

10 "이 로봇은 감정을 느끼고 스스로 판단을 내리는, 마치 인간과 같은 존재로 그려진다."에서 확인 할 수 있다.

11 인공지능의 개념을 설명하고 관련된 문제를 제기하고 있다.

12 인공지능의 사례와 장단점에 대해 말하고 있지 않다.

13 글쓴이가 궁극적으로 주장하는 것은 인간과 기계의 경쟁이 아닌 공존과 공생이다.

14 기술적 차원과, 입법적 차원 모두 로봇을 통제하는 과제에 대한 해결 방안이다.

15 문제 상황의 심각성을 깨닫지 못하는 현대인들을 비판하고 있지 않다.

16 "세계적 석학들이 인공지능 개발이 결국엔 인류의 종말로 이어질 것이라는 경고를 내놓기 시작했다."라는 문장이 앞에 나오기 때문에 세계적 석학의 대표로 스티븐 호킹의 말을 활용하여 글의 내용을 보강하는 것이 적절하다.

17 (나)에서 인간은 진화의 세월을 거쳐 다양한 감정을 발달시켰다는 것을 확인할 수 있는데 로봇만큼 강한 정신력이라는 것은 적절하지 않다.

18 인공지능의 구체적 개발 사례에 대한 책이 간행되었다는 내용은 윗글에 나오지 않았다.

19 글쓴이는 감정과 의지는 인간만이 가지고 있는 것이라고 말하고 있다. ⓒ의 인간의 감정을 완벽히 대처하는 것은 불가능하다는 생각은 글쓴이의 관점에 동의하지 않는 것이 아니다. 동의하는 의견이다.

20 〈보기1〉의 문제 상황을 부정적으로 바라보는 것이 아니라, 대신 더 중요한 위치를 갖게 된 '검색'의 부분을 활용해 뇌 기능을 발달시키자는 내용으로 ㄱ과 ㄴ은 적절하지 않다.

P.234~254

01 ③	02 ②	03 ②	04 ④
05 ③	06 ③	07 ④	08 ④
09 ②	10 ③	11 ⑤	12 ⑤
13 ②	14 ⑤	15 ④	16 ①
17 ④	18 ④	19 ④	20 ②
21 ④	22 ③	23 ②	24 ⑤
25 ②	26 ⑤	27 ③	28 ④
29 ②	30 ④	31 ④	32 ②
33 ③	34 ②		

01 인간을 향한 길은 인공지능이 대체할 수 없는 인간의 가치를 찾는 것과 관련된 과제이다. 철학자의 과제가 아니라 각 개인이 고민해 봐야 할 문제이다.

02 인공지능에 대해 반길 일 인지, 경계해야 할 일인지 대조하고 있다.

03 역적은 '형세가 뒤집힘. 또는 형세를 뒤집음.'의 의미이다.

04 문제의 원인을 진단하는 것이 아니라 미래 사회의 문제를 해결하기 위한 접근법을 모색하고 있다.

05 인류가 이제껏 고민해 본 적이 없는 문제와 마주한 상황으로 그에 따른 해결 방안을 모색하고 있다.

06 윗글은 인간만이 감정을 느낄 수 있다고 말하고 있는데 〈보기〉는 로봇도 감정을 지닌 존재로 보고 있다.

07 두 방향을 제시하는 것은 맞지만 입법차원과 기술차원에 대한 방안 하나와, 개인의 노력에 대한 방안까지 두 가지를 제시한 것이다.

08 ㉣은 두 번째 과제에 대한 고민의 필요성이 가지는 의의이다.

09 ㉠은 인공지능과 지나친 공존으로 위협받을 수 있다는 것이 아니라 인공지능의 발달로 위협받을 수도 있다는 것이다. ㉢은 방안2에 해당한다. ㉣, ㉤은 방안1에 해당한다.

10 윗글은 인간을 인간답게 만드는 결핍과 그 고통에서 벗어나며 인공지능 시대라는 변화에서도 로봇을 잘 활용하고 로봇과 공존·공생할 수 있을 것이라고 전망하고 있다.

11 〈보기〉는 인간의 과거 뇌 기능을 복원하는데 힘을 쓰는 것이 아니라 중요한 위치를 갖게 된 '검색'의 뇌 기능을 발달시켜 이를 활용함을 시사하고 있다.

12 과학자들은 사회적 규약을 벗어나지 않는 범위에서만 작동하게 설계하는 방법을 모색해야 한다.

13 인간과 로봇이 공존과 공생하는 것은 글쓴이가 생각하는 인간이 나아갈 방향이다. 문제 해결 방안은 아니다.

14 ㉠ 석학 : 학식이 많고 깊은 사람, ㉡ 공방 : 서로 공격하고 방어함. ㉢ 모색 : 일이나 사건 따위를 해결할 수 있는 방법이나 실마리를 더듬어 찾음. ㉣ 구현 : 내용이 속속들이 다 드러남.

15 〈보기〉는 제시된 문제 상황을 부정적으로 보지 않고 기억 대신 더 중요한 '검색'의 기능을 발달시켜 활용하자고 한다.

16 "이윤만을 추구한다면 의사는 로봇에 밀려날 것이고, 가난한 환자는 진료를 받을 수 없게 될지도 모른다."에서 확인할 수 있다.

17 인간이 기계보다 우위에 있다는 내용은 적절하지 않다.

18 제대로 다루지 못하면 위험한 용도로 쓰일 수 있다는 의미는 기계의 이윤만을 추구한다면 인간은 로봇에 밀려날 것이라는 주장과 유사하다.

19 대립적인 두 이론은 나오지 않았다.

20 인공지능은 감정을 이해하는 능력이 없다. 감정은 인간과 기계를 구별하는 요소이다.

21 ⓐ는 사람이 가진 고유한 능력을 말하는 것으로 부정확하고 비합리적인 인간의 판단과 행동을 의미하는 것이 아니다.

22 이탈하다는 '어떤 범위나 대열 따위에서 떨어져 나오거나 떨어져 나가다.'의 의미이다. ㉢은 '공간적 범위나 경계 밖으로 빠져 나오다, 어떤 힘이나 영향 밖으로 빠져나오다.'의 의미이다.

23 〈보기〉는 로봇과 인간의 본질적인 차이를 감정과 의지라고 생각하는 글쓴이의 관점과는 다른 모습을 보여주고 있다. 명령과 복종에 대한 얘기는 적절하지 않다.

24 인공지능과 인간이 서로 공존 공생해야한다고 말하고 있기에 ⑤가 적절하다.

25 살인 로봇을 막는 규제는 과학자들이 아니라 입법자들이 해결해야하는 방안이다.

26 질문으로 문제를 제기하는 것은 맞지만, 독자들의 관심 유도와 대답을 통해 미래를 낙관하고 있는 것은 아니다.

27 ㉠은 과제, ㉡은 입법적 차원에서 해결 방안, ㉢과 ㉣은 과학적 차원에서의 해결 방안, ㉤은 ㉠에 대한 큰 해결 방안이라고 보면 된다.

28 다른 동물들과 비교하는 것은 적절하지 않다.

29 두뇌의 기억력이 쇠퇴하고 있는 문제 상황에 대한 해결책은 '검색'의 기능을 발달시키자는 것이다.

30 ⓓ는 힘이 없거나 제 기능을 잃은 상태가 되는 것을 말한다. ④의 '문맥은 힘이 없거나 제 기능을 잃은 상태로 만들다'의 의미로 사용해야한다.

31 입법자들은 로봇이 지켜야 할 도덕적 기준이나 살인 로봇을 막는 국제 규약을 제정하는 방법을 만드는 것이다.

32 문제 상황에 대한 해결 방안을 로봇을 향한 길과 인간을 향한 길의 두 가지 측면에서 말하고 있다.

33 인공지능과 인간을 구별할 수 있는 요소가 감정과 의지라고 말하고 있기 때문에 인공지능이 감정과 의지를 구현한다는 것에 대한 답변은 확인할 수 없다.

34 알파고는 인공지능이기 때문에 이세돌이 초초해 지는 마음을 읽을 수 없다.

01 유연성, 창의성

02 ㉮ 인류의 종말 ㉯ 공존(공생)

03 ㉮ 감정 ㉯ 유연성과 창의성 ㉰ 로봇과의 공존과 공생을 추구해야 한다.

04 권위 있는 학자의 말을 인용하여 문제 제기에 타당성을 더하고 있다.

05 공통점: 인간이 인공지능(로봇)과의 관계 속에서 인공지능(로봇)을 활용한다.
차이점: 이 글의 글쓴이는 감정과 의지가 인간만의 특징이라고 본다. 〈보기〉의
글쓴이는 감정과 의지를 가진 존재로서의 로봇을 제시한다.

06 인공지능의 발달이 인간의 안전과 인류의 생존을 위협할 수 있으며 그것에 대한 해결방안을 찾아야 한다.

07 감정과 의지

08 윗글과 달리 〈보기〉는 로봇이 감정을 표현할 수 있다고 본다.

(2) 함께 웃는 협상

01 ○ 02 ○ 03 × 04 ×

03 협상의 과정을 통해 해결 방법을 찾을 수 있다.

04 푸른시의 화장 시설 부족으로 인하여 삼일장(三日葬)을 원하는 사람들도 어쩔 수 없이 장례 기간을 늘려 사일장(四日葬) 이상을 치르기도 하는 상황이라고 했다.

01 × 02 × 03 × 04 ○ 05 ○ 06 ○ 07 × 08 ×

02 '토의'에 대한 설명이다.

03 '저희가 더 우려하는 것은 환경 문제입니다.'라는 초록구 대표의 말을 통해 화장장이 외부에 노출되는 것보다는 환경 오염 문제를 더 중요하게 생각하고 있다는 것을 알 수 있다.

04 푸른시 관계자는 외국의 사례를 들어 초록구 대표가 우려하는 것에 대한 대안을 제시하고 있다.

07 협상 시에는 상대방의 입장을 인정하며 존중하는 태도가 필요하다. 그렇다고 해서 상대방의 말에 무조건 동의하고 따뜻한 말로 상대방의 기분을 살필 필요는 없다.

08 푸른시 관계자의 수정안 제시에 초록구 대표는 감사의 표시와 더불어 요구 사항을 전달하고 있다.

01 근거 02 ×

02 해결 단계에서는 서로가 만족할 수 있는 최선의 해결책을 마련하고 합의해야 한다.

01 ③	02 ②	03 ③	04 ⑤
05 ④	06 ⑤	07 ⑤	08 ⑤
09 ②	10 ④	11 ③	12 ①

01 상대방 주장의 오류와 논리의 취약성을 반박하는 것은 협상이 아니다. 협상은 상대의 처지와 관점을 이해하고 대안을 상호 검토하여 입장의 차를 좁히는 것이다.

02 다른 나라의 사례를 제시한 부분은 있어도 전문가의 견해를 인용한 부분은 반영되지 않았다.

03 종합체육관을 함께 유지하자는 부분은 환경 문제에 관련된 부분이 아니라 초록구 주민들이 입을 경제적 손실에 대한 부분이다.

04 "저희의 처지를 이해하고 봉안당과 장례식장을 제외하는 안으로 수정해 주셔서 고맙습니다."에서 화장장만 설치하는 수정안에 동의하는 것을 확인할 수 있다.

05 위 글은 협상 발화이다. 토론이 아니기 때문에 발언과 토론 절차를 무시한다는 것은 옳지 않다.

06 화장 시설로 인한 환경 오염 문제를 푸른시 관계자가 선진 기술을 도입해서 최고 수준으로 갖추겠다고 하였고, 초록구는 양보와 합의를 보고 있다. 초록구 대표도 같이 충분히 해결 가능하다는 입장은 아니다.

07 추모 공원으로 조성되는 것은 환경 오염의 문제가 아니라 주거 조건 하락이라는 문제점에 대한 대안이다.

08 상대방의 배경 지식을 고려하여 부가 설명을 할 부분이지 상대방이 가진 통계적인 문제점을 지적하는 것이 아니다.

09 조정 단계에서는 상대의 처지와 관점을 이해하고 대안을 상호 검토하면서 입장 차를 좁혀 나가는 것이다.

10 상대방의 이해를 도울 수 있는 정보를 추가로 제공하는 부분으로 원활한 의사소통을 이끌어가야 하는 부분이다. 최대한 전문적인 용어를 사용하여 전문가로서의 면모를 보여주는 것에 초점을 맞출 필요는 없다.

11 상대방이 요구를 수용하지 않을 경우 발생할 결과에 대해 말하고 있는 부분은 없다.

12 협상은 개인이나 집단 사이에서 이익이나 주장이 달라 생긴 갈등을 해결하기 위한 것으로 특정 분야에 대한 전문가가 아닐 수도 있다. 대안을 마련해 두는 것은 협상의 전략 중 하나이다.

01 ⑤	02 ③	03 ③	04 ②
05 ④	06 ①	07 ③	08 ①
09 ①	10 ①	11 ②	12 ③
13 ④	14 ①	15 ⑤	16 ⑤
17 ④	18 ①	19 ③	20 ⑤
21 ③	22 ②		

01 윗글은 협상 담화이다. 협상은 개인이나 집단 사이에서 주장이 달라 생기는 과정에서 해결방안을 찾아가는 의사소통이다.

02 "초록구 주민들께서는 새로 조성되는 추모 공원이 문화 시설로서 가능할 수 없을 것을 우려하시는 것 같습니다."에서 상대방의 말을 재진술 하면서 이해했음을 전달하고(ㄷ), 남은 Ⓐ부분에서 상대의 요구를 수용하며 수정안을 제시하고 있다.(ㄱ). 그리고 Ⓑ에서 향류형 화장로에 대한 추가 정보를 제시하고 있다(ㅁ).

03 다른 나라의 사례를 제시하고 있긴 하지만 선진 문화 기술을 도입해서 해결한다는 부분은 없다.

04 제안하는 측의 손실에 대해선 언급한 부분이 없다.

05 협상의 초점은 자신의 이익이나 입장을 관찰하는 목적이 아니라 타협하고 조정하면서 해결 방법을 찾아가는 의사소통이다.

06 이후의 단계인 해결 단계에서 타협과 조정으로 최선의 해결책을 마련하고 합의된 사실을 확인하거나 협상 합의안을 작성한다.

07 자신들이 입을 손해를 언급하며 감정적으로 호소하고 있는 부분은 없다.

08 학교 측의 목표점은 새 디자인을 반영하면서 교복 단가를 예년 수준으로 인상하는 것이다. 전속 계약 기간은 업체 측 제안이다.

09 조정하기 단계에서 상대의 대안을 검토하며 입장 차를 강조하는 것(ㄷ)이 아니라 입장의 차를 좁혀야 하고, 상대의 상황, 처지를 이해하고 고려해야 한다. 그러므로 ㄹ도 적절하지 않다.

10 푸른시 관계자는 상대의 말을 다시 언급해 상대방의 입장을 이해했음을 드러내고 있다.

11 행복시의 요구에 대해 다 어려울 것 같다며 자신의 입장을 유지하려고 하고 있다.

12 초록구 대표는 장례식장과 봉안당을 제외하기를 요구한다.

13 푸른시 관계자는 의사소통을 원활하게 하기 위해 향류형 화장로에 대한 부가 설명을 하고 있다. 설명을 자제한다는 것은 적절하지 않다.

14 ㉣은 1일 각 6회이고, ㉤은 주민 대표로 구성된 환경 감시단이다. ㉥은 종합 체육관이 아니라 대학 병원 규모 이상의 의료 시설 설립을 허가한다.

15 원안을 수정해가면서 합의점을 찾아야 한다.

16 합의안을 작성하는 단계는 (다)이후의 해결하기 단계에서 이루어지는 것이다.

17 푸른시의 화장률 변동 전망은 나오지 않았고 화장 시설 부족으로 화장장 건립이 필요한 상황이다.

18 주민의 주거건과 삶의 질을 떨어뜨릴 것이라고 걱정하는 초록구 대표의 입장을 고려한 발언이다.

19 푸른시의 입장은 화장 시설이 부족해서 화장장 건립이 반드시 필요한데 초록구 하늘산 일대가 시설 건립에 최적이라는 것이다.

20 이익을 양보하는 부분은 아니다.

21 푸른시가 요구하는 화장로 최소 15기를 양보하고 합의한다.

22 상대방의 주장에 대한 오류나 논리적 취약성을 비판하고 있지 않고(ㄷ), 상대방과의 정보 공유에 초점을 목적으로 하고 있는 것이 아니다.(ㅁ)

서술형 심화문제
P.290~293

01 ㉠: 원안을 요구에 맞게 수정함 ㉡: 외부 노출을 최소화할 것을 요구함

02 화장장이 노출되지 않게 설계한다.

03 화장로는 15기를 설치하여 1일 각 6회 이하로 운영한다.

04 ⓐ 조정 ⓑ 타협

05 (1) 화장장이 최대한 외부로 드러나지 않도록 설계해주십시오
(2) 시립 의료 병원과 같은 생활 편의 시설을 유치해주십시오

단원 종합평가
P.294~298

01 ③	02 ③	03 ④	04 ③
05 ⑤	06 ③	07 ①	08 ③

01 글쓴이의 입장과 다른 관점을 비교하며 해결책을 모색하는 부분이 나오지 않았고(ㄷ), 글쓴이는 미래 사회에 대해 부정적으로 보지 않고 인간이 생존할 방법을 찾을 것이라 말하고 있기 때문에 독자들의 반성을 촉구하고 있다는 것도 적절하지 않다(ㅁ).

02 글쓴이는 유연성과 창의성은 인공지능이 대체할 수 없는 인간의 능력이라고 말하고 있다.

03 ㉡은 인공지능의 발달과 관련하여 나만의 특징과 존재 이유는 무엇인지 개인이 고민해봐야 할 부분이다.

04 인간만의 경쟁력 있는 직업 유지에 대한 물음은 절학적 질문이 아니다.

05 위 글은 협상 담화이다. ⑤번이 협상의 개념으로 가장 적절하다.

06 전문가의 의견을 인용한 부분은 없다.

07 문화 시설에 대해 언급한 사람은 푸른시 관계자이다. 초록구 대표는 추모 공원이 문화 시설로서 기능할 수 없을 것을 우려하는 것이지 부족해진다는 것에 걱정하는 것이 아니다.

08 "잘 들었습니다. 건축 설계적 차원에서 기존 화장장의 단점을 보완하려 고심하신 적이 느껴졌습니다. 그러나 저희가 더 우려하는 것은 환경 문제입니다. 화장장에서 발생하는 소음이나 매연, 분진 및 다이옥신과 수은 등으로 주거 환경이 오염되어 주민의 건강한 삶이 위협받을 수 있다는 점에 대해서는 어떻게 생각하십니까?"에서 확인할 수 있다.

MEMO

MEMO

고등
국어

HIGH SCHOOL

실전기출 문제은행